nrf essais

Nathalie Heinich

États de femme

L'identité féminine dans la fiction occidentale

Gallimard

À la mémoire de celle qui n'a pas de nom

INTRODUCTION

Commençons par un exemple. Jane Eyre, l'héroïne de Charlotte Brontë, connaît dès son enfance le malheur de n'avoir pas de place : malheur dont elle continuera de faire l'épreuve dans sa vie d'adulte, jusqu'à l'heureux dénouement qui lui assignera enfin, après bien des déboires, un foyer. Orpheline de bonne famille recueillie par sa tante, elle n'avait sa place ni parmi les enfants de maître, ni parmi les domestiques. Aussi connut-elle d'emblée, comme le vilain petit canard d'Andersen, le flottement identitaire de qui ne ressemble à personne, la solitude de l'intrus dans sa propre maison, et l'infériorité des boucs émissaires, condamnés à « l'humiliation et au doute ». Exclue et répudiée, elle échouera dans un orphelinat, qu'elle ne quittera que pour prendre un emploi de gouvernante dans un lointain château. Là se termine sa malheureuse enfance, en même temps que s'ouvre la voie qui mène de l'état de fille à celui de femme : voie dont elle éprouvera combien elle peut être rude, car c'est un chemin de croix que devra parcourir la pauvre orpheline vouée à l'état de gouvernante par sa modeste condition et la méchanceté de ses tuteurs. L'éventualité d'un beau mariage serait la seule vraie revanche sur l'épreuve de l'injustice vécue dans l'enfance. Mais cette misère originelle, qui rend si désirable l'accomplissement par le mariage, est aussi ce qui en fait une éventualité tellement improbable que toutes les ressources du romanesque ne seront pas de trop pour en faire bénéficier, *in extremis*, l'héroïne. Certes elle ne pourra quand même pas accéder à l'état suprême de première épouse d'un fringant châtelain, cette apothéose dont rêvent toutes les jeunes filles comme les petits canards rêvent de devenir cygne ; mais du moins sera-t-elle assurée d'être une femme mariée, échappant pour toujours à cet état de vieille fille qui aurait dû être son triste sort.

Publié en 1847, ce roman est non seulement un classique de la littérature mais aussi un *best-seller* : indice que l'imaginaire dont il est porteur demeure aujourd'hui vivant. Et c'est un imaginaire spécifiquement féminin, puisque le récit décrit systématiquement l'espace des possibles qu'autorisent les différentes façons d'être une femme : de l'état de jeune fille à celui de vieille fille qu'elle s'apprête à être, puis à celui de première épouse qu'elle espère devenir, à celui de maîtresse en lequel elle refuse de tomber et, enfin, à celui de seconde épouse auquel elle finit par consentir, Jane Eyre expérimente, évite, vise, refuse ou assume tous les états de femme. C'est donc un véritable roman de formation pour adolescentes, dont la morale est qu'une fille mal dotée ne doit pas espérer passer directement de l'état de fille à celui de première épouse mais devra se contenter, plus réalistement, de celui de seconde épouse : ainsi les jeunes filles apprendront-elles à rabattre leurs espérances en se résignant à épouser un veuf — même vieux, usé, et impotent.

Cet espace des possibles offerts à la carrière féminine, qui se déploie dans un grand nombre de romans, est l'objet du présent ouvrage. Jeune fille à marier, épouse et mère, maîtresse, vieille fille : les catégories qui le constituent nous sont familières, non seulement par la culture romanesque qui en est un véhicule de prédilection mais aussi, bien sûr, par l'expérience du monde vécu. Familiarité toutefois ne signifie pas intelligence ou compréhension : seul le « regard éloigné » de l'anthropologue, en cultivant une certaine distance à l'égard d'un système culturel, peut en expliciter non seulement les composantes — ce qui est de l'ordre du savoir — mais la logique interne et la nécessité — ce qui est de l'ordre de la compréhension. Notre propos vise donc plus qu'un simple répertoire ou une nomenclature des différents statuts féminins dans la fiction occidentale : il va s'agir de comprendre ce qui structure cet espace des possibles, comment s'articulent ces configurations, quels déplacements peuvent se produire d'une position à l'autre ; et d'observer en même temps le travail qu'opère la fiction par rapport à la réalité. Comprendre le pourquoi et le comment, la logique d'ensemble du système : c'est à cette condition que le « ça va de soi » de la connaissance intime par la familiarité peut céder la place à l'étonnement de la découverte, à l'intelligence des raisons pour lesquelles ça va comme cela, et ne peut aller autrement.

Proposant la description d'un système de représentations, cet ouvrage met en œuvre la méthode élaborée par les anthropologues, mais en l'appliquant aux romans de la culture occidentale — et non pas aux mythes des sociétés primitives — et aux représentations de l'identité féminine — et non pas de l'opposition entre nature et culture. Il met en évidence, pour reprendre l'expression de Michel Foucault, le « champ de possibilités stratégiques » offert aux femmes à travers les figures qu'en construit la fiction : une configuration relativement stable, faite d'un petit nombre d'« états » dûment structurés, définis par quelques paramètres, et dont les changements obéissent à des règles précises. Chaque état est donc exclusif de tout autre, faute de quoi on n'aurait pas affaire à un système structural — fermé et saturé — mais à un simple répertoire de figures, indéterminé et extensible à l'infini.

Comme tout système structural, ce modèle possède une matrice d'engendrement, qui détermine chacune des figures en même temps que la configuration d'ensemble : il s'agit de l'articulation entre ces deux critères du statut que sont le mode de subsistance économique, d'une part, et la disponibilité sexuelle, d'autre part — Marx et Freud étant ainsi convoqués, indissociablement, pour définir la position occupée par une femme. On verra dans le détail comment ce double critère, complété par celui du degré de légitimité du lien sexué, détermine précisément chacun des états et, à l'intérieur de ceux-ci, leurs différentes modalités : tant sur le plan sociologique et historique de l'expérience réelle que sur le plan littéraire de sa représentation imaginaire et sur le plan anthropologique et psychanalytique de sa logique symbolique.

Ce décryptage des différents états de femme dans la fiction occidentale ressortit donc à l'anthropologie autant qu'à la sociologie de la littérature, mais aussi à la psychanalyse. On découvrira en effet, avec les romans de la seconde épouse, un

« état » à part entière, beaucoup plus prégnant dans l'imaginaire romanesque que dans les représentations ordinaires de
l'expérience : ce « complexe de la seconde » est, nous le verrons,
l'équivalent féminin et romanesque du complexe mis en scène
dans le mythe d'Œdipe, situé donc sur un plan plus intériorisé,
plus inconscient, plus originaire, et plus sensible par consé-
quent à l'interprétation psychanalytique comme à la mise en
fiction.

Parce que ni l'imaginaire ni le symbolique ne sont imper-
méables au réel, le système des états de femme est pris dans
l'historicité et, de ce fait, vulnérable aux transformations historiques : quoique remarquablement stable, ce modèle n'en est
pas moins situé dans le temps, comme le roman occidental.
Les états analysés de la première à la cinquième partie corres-
pondent essentiellement au moment où ce système est à son
apogée, c'est-à-dire le roman du XIXᵉ siècle, avec des anticipations dans la seconde moitié du XVIIIᵉ et des prolongements
dans la première moitié du XXᵉ : cette longue période étant
marquée, globalement, par une grande continuité historique
dans le statut économique des femmes comme dans le contrôle
moral de la vie sexuelle — compte non tenu des inflexions et
des évolutions internes à ce schéma général. Ensuite, la transformation radicale du statut des femmes à l'époque contemporaine, qui prend effet dans la fiction autour de la Première
Guerre mondiale, se retrouve dans certaines des crises du
modèle exposées dans la sixième et la septième partie : notamment le dernier des « états de femme », qui en est aussi l'ultime
— dernier au sens où il n'a pu apparaître auparavant, ultime
au sens où il marque l'éclatement du modèle. Car cet état de
« femme non liée » correspond précisément à la déliaison entre
subsistance économique et disponibilité sexuelle, c'est-à-dire à
un changement dans la matrice engendrant les différentes figures identitaires — ou encore, pour reprendre le terme appliqué
par Thomas Kuhn aux idées scientifiques, un « changement de
paradigme » dans les représentations de l'identité féminine.

La méthode repose sur le repérage des constantes dans un
corpus de fictions aussi varié que possible : constantes relatives
aux différentes figures identitaires, à la logique de leur articulation et de leur engendrement. S'il existe en effet des détermina-

tions collectives dans la littérature, mieux vaut ne pas les chercher dans un texte isolé ou chez un seul auteur, mais dans un corpus pluriel. Aussi le modèle ainsi décrit ne révèle pas grand-chose sur tel ou tel roman, n'en fournit pas une clé de lecture : il révèle spécifiquement ce qui structure un ensemble de représentations collectives, dont chaque roman n'est qu'une mise en œuvre particulière. Le corpus comprend près de deux cent cinquante titres : romans et nouvelles essentiellement, à quoi s'ajoutent des contes, des pièces de théâtre et des films lorsque la fiction y apparaît particulièrement révélatrice. Chacun des états répertoriés est construit autour d'une œuvre clé, que complètent des emprunts plus brefs à d'autres textes. Les œuvres très connues (grands classiques ou gros tirages) ont été privilégiées, mais des romans plus confidentiels sont sollicités si une figure y est mieux développée qu'ailleurs. Il s'agit d'un corpus extensible, à compléter par les lecteurs : le modèle comprend un nombre fini de figures identitaires, mais un nombre infini ou du moins indéterminé d'exemples fictionnels, de sorte que l'échantillon pourra sans difficulté être élargi à d'autres auteurs ou à d'autres romans des auteurs déjà étudiés. L'important est moins l'extension du corpus que la cohérence de l'approche : la quantité et la diversité des exemples étant là non pour viser la représentativité de l'échantillon, qui n'aurait pas de sens ici, mais pour vérifier la remarquable stabilité du modèle.

Les emprunts à ces textes vont de la simple citation au résumé centré sur les éléments pertinents pour la problématique. La fidélité à la narration repose sur un parti pris qui déroutera peut-être les spécialistes de l'analyse littéraire, à savoir une relative indifférence à l'interprétation ou à l'herméneutique, au profit d'une focalisation sur l'intrigue : parti pris qui prend au sérieux le fait que le roman raconte avant tout une histoire, laquelle n'est pas réductible à ses significations littéraires, politiques, symboliques. C'est pourquoi, tout d'abord, il ne s'agit pas d'interpréter les textes, d'en produire une herméneutique en y cherchant un sens caché — à l'exception du « complexe de seconde » et des histoires de fantômes du « point de vue de la tierce », dont le sens symbolique appelle un travail interprétatif. Les structures fondamentales de l'identité mises en scène par la narration sont presque toujours explicites, de sorte que le travail théorique consiste simplement à les mettre en évidence, à les souligner en les isolant des autres éléments, montrant de quelle façon ils font système. C'est pourquoi également il s'agit de prendre au sérieux l'histoire racontée, en s'efforçant de restituer le pas à pas de l'intrigue, sur un triple plan : celui de l'héroïne, plongée dans une situation dont elle ne possède pas les clés ; celui du lecteur du roman, amené par l'auteur à suivre des événements dont lui non plus ne possède pas les clés ; et celui du lecteur du présent ouvrage, invité à découvrir sous ces événements la logique de leur engendrement. La lecture n'exclut donc ni ceux qui n'ont pas lu le roman, puisque l'intrigue est résumée, ni ceux qui l'ont lu, puisqu'ils peuvent y découvrir, par-delà l'histoire qu'ils connaissent déjà, un motif bien visible mais que seul un éclairage approprié permet de révéler : une « gestalt », comme disent les psychologues, ou plus simplement une « image dans le tapis », pour reprendre un titre célèbre.

Précisons pour finir, afin d'éviter tout malentendu, ce que *n'est pas* cette recherche. Tout d'abord, l'univers ainsi décrit n'est pas intemporel. Il n'a de validité, par définition, qu'à l'époque du roman, qui couvre près de trois siècles, à partir de la fin du XVIIe : sa période majeure se situant au XIXe, avec des moments d'évolution voire de basculement pour certaines figures, tandis que d'autres demeurent relativement stables. Ainsi certaines d'entre elles peuvent se trouver illustrées par des œuvres d'époques très différentes, tel le « complexe de la seconde », alors que d'autres ne sont apparues que très tardivement, telle la « femme non liée ». Dans tous les cas l'analyse prend en compte la temporalité spécifique de chaque état. C'est là une première limite, temporelle, de ce travail.

Une deuxième limite, spatiale, tient à ce que cette configuration des états de femme n'est pas universelle mais limitée à notre société occidentale, en laquelle s'est développée la forme romanesque. Si la recherche d'invariants ou d'universaux relève d'un souci de théologien, le chercheur, plus modestement mais plus concrètement, se contente de dégager des phénomènes de moindre variation, donc plus stabilisés et plus étendus que d'autres. Les structures imaginaires de l'identité féminine ne sauraient être universelles que si elles provenaient d'une programmation génétique ou d'une création divine : hypothèses qui demandent encore à être vérifiées.

Une troisième limite tient à ce que ces « états de femme » ne sont pas consubstantiels à l'expérience vécue, ne mettent pas en scène des situations réelles, ne décrivent pas la réalité des rapports : ce sont bien les états de femme tels que les construit la fiction, même si celle-ci est une voie d'accès à l'expérience réelle, dont elle est à la fois l'effet et le moteur. Il faut donc se garder d'en faire une lecture « réaliste », c'est-à-dire ontologique, en y cherchant l'essence de la féminité : on ne peut y trouver que les formes romanesques de construction de l'identité féminine. La stabilité de cette structure, qui autorise des figures novatrices mais dans un modèle remarquablement constant, illustre d'ailleurs la spécificité de l'imaginaire en général et de l'univers romanesque en particulier, sur lesquels le réel n'a qu'une prise relative.

Cette étude vise à l'exhaustivité des figures répertoriées : quoique évolutifs, les « états de femme » constituent une configuration organisée selon un petit nombre de figures possibles, dont la description exige une vision d'ensemble, une globalité. L'étude n'a par contre — quatrième limite — aucune prétention à l'exhaustivité quant à l'ensemble de *tous* les romans. Il est hors de question en effet de traiter la totalité de la production romanesque, ni même de proposer une configuration dans laquelle tous les romans seraient susceptibles de prendre place : l'une et l'autre tâche seraient aussi irréalisables sur le plan pratique que vaines sur le plan théorique, parce que tous les romans ne parlent pas des états de femme. Ne sont pertinents pour notre propos que ceux dans lesquels l'essentiel de l'intrigue repose sur un changement d'état de l'héroïne ou d'une protagoniste ou, du moins, sur une épreuve liée à son état : problématique dont ne relève bien sûr pas toute la production romanesque.

C'est pourquoi cette recherche ne vise pas non plus — cinquième limite — à l'exhaustivité quant à l'ensemble formé par *un* roman : d'autres lectures sont toujours possibles et tous les aspects n'en sont pas pris en compte. Il ne s'agit pas de donner la « clé » des romans étudiés, ne serait-ce que parce que tout roman, et d'autant plus qu'il est plus riche, peut s'analyser de différentes façons. L'effort pour fournir une clé de lecture uni-

voque relèverait d'une aspiration hégémonique propre à la
théologie plutôt qu'à la recherche. L'étude des états de femme
ayant pour objet une certaine configuration mentale, une
structure récurrente telle que la met en forme la fiction, le
roman n'en est pas l'objet (littéraire) mais le terrain (anthropologique) : ce pourquoi d'ailleurs d'autres formes fictionnelles
— théâtre ou cinéma — sont également sollicitées.

Aussi ce travail ne prétend-il pas davantage à la pertinence
quant à la qualité littéraire des textes étudiés : cette sixième
limite s'éclairera par la comparaison avec les mythes étudiés
par les anthropologues, à qui nul (espérons-le !) n'a jamais
songé à reprocher de n'avoir pas pris en compte la valeur for-
melle de ces récits. L'histoire littéraire qui nous intéresse ici
n'est pas forcément — mais n'exclut pas non plus — l'histoire
« sanctionnée », puisqu'on suspend tout jugement sur la qualité
littéraire. En survalorisant le roman « noble », l'histoire littéraire sanctionnée interdirait sa réduction à son seul contenu
narratif, abstraction faite de ses qualités formelles ; et en sous-
valorisant le roman sentimental, elle interdirait simplement sa
prise en considération. Notre approche au contraire s'autorise
à négliger Proust, Joyce et Beckett, parce que leur œuvre n'est
pas, si l'on peut dire, un « bon conducteur » des états de
femme ; elle trouve plus d'aliments chez Georges Ohnet que
chez Virginia Woolf, parce que la question du mariage est centrale chez l'un alors que, chez l'autre, ce sont des états beaucoup plus intérieurs qui intéressent le récit ; et si elle privilégie
Balzac plutôt que Sue, Hardy plutôt que Delly ou Duras
plutôt que Sulitzer, c'est en tant que les premiers manifestent
une capacité d'explicitation et d'approfondissement supérieure
aux seconds.

Une dernière limite enfin est qu'il ne s'agit pas d'une étude
féministe. Car le rôle du chercheur n'est pas de formuler des
jugements mais de fournir des instruments de compréhension
de l'expérience. Cette nécessaire « neutralité axiologique » à
l'égard des valeurs ayant cours dans le monde ordinaire — en
l'occurrence les rapports de domination entre les sexes — n'interdit pas de porter des jugements sur la qualité épisté-
mologique des instruments internes au monde scientifique,
en critiquant par exemple l'ethnocentrisme ou l'androcentrisme. Mais il s'agit là d'une critique de méthode, portant sur

l'efficacité des instruments de description, et non d'une position éthique, portant sur la légitimité des normes et des prescriptions de l'action. L'effort pour améliorer le sort des opprimés peut être considéré comme un souci légitime pour tout citoyen démocrate, et le chercheur peut à l'occasion se réjouir si son travail est utilisé en ce sens. Mais à mélanger ces deux postures il s'exposerait à une faute professionnelle doublée d'une faiblesse intellectuelle, tant il est vrai que l'appréhension rationnelle et la maîtrise de la réalité sont inversement proportionnelles à l'investissement affectif, comme l'a montré Norbert Elias. Cet effort pour s'abstenir de toute position idéologique et, en l'occurrence, de tout engagement féministe, constitue donc la septième et dernière limite de cette recherche*.

* Réalisé grâce au CNRS, dans le cadre du Groupe de sociologie politique et morale de l'École des hautes études en sciences sociales, ce livre doit beaucoup à la confiance et au soutien d'Élisabeth Claverie, ainsi qu'à la lecture attentive de Rité Cevasco, Yvette Delsaut, Arlette Farge, Michèle Rosellini, Paul Veyne, et à l'amicale censure de Marc Avelot. Que soient également remerciés Mme Lucie Wolf et M. Jean de Savines, qui ont assisté l'auteur, chacun à leur façon, dans la gestation et la réalisation de ce livre.

PREMIÈRE PARTIE

Les états de fille

Est-ce toi, Marguerite?
Est-ce toi, réponds-moi?
Réponds réponds vite!
Non, ce n'est plus toi
Ce n'est plus ton visage
C'est la fille d'un Roi
Qu'on salue au passage
[...]
Ah, je ris de me voir si belle en ce miroir...

Gounod, *Faust*.

Chapitre premier

FILLES SANS HISTOIRE

« Est-ce toi ? » s'interroge Marguerite face à son miroir, parée des bijoux offerts par son prétendant : que lui est-il arrivé pour que se pose ainsi la question de son identité ? Quelle troublante transformation opère un simple collier si celle qui le porte doit recourir à sa propre image, l'interroger pour savoir qui elle est ? Quelle épreuve a-t-elle dû subir pour que s'impose le besoin de vérifier dans le miroir sa propre continuité, comme pour combler l'écart ouvert entre soi et soi, cette béance identitaire que signale le dédoublement, ce « toi » qui soudain arrive à la place du « moi » — ou, mieux, à la place de cette indifférence à soi-même, couplée à cette disponibilité au monde extérieur, qui sont le propre des états de paix identitaire ? Elle a bien dû changer d'état pour que la seule réponse qui lui vienne soit : « Non, ce n'est plus toi. » C'est que d'abord, elle a changé d'aspect : « Ce n'est plus ton visage. » Et puis, elle a changé de statut — et non seulement changé mais progressé, considérablement : « C'est la fille d'un Roi qu'on salue au passage. » Et tout cela à cause d'un collier ? Non, bien sûr : ce bouleversement, si soudain qu'il la laisse incertaine de sa propre identité, n'est autre que le basculement qui d'une jeune fille fait une future épouse, arrachée à l'état d'innocence pour se voir transportée dans le monde sexué, monde encore virtuel mais si présent déjà dans le regard masculin, ce regard qui soudain fait de la fille-enfant une jeune femme en puissance, consciente de la puissance de son sexe et de ce que fait à un homme l'action de la regarder, qui éprouve à son tour ce que lui fait ce regard — une femme qui sait ou du moins qui pressent, qui bientôt va savoir... Leurs yeux se rencontrèrent [1]...

C'est donc le basculement dans le monde sexué, par l'hommage du regard masculin et la promesse du mariage attestée par le bijou, qui provoque le trouble identitaire, la conscience d'un changement où se conjoignent la transformation de l'aspect et le passage à un autre statut, fantasmé comme une ascension hiérarchique. Le miroir dès lors devient l'indispensable témoin, l'interlocuteur passif et silencieux de cette mutation dans le rapport de soi à soi, ce dédoublement où la fille « se voit » désormais comme « on » la voit, c'est-à-dire comme a pu, pourra ou devrait la voir celui qui lui permettra de franchir ce pas : « si belle », c'est-à-dire si désirable qu'elle devient digne d'être « prise » pour épouse — quitte à en perdre tout ce qui jusqu'alors faisait qu'elle était, sans même avoir à y penser, elle-même : son nom, et son visage... Et elle en rit : car c'est au prix de ce deuil de l'état de fille qu'elle pourra advenir à l'état de femme, faute duquel elle ne deviendra pas ce qu'elle aspire à être, c'est-à-dire autre que ce qu'elle est, qu'elle a toujours été. Le mariage est le moment par excellence du basculement, de la vierge à l'épouse-et-mère, de la fille à la femme : le moment où se réalise le passage du monde non habité par l'homme ou, du moins, habité par des hommes à la sexualité neutralisée (neutralisée par l'interdit de l'inceste pour les hommes de la famille, par le sacerdoce pour les prêtres ou par la divinité pour le Christ) au monde habité par les hommes, travaillé par la différence des sexes, hanté par la sexualité.

Cette question de l'entrée dans le monde des états de femme par l'éventualité du mariage fait le thème principal de la plus grande partie de la littérature romanesque — la bonne comme la mauvaise, celle des romans dits « à l'eau de rose ». Car ce n'est pas seulement un moment important, voire *le* moment par excellence dans une vie de femme : c'est un moment critique, et doublement. D'une part, sur un plan anthropologique, parce qu'il détermine ce changement d'état qui, plus qu'une différence entre « avant » et « après », construit la différence entre deux identités : celle de la fille pubère, qui n'est que biologiquement sexuée, et celle de la femme mariée, donc institutionnellement sexuée [2]. Et d'autre part, sur un plan psychanalytique, parce qu'il exige de la jeune fille qu'elle endosse l'identité de la femme mariée, qu'elle se mette symboliquement à la place de celle qui depuis toujours occupait cette place — la place de l'épouse et mère des enfants de l'homme. C'est là le « complexe de la seconde », dont nous verrons combien il est sensible dans le cas des secondes épouses, mais qui hante déjà toute éventualité de mariage même s'il ne s'y manifeste pas dans toute son intensité.

C'est ce thème du sacrifice à consentir pour accéder à l'état de femme qui court dans *La Petite Sirène* d'Andersen. Amoureuse du jeune prince qu'elle a sauvé d'un naufrage, elle vend à la sorcière ce qui fait sa qualité de fille des eaux, à savoir sa voix, qui attire les hommes, et sa queue de poisson, qui leur interdit l'accès à son corps, étant la dénégation matérialisée de l'existence d'un sexe féminin. En échange elle obtient des jambes de femme qui, autant qu'un accès au monde terrestre des êtres qui marchent, lui donnent accès au monde féminin des êtres qu'on épouse, et qu'on pénètre. Mais elle en souffre, horriblement — et en silence, puisqu'elle n'a plus de voix pour attirer le prince, pour le persuader que c'est bien elle qui l'a sauvé des eaux et non cette autre fille qu'il s'apprête à épouser. Elle ne peut que danser pour lui, en silence, avec des larmes de douleur, sur ses jambes de femme qui la font tant souffrir, et pour rien, puisqu'elle n'a pas su l'emporter sur l'autre, sa rivale, qui est née femme. Le salut ne pourra lui venir que d'un second sacrifice, commis par une de ses sœurs qui vendra à la sorcière sa chevelure, symbole de féminité, en échange du retour de la petite sirène à son état antérieur. Réfugiée dans l'invisibilité, l'intemporalité et l'immobilité des liens familiaux, elle devra pour toujours renoncer à l'existence terrestre, à la lumière — et à l'état de femme.

Cette crise inhérente au passage de la vierge à la mariée explique la réticence des filles, parfois, à assumer cette position d'attente, à se vivre comme femmes en puissance et fiancées potentielles, à accepter que soit porté sur elles le regard sexué de l'homme en état de désir ou de quête amoureuse. Car certaines, comme inconsciemment averties du difficile travail sur soi qu'exigent le renoncement à l'innocence et l'acceptation de la féminité, s'emploient à retarder le plus longtemps possible, voire à ignorer complètement, à repousser l'éventualité du passage de la fille à la femme. Mais s'excluant du monde sexué, elles s'excluent en même temps du monde romanesque, ce monde où chaque être est un personnage et où tout personnage est sujet d'une «histoire» — ce quelque chose qui lui advient et peut se raconter. Une fille sans avenir dans l'ordre des états de femme, c'est une fille sans statut romanesque, du moins sans place dans le roman autre que marginale, ou temporaire : sauf à vivre cette exclusion comme un drame, sauf à «faire des histoires» en refusant cette mise à l'écart, réintégrant alors l'espace fictionnel où peuvent évoluer de véritables personnages.

C'est donc en dépit de la pauvreté du matériel romanesque relatif aux filles maintenues hors du monde sexué — cette pauvreté étant justement l'effet de cette relégation — que peuvent s'observer quelques-unes des voies par lesquelles les filles qui refusent l'état de femme en puissance se tiennent à l'écart du monde de la séduction, hors de la différence des sexes et, par là même, à la marge de l'espace romanesque.

Filles-enfants

Car quelle place occuper quand occuper une place c'est prendre la place de l'autre ? «Moi, je ne serai la première en rien!» s'écrie la Vinca du *Blé en herbe* de Colette (1923), vierge de quinze ans et demi, écartelée entre le monde asexué de l'enfance et le monde sexué des adultes, auquel ce n'est pas elle qui va se laisser initier mais son ami Phil, que séduira une femme mûre. Vinca devra faire de nécessité vertu : mieux vaut renoncer tout de suite à se battre, renoncer à être la première et se couper de ce monde dont on est exclue, plutôt que de chercher à y pénétrer alors qu'on n'en connaît pas les règles et qu'on n'en possède pas les armes — pas même la libre disposition de son propre corps, qui en est l'enjeu fondamental. Mieux vaut rester enfant — mais pour combien de temps ? Et c'est ce suspens temporaire de la fille pubère entre enfance et féminité que met également en scène un autre roman de Colette au moins aussi célèbre : dans *Claudine à l'école* (1900), l'adolescente se maintient à la marge du monde sexué par l'intimité avec la nature et, surtout, l'investissement sur le monde scolaire. Celui-ci certes est menacé en permanence par l'intrusion des rapports amoureux — et c'est justement ce perpétuel affleurement de la tentation érotique qui fait l'existence même du roman, sans quoi il n'y aurait pas matière pour donner prise à la fiction, étayer la mise-en-intrigue. Mais l'héroïne s'y singularise en ce qu'elle ne se laisse pas prendre aux désirs dont elle est la cible, s'abstenant de glisser dans des ébauches d'intrigues sur lesquelles elle se contente de jeter un regard d'observatrice, de témoin à distance. Il faudra changer de roman — en même temps que de ville et de vie — pour la voir entrer avec *Claudine à Paris* (1901) dans l'intrigue amoureuse, la féminité assumée et sanctionnée par la demande en mariage : pour la voir passer, en d'autres termes, de l'état de fille à l'état de femme.

Fuite solitaire dans la nature ou surinvestissement d'une école peuplée de simples camarades : ce sont là les deux grands recours permettant à la jeune fille de se maintenir le plus longtemps possible hors du sexe, en état d'enfance. On serait tenté d'y ajouter l'investissement sur la famille, s'il n'était aussi peu présent dans les romans tant, sans doute, il offre peu de prise à la fiction.

Épouses de la nature

Plus adéquate à l'univers romanesque est la figure de la jeune fille lorsqu'elle s'est faite elle-même, pour ainsi dire, l'épouse de la nature : figure dont Mary Webb a construit une très pure incarnation avec *La Renarde* («Gone to Earth», 1917). Son héroïne, Hazel, est reliée à la nature sauvage par son ascendant familial (elle est la fille d'une bohémienne) et, surtout, un goût hors du commun pour les longues courses solitaires dans les champs — goût que manifeste son attachement à une renarde. Cette affinité avec la nature ne la préserve pas réellement du mariage, puisqu'elle accepte d'épouser le pasteur ; mais elle ne fera qu'expérimenter le maintien dans l'état antérieur car son époux, comme arrêté par l'évidente impréparation de la jeune fille, n'ose pas consommer le mariage, la protégeant ainsi de l'état de femme à part entière auquel elle aurait dû accéder dès lors qu'elle eût été dûment déflorée, civilisée et socialisée en tant qu'épouse, traitée comme femme dans son corps et reconnue comme telle dans son statut. Malgré ses noces elle peut donc maintenir son lien avec la nature — cette nature que symbolise la renarde et en laquelle elle vit comme en autarcie, hors du monde habité par les hommes. Mais cette affinité de la fille nubile avec la nature sauvage chavire dans le contact avec une sexualité que n'ont pas civilisée cette socialisation matrimoniale et cette affinité spirituelle offertes par le pasteur : Hazel devient la maîtresse d'un hobereau, se mettant au ban de la société. Cette initiation érotique fondée exclusivement sur l'affinité sexuelle ne laisse aucune place à l'innocence qui caractérise la communion autarcique avec la nature, qu'elle tente de prolonger par son attachement à sa renarde, incarnation de son ancien état d'épouse de la nature. Aussi est-ce en tentant de secourir la bête poursuivie à la chasse par le hobereau séducteur que la jeune femme périt, au fond d'un ravin, rendue à cette nature sauvage qui s'avère meurtrière une fois accompli l'initiation à ce que le sexe à l'état de nature a lui-même de sauvage. Or n'est-ce pas justement cette menace d'anéantissement dans une nature sexuelle synonyme de sauvagerie et de destruction que cherchait à éviter la jeune fille en se réfugiant dans une nature champêtre synonyme d'innocence ? Ainsi aura-t-elle fait, au prix de sa vie, cette expérience dont le roman permettra peut-être de protéger, dans la réalité, ses lectrices : à savoir que l'une et l'autre de ces « natures », radicalement antinomiques, ont en commun d'être pareillement désocialisées, à l'opposé de la civilisation du sexe telle que l'autorise la socialisation par le mariage ; et qu'à vouloir se maintenir trop longtemps dans une nature désexuée, une jeune fille court le risque de tomber dans une nature sur-sexuée qui pourrait lui coûter sa place dans la société, sinon sa place sur la terre [3].

Ainsi la fille-enfant qui ne veut pas devenir une vierge à prendre, c'est-à-dire une future épouse, investit sur la communion avec la nature ce que d'autres investissent sur les promesses de l'amour et les joies de la séduction : telle Michelle dans *L'Arche dans la tempête* d'Elizabeth Goudge (1934) qui, alors qu'« elle sentait en elle quelque chose qui tentait de s'unir à la beauté environnante », eut « la révélation de l'esprit. Ce même esprit qui fait d'une jacinthe une fleur exquise et met de la magie dans le chant du merle, ce même esprit qui étend ses ailes sur le monde ». On voit ici que la proximité avec la nature, comme toutes les voies offertes à celles qui s'excluent ou se trouvent exclues du monde sexué, est une forme de la spiritualité, dont la religion n'est que la réalisation la plus instituée. Et parallèlement à la nature et à la religion, il est une autre voie ouverte à la spiritualité, dans la proximité avec les œuvres de l'esprit et l'investissement sur les valeurs transmises par l'école. Entre épouses de la nature et épouses de Dieu existent aussi ces épouses de l'esprit, de la science ou de la culture qui, en attendant de devenir des vieilles filles résignées au célibat ou des épouses décidées au mariage, peuvent exceptionnellement passer par l'état de vierge héroïque.

Vierges héroïques

Corinne de Mme de Staël (1807) est le roman par excellence de la vierge héroïque : version idéalisée de la femme savante ou du bas-bleu, dont l'état normal est l'obscurité, elle incarne la poétesse, la grande intellectuelle désexuée, la vierge inspirée, la prophétesse, dont le renoncement au sexe assure l'héroïsation. Elle doit son statut et à son investissement sur les valeurs de l'esprit, et à sa condition de fille à marier : jeune encore, elle garde l'espoir du mariage, auquel elle ne devra renoncer qu'à la toute fin du roman. Celui-ci décrit donc de fait le passage de la poétesse au bas-bleu, autrement dit de la vierge à la vieille fille : états entre lesquels existe donc — purement transitoire, et consubstantiellement romanesque — l'état de vierge héroïque, dont Corinne fournira le modèle[4].

Le propre d'une vierge héroïque est de ne pouvoir le rester — sauf à mourir. Car à s'obstiner dans son état de célibataire inspirée, elle ne peut que se dégrader en vieille fille ; et à opter pour le mariage, elle ne sera plus qu'une femme qui fait des vers ou, au mieux, tient salon. Mme de Staël ne pourra donc que faire mourir son héroïne, une fois abandonné l'espoir d'un mariage qui eût bien fait plaisir à la pauvre Corinne, mais en aurait ruiné le statut héroïque. Décrivant l'impossibilité de faire perdurer sans déchoir la virginité couplée avec l'investissement des valeurs de l'esprit, le roman n'emprunte pas la forme réaliste du drame romanesque, qui est celle des romans de la jeune fille à marier, pas davantage que la forme caricaturale de la comédie telles que sont le plus souvent traitées les figures de vieille fille : c'est la forme héroïque de la tragédie qui le caractérise, par l'indéfectible idéalisation d'un personnage uniformément positif, dont le clivage intérieur est extériorisé en conflit entre un soi authentique et une société maléfique. Car l'héroïsation est, à l'époque de Mme de Staël, l'unique façon d'accéder à la noblesse romanesque, autrement dit à la tragédie, seul genre « sérieux » possible dans ce contexte littéraire [5].

Condamnée à être héroïque, Corinne n'est pas seulement parfaite, inaccessible aux défaillances et aux ambivalences qui font les personnages de la vie réelle : elle se doit aussi d'être vierge. Et cette virginité n'est pas une simple concession de l'auteur à la norme matrimoniale, une petite faiblesse propre à rabaisser la poétesse héroïque à l'état de jeune fille à marier : elle est la condition *sine qua non* de l'héroïsme. Sans cette indéfectible virginité qui l'accompagne dans la mort, *Corinne* ne serait que le roman rose de l'accès au mariage, où la jeune fille passe de l'amour pour la poésie à l'amour pour son futur époux ; de même que sans l'héroïsme il ne serait que le roman tristement réaliste du renoncement au mariage, où la jeune fille éprise de littérature se voit forcée, comme tant d'autres, de faire de nécessité vertu en transformant son célibat en inspiration poétique. Et qu'est-ce d'autre ici que l'héroïsme, sinon le sacrifice de la sexualité, que manifeste la fidélité à l'état de vierge ? Car il ne peut y avoir d'héroïne que vierge : l'élévation au statut héroïque exige pour une femme ce sacrifice de la sexualité, faisant de la virginité non une circonstance temporaire et temporelle mais un véritable statut, consubstantiel à la personne. Ainsi faut-il comprendre la qualification par leur virginité des deux grandes héroïnes de la chrétienté : la *Vierge* Marie et Jeanne la *Pucelle*. Leur statut hors du commun est si étroitement attaché à cette virginité que leur surnom même en porte en permanence le rappel, ajoutant au prénom la marque d'un état qui semble faire office de véritable patronyme, en l'absence d'un nom du père qu'a effacé leur singularité, d'un nom d'époux qui ne peut avoir lieu. Car la virginité, dès lors qu'elle est consubstantielle à la personne et non pas contingente, est ce qui constitue un être féminin en tant que *séparé* de l'homme, non soumis à son contact : la séparation étant, ici comme ailleurs, la condition indispensable à ces deux formes de la sacralisation que sont la sanctification, dans un cas, et l'héroïsation, dans l'autre [6].

Faute de persister dans la virginité, la vierge héroïque redevient une simple jeune fille à marier : chute que décrira *Les Bostoniennes* d'Henry James (1885), contant sur le mode satirique la victoire de Basil Ransom, avocat sudiste, sur Olive Chancellor, Bostonienne célibataire et féministe, pour la conquête de Verena Tarrant, jeune oratrice inspirée, prophétesse du suffrage féminin, enlevée *in extremis* à sa vocation de vierge héroïque par la détermination du jeune homme à l'épouser [7]. Cette persistance dans la virginité, si difficile à réaliser par la communion avec la nature ou l'investissement des valeurs de l'esprit, trouve un support institutionnel — donc un véritable statut, reconnu et durable — avec la troisième voie offerte à la spiritualité des filles qui se dérobent au destin matrimonial : la voie de la religion, qui fait les épouses de Dieu.

Épouses de Dieu

« S'anéantir, n'exister plus, n'avoir plus ni yeux ni oreilles, être une matière inerte, insensible, comme morte » : c'est tout ce que désire la pathétique Thérèse Letourneur dans *Dette de haine* de Georges Ohnet (1891), quand la déception de voir celui qu'elle aime préférer sa propre cousine la ramène au désir de claustration éprouvé à la mort de sa mère, et qui devient alors une alternative moralement acceptable au suicide. Autant dire que si le couvent apparaît parfois comme la seule échappatoire à des tensions insoutenables, cette fuite hors du réel se paie au prix fort : le couvent, vu du monde auquel il permet d'échapper, équivaut à la mort, dont il est un équivalent socialement institué (dans le « carnet » des quotidiens, la rubrique « vœux religieux » ne figure-t-elle pas entre « mariages » et « décès » ?). Et il est aussi la mort romanesque pour peu que la condition de nonne soit acceptée, ou que son refus ne puisse s'exprimer : les « romans monastiques » n'existent que dans la révolte contre une réclusion qui interdit l'amour partagé avec l'homme, et ne prend sens que dans une vocation religieuse pas toujours présente chez les nonnes, souvent forcées à la condition monastique par l'absence de dot ou la décision des parents [8].

Les *Lettres de la religieuse portugaise* (1669) illustrent bien, au xviiᵉ siècle, cette première antinomie entre vie monastique et sentiment amoureux. Quant au problème de la vocation absente, il trouvera son expression romanesque un siècle plus tard avec un autre grand classique : *La Religieuse* de Diderot, composé en 1760, publié en 1796. Présenté comme un mémoire adressé par la jeune Suzanne à son avocat, le roman relate ses tentatives désespérées pour échapper à la réclusion hors du monde imposée par ses parents, qui l'ont rejetée dans un couvent comme on aurait jeté un nourrisson dans une poubelle. Ce changement d'état de la jeune fille à la religieuse, Suzanne le vit dans une absence à elle-même qui dit bien ce qu'il représente pour elle : la mort de ce qui fait qu'elle est elle-même et non une autre, l'aliénation, la perte d'identité. Et c'est la volonté retrouvée de sortir de cet état aliéné qui lui donne la force de lutter, c'est-à-dire d'écrire pour dénoncer son sort — recours à l'écriture fictionnalisé par Diderot sous la forme romanesque.

« Mais, qu'est-ce que cela signifie quand la vocation n'y est pas ? » s'exclame Suzanne du fond de son couvent. Son problème toutefois n'est pas tant le manque de cette vocation religieuse indispensable pour vivre heureuse au couvent que le manque d'autonomie, de capacité à choisir sa propre vie, à assumer la responsabilité de son sort [9]. C'est la reconnaissance de cette autonomie qu'elle réclame à la justice, allant d'épreuve en épreuve : révolte, soumission, tentative ratée pour plaider en justice la dénonciation de ces liens monastiques prononcés sous la contrainte ; perte d'une première mère supérieure, incarnant la bonté ; mauvais traitements d'une seconde, incarnant la méchanceté ; amour déplacé d'une troisième, homosexuelle ; et pour finir la fuite, la dissimulation et l'errance dans le monde enfin retrouvé — mais à quel prix, et dans quelle incertitude... Ainsi Suzanne parvient à sortir du couvent pour entrer dans le monde, en même temps que la condition de religieuse parvient à entrer dans le monde du roman.

Mais c'est bien parce qu'elle le refusa, parce qu'elle « fit une histoire » de sa relégation hors des états de femme, qu'elle put entrer dans la fiction, dans le monde des filles à histoire. La mise en fiction de la fille sans histoire n'apparaît dans l'histoire littéraire que par le refus de cet état : celle qui se retire du monde sexué ou s'en voit reléguée ne trouve place dans un roman qu'à condition de perdre son innocence dans une sexualité à l'état sauvage, comme la petite épouse de la nature communiant avec les éléments ; de sacrifier à son art l'espoir du mariage, comme la vierge héroïque unie à la poésie ; ou de refuser sa condition d'épouse de Dieu, comme la religieuse mariée de force à personne. Perte, sacrifice, refus : ce sont là les trois formes de la négation de cette première négation qu'est le retrait hors du monde sexué permettant le maintien dans l'innocence. Autant dire qu'il faut une double négation pour produire du positif, c'est-à-dire du racontable, c'est-à-dire du roman.

La communauté religieuse permet d'instituer l'état de fille cloîtrée, définitivement coupée des états de femme, en lui donnant un statut, des règles, une forme de socialisation — fût-elle totalitaire. Le couvent n'est cependant que l'une des formes de ces communautés de filles qui ont choisi, ou à qui on a imposé, cette condition négative qui consiste essentiellement à ne pas se laisser prendre. Il existe, toujours aux marges de la fiction romanesque, d'autres communautés assumant une fonction analogue.

Nymphes et amazones

L'existence d'une communauté permet de construire l'exclusion comme auto-exclusion et retrait volontaire, comme choix et non comme malédiction. C'est la fonction assumée par toutes les formes de communautés féminines : fermées, pour les nonnes, ou ouvertes, pour les nymphes, féminisées, ou les amazones, virilisées. Filles-femmes ou filles-hommes, nymphes et amazones sont des filles-entre-elles, réfugiées hors du masculin, dans un espace non marqué par la différence des sexes. Dès lors qu'il y a communauté, la solitude des célibataires fait place à une sociabilité qui n'est plus définie dans le manque et l'exclusion, et où l'absence de rapport sexuel avec l'homme n'est plus vécue, négativement, dans le fantasme ou la fantoma-

tisation, mais comme un état authentique, par où l'être féminin est par principe ailleurs, défini hors du masculin. Échappant au monde conjugal, nymphes et amazones sont vouées à
une sexualité qui ne peut être que transgressive, sauvage, cir-
constancielle — avec des satyres, mi-hommes mi-bêtes, ou des
hommes de passage qu'elles n'hésiteront pas à châtrer.

Ces communautés féminines ou saphiques échappent également, pour l'essentiel, au monde du roman : les rares fictions
qui les mettent en scène procèdent de la mythologie, ou sont
dues à des auteurs masculins — comme si ces femmes volontai-
rement et définitivement inaccessibles à l'homme ne fasci-
naient guère que les hommes, comme fascine tout ce qui
échappe. Ainsi en va-t-il des amazones de Kleist dans *Penthésilée* (1808), qui miment le masculin comme pour mieux s'en
passer, allant jusqu'à se couper le sein pour tirer à l'arc, non-
femmes au point de sacrifier toute féminité. Guerrières ou
chasseresses, elles célèbrent le culte d'Artémis, incarnant par
son arc la virilité des amazones, et par sa beauté la féminité
des nymphes. Intouchables, inviolables tant qu'elles sont protégées par leur communauté, elles ne peuvent être prises que
mortes, telle la Penthésilée d'Homère vaincue par Achille, qui
lui transperce le corps et tombe amoureux de son cadavre
auquel il s'unit[10].

Artémis interdisait à ses nymphes tout commerce avec les
hommes : comme les amazones, les nymphes en communauté
se suffisent à elles-mêmes, fermées sur leur propre espace d'autonomie — même si un tel espace est matériellement ouvert,
contrairement à l'espace clos du couvent où l'on cloître des
recluses qui, humaines et non pas légendaires ou divines, pourraient être tentées de sortir de leur condition. Selon *Le Bain de
Diane* de Pierre Klossowski (1956), la séparation entre le masculin et la communauté de ces filles-femmes «possédables» et
«impossédées» est absolue : toute transgression de cette loi
prend la forme, non de la violence physique infligée à la vierge
par le viol — que viendrait sanctionner le châtiment de
l'homme puni par la justice ou par la culpabilité — mais de la
violence morale infligée à la nymphe par le seul regard — que
sanctionne le châtiment de l'homme bestialisé par sa propre
transgression, tel Actéon transformé en cerf et dévoré par ses
chiens pour avoir entrevu Artémis au bain. Car intouchable, la

nymphe ne l'est pas seulement, comme la vierge, en vertu d'une loi humaine, qui permet par le mariage le changement d'état, mais en vertu d'une loi suprahumaine, qui signe l'impossibilité de droit d'un changement d'état. Et c'est cette loi divine qui fait de la nymphe non pas un être humain accessible à la fiction romanesque, mais une divinité, comme Artémis, ou du moins un être de légende, comme la nymphe Aréthuse — qui n'accèdent à la fiction que par le récit mythologique.

Communautés saphiques

Sous forme plus moderne et plus romanesque, on trouve des communautés féminines, voire saphiques, dans les pensionnats de jeunes filles, où les amours homosexuelles prennent place dans une structure communautaire. Le roman par excellence de ces amours de gynécée est *Olivia* par Olivia (1949), qui propose l'un des rares personnages d'enseignante idéalisée, à la fois belle, distinguée et cultivée — incarnation moderne de l'antique Sapho, la poétesse grecque dont les affinités pour certaines de ses élèves firent scandale. L'amour de l'adolescente, qui se voudrait exclusif mais doit nécessairement se partager, confine au culte : « Être placée à sa droite, à table, c'était déjà, en soi, une initiation.» Toutefois l'impossibilité d'une résolution sexuelle interdit au trouble de se fixer, faisant barrage même au fantasme, ne laissant place qu'à la sublimation intellectuelle, la somatisation ou la névrose. Il n'y a dans ces conditions d'autre solution que la séparation, après la fermeture du pensionnat et la dispersion de ses membres : séparation sans espoir, qui met un terme brutal à ce passage adolescent par le pensionnat de jeunes filles, par la communauté des amours saphiques sans possibilité de résolution sexuelle.

Le passage à l'acte homosexuel se manifeste aussi hors de toute communauté, dans les différentes formes de l'homosexualité féminine non séparée du monde : il faut quitter alors l'espace des communautés féminines, qui matérialisent durablement le retrait hors du monde sexué par le masculin, pour intégrer le monde ordinaire, où le lien saphique tente de réaliser le fantasme d'un monde non pris dans la différence des sexes — mais seulement de façon individuelle, et souvent tem-

poraire et partielle, comme dans les *Claudine* de Colette. On
sort alors du monde des filles pour entrer dans celui des
femmes mûres, épouses bisexuelles ou bien célibaires qui, déro-
bées au regard masculin comme les « filles sans histoire », n'en
pratiquent pas moins l'amour sexué, voire le couple avec une
autre femme. Mais la littérature romanesque paraît ici d'une
remarquable pauvreté : encore une fois, c'est l'accès au monde
sexué dans la différence des sexes qui semble ouvrir l'accès à
l'espace romanesque.

On retrouve là le destin littéraire de ces filles sans histoire
parce que sans projet sexuel ou matrimonial : un début d'histoire, et donc une entrée dans le monde du roman, n'a de
chance de leur advenir qu'à la condition d'une rupture de leur
innocence, une plongée dans l'amour ou encore une révolte
contre l'exclusion hors du monde habité par des hommes.
Faute de quoi il n'y a pas d'histoire, parce qu'il n'y a pas
d'éventualité d'un changement d'état, donc pas de crise, donc
pas de prise à la fiction ni, symétriquement, recours à la fiction
comme prise sur le réel. Les vraies « histoires » autorisant l'entrée dans l'espace romanesque adviennent dans l'expectative
d'un changement d'état, et d'autant plus lorsqu'il s'agit de
celui, radical entre tous qu'est, pour la fille, le passage de la
vierge à la mariée : ce sort qui attend les filles « à prendre »,
c'est-à-dire disposées à l'amour, offertes au regard masculin.

Chapitre II

FILLES À PRENDRE

« Quel étrange regard il a eu pour moi ! » dit Macha, l'héroïne
d'*Un mariage d'amour* de Tolstoï (1852), revoyant son tuteur
qui plus tard l'épousera : un seul regard peut métamorphoser
une fille sans histoire en fille à prendre, peut même faire basculer toute une vie lorsque la jeune fille se voue à l'homme
comme elle se vouerait à Dieu. À la vierge ainsi décidée à
entrer dans le monde amoureux, à cette fille désormais à prendre, trois voies sont offertes : la voie royale du mariage, qui fera
d'elle une première ou, à défaut, une seconde épouse ; le dévoiement dans la sexualité illégitime, qui fera d'elle une femme de
mauvaise vie ; ou encore, faute de l'une ou l'autre de ces possibilités, le renoncement à l'amour sexué par le célibat ou la réclusion, qui fera d'elle une célibataire à vie. Toute vierge est, par
définition, en état d'attente : femme en puissance, dans l'incertitude sur les états futurs, au confluent des trois états possibles [1].

Et plus encore qu'en attente, elle est en espérance : l'espérance de cet état désirable entre tous qu'est le mariage, grâce à
quoi la jeune fille réalisera pleinement son identité de femme,
« dans un monde où agir signifie se marier, où la communauté
est faite de mains et de cœurs unis », comme écrivait Thomas
Hardy dans *Retour au pays natal* (1878). C'est ce qu'exprime
crûment le père du prétendant malheureux de Maggie, la
jeune héroïne du *Moulin sur la Floss* de George Eliot (1860) :
« Nous ne demandons pas ce qu'une femme fait, nous demandons à qui elle appartient » — et la pauvre Maggie rêvera en
vain de « pouvoir me faire un monde en dehors de l'amour,
comme font les hommes », autrement dit d'exister autrement

que par l'appartenance à un homme, sanctionnée par le mariage. Facteur essentiel de l'identité féminine, celui-ci permet en outre de maintenir ou d'améliorer son rang dans la hiérarchie, comme l'exprime avec le cynisme des mondaines l'une des *Demi-vierges* de Marcel Prévost (1894) : « Puisqu'on se déclasse quand on ne se marie pas, je me marie. »

Mais l'imaginaire matrimonial des vierges est normalement bien plus idéaliste, nourri de légendes, de contes et, bien sûr, de romans. C'est l'attente du prince charmant que raconte *Le Rêve* de Zola (1888), histoire d'une jeune brodeuse issue de l'Assistance publique, dont les rêveries s'alimentent aux biographies de saintes de la *Légende dorée* et aux contes où des fils de roi épousent des bergères. Ce rêve, elle le vivra mais seulement jusqu'à la cérémonie du mariage, mené en grande pompe, tel qu'en rêvent les jeunes filles : elle mourra à la sortie de l'église, épuisée d'avoir dû lutter contre la volonté du père de son amoureux, et ne connaîtra donc pas la nuit de noces, cette suite de la cérémonie nuptiale que n'imaginent pas les jeunes filles et à quoi échappent les saintes, vouées à la virginité. « N'était-elle pas allée jusqu'au bout du bonheur ? N'était-ce pas là que la joie d'être finissait ? » En plein paradis des légendes, elle réalisera le double accomplissement imaginaire du conte de fées — le mariage avec un homme riche, noble, et amoureux — et de la légende dorée — la mort dans la virginité —, mais non point la véritable union avec l'homme. Et c'est le roman lui-même qui semble échouer à fournir à ses lectrices le support imaginaire permettant de rêver un mariage qui ne soit pas seulement fantasmatique, un prince charmant qui ne se contente pas de baiser chastement leurs lèvres.

Tout le problème est d'y arriver, à ce mariage tant désiré ; et d'y arriver intacte, sous peine de devoir payer pour le restant de sa vie sa transgression de l'état de fille. Car même sans l'épouvantail de la grossesse illégitime, qui viendrait compromettre les chances d'être épousée, demeure l'évidence physique de la défloration, qui viendrait en tout cas compromettre les chances d'être respectée par son mari en faisant valoir ce droit à la souveraineté qui fait le privilège — fragile — des épouses légitimes. La virginité en effet est ce qui fonde la possibilité de ce qu'on pourrait appeler un « contrat d'exclusivité », qui se matérialisera dans le mariage de deux façons : pour l'homme, par l'obligation d'entretien, et pour la femme, par l'obligation de fidélité. Sachant que cette vertu se concrétise par une virginité qui, paradoxalement, ne se prouve guère qu'en se perdant, on comprend l'importance pour une jeune fille de la confiance qu'elle inspire à l'homme quant à cette virginité, garante de la vertu dont dépendront la validité et la viabilité du contrat matrimonial. C'est la construction et le maintien de cette confiance en sa vertu qu'on nomme la réputation, complément obligé — voire ersatz — de la dot.

Toute vierge se trouve donc dans une position critique, et à plusieurs égards. Tout d'abord, il lui faut parvenir à investir le monde sexué, c'est-à-dire accepter de se laisser prendre dans la ronde des états de femme, sans pour autant y tomber avant terme : autrement dit apprendre à séduire (au sens faible de la coquetterie) sans se laisser séduire (au sens fort du rapport charnel). C'est ce qu'enseigne l'abbé à Lamiel dans le roman éponyme de Stendhal (1839) : l'amour, «c'est cette sorte de folie qui déshonore une femme si elle la laisse durer plus de quarante jours (la même durée que le carême), sans la consacrer par le sacrement du mariage ; les hommes, au contraire, sont d'autant plus estimés dans le monde qu'ils ont déshonoré plus de jeunes filles ou de femmes». Ensuite, il lui faut apprendre à évoluer dans un monde féminin hautement concurrentiel, habité par la rivalité, où la désirabilité d'un prétendant tend à être directement proportionnelle au nombre et à la qualité des autres filles susceptibles de l'intéresser. En outre il lui faut concilier les intérêts matériels et hiérarchiques de sa famille, et ses propres intérêts futurs, avec la puissance d'attraction amoureuse, qui amène parfois à s'attacher à une personne plutôt qu'à sa situation. Enfin, lorsque cette conciliation n'a pas lieu, il lui faudra se préparer à la conversion nécessaire pour que le mariage soit néanmoins vivable. C'est à la mise en forme romanesque de ces différents moments critiques que nous allons successivement nous intéresser.

Du bon usage de la vertu

L'épreuve du regard n'est pas seulement l'expérience sublimée de la rencontre amoureuse, qui en une seconde peut faire basculer une vierge dans le vertige d'une absolue réciprocité, puis dans l'attente d'une infinie réitération de cet instant : il peut être l'épreuve de la rencontre avec le désir masculin. Ce basculement par le regard dans l'ordre de la relation sexuée peut se vivre sans traumatisme, voire dans l'admiration et l'anticipation du savoir-faire masculin, pour peu qu'existe une initiation à l'amour ou une possibilité de mariage : « Il ne m'a regardée qu'une seconde, mais c'est quelqu'un qui sait regarder. Un regard en zigzag, au bas du visage et aux mains », note, dans *Claudine à Paris* de Colette, la vierge délurée confrontée au regard de celui qui deviendra son époux. Mais ce regard asymétrique est vécu comme irrespectueux dès lors qu'il ne s'astreint pas au respect de cette virginité, de cette absence au monde sexué qu'on appelle l'innocence. Avec le regard de désir commence alors pour la jeune fille le malaise — et parfois le malheur.

Il peut demeurer dissimulé, tel le regard sournois du voyeur ou celui, plus troublant sinon touchant, de l'homme exposé malgré lui à un désir dont il n'est pas le maître : le malaise de la jeune fille n'est alors qu'inquiétude face à l'inconnu, ou souci d'éviter un possible débordement. Mais dès lors qu'il s'affirme et s'affiche comme regard de désir, le regard masculin a cette propriété particulière d'être à lui seul une offense, une atteinte à la dignité, une violence perpétrée en silence et sans qu'un geste soit effectué : violence à la fois invisible à autrui et bien visible à l'intéressée. À la limite, regarder peut être un équivalent atténué de violer, pour peu que l'asymétrie soit maximale entre le monde de désir que manifeste l'insistant regardeur et le monde désexué où évolue la regardée ; au minimum il est une façon d'humilier, pour peu que l'écart soit grand entre les positions de l'homme, supérieur, et de la fille, inférieure. D'autant plus éprouvantes en outre sont cette violence et cette humiliation que la jeune fille n'a guère de recours à y opposer, guère de plainte à formuler puisque aucun acte, à proprement parler, n'a été commis. Et dès lors que nul mariage n'est en vue, dès lors que le sexe n'est que menace d'arrachement à l'état de fille et non promesse d'initiation à l'état de femme, alors le regard de désir est vécu comme violence, humiliation, agression. C'est ce que relate Evelina dans le roman éponyme de Fanny Burney (1778) : « À la table de lord Orville était un gentleman — je ne l'appelle ainsi que parce qu'il était à la même table — qui, à peine me fus-je assise, tint son regard fixé sur moi et ne le détourna point de tout le temps que nous prîmes le thé. Le déplaisir que son insistance suscitait en moi était pourtant manifeste.» L'homme dès lors ressortit à une perception non plus hiérarchique mais sexuée : le «gentleman» n'est tel que s'il dissimule son désir.

«Si je retrouve dans ses yeux la même impertinente familiarité que dans sa cruelle lettre, je ne saurai comment la supporter», se plaint-elle plus tard, échaudée par l'épreuve du regard : comment supporter l'expression d'un désir masculin que ne civilise pas l'état de fiancé, que ne soutient pas la promesse du mariage? Et plus que la supporter, comment éviter que la violence immatérielle du regard ne se transforme en violence effective, c'est-à-dire en viol? Comment défendre sa vertu, c'est-à-dire sa virginité, dans un monde où les hommes ne respectent pas toujours les jeunes filles parce que n'apparaissent respectables que celles qui sont épousables, c'est-à-dire intégrables dans le jeu des stratégies matrimoniales? C'est de la difficulté d'un tel exercice que témoigne l'une des plus célèbres héroïnes romanesques du xviiie siècle : la *Pamela* de Richardson (1740), véritable roman de formation pour les jeunes filles qui doivent apprendre à rester vertueuses, quitte à demeurer pauvres et célibataires, afin de ne pas connaître le dur destin des filles perdues. Il est l'un des premiers éléments d'une longue série : ainsi Zola, un siècle et demi après Richardson, donnera une version moderne de ce «bon usage de la vertu» avec *Au Bonheur des dames* (1883) où Denise Baudu, jeune provinciale devenue employée de grand magasin, finit par se faire épouser du patron dont elle a repoussé les avances bien qu'elle en soit amoureuse, tout en gagnant par sa constance l'estime de ses collègues; et le «roman Harlequin» contemporain en reprend volontiers la thématique[2].

Pamela est une simple domestique, femme de chambre de la mère (défunte) de son maître, mais dont la basse condition est tempérée par l'éducation raffinée donnée par sa patronne : elle sait parfaitement lire, chanter et danser — et surtout écrire, puisque ce sont ses lettres à ses parents qui forment la matière du roman. En cela elle se rapproche de la figure de la gouvernante, dont elle va devoir expérimenter ce destin fondamental qu'est le renoncement au sexe, faute d'être épousable étant donné la différence de condition avec celui qui la désire. Le problème est que, justement, il la désire, tout en ne pouvant l'épouser. Aussi le renoncement, loin d'être cette résignation passive à l'absence de tout regard masculin qui est le lot des filles dont la beauté ne suffit pas à compenser l'inépousabilité, est résistance active à ce désir masculin qui, satisfait, ruinerait définitivement la principale ressource d'une fille pauvre, à savoir sa vertu.

Car les filles disposent essentiellement de cinq ressources sur le marché matrimonial : la naissance, attestée par le nom ; la fortune, attestée par la dot ; l'éducation, attestée par les manières et la conversation ; la vertu, qu'atteste la réputation ; et la beauté, qui n'a besoin d'aucune attestation puisqu'elle est immédiatement perceptible. Étant une déclassée, dont les parents sont pauvres, Pamela ne dispose ni de la naissance ni de la fortune, contrairement à tant d'héroïnes romanesques, mais possède une exceptionnelle beauté ; quant aux ressources acquises, elle doit à sa patronne l'éducation, et à ses propres efforts la réputation. Sa vertu est donc aussi exceptionnelle que sa beauté : le problème étant que l'une — qui lui vaut l'estime générale — est l'ennemie de l'autre — qui lui vaut, hélas pour elle, l'intérêt tout particulier que lui porte son jeune maître, aussi bien fait qu'il est bien né. On voit ici à l'œuvre l'ambivalence de la beauté : ressource primordiale pour négocier un beau mariage, elle devient instrument de perdition dès lors que le désir masculin, non canalisé dans la voie matrimoniale, se trouve incité à prendre par la violence ce qu'il ne peut ou ne veut obtenir par contrat. À cette ambivalence constitutive de la beauté s'ajoute son statut contradictoire, étant une qualité purement extérieure, donc immédiatement visible, en même temps que totalement superficielle : ce qui lui vaut d'être à la fois intensément valorisée, dans les faits, et ostensiblement dénigrée, dans les mots, au profit de valeurs plus intérieures, personnelles, durables, authentiques. Ainsi une jeune fille bien élevée ne peut paraître s'intéresser à sa propre beauté sous peine d'être jugée vaine, narcissique, égoïste ; mais elle ne peut s'en désintéresser visiblement sous peine de paraître insufisamment féminine, négligée ou indifférente à l'estime d'autrui [3].

La pauvre Pamela va donc se confronter aux contradictions

intrinsèques à ces qualités qui font son excellence. Elle n'est pour rien dans le fait d'être belle et se trouve persécutée pour cette qualité même qui, fût-elle bien née, augmenterait considérablement ses chances. Et ce en quoi elle est par contre pour beaucoup ne provoque qu'indifférence, voire réprobation : son éducation n'intéressait vraiment que sa patronne, qui n'est plus là pour la soutenir, et sa vertu est attaquée par son jeune maître, duquel elle est désormais sujette. C'est pourquoi, ne connaissant d'autre mérite que celui de la vertu, elle ne peut comprendre ni admettre que sa seule beauté suffise à la perdre en déchaînant le désir masculin : « Ah ! mon cher Monsieur, qu'ai-je donc fait pour être traitée aussi cruellement que si je vous avais volé ? » Malgré sa basse condition, elle ne va cesser d'opposer la grandeur morale (donc intérieure) de la vertu à la grandeur sociale (donc extérieure) de la naissance : « Mais, ô mon cher Monsieur ! mon âme est d'aussi grande importance que celle d'une Princesse, quoique je sois d'une qualité inférieure à celle de la moindre esclave. » Et c'est cette conscience d'une dignité supérieure aux conventions hiérarchiques qui lui permet de résister victorieusement aux propositions malhonnêtes de celui qui, ayant renoncé à la violer (ce qui ferait d'elle une fille perdue), tente de la soudoyer par l'argent (ce qui en ferait une prostituée ou, au mieux, une maîtresse). Échappant au risque de devenir la maîtresse d'un patron trop amoureux, Pamela finira toutefois par tomber amoureuse de lui : seule façon pour le romancier de concilier les intérêts érotiques de son héros avec les intérêts matériels et moraux de son héroïne, tout en permettant aux lecteurs de fantasmer sur le consentement féminin au désir, et aux lectrices sur la soumission masculine à la loi.

Le maître finira-t-il par épouser sa servante ? Le roman se termine sur un suspens, comme partagé entre le désir de cette fin heureuse et la conscience de son extrême invraisemblance. Il faudra attendre la suite, en 1741, pour voir l'auteur donner une réponse positive à cette fondamentale question. Et il faudra attendre *Clarissa, or the History of a Young Lady* en 1748 pour le voir opposer à cette version rose de la vertu assiégée une version noire : victime de sa famille qui veut lui faire épouser un homme indigne d'elle, Clarissa Harlowe s'en remet à Robert Lovelace sans savoir qu'il est un libertin ; déshonorée, elle meurt à l'hospice, illustrant ce qui peut advenir à une fille imprudente qui ne parvient pas à faire de sa vertu le bon usage qu'on attend d'elle.

L'ère du soupçon

Reste un soupçon : que cette incarnation romanesque de la pureté féminine ne soit pas seulement créature de fiction, mais aussi de mensonge — mensonge qu'alimenterait justement l'univers du roman dont la pure jeune fille est issue. C'est à cette fiction romanesque que le maître de Pamela tente de la réduire lorsque, écrivant à son père, il tente de renverser le lieu de la vérité : « Mais croyez-moi, malgré toute sa prétendue simplicité, et son innocence affectée, je n'ai vu de ma vie une fille d'un esprit si romanesque. En un mot, la tête lui a tourné par la lecture des Romans, et d'autres livres semblables, à quoi elle s'est livrée tout entière depuis la mort de ma bonne Maîtresse ; elle se donne des airs comme si elle était un modèle de perfection, et elle s'imagine que tout le monde lui en veut. » Cet ordre du soupçon, où la vertu se renverse en hypocrisie et la virginité en leurre, est celui qu'illustrera deux générations plus tard cet anti-modèle absolu de Pamela qu'est la *Justine* de Sade (1791). Là, il n'est pas de bon usage de la vertu : celle-ci ne peut engendrer qu'« infortunes », alors qu'avec Juliette, sœur dévoyée et parfaite antithèse de Justine, c'est le vice qui seul « prospère ». Si *Pamela* est un roman de formation enseignant aux jeunes filles l'intérêt de préserver leur vertu pour conserver leurs chances de mariage, *Justine* est, pourrait-on dire, un roman de déformation, où la réitération obsessionnelle des épreuves sexuelles sert à alimenter les fantasmes de violence chez ceux-là mêmes dont les vierges doivent, si difficilement, se défendre.

Cherchant à illustrer sa thèse selon laquelle, dans un monde puritain marqué par une éthique de la constance, les hommes se seraient déchargés sur les femmes du fardeau de la pureté, Edmund Leites propose une lecture quelque peu étrange de *Pamela*[4] : faisant de sa fin improbable la clé de tout le roman, il centre son analyse sur la mise en évidence de la sexualité de Pamela, de son attirance érotique envers son séducteur. Il lui faut pour cela surinterpréter des symptômes tout en négligeant ce qui fait le thème constant et explicite du roman, à savoir la nécessité pour la jeune fille de préserver sa vertu, dans la crainte de n'y pas parvenir et l'humiliation de voir sa volonté systématiquement méprisée. Cette lecture sexualiste est typiquement androcentriste en ce que, postulant implicitement une symétrie entre les points de vue féminin et masculin, elle adopte de fait ce dernier : impensé qui l'amène à reproduire spontanément la posture qui est celle du séducteur dans le roman, uniquement préoccupé de parvenir à la satisfaction de ses pulsions érotiques. Car pas davantage que le maître de Pamela, Leites ne veut voir que pour la jeune fille l'enjeu de l'affrontement — et plus généralement du rapport entre les sexes — n'est pas seulement sexuel mais aussi économique et, surtout, identitaire : en préservant sa vertu, Pamela protège ses chances d'accéder au mariage, c'est-à-dire d'échapper, sinon au risque de mourir de faim, du moins à celui de vivre dans la pauvreté de la gouvernante ou dans l'opprobre de la maîtresse ou de la prostituée — l'une et l'autre synonymes de solitude et de perte des liens familiaux et amicaux. En disant « oui » au sexe hors l'institution du mariage, la jeune fille perdrait, avec sa virginité, l'intégrité de ce qu'elle est, de tout ce qui la définit dans la fidélité à l'éthique familiale[5]. Cette étrange myopie dont fait preuve Leites en surinvestissant les symptômes au détriment de la littéralité, pourtant si riche, du discours, trahit les ravages conjoints du sexualisme et de l'androcentrisme, infligeant à Pamela une double agression : par son séducteur, dans le roman, et par le commentateur de celui-ci qui, deux siècles après, semble aveuglé par un enjeu sexuel qui interdit de voir l'humiliation infligée par un supérieur à une inférieure, le mépris de sa personne, l'indifférence à ce qui anime l'autre en tant qu'il est, justement, un autre — une autre — et non la simple projection de ses propres désirs[6].

L'entrée dans le monde

Toutes les jeunes filles ne se trouvent pas forcément exposées aux violences de la séduction masculine. Mais toutes doivent affronter ce moment de passage entre la vie asexuée de l'ado-

lescente et le monde sexué des femmes en puissance : moment
où la fille nubile va se trouver publiquement exposée en
tant que « fille à prendre », fiancée potentielle, officiellement
candidate à la désirabilité et à son institutionnalisation
par le mariage. C'est ce qu'on appelait dans la haute société
l'« entrée dans le monde », décidée et organisée non par l'intéressée mais par les parents, et en particulier la mère, consciente
de « la nécessité de se marier à tout prix, vertu capitale prônée
par toute mère qui se respecte » (Thomas Hardy, *Une femme
imaginative*, 1893).

De mère, la jeune héroïne d'*Evelina, ou l'Entrée d'une jeune
personne dans le monde* de Fanny Burney (l'un des plus grands
succès littéraires du xviiie siècle) n'en a plus, étant depuis longtemps orpheline. Elle n'a pas non plus de père, du moins au
début de ce roman par lettres qui conte la façon dont elle réussira finalement à trouver un mari et à retrouver un père, l'un
et l'autre lui permettant d'accéder à cette haute position qui
eût été la sienne si elle n'en avait été privée très tôt par un accident biographique (schéma analogue à celui de *La Vie de
Marianne* de Marivaux en 1731, où la pauvre orpheline devait
garder sa vertu des attaques d'un vieillard, et parvenait à un
mariage d'amour avec un jeune homme qui n'était autre que le
neveu de ce celui-ci, tandis qu'elle-même se découvrait fille
d'un duc). À ce désordre initial se superpose la répétition des
multiples désordres qui émailleront l'entrée d'Evelina dans le
monde, sous la lointaine protection d'un père adoptif qui la
confie à la mère d'une amie pour l'initier à la vie londonienne.
Cette évolution quelque peu chaotique dans un « monde » par-
semé de pièges est comme l'épreuve initiatique qui précédera
l'accession de l'héroïne à l'objet de son désir, à savoir le
mariage avec un lord, jeune, beau, riche, et amoureux. La succession de ces épreuves illustre admirablement l'instabilité
constitutive de l'état de vierge : elle n'est jamais assurée de se
marier, et son éventuel mariage peut la faire soit déchoir, soit
s'élever dans le monde, de façon beaucoup plus marquée que
pour un homme, dont l'univers des possibles matrimoniaux
est plus restreint ; entrer dans le monde, c'est entrer dans cet
état de fille à prendre où se joue, en quelques mois ou en quelques années, un destin à la fois personnel et familial. Aussi la
jeune fille demeure-t-elle durant tout le roman sur la ligne de

crête entre promotion et déclin, mariage avec un lord éminent ou un petit-bourgeois sans fortune ni éducation.

«Je ne savais pas jusqu'ici combien il est difficile, sans fortune et naissance, d'obtenir les égards et le respect»: le défaut de dignité hiérarchique vient redoubler la difficulté que connaissent les jeunes filles à se faire «respecter», c'est-à-dire à éviter tout court-circuit entre leur état de fille et leur corps de femme, entre l'intouchabilité de la vierge et la désirabilité de la jeune fille, entre la fille qu'elles sont encore et la femme qu'elles aspirent à devenir. Ce court-circuit n'est autre que le contact non contractualisé, c'est-à-dire hors mariage, littéralement obscène parce que déplacé: au pire, c'est la défloration obtenue par la force, c'est-à-dire le viol, ou par la persuasion, c'est-à-dire la séduction; moins graves sont le simple attouchement, puis la parole «déplacée» et, enfin, le regard, instrument premier de sexualisation. Tout le problème de la jeune Evelina, une fois «entrée dans le monde», c'est-à-dire officiellement devenue une fille à prendre, va être d'échapper à ce court-circuit, cette irruption de la sexualité dans un état qui n'est plus tout à fait celui de la fille sans histoire auquel aspirait vainement Pamela, mais qui n'en est pas moins vulnérable à la souillure, appelant donc tout autant le bon usage de la vertu. Récurrentes dans ce roman, les variations sur la souillure illustrent ce couplage à plusieurs niveaux de la «pureté» et du «danger» dont Mary Douglas a montré l'omniprésence dans dans maintes sociétés[7]. Cette obsession de la souillure revient sur plusieurs plans: sexuel, avec les hommages irrespectueux du gentilhomme qui la regardait de façon inconvenante; hiérarchique, avec les nombreux épisodes où Evelina est vue par lord Orville en mauvaise compagnie, avec des membres de sa famille appartenant par l'accident d'une mésalliance à un monde vulgaire; matériel, avec la boue de la vie londonienne qui contraste si désagréablement avec l'innocente crotte de sa campagne natale. Ainsi se multiplient les scènes où la jeune fille se trouve accidentellement exposée à des initiatives masculines à la fois inconvenantes et salissantes: «Peu après, une violente averse nous surprit. Nous hâtâmes le pas, et nous dûmes nous lâcher la main pour sauver nos vêtements de la pluie. Ces messieurs nous pressèrent d'accepter leurs services, et nous offrirent leur bras; deux d'entre eux devinrent si importuns, que dans le mouvement que je fis pour les éviter, je trébuchai et tombai. »

Pour compenser ce double handicap qu'est une naissance apparemment obscure et un manque de protection parentale, Evelina possède, tout comme Pamela, deux grandes ressources : sa beauté, et sa vertu. L'une toutefois est, nous l'avons vu, ambivalente, l'autre fragile ; car même si elle demeure à toute épreuve (et ce sera le propos du roman que de nous le prouver), elle peut n'avoir pas de prise sur sa manifestation publique qu'est la réputation : même vertueuse, une jeune fille peut s'attirer des critiques pour des comportements inadéquats, qui entameront cet inestimable et fragile capital, d'autant plus important qu'elle est sans nom et sans fortune. Or c'est justement par une atteinte à sa réputation qu'avait débuté son entrée dans le monde : invitée à son premier bal, elle avait commis sans le vouloir un impair envers un danseur. Quoique bien mineur et innocent, ce petit accroc à sa réputation ne va cesser de troubler sa position dans le monde, du moins auprès du seul homme qui compte à ses yeux. Et il ne faudra pas moins que cette longue succession de minuscules épreuves, de dérisoires désordres et d'imperceptibles souillures pour que soient *in extremis* réparés, et l'accident de naissance qui, dès son entrée dans le monde terrestre, l'avait empêchée de porter le nom de son père ; et l'accident de bal qui, dès son entrée dans le monde sexué, avait retardé la demande en mariage lui permettant de porter, enfin, le nom de lord Orville.

Ce premier bal dont Evelina a mal réussi l'épreuve est la manifestation publique de l'entrée dans le monde, par laquelle la fille nubile et sans histoire passe officiellement à l'état de fille à prendre ou, comme on dit, « en âge d'être mariée ». Il est le lieu d'un multiple et fondamental apprentissage : apprentissage des codes de la mondanité ou de la sociabilité entre hommes et femmes, par cette mise en forme sublimée et publique de la copulation qu'est la danse ; apprentissage de sa propre valeur en tant qu'objet de désir ou, en d'autres termes, de sa capacité de séduction ; apprentissage de cette incontournable réalité qu'est la rivalité avec les autres filles, elles aussi candidates au regard masculin. Car le bal est un espace de rivalité féminine sur le marché matrimonial, la concrétisation de cette rivalité en laquelle sont prises, qu'elles le veuillent ou non, toutes celles qui évoluent dans le monde sexué, dans le monde habité par les hommes, hanté par l'éventualité de l'initiation sexuelle ; d'autant qu'en état de fille la rivalité a encore un enjeu bien réel, qui disparaîtra pour les femmes mariées : elle n'engage pas seulement le narcissisme mais la séduction du meilleur parti, la négociation du meilleur mariage — autant dire le destin de la jeune fille jusqu'à la fin de ses jours.

L'Invitation à la valse de Rosamond Lehmann (1932) expose, condensées dans la préparation au premier bal, toutes les dimensions de cette épreuve initiatique : d'abord l'expérience de la rivalité que réactive l'existence d'une sœur plus âgée et plus belle, anticipant la mise en scène de la rivalité des filles dans l'espace du bal, puis la crise identitaire déclenchée par la perspective de cette épreuve de socialisation : «Elle ressentit tout à coup un véritable accès de détresse morale ; obscurément, elle se disait qu'elle n'avait pas... qu'elle ne s'était pas encore... trouvée, qu'elle ne pouvait pas... qu'elle n'arrivait pas à rassembler ses éléments, à faire d'elle-même un tout. [...] Images horribles ! Solitude au sein des multitudes ! Banquet où elle sera seule à ne pas prendre part, d'où elle reviendra les mains vides !» Enfin cette incertitude de soi que va révéler l'exposition aux regards trouve son expression dans l'épreuve du miroir, indissociablement liée à l'épreuve de la robe en laquelle tout, toujours, se résume. La littérature romanesque abonde en scènes de premier bal et histoires de robe, comme Natacha dans *La Guerre et la paix* de Tolstoï (1867), ou encore l'épisode inaugural d'*Autant en emporte le vent* de Margaret Mitchell (1936) avec la garden-party, sorte de mise en scène du marché matrimonial local, où Scarlett O'Hara va jouer toute sa vie future : découvrant en la terne Mélanie une rivale plus heureuse, choisie pour fiancée par l'Ashley qu'elle-même convoitait, la jeune et jolie Scarlett va se précipiter dans un mariage de dépit avec Charles, qu'elle n'aura toutefois pas à supporter longtemps puisque la guerre lui offrira la chance de devenir prématurément veuve et de se remarier avec Rhett qui, dès la garden-party, s'était épris d'elle, mais à l'amour duquel elle ne se rendra que trop tard — à la fin du roman. Ce *best-seller* de la littérature mondiale constitue l'une des plus fameuses variations sur ce thème éprouvé qu'est le bon choix d'objet — épreuve majeure qui suit l'entrée dans le monde.

Le bon choix d'objet

Cette question du bon choix d'objet est un thème prédominant dans la littérature romanesque et, notamment, la «romance», de Jane Austen à la collection Harlequin. Outre le thème, c'est la structure romanesque inaugurée au début du xixᵉ siècle par la romancière anglaise qui formera la matrice d'une grande partie de la littérature sentimentale. Car, à la différence des romans du xviiiᵉ, où une héroïne (Pamela, Clarissa, Evelina) s'affrontait à son destin, les romans de Jane Austen ont cette particularité de mettre conjointement en scène *plusieurs* héroïnes[8]. Cette démultiplication des personnages est fondamentale, qui fait la spécificité de l'univers ainsi créé et, dans l'histoire littéraire, sa position charnière pour la modernité. Car étant plusieurs, ces héroïnes bénéficient d'un haut degré d'individualisation: il ne s'agit plus d'un personnage univoque et idéalisé, mais d'individualités différenciées, ayant chacune leurs qualités et leurs défauts — la même remarque valant pour les personnages masculins. Cette particularisation des figures va de pair avec une narration très détaillée, attentive aux détails et aux circonstances de la vie quotidienne, qui contribue au charme de ces romans. Et c'est elle enfin qui entraîne des conséquences narratives propres à éclairer les états de fille.

Concentrons-nous sur son premier roman, *Raison et sentiments* (d'abord intitulé *Elinor et Marianne*). Elinor, la sœur aînée, incarne la raison, avec «une force d'intelligence et une netteté de jugement qui faisaient d'elle, bien qu'âgée seulement de dix-huit ans, le conseiller habituel de sa mère»; Marianne, sa cadette, est tout entière gouvernée par le sentiment: elle «était sensée et perspicace, mais passionnée en toutes choses, incapable de modérer ses chagrins ni ses joies. Elle était généreuse, aimable, intéressante, bref, tout, excepté prudente[9]». Ce lien sororal rend plus sensible encore, et plus douloureuse, cette fatalité des filles à marier qu'est l'obligation d'évoluer dans un espace de rivalité, une situation hautement concurrentielle. Cette rivalité, et l'inégalité de leurs chances sur le marché matrimonial compte tenu de leur différence de beauté, sera crûment et cruellement exprimée par leur demi-frère, parlant à Elinor de Marianne affectée par un chagrin d'amour : « Elle avait ce genre de beauté qui plaît particulièrement aux hommes. Je me rappelle que Fanny disait qu'elle se marierait plus tôt et mieux que vous ; non pas qu'elle vous aime moins, mais c'est une impression qu'elle avait. Elle se sera trompée ; pourtant, je me demande si Marianne, maintenant, en mettant les choses au mieux, pourra épouser un homme de plus de cinq à six cents livres par an, et je serais bien étonné si vous ne faisiez pas beaucoup mieux ! »

Certes, Marianne est la plus jolie. Mais c'est finalement Elinor qui l'emportera dans cette course au « bon choix d'objet ». « Choix » est ici à prendre au sens fort, tant la question du choix peut réellement se poser dès lors qu'il y a différenciation entre les êtres, particularisation, multiplication des possibles — et non plus, comme dans les romans du XVIIIᵉ siècle, destin, fatalité ou hasard imposés à des héroïnes uniques et archétypiques, personnages plutôt que personnes. Ouverte par l'individualisation des personnages, la question du choix d'objet se heurte à l'hétérogénéité des critères qualifiant ou disqualifiant un prétendant autant qu'une demoiselle — fortune, nom, éducation, caractère ou réputation, beauté —, compliquant encore la dualité fondamentale entre mariage de raison et mariage de sentiment, dont le premier satisfait les stratégies matrimoniales des familles et le second, les aspirations amoureuses des jeunes filles. Du point de vue de Marianne, le mariage de raison peut se réduire à une stratégie cynique, à du simple « commerce », selon ses propres termes : « S'il épousait une telle femme, cela n'aurait rien de choquant. Ce serait un mariage de convenance et le monde serait satisfait. À mes yeux, ce ne serait pas un mariage du tout, ce ne serait rien. Cela m'apparaît seulement comme un échange commercial, dans lequel chacun cherche son avantage aux dépens de l'autre. » Cette irruption du cynisme dans la question du choix d'objet est caractéristique des romans de Jane Austen : « Je pourrais épouser n'importe quel homme qui ait un bon caractère et des revenus suffisants », déclarait, en termes aussi naïfs que lapidaires, l'héroïne des *Watson* (1803) [10].

Cette opposition entre le cynisme de la raison et la sincérité du sentiment se complique du fait qu'elle n'est pas simple contradiction entre volontés divergentes, mais ambivalence intérieure entre des intérêts aussi hétérogènes qu'également fondamentaux : intérêt matériel et hiérarchique d'une bonne position dans la société, intérêt affectif et intime d'une bonne relation amoureuse. Aussi le choix d'objet, avant d'être un combat contre les fatalités matrimoniales et les diktats familiaux, est d'abord un travail à mener sur soi-même, avec l'exercice de la séduction lorsque tout va bien et, lorsque tout va moins bien, l'apprentissage de la patience, qui va être le lot de la raisonnable Elinor, ou du compromis et de la résignation, pour la sentimentale Marianne. Car l'une et l'autre souffrent de ce même handicap qu'est la perte de leur espérance de dot, annihilée par la mort de leur père et l'égoïsme de leur demi-frère. Confrontées chacune à la désertion d'un prétendant, elles devront résoudre la difficile question de savoir si c'est vraiment à leur manque de fortune qu'est dû cet abandon : hypothèse qui jetterait rétrospectivement un doute sur la qualité de cet amour. Il s'avérera que le fiancé de Marianne a déserté par manque de moralité, pour épouser une fille riche, et celui d'Elinor par excès de moralité, pour ne pas manquer à une ancienne parole envers une fille pauvre, un amour de jeunesse.

Mais plus encore que la question de savoir si c'est leur manque de fortune qui motiva leur abandon, c'est la lancinante question de savoir si elles devront se résigner à rester vieilles filles, et pauvres, qui se trouve durement relancée : question aussi vitale que terriblement hasardeuse. Car le problème du choix d'objet — ouvert par la multiplicité des possibles, compliqué par l'hétérogénéité des critères, handicapé par le manque de ressources — s'aggrave de deux caractéristiques propres à l'état de fille à prendre : l'urgence et la passivité. Urgence en effet il y a, car la jeunesse est un atout essentiel sur le marché matrimonial : parce qu'une fille jeune est une fille plus désirable, et qu'une fille qui avance en âge laisse planer le soupçon, du seul fait de son célibat, qu'elle ne possède pas les qualités susceptibles d'encourager un homme à l'épouser — qu'elle soit mal dotée, trop difficile ou pas assez aimable. C'est ce qu'exprimera Marianne avec la franchise des sentimentales, qui n'adhèrent pas assez aux stratégies matrimoniales pour prendre la peine de les dissimuler : « Une femme de vingt-six ans ne peut jamais espérer ressentir, ni inspirer encore un tendre sentiment; et, si sa maison est inconfortable ou sa fortune trop mince, je suppose qu'il lui faut se résigner à prendre un emploi de nurse pour s'assurer une existence convenable.» Quant à la passivité, c'est une position à laquelle sont condamnées *a priori* les jeunes filles sous peine de perdre ce qui fait génériquement leur principale qualité, à savoir la docilité: une fille entreprenante, qui transgresse cette passivité par des initiatives trop visibles, prend le risque de se compromettre, ruinant sa réputation et, avec elle, ses chances de mariage. La passivité sied aux filles: c'est même un trait identitaire, un paramètre constitutif de la féminité en tant qu'elle se différencie de la virilité, l'un des supports fondamentaux de l'asymétrie entre hommes et femmes: asymétrie sans laquelle on ne peut comprendre grand-chose des structures de l'identité féminine et de la réalité du rapport entre les sexes[11].

Aussi le problème des filles n'est-il pas tant de *bien choisir*, n'ayant guère loisir de le faire puisqu'elles sont soit guidées par une passion fatale, soit conseillées par des parents ayant autorité sur elles: leur vrai problème est d'*être bien choisies*, c'est-à-dire choisies par l'homme qui leur convient. Leur état combine donc — situation affreuse, au comble de la tension — l'extrême passivité, l'extrême urgence et l'extrême importance des enjeux, puisque c'est tout leur avenir qui va dépendre de ce court laps de temps où peut s'effectuer ce non-choix, cette attente active ou cette sollicitation passive de celui qui, si tout va bien, leur permettra d'échapper au triste destin de la vieille fille et, si tout va mieux encore, de faire un beau mariage. C'est cette heureuse issue qui adviendra aux deux sœurs: Elinor verra revenir à elle son terne fiancé, parvenant malgré son absence de dot à se faire épouser par celui qu'elle aime, et amenant Marianne à adopter sa propre vision du monde en la persuadant d'être «raisonnable» en épousant un homme riche, beaucoup plus âgé et dont elle n'est pas amoureuse. La cadette finira par se rendre à la raison de l'aînée, lui demandant pardon pour son «terrifiant égoïsme», et même la mère se rend à la justice en reconnaissant la supériorité de celle de ses deux filles dont elle était la moins proche. Ainsi la victoire finale revient à Elinor, qui parvient à conquérir l'amour de sa mère malgré la préférence accordée à sa sœur, en même temps qu'à conquérir un mari malgré le handicap de l'absence de fortune et du manque de beauté. Autant qu'un roman de formation pour jeunes filles devant se résigner à faire de nécessité vertu, c'est-à-dire de raison sentiments, *Raison et sentiments* est un roman de la victoire et sur l'injustice maternelle, et sur l'injustice matrimoniale. Mais cette victoire ressortit à la plus pure « romance », car elle ne s'obtient qu'au prix d'un coup de théâtre romanesque de la plus grande invraisemblance, qui tranche avec le réalisme manifesté dans la mise en place et le développement de l'intrigue. Selon la logique initiale du roman, Elinor et Marianne auraient dû finir vieilles filles, l'idylle avec leurs prétendants ayant été contrariée par leur manque de fortune : ce à quoi ni la « raison » de l'une ni le « sentiment » de l'autre ne pourraient quoi que ce soit.

Loi du père, loi de l'amour

Si l'accès au mariage peut être contrarié par l'absence de ressources, il arrive aussi que le mariage d'amour, c'est-à-dire la satisfaction du sentiment, soit contrarié par la raison familiale incarnée par l'autorité paternelle. Ce conflit entre loi du père et loi de l'amour constitue même le thème d'une grande partie de la littérature classique, tant théâtrale — de Corneille à Racine et de Molière à Marivaux — que romanesque. Ce clivage des filles entre le mariage familial qui les soumet à la loi parentale, et le mariage sentimental par où elles tentent de s'autonomiser, peut également s'interpréter comme l'expression d'une mutation anthropologique dans les systèmes de parenté, entraînant un conflit structurel entre deux systèmes coprésents mais antinomiques : le système de parenté élémentaire, où le choix du conjoint est orienté voire prescrit en direction de certaines catégories, et le système complexe, qui ne fait qu'interdire certaines unions en fonction des rapports de consanguinité ou d'alliance. C'est bien en tout cas ce conflit entre contrainte et (relative) liberté, extériorité et intériorité, collectivité et individualité, qui fait l'objet de maintes fictions à l'âge classique, lorsque la loi parentale était encore toute-puissante et que la loi de l'amour commençait à trouver son expression.

C'est que le mariage d'une jeune fille n'engage pas que l'intéressée : sa propre famille y a son mot à dire dès lors que ce ne sont pas seulement des individus qui s'épousent mais des «maisons» qui s'allient, des patrimoines qui se complètent, des noms qui s'associent. Marier sa fille c'est, pour un père, une chance d'augmenter la position de l'ensemble de la famille grâce à une bonne alliance; ne pas la marier, c'est devoir en assurer l'entretien jusqu'à la fin de ses jours. Autant dire qu'il est dans l'intérêt des familles de sacrifier une part de la fortune pour bien doter les filles, en contrepartie de quoi celles-ci cesseront de peser sur l'économie domestique et permettront d'améliorer la situation de la lignée. Ainsi l'héroïne du *Mariage de Chiffon* de Gyp (1894), prévenue par sa mère qu'«on ne se marie pas pour que ce soit drôle!», ne se fait guère d'illusions : «Elle a si peur que je ne fasse pas un beau mariage!... pas pour que je sois heureuse, mais c'est par vanité.» La question du mariage conjoint donc la difficulté à accorder des familles dans leur intérêt mutuel avec la difficulté à accorder des personnes dans une entente à plusieurs niveaux et à long terme. Balzac le dit dans *Béatrix* (1839) : «Le mariage ne se compose pas seulement de plaisirs aussi fugitifs dans cet état que dans tout autre, il implique des convenances d'humeur, des sympathies physiques, des concordances de caractère qui font de cette nécessité sociale un éternel problème. Les filles à marier aussi bien que les mères connaissent les termes et les dangers de cette loterie, voilà pourquoi les femmes pleurent en assistant à un mariage, tandis que les hommes y sourient; les hommes croient ne rien hasarder, les femmes savent à peu près ce qu'elles risquent.»

Il arrive que les filles, faute de s'être détachées de l'emprise familiale, adoptent le point de vue «raisonnable» du mariage familial : dans *Béatrix* encore la jeune Charlotte, promise de longue date à Calyste par stratégie matrimoniale, «ignorait l'amour» et «voyait comme toutes les personnes groupées autour d'elle un moyen de fortune dans le mariage». Mais plus souvent c'est à la mère qu'il revient de rappeler à sa fille la loi que le père, s'il le faut, se chargera d'imposer — telle, dans *Béatrix* toujours, la mère de Sabine : «Mon enfant, dit la duchesse à sa fille, une mère doit voir la vie un peu plus froidement que tu ne la vois. L'amour n'est pas le but, mais le moyen de la famille [...]. La passion excessive est inféconde et mortelle.» La situation n'est guère meilleure pour les orphelines, qui dépendent alors d'un tiers — oncle, grand-père, frère aîné, tuteur — encore moins intéressé à leurs affects et à leurs émotions, tandis que la place de la mère est souvent occupée par une «mauvaise femme», désexuée de préférence — veuve ou vieille fille, gouvernante, tutrice ou patronne.

La loi du père s'exerce d'autant plus facilement que la fille ne dispose traditionnellement que d'un espace d'autonomie extrêmement limité, ne pouvant guère se déplacer sans accompagnement ou autorisation, ne pouvant même parfois se prononcer en son nom personnel ni exprimer une opinion. Si elle poussait l'entêtement jusqu'à refuser le parti imposé par le père, c'est le couvent qui l'attendrait; et s'il lui prenait fantaisie de se marier sans le consentement paternel en s'enfuyant avec son amoureux, alors c'est une cascade de mésaventures qui risquerait de sanctionner cette rébellion. Bien des héroïnes en font la douloureuse épreuve: l'*Amelia* de Fielding (1751) se perd par son obstination amoureuse; l'héroïne de *La Rustaude* de Zénaïde Fleuriot (1904) apprend à ses dépens qu'une jeune campagnarde ne doit pas braver l'interdit familial en épousant un Parisien sans religion ni honneur, sous peine de perdition dans les dépravations de la grande ville; dans *Yamilé sous les cèdres* de Henry Bordeaux (1923), la jeune Libanaise maronite qui s'est enfuie avec un musulman est enlevée par sa famille, qui la tue pour la punir; et la Natacha de Tolstoï, comme l'Angélique du *Rêve* de Zola, échapperont de justesse à l'enlèvement par leur amoureux.

Ce problème peut être mis en scène du point de vue soit de la fille empêchée, soit du prétendant sacrifié. C'est dans une relative symétrie de ces deux points de vue que se déploie *Julie, ou la Nouvelle Héloïse* (1761), roman quasi inaugural en la matière, où Rousseau conte par lettres l'amour malheureux de Julie d'Étanges et de son précepteur Saint-Preux — amour contrarié par la famille de la jeune fille, qui l'oblige à épouser le sage et vieux M. de Wolmar; et plus encore que l'opposition entre loi du père et loi de l'amour, il s'agit de l'opposition entre l'amour «selon la société» et l'amour «selon la nature» — et la funeste subordination de celui-ci à celui-là. Il arrive que cette loi du père devienne loi de la mère: c'est ce qui adviendra, peu après Julie et Saint-Preux, à Charlotte et

Werther dans *Les Souffrances du jeune Werther* (1774) où Goethe met en scène, également par lettres, le drame des amoureux séparés par le serment que fit Charlotte à sa mère agonisante d'épouser Albert ; Werther en mourra, choisissant la solution du suicide — suivi en cela par quelques lecteurs empathiques. La loi du père peut aussi devenir loi du frère, comme dans *Les Hauts de Hurlevent* d'Emily Brontë (1847), où c'est le frère aîné de Catherine qui contrarie son amour quasi incestueux avec le jeune Heathcliff, l'enfant adoptif : alors c'est le roman familial qui se poursuivra avec la malédiction frappant la génération suivante, dans l'impossible conciliation de l'amour interdit et de la loi familiale. Plus simplement, la loi du frère peut relayer la loi du père lorsque celui-ci a disparu, comme dans *Le Moulin sur la Floss* de George Eliot (1860), où la jeune Maggie voit son premier espoir de mariage empêché par son père pour la raison que le soupirant n'est autre que le fils de son pire ennemi ; à la mort de son père c'est le frère qui prendra le relais, contrariant par son intransigeance une deuxième idylle ; mais le choix cornélien entre loi du père et loi de l'amour sera évité à la jeune fille par la catastrophe finale, une inondation au cours de laquelle elle périra dans les bras de son frère sévère. La loi du père peut même devenir loi du fils : dans « Le Veto du fils » de Thomas Hardy (1891), une ancienne femme de chambre ayant épousé son patron se voit interdire le remariage par son fils, jeune homme ambitieux qui craint d'être lui-même déclassé en ayant comme beau-père un homme issu du peuple.

Il arrive aussi que la loi du père ait été suffisamment intériorisée par la jeune fille pour qu'elle renonce d'elle-même à l'amour. Ainsi Catherine Sloper dans *Washington Square* d'Henry James (1880), quittée par son prétendant parce que le père, persuadé d'avoir affaire à un chasseur de dot, avait fait savoir au jeune homme que sa fille ne serait pas son héritière, le repoussera à son tour, bien que son père ne soit plus là pour imposer sa raisonnable loi, lorsqu'il cherchera à reconquérir son ancienne fiancée résignée à l'état de vieille fille riche. Et dans *Maria Chapdelaine* de Louis Hémon (1916), la jeune fille peut bien envisager, tant que sa mère est là pour occuper la place, de quitter le pays, de choisir la nouveauté et la modernité en acceptant d'épouser Lorenzo Surprenant ; mais à la mort de sa mère, Maria revient d'elle-même à sa place pour reprendre le flambeau, se résignant à rester au pays et à continuer la tradition familiale en acceptant pour époux Eutrope Gagnon. Toutefois elle n'aura eu à choisir entre ces deux destins, incarnés chacun par un homme, que parce que son premier amoureux, François Paradis, est mort : l'amour vivant l'aurait placée en situation soit de s'opposer violemment à la loi du père, soit de ne pas même se poser la question du choix. Et n'est-ce pas justement le paradis de la vierge que de n'avoir pas à choisir, dès lors que c'est l'amour seul qui décide ? On voit bien ici que les états priment sur les sujets, les structures sur les personnes, puisque la place de l'épouse légitime peut être occupée successivement par la mère et par la fille, et que la loi du père peut être intériorisée par celle-ci, même une fois le père disparu.

En l'absence du père, et faute d'une intériorisation par la fille, la loi peut même être incarnée, s'il le faut, par la grand-mère, comme dans *La Jeune Fille bien élevée* de René Boylesve (1912), entièrement centré sur le conflit entre loi du père et loi de l'amour du point de vue de la fille. Née dans une bonne famille de la bourgeoisie provinciale à la fin du siècle dernier, cette «jeune fille bien élevée» a vu sa dot sérieusement écornée par l'incompétence du père puis, après la mort de celui-ci, par les frasques d'un frère aîné. Elevée au couvent, elle y fait figure de modèle de vertu, y contractant d'abord des aspirations mystiques puis le goût de la musique, en lequel elle est encouragée par des voisins parisiens et musiciens qui lui font entrevoir la possibilité d'une carrière de pianiste professionnelle. Une fois sortie du couvent pour «entrer dans le monde», trois voies s'offrent à elle : la première, traditionnelle et commune, est le mariage ; la deuxième, aussi traditionnelle mais hors du commun, est le retour définitif au couvent ; la troisième, hors du commun et moderne, est la vie d'artiste. Le mariage, seule solution considérée comme désirable par la loi familiale, est entravé par la situation financière et les exigences de respectabilité de la famille, pour qui il sera un indicateur en même temps qu'un instrument de sa position sociale : il faudrait trouver un parti suffisamment bon pour convenir à sa famille mais qui ne soit pas arrêté par la modestie de la dot. Ayant ainsi raté plusieurs occasions, elle envisage la deuxième voie en acceptant la vocation religieuse et l'entrée au couvent, c'est-à-dire en se résignant à «n'être pas une femme comme les autres». Mais elle préférerait la troisième voie, celle de la vocation artistique et du célibat indépendant et prestigieux de la musicienne professionnelle, si ne s'y opposait sa famille, et, au premier chef, son autoritaire grand-mère, pour qui «une jeune fille bien élevée ne doit pas se faire remarquer».

Finalement se présente un bon parti : un architecte parisien qui cherche une jeune provinciale «bien élevée» pour être sûr de sa fidélité. Elle espère pouvoir échapper à cette solution non désirée, mais les seuls qui auraient pu soutenir son désir d'indépendance se dérobent : de même que la mère supérieure du couvent l'avait freinée dans une vocation religieuse que pourtant on lui recommandait, de même les amis musiciens encouragent ce projet de mariage contraire à la vocation musicale qu'ils avaient eux-mêmes exaltée. Privée d'appuis lui permettant d'affirmer son désir de se consacrer à la musique et sa répugnance à épouser un homme qu'elle n'aime pas, elle se résigne à renoncer à sa vocation, et accepte le beau mariage arrangé par sa famille : «Alors, tout à coup, j'eus l'impression que j'étais amenée au mariage comme une bête de somme à l'abattoir.» Mais c'est surtout à elle-même qu'elle renonce ainsi en se soumettant à la loi familiale, sans même la ressource d'une révolte, se laissant aller à la passivité et à l'abandon de son identité : «À partir du moment où je sentis que ma volonté, mon goût personnel, enfin tout ce qui était de moi, de moi-même, ne pouvait plus rien modifier à la marche des événements, j'éprouvai une sorte de soulagement. Il me semblait qu'une partie de moi était morte ; j'en avais du regret, mais c'était la partie de moi qui m'avait fait le plus souffrir, parce que c'était elle qui m'obligeait constamment à choisir, à prendre une détermination, à vouloir. Elle était morte ; je m'en trouvais tout endolorie ; mais du moins il ne me restait plus qu'à me laisser aller !»

Plus encore qu'un renoncement à l'amour, il s'agit d'un renoncement à l'identité, à l'exigence d'être soi-même, autonome, particulière, insubstituable à aucune autre — une personne à part entière. De même, nous le verrons, que l'adultère pour la femme mariée, l'amour représente pour la fille la rencontre avec soi-même, l'accomplissement identitaire au moins autant que la rencontre avec l'autre. Ce renoncement à être soi-même est une expérience inconnue aux hommes, qui ont d'autres lieux que le mariage pour vivre leur propre vie : « J'ai entendu bien souvent parler, depuis lors, des joyeux enterrements de la vie de garçon que fêtent, avant de nous épouser, messieurs nos maris. Ils les peuvent célébrer légèrement, parce que presque aucun d'eux, ce faisant, n'a le sentiment de renoncer définitivement à quoi que ce soit. Mais, nous autres femmes, nées honnêtes, élevées comme je l'ai été, qui n'avons joui de rien et qui renonçons sérieusement à tout, c'est pire qu'une vie que nous enterrons, c'est nos rêves. » Aussi ne peut-elle que pleurer à son propre mariage, cachée sous son voile, comme à un enterrement : « Je me sentais me quitter moi-même, sans douleur vive, mais avec une tristesse désolante qui s'épanchait par un flot continu de larmes... » Balzac ne croyait pas si bien dire, qui expliquait « pourquoi les femmes pleurent en assistant à un mariage » — mais il n'allait pas jusqu'à suggérer que ce pût être au leur...

Eût-elle vécu à Paris quelques années plus tard, peut-être serait-elle devenue une jeune femme indépendante, comme l'héroïne de *La Garçonne* ou de *La Vagabonde*, dont nous examinerons plus loin le destin. Mais en province, et avant la fin de la première guerre — laquelle représente un tournant dans l'évolution du statut féminin — elle ne fera qu'entrevoir sa liberté pour aussitôt devoir y renoncer. Or ce renoncement à l'amour et à une identité qui lui soit propre, que doit consentir la jeune fille soumise à la loi du père, qu'est-ce d'autre que la version moderne du sacrifice d'Iphigénie ? C'est la forme civilisée de l'immolation qui s'est longtemps perpétrée dans les familles bourgeoises, non plus par la destruction physique du corps de la jeune fille mais par la destruction morale de son identité, sacrifiée sans états d'âme à la position de la famille, son renom, son capital de fortune ou de respectabilité.

Chapitre III

FILLES MAL PRISES

Le mariage de raison contracté pour obéir à la loi du père n'est une solution que pour la famille : pour l'intéressée, il ne fait qu'ouvrir un long, voire un infini travail d'acceptation de la contrainte, de compromis avec le réel, de résignation à la perte des illusions qui entretenaient l'espérance de l'avenir. Pour la jeune fille bien élevée de Boylesve, devenue *Madeleine jeune femme* (1912), le moment de son mariage est « l'heure la plus douloureuse de [s]a vie » : « Ah ! que j'envie le sort de celles pour qui cette heure est l'aboutissement des rêves de la jeunesse ! Moi, je partais, à la suite d'un mariage de convenance, comme on disait dans ce temps-là, avec un homme pour qui j'avais beaucoup d'estime et de gratitude, presque de l'amitié, mais point d'amour. » Car c'est un travail de tous les jours, et de toutes les nuits, que de supporter dans son esprit et sur son corps l'empreinte continue d'un homme non désiré. De Chinon, sa ville natale, à Venise où elle passe son voyage de noces, il n'y a que le court renversement de l'ignorance en une initiation aussitôt vécue dans la résignation : « Ah ! mon Dieu ! quelles contusions et quelles fatigues j'ai promenées dans cette ville qui fabrique le rêve comme d'autres les pâtes alimentaires !... L'énigme de la chair — le mystère, pour moi, le plus insoupçonné de ma jeunesse — expliqué, résolu tout à coup ! l'objet d'effroi devenu familier ; le péché le plus honteux transformé en le plus impérieux devoir !... quel éclair ! quelle aveuglante lumière sur le monde ! et quel cataclysme pour qui reçoit l'ébranlement du phénomène sans avoir pu auparavant s'enivrer !... »

Les conséquences de la soumission à la loi du père rejoignent là celles du mauvais choix d'objet, lorsque la jeune fille — par mégarde, dépit, ou ignorance — accepte un prétendant sur les qualités duquel il va lui falloir s'apercevoir qu'il y a eu méprise. À celui-ci s'adresse ce conseil de Michelet dans *L'Amour* : « Jeune homme au cœur tendre et fidèle, sache bien dès le commencement que ton plus sacré devoir est de profiter tout d'abord de la foi naïve de ta jeune épouse, de ses dix-huit ans, du luxe admirable de bonne volonté qu'elle apporte, pour t'emparer d'elle entièrement au moral et au physique, prenant son corps, prenant son âme [...]. Dépêche-toi d'être son maître. » Ainsi, dans *La Renarde* de Mary Webb, Hazel était passée trop vite par un mariage auquel elle n'était pas préparée ; *La Princesse d'Erminge* de Marcel Prévost (1904) est victime d'un mari qui ne l'a épousée que par intérêt et la délaisse pour sa maîtresse dès la fin du voyage de noces, la condamnant à prendre un amant dont elle tombe enceinte, dans l'« angoisse des maternités adultères » ; à l'opposé, une autre héroïne de Marcel Prévost, dans *Voici ton maître* (1930), subit un véritable harcèlement sexuel de la part de son mari revenu de la grande guerre (un « homme-lierre », par opposition aux « hommes-papillons »), alors que « jamais sa présence n'a provoqué en [elle] la plus fugitive surexcitation ».

Certes, ces filles mal prises confrontées à la déception sont statutairement des épouses ; mais pour les envisager au même titre que les femmes mariées, encore faudrait-il qu'elles le soient vraiment devenues, dans leur tête et dans leur corps : tout le problème étant qu'après leurs noces elles peuvent demeurer dans cet état transitoire qui n'est plus tout à fait celui de la fille, puisqu'elles sont mariées, mais pas encore celui de la femme, ne s'étant pas résolues à devenir réellement celle d'un homme qu'elles ne peuvent aimer. Elles sont comme la jeune épouse dans *La Tournée* (1891) de Thomas Hardy : « Depuis cette union, elle était restée une femme dont la fibre la plus intime n'avait pas encore été touchée. » Voyons comment ces filles mal prises parviennent à se maintenir tant bien que mal dans cet état improbable, sur la ligne de crête entre l'état de femme qui désormais les définit statutairement, et l'état de fille auquel elles appartiennent encore dans leur tête, voire dans leur corps.

Contrainte et non-consommation

Contrainte au mariage par déception amoureuse ou obligation familiale, la jeune fille peut toujours se figurer qu'elle
échappera à sa consommation. Peu probable certes est la situation de pure comédie inventée par Labiche dans *Mademoiselle
ma femme* (1846), où un aide de camp de Napoléon, sommé
d'épouser une jeune fille de quinze ans juste avant de partir en
mission, s'en va après le déjeuner de noce sans avoir consommé
le mariage. Plus réalistement, il arrive que la jeune femme parvienne à obtenir de son époux le mariage blanc, définitivement,
comme dans *Eugénie Grandet* de Balzac (1833), ou temporaire-
ment, comme maintes héroïnes de Georges Ohnet, grand
romancier des filles mal prises dans des mariages mal engagés :
que ce soit la jeune épouse du *Maître de forges* (1882), *La
Comtesse Sarah* (1883) ou encore Jeanne de Cernay qui, dans
Serge Panine (1881), tente en vain de négocier cette solution,
au soir des noces, avec son époux, riche parvenu qu'elle n'a
épousé que par dépit et à qui elle demande de ne pas l'obliger
à le suivre, de l'autoriser à rentrer chez sa mère. Mais il
refuse : «Non, non! Vous êtes ma femme : la femme doit
suivre son mari : c'est la loi qui le dit!» Elle insiste encore,
espérant échapper au pire, ce pire qu'est pour une jeune
femme l'épreuve de la défloration infligée par un homme qui
déclenche en elle non pas amour ou attirance, mais répulsion :
«Cependant elle ne voulait pas céder; elle frissonnait rien
qu'à l'idée d'être à cet homme : elle n'avait jamais pensé au
dénouement brutal et vulgaire de cette aventure. Maintenant
qu'elle l'entrevoyait, elle éprouvait un horrible dégoût.»
Convaincue qu'elle n'a pas le choix, Jeanne finit par céder à la
volonté du mari, sur les instances de sa mère adoptive. Et c'est
à celle-ci qu'elle fera peu après cette confidence : «Le devoir
que vous me montriez comme un remède au mal qui me tortu-
rait, je m'y suis consacrée stérilement. J'ai pleuré, espérant que
le trouble qui est en moi serait emporté par mes larmes. Je me
suis adressée au ciel, et je lui ai demandé ardemment de me
faire aimer mon mari. Rien! Cet homme m'est aussi odieux
que par le passé. Et à présent que j'ai perdu toutes mes illu-

sions, je me vois rivée à lui pour toujours ! Et il faut que je mente, que je compose mon visage, que je sourie ! Et cela me révolte, et cela m'écœure !... Et je souffre !»

De l'indifférence à la haine

Ainsi la fille mal prise peut passer de l'indifférence — sort encore supportable à quoi sont condamnées celles dont le mari n'a pas réussi à se rendre le maître — à la haine — ce sentiment beaucoup plus douloureux qui menace celles dont l'époux persiste à s'emparer contre leur volonté. De l'indifférence à la haine, c'est la trajectoire intérieure de *Thérèse Desqueyroux* de François Mauriac (1927), qui a tenté d'empoisonner son mari, qu'elle avait épousé sans l'aimer et qu'elle doit supporter sans l'avoir accepté. Faisant retour sur elle-même et sur sa courte histoire, elle perçoit les noces comme une « ineffaçable salissure », et la période qui les a précédées comme le seul moment authentique de son existence alors même qu'elle l'avait vécu dans l'attente. Cherchant à comprendre les raisons qui l'ont poussée à épouser cet homme qu'elle n'aimait pas, elle ne trouve, par-delà l'intérêt matériel, que cette quête d'un enracinement, d'une identité familiale, d'une « maison », d'un statut qui, traditionnellement, n'est permis à une femme que par le mariage : « Elle avait hâte d'avoir pris son rang, trouvé sa place définitive ; elle voulait être rassurée contre elle ne savait quel péril. Jamais elle ne parut si raisonnable qu'à l'époque de ses fiançailles ; elle s'incrustait dans un bloc familial, "elle se casait" ; elle entrait dans un ordre. Elle se sauvait. » Elle se souvient de la nuit de noces, « pas si horrible », et de ce qui a suivi, son enfoncement dans un mensonge dont elle n'a pu sortir : « Un fiancé se dupe aisément ; mais un mari ! N'importe qui sait proférer des paroles menteuses ; les mensonges du corps exigent une autre science. Mimer le désir, la joie, la fatigue bienheureuse, cela n'est pas donné à tous. Thérèse sut plier son corps à ces feintes et elle y goûtait un plaisir amer. Ce monde inconnu de sensations où un homme la forçait de pénétrer, son imagination l'aidait à concevoir qu'il y aurait eu là, pour elle aussi peut-être, un bonheur possible — mais quel bonheur ? Comme devant un paysage enseveli sous la pluie, nous nous représentons ce qu'il eût été dans le soleil, ainsi Thérèse découvrait la volupté.» Pas plus qu'elle n'a pu se donner à cet homme qui ne lui inspire au mieux qu'indifférence, pas davantage n'a-t-elle pu assumer la maternité — car comment désirer l'enfant d'un homme qu'on ne désire pas? Une fois l'enfant né, Thérèse s'est refusée aussi à cette immersion dans la maternité, cet investissement frénétique de l'amour maternel auquel tant de femmes recourent pour compenser la déception conjugale. Ce détachement de la maternité s'est étendu peu à peu à l'ensemble de son existence: l'indifférence gagnait, n'épargnant que son mari, devenu l'objet du seul sentiment qu'elle pût encore éprouver dans cet état dépressif — la haine. Mais où aller à présent qu'elle est si bien casée, comme elle le désirait? Elle avait fantasmé un moment cette délivrance que peut représenter l'indépendance, Paris, la vie de l'esprit partagée avec une famille spirituelle, tout ce que la femme mariée peut désirer — indépendance, création et amours — lorsqu'elle ne parvient pas à investir les liens familiaux. Mais comment réaliser une aspiration qu'entrave la lourde réalité du mariage, de la maternité, du patrimoine, sinon en supprimant, froidement, celui qui n'inspire plus que haine?

Du mauvais choix à la conversion

Toutes les héroïnes de roman ne vont pas jusqu'au meurtre pour supprimer dans les faits une union qui n'en est pas une dans leur tête: l'espoir peut aussi les porter d'une métamorphose qui changerait leur froideur en ardeur. C'est cette éventualité d'une conversion de l'indifférence à l'amour, de la répulsion au désir, de la frigidité à la jouissance, que font miroiter les aînées aux fiancées récalcitrantes. «Quand vous aurez senti la griffe, vous ne vous reconnaîtrez plus vous-même»: la jeune mariée de *Dette de haine* de Georges Ohnet à qui l'on avait fait ce riant augure n'en restera pas moins une fille mal prise, comme son époux en fait la malheureuse épreuve: «Il n'avait pu continuer à se faire illusion: la froideur de celle qu'il serrait éperdument dans ses bras l'avait glacé [...]. Il l'avait sentie frémir, quelquefois, dans ses bras, comme si elle allait enfin se livrer, mais on eût dit qu'une mystérieuse influence, une volonté, soudainement manifestée, arrêtait le bouillonnement de la sève, et calmait les sens prêts à s'émouvoir. La femme, un instant palpitante, redevenait insensible et, presque lassée, se prêtait aux désirs de l'époux, mais ne cédait pas à la volupté des caresses.» Cette possible conversion de la fille mal prise est pourtant ce que Georges Ohnet avait offert à l'héroïne du «plus grand succès de librairie du siècle» selon Jules Lemaître, *Le Maître de forges* (1882), attestant aux jeunes filles mal mariées que cette solution quasi miraculeuse est quand même du domaine du possible — en tout cas du possible romanesque. La jeune marquise Claire de Beaulieu envisage avec horreur au soir de son mariage la perspective de devoir se soumettre à un homme pour qui elle n'a que mépris, alors qu'elle souhaitait épouser un duc, cousin et ami d'enfance — lequel, inconstant et acculé par des dettes de jeu, a préféré la fille d'un épicier enrichi. Par dépit, Claire a accepté la main de Philippe Derblay, jeune industriel amoureux d'elle et indifférent à son manque de fortune, que par délicatesse il continue à lui laisser ignorer. Le soir du mariage elle se refuse à lui, avouant qu'elle est toujours éprise du duc; il lui rend sa liberté, maintenant une séparation de fait dans les apparences d'un mariage heureux. Mais une méningite qui la met aux portes de la mort la guérit de son chagrin, tout en lui permettant d'apprécier la sollicitude de son mari — lequel, blessé dans son amour-propre, est cependant passé de l'état d'amoureux transi à celui d'époux sévère et indifférent. La jeune femme doit s'avouer qu'elle a pour lui un véritable amour: «Elle éprouvait maintenant une âpre jouissance à se sentir dominée. Un homme était venu, qui lui avait mis la main sur l'épaule et l'avait courbée. C'était celui-là qu'elle aimait, par cela même qu'il lui avait fait sentir le poids de sa volonté. Il était son maître.» Pour sortir de ce mariage blanc qu'ils se sont imposé, pour avouer à Philippe sa conversion et pour amener la sienne, il faudra un duel avec le duc où, afin de sauver son mari, elle s'interpose au risque de sa vie: c'est à ce prix que la jeune marquise, d'abord perdue par l'orgueil puis convertie à l'amour de son bourgeois d'époux, scelle son union avec celui qui, de son côté, a dû opérer sa propre conversion, de la sévérité envers l'ingrate à la tendresse pour l'aimée repentante.

Ce roman mêle donc deux conversions : celle de l'épouse qui, en un an, passe de l'état de fille mal prise à celui d'épouse comblée ; et celle de l'époux qui, le soir des noces, a dû passer subitement de l'état d'amoureux transi à celui de mari dédaigné et dédaigneux, et que la conversion de son épouse permettra de faire repasser à l'état d'époux à part entière, aimant et aimé.

L'effort vers la conversion masculine

Cette seconde conversion, de l'homme cynique et indifférent à l'amoureux sentimental, est un leitmotiv qui court dans nombre de romans : nous le verrons dans *Rebecca* de Daphné Du Maurier (1938), où l'époux lointain doit se transformer, par le meurtre symbolique de sa première femme, en époux soumis à l'amour ; dans *Autant en emporte le vent*, le cynique Rhett Butler s'adoucit pour Scarlett ; c'est le thème également d'*Esclave... ou reine* de Delly (1910), dont le dénouement se confond avec la conversion du maître sévère en époux attendri ; ce sera encore, sous une forme plus moderne, celui du *Repos du guerrier* de Christiane Rochefort (1958), où le chemin de croix de Geneviève consiste, ayant sauvé Renaud de la mort, à le faire revenir aussi de la distance cynique de l'homme blasé qui ne s'intéresse qu'au sexe pour le faire basculer dans l'attachement sentimental de l'homme amoureux. Ce sont là autant de variations sur un thème commun : comment faire passer un homme de la relation distanciée-sexuée, qui est le mode masculin de l'engagement dans l'amour, à la relation fusionnelle-sentimentale, qui en est le mode féminin ou, plus exactement, maternel[1] ?

L'insistante récurrence romanesque de ce thème peut s'expliquer psychanalytiquement comme l'écho d'un ancien conflit familial entre une dimension sexuée incarnée par les hommes, en particulier le père, et l'effort des filles pour ignorer, éliminer ou renverser cette dimension en un rapport désexué, purement affectif. C'est cette conversion du regard sexué en regard paternel qu'échoue à réinstaurer *Salomé* dans la version d'Oscar Wilde (1893) : « C'est étrange que le mari de ma mère me regarde comme cela. Je ne sais pas ce que cela veut dire... Au

fait, si, je le sais.» Et Hérodias, sa mère, renchérit, mettant en
garde Hérode, son mari: «Il ne faut pas la regarder. Vous la
regardez toujours»; «Vous ne dites que cela», ironise Hérode
— et la mère: «Je le redis.» Cette malédiction qui frappe
Salomé («Je ne veux pas te regarder, je ne te regarderai pas.
Tu es maudite. Salomé, tu es maudite», lui dit Iokanaan), elle
la doit justement à sa mère, qui épousa en secondes noces le
frère de son mari assassiné; aussi Salomé est-elle, selon les
mots d'Iokanaan, une «fille d'adultère», «fille d'une mère
incestueuse», de sorte qu'à ce premier inceste maternel va s'en-
chaîner la menace de cet autre inceste qu'est la séduction de la
fille par son beau-père[2]. Celui-ci ne se contente plus de la
regarder: il lui demande une danse, par où elle lui ferait don
de son corps, en échange de quoi il lui offre littéralement de
prendre la place de sa mère: «Tout ce que vous voudrez, je
vous le donnerai, fût-ce la moitié de mon royaume, si vous
dansez pour moi. Ah! Salomé, Salomé, dansez pour moi»;
Salomé: «Tout ce que je vous demanderai, fût-ce la moitié de
votre royaume?»; Hérodias: «Ne dansez pas, ma fille»;
Hérode: «Fût-ce la moitié de mon royaume. Comme reine, tu
serais très belle, Salomé, s'il te plaisait de demander la moitié
de mon royaume.» Alors Salomé, incapable de reconvertir en
tendresse paternelle un regard masculin définitivement méta-
morphosé en regard de désir, offre son corps à travers les sept
voiles: en échange de quoi elle exige non la place de sa mère,
mais la tête du seul homme qu'elle désire. Ainsi le meurtre du
désir conclut-il, inévitablement, le viol incestueux, fût-il
commis par le simple regard.

Les aléas de la conversion féminine

Revenons à la conversion féminine, qui permet aux filles mal
prises de connaître malgré tout l'amour au sein du mariage —
faute de quoi elles ne peuvent espérer que le veuvage et, en
attendant, se consoler dans la maternité: solution qui s'offre à
l'héroïne de Boylesve pour oublier provisoirement son décevant mariage. Le problème est que l'amour maternel, à la différence de l'amour sexué, est un très mauvais conducteur de
fiction: «Ce qui m'est arrivé de commun avec toutes les

femmes, pourquoi le raconter? Les douleurs et les joies maternelles, si nous nous mettons à parler de cela, il faut négliger
complètement le reste. [...] Pendant le temps que les soins de
mes enfants m'ont absorbée, j'ai été la femme la plus ordinaire,
la mieux disposée à trouver que le monde est bien fait, la
moins désireuse de s'enquérir s'il pourrait m'être autrement.
J'ai eu alors l'assurance que ma vie avait un but précis, clair,
incritiquable, et qu'elle n'en avait même qu'un seul, que je
touchais.»

Beaucoup moins apaisant mais, par contre, infiniment plus
romanesque est le travail autorisant la conversion de l'indifférence à l'amour au sein du mariage: épreuve dont les aléas
forment l'intrigue des *Forestiers* de Thomas Hardy (1887) où
Grace Melbury, fille très aimée d'un simple forestier ayant fait
fortune, est la victime d'un mauvais choix doublé d'une soumission à la loi du père. Dans ce roman cruel, chaque personnage est légèrement décalé sur l'échelle sociale par rapport à
celui qu'il pourrait épouser: Marty, la paysanne, en dessous de
Giles, le jeune forestier dont elle est secrètement amoureuse;
celui-ci en dessous de Grace, l'amie d'enfance qu'il aime mais
que son père a voulu pousser au-dessus de son rang; celle-ci
en dessous de Fitzpiers, le médecin qui ne tombe amoureux
d'elle que le temps de se décider à l'épouser; le médecin en
dessous de Felice, la châtelaine qu'il aime et dont il est aimé.
Une fois ces liens noués par le mariage de l'héroïne en une
chaîne d'insatisfactions, c'est la révélation d'une toute petite
mystification qui provoquera le mouvement inverse: apprenant
que les beaux cheveux de la châtelaine sont en partie faux (elle
les avait achetés à Marty qui les sacrifia par dépit amoureux
en s'apercevant que le forestier aimait Grace — et c'est sur le
secret de cet emprunt de féminité que s'était ouvert le roman),
Fitzpiers provoque la dispute à l'issue de laquelle elle meurt;
trompé sur la vraie nature de sa maîtresse, il repart en arrière,
revenant vers sa femme pour qui il se découvre un véritable
amour («un amour très différent, moins passionné, mais plus
profond, qui n'a plus rien à faire avec le côté physique, mais
qui résulte d'une connaissance plus complète de la valeur
morale»); elle-même revient vers le forestier, qui en meurt,
parce que leur amour ne peut plus trouver place dans l'espérance d'un mariage. Pour que devienne finalement viable le

couple mal marié parce que mal ajusté aux espérances sociales du mari comme aux espérances sentimentales de la femme, il aura donc fallu rien de moins que deux morts (la châtelaine en haut de la hiérarchie, le forestier en bas) et un double renoncement à l'authentique amour incarné par Giles : renoncement, au-dessus de lui, de la jeune héritière finalement convertie à son propre mariage ; et renoncement, au-dessous de lui, de la jeune paysanne aux cheveux sacrifiés qui, solitaire, s'en va dans la nature, dont elle seule partageait avec lui la véritable connaissance.

Voilà donc quelques-unes des figures imposées aux filles lorsque, jeunes épouses, elles se confrontent aux conséquences difficiles d'un mauvais choix d'objet ou d'un parti forcé par la loi du père. Encore faut-il qu'elles soient parvenues au mariage, si mal engagé fût-il : ce qui n'est pas donné à toutes, car il existe une dernière catégorie d'épreuves susceptibles de toucher plus durement encore les jeunes filles engagées trop tôt dans l'amour. Observons, pour en finir avec les états de fille, les risques bien plus immédiats qui les menacent lorsque, promises, elles sont abandonnées avant les noces, ou lorsque, compromises, elles sont trompées par une fausse promesse de mariage : autrement dit les filles qui, ayant été à prendre, se retrouvent laissées.

Chapitre IV

FILLES LAISSÉES

«Destin canonique des filles coupables[1]», l'abandon n'est pas le moindre des pièges qui guettent, au seuil de ce changement d'état radical qu'est l'accès au mariage, celles qui n'ont pas fait le bon choix d'objet, s'étant promises voire données à un homme qui ne dépassera pas l'état de fiancé ou, pis, de séducteur. Car il existe deux sortes d'abandons avant le mariage : celui de la promise par son fiancé, et celui — bien pire, parce que susceptible de laisser des séquelles autrement plus graves qu'une peine de cœur — de la fille compromise par son séducteur.

La promise

«Si toutes les femmes qui ont été abandonnées par leurs fiancés ou leurs maris mouraient, mais le monde serait dépeuplé !» réplique la marquise de Beaulieu, dans *Le Maître de forges* de Georges Ohnet, à sa fille Claire qui, abandonnée par son fiancé, s'abandonne elle-même à la rage et au désespoir, rêvant «des supplices infamants et cruels pour sa rivale». Si la littérature ne manque pas de ces figures de promises à qui une autre ravit le fiancé, toutes ne réagissent pas avec cette fureur jalouse. Il en est même une qui se comporte à l'extrême opposé : il est vrai que la rivalité féminine à laquelle elle se trouve confrontée n'est plus celle, entre égales, qui oppose des filles de même statut, telle Ariane abandonnée pour sa sœur Phèdre par Thésée, mais celle, beaucoup plus troublante — au point d'être quasi tabou — qui oppose une fille à une femme mariée. Voyons ce qui peut advenir à la jeune fille mise en rivalité avec une femme qui aurait pu être sa mère : lorsque c'est une femme, et non plus une autre fille, qui lui ravit celui qu'elle devait épouser.

Elle « découvre avec ravissement la certitude de n'être rien » (Christian Bobin, *Éloge du rien*) : c'est *Le Ravissement de Lol V. Stein* de Marguerite Duras (1964). Le « ravissement », c'est à la fois le rapt et la béatitude : ravie aux yeux de tous durant cette nuit de bal où son fiancé l'abandonne pour une femme plus âgée, Lol l'est-elle *à* son statut de fiancée, ou l'est-elle *de* lui être ravie ? Cette seconde interprétation, à connotation extatique — le ravissement comme arrachement à un réel trivial ou prosaïque — s'apparente à la tradition mystique, voire aux philosophies tragiques, et c'est elle que sollicite formellement la littéralité du texte. Mais l'insistance sur cette dimension positive du ravissement comme béatitude révèle en creux celle, négative, à quoi elle s'oppose, et qu'engage immédiatement le contenu du récit : le ravissement comme rapt, violence, spoliation — la spoliation de son état de promise perpétrée sous ses yeux par son fiancé avec une inconnue.

Jeune fille, Lol. V. Stein s'est vu ravir Michael Richardson, son futur époux, par Anne-Marie Stretter, avec laquelle il danse toute la nuit sous ses yeux [2]. Lol ne fuit pas : au contraire, elle paraît *ravie* par le spectacle de son abandon, dont elle ne semble pas souffrir. Elle ne revient à terre, ne se rend au réel que lorsque ce spectacle lui est *ravi*, à l'aube, une fois le moment venu d'abandonner les lieux ; ne parvenant pas à retenir le couple, elle doit se résoudre à les voir partir. Alors, comme si elle réalisait tout d'un coup ce qui lui est arrivé, elle s'évanouit : « Quand elle ne les vit plus, elle tomba par terre, évanouie. » Que lui est-il arrivé ? Sa place lui a été ravie : sa place auprès de l'homme, ravie par une femme avec la complicité de cet homme — et pas n'importe quelle femme puisque cette femme, plus âgée et de noir vêtue, pourrait être sa mère [3]. C'est une forme du « complexe de la seconde » que nous observerons plus loin — mais anticipé et ramassé dans la durée d'une nuit — qu'expérimente ici la fiancée publiquement délaissée. Lol tout d'un coup n'a plus de place, sinon la place de celle qui assiste au spectacle de sa propre disparition des bras de l'homme en lesquels elle avait trouvé place, et croyait l'avoir pour toujours. C'est une souffrance absolue : la souffrance en laquelle on n'est même plus celle qui peut se vivre souffrante, qui peut éprouver sa propre souffrance puisqu'on n'est même plus, littéralement, soi-même, ayant été chassée de la place où l'on était qui l'on est. Aussi cette souffrance demeure-t-elle tenue en suspens tant que Lol est encore *suspendue* à ce spectacle, dans le présent, tant qu'elle assiste à ce qui lui arrive : tant qu'il y a quelque chose à voir — fût-ce sa propre absence au lieu qu'elle devrait occuper, et son remplacement par une autre. Mais dès lors qu'il n'y a plus rien à voir, dès lors qu'elle ne peut même plus occuper la place de celle qui n'a plus de place, de la ravie à qui l'on a ravi sa place — alors la souffrance s'abat sur elle, le réel pèse soudain de tout son poids, et la terrasse : plus de place, plus de mots même pour dire, sinon les cris de sa mère accourue, qui se plaint à sa place. Plus de raison.

Le retour à la raison, le retour à la normale auront lieu finalement, malgré tout, lorsqu'un autre homme demandera à l'épouser : retour à la raison, retour à la normale, retour à la maison, c'est-à-dire à la ville natale. Elle demeure toutefois étrangement absente à ce qui lui arrive, à son statut d'épouse et de maîtresse de maison et de mère de famille qu'elle est devenue à son tour. Dix ans se passent ainsi, comme absentée d'elle-même. Et puis arrive le jour où elle voit un homme, en compagnie d'une femme, qui est sa maîtresse. Et cette femme, c'est Tatiana Karl, l'amie qui assista au bal. De cette femme Lol va faire l'instrument du retour à elle-même, c'est-à-dire à ce ravissement, à cet état sans nom de celle qui n'a pas de place ou, plutôt, n'a de place qu'en la place de celle qui assiste à sa propre éviction, dans le spectacle de l'étreinte unissant à une autre femme l'homme auquel elle-même appartient. Il va suffire de faire de l'amant de sa meilleure amie l'homme à qui appartenir, son amant à elle. À son tour de se mettre à la place d'une autre : pour retrouver cette place qui lui a été ravie, dans les bras de l'amant ; pour pouvoir alors se poster devant l'hôtel où, complice, il étreint l'autre femme ; et enfin, pour pouvoir regarder — pour n'être plus que celle qui regarde, qui regarde le spectacle de sa propre absence dans les bras de l'aimé, et qui « ressent délicieusement l'éviction souhaitée de sa personne ».

Voilà ce que devient une jeune fille brutalement évincée de

son état de promise — promise à l'état de première — et donc de sa propre place : « Je n'étais plus à ma place. Ils m'ont emmenée. Je me suis retrouvée sans eux », se souvient-elle. De quoi devenir folle : neurasthénique d'abord, puis névrosée, enfermée dans la perversion, dans la compulsion à revivre ce ravissement, cette hébétude qui dure tant que dure le spectacle de l'absence à soi-même, à nouveau, enfin. Jusqu'à ce que ça s'arrête, pour laisser la place au néant. À nouveau. Et que ça recommence. Car cette sorte d'épreuve identitaire — « Je ne comprends pas qui est à ma place » — n'est supportable qu'à deux conditions : soit, comme Lol l'a fait durant le bal, à ne pas réaliser, à demeurer dans le ravissement, dans le regard fasciné qui suspend la retombée dans le réel, c'est-à-dire dans le néant ; soit encore, dix ans après, à reproduire ce qui lui a été fait, à devenir à son tour celle qui se met à la place de l'autre femme, par l'intermédiaire de l'homme, qui n'est alors qu'un instrument dans ce tout petit jeu, mortel, de chaises musicales, où il n'y a qu'une chaise, pour deux : une place, pour deux femmes. « J'ai parfois un peu peur que ça recommence », dit-elle... Le ravissement de Lol. V. Stein peut donc bien se rabattre, en un premier temps, sur l'extase, la béatitude, la jouissance. Mais c'est à condition d'en refouler dans l'oubli — ou d'en sublimer par la littérature — le second temps, qui est l'autre moitié de son sens : à condition de suspendre par l'écriture l'épreuve du réel, et d'oublier qu'avec le jour arrivera le temps de la disparition, la néantisation, l'annulation de sa propre place telle qu'elle a été définie par, pour, autour d'un homme — et avec cette place, de son identité.

« On n'en meurt pas », certes, d'être abandonnée pour une autre, comme le rappelait à Claire la sagace marquise de Beaulieu. Mais lorsqu'on est une fille, et que cette autre est une femme — surtout lorsqu'elle pourrait être sa mère — alors il peut arriver que son identité en soit entièrement bouleversée, qu'une part de ce qu'on est se trouve, à jamais, ravie.

La compromise

Une fille laissée est une fille atteinte dans sa réputation, dans la mesure où celle-ci a rapport avec le capital de désirabilité :

une fiancée abandonnée est une fille dont on n'a pas voulu. Mais cette blessure est, avec le temps, à peu près réparable : il n'y faut que de la patience et, éventuellement, de la résignation à accepter un parti moins avantageux. Il est toutefois une autre atteinte, beaucoup moins réparable, à sa réputation, dans la mesure où celle-ci a rapport avec le capital non plus de désirabilité mais de moralité : c'est de passer de promise à compromise, c'est-à-dire à la fille séduite, en franchissant hors mariage le passage bien gardé entre virginité et sexualité, transgressant la frontière entre fille et femme. «On n'échappe pas à la terrible fatalité sexuelle qui prend toutes les formes, tous les visages, toutes les excuses», commente J.-H. Rosny jeune dans *La Pigeonne* (1925).

Ces figures de filles à la réputation compromise abondent dans la littérature : depuis la religieuse portugaise, recluse au couvent après s'être laissée séduire par un compagnon d'armes de son frère, jusqu'à Mathilde de La Mole, l'héroïne de Stendhal dans *Le Rouge et le Noir* (1830), qui fait accorder un titre de noblesse à son amant afin qu'ils puissent se marier ; depuis la Lamiel de Stendhal, qui se donne au premier venu par curiosité, avec une naïveté confinant au cynisme du libertin revenu de tout («... et alors sans transport, sans amour, le jeune Normand fit de Lamiel sa maîtresse. — "Il n'y a rien d'autre ? dit Lamiel"»), jusqu'à la Clotilde du *Docteur Pascal* de Zola (1893), que son vieil oncle entretient dans un délicieux concubinage, ce qui bien sûr finira mal ; ou depuis la «maîtresse du lieutenant français» de John Fowles (1969), ainsi désignée pour s'être perdue de réputation en compagnie d'un militaire de passage, jusqu'à la *Daisy Miller* d'Henry James (1878), cette jeune Américaine qui fait scandale dans la société européenne par la désinvolture de sa conduite envers ses nombreux soupirants, se compromettant en compagnie d'un Romain, et qui mourra d'être allée admirer en sa compagnie le clair de lune au Colisée, au risque non de sa virginité — intacte — mais de la malaria. Avant elle, l'héroïne d'*Adam Bede* de George Eliot (1859) n'en était pas restée au simple tête-à-tête des parties de canotage : à preuve le bébé qui naîtra à Hetty Sorrel pour avoir été séduite puis abandonnée.

La grossesse hors mariage est la forme extrême de la compromission, la preuve difficilement dissimulable que la jeune fille a usurpé sa réputation d'innocence ou, le cas échéant, qu'elle a bien mérité sa réputation de fille légère, coureuse, dévergondée. La solution la plus facile — seul remède accepté des familles — est de précipiter les noces, lorsque le fiancé consent, comme on dit, à « réparer » — ou à défaut lorsqu'un autre est requis d'urgence pour légitimer le trop précoce rejeton de la faute. Mais pour peu que la jeune fille séduite ait été abandonnée, pour peu qu'il soit trop tard pour arranger les choses, alors, lorsque l'enfant paraît, c'est le désespoir ; tandis que s'il disparaît — avortement, infanticide, mort naturelle ou, à défaut, mise en nourrice — c'est l'espoir de pouvoir revenir en arrière, effacer le stigmate et se refaire, comme on dit, une virginité, pour parvenir enfin au mariage et reprendre sa place dans l'ordre légitime des états de femme : fille à prendre, promise, épouse, mère et, plus tard, grand-mère.

Il arrive aussi que la compromission perdure même si l'enfant n'est plus là pour l'attester : blessure identitaire inguérissable, irréparable, interdisant à jamais la sortie hors de l'état catastrophique de fille compromise. C'est cette tragique histoire que conte sous sa forme la plus pure l'un des grands romans de Thomas Hardy, *Tess d'Urberville* (1891), où sont exemplairement explicitées les conséquences identitaires de la transgression de l'ordre des états de femme, qui peut transformer irrémédiablement un être, détruire même une existence. Le roman commence, comme presque toujours chez Hardy, par un faux pas dans la hiérarchie, une tentative pour se hisser au-dessus de son statut : tentative non seulement ratée mais qui va entraîner d'autres êtres dans des ratages autrement tragiques. Et tout commence aussi, comme souvent chez Hardy, sur une route où un homme marche seul : il s'agit de John Durbeyfield, un pauvre paysan à qui un généalogiste amateur vient d'annoncer qu'il descend probablement de la noble et grande famille d'Urberville aujourd'hui disparue. Cette nouvelle incite « Sir John », déjà porté sur la boisson, à fêter un peu trop sa nouvelle identité à la taverne du coin, de sorte que c'est Tess, sa fille aînée, qui devra dans la nuit atteler la charrette pour aller au marché. Un accident survient, qui va coûter la vie au vieux cheval, et à Tess son innocence : persuadée que ce drame est de sa faute, elle accepte pour se racheter d'aller quérir assistance à une riche dame d'Urberville qui habite les environs. Chez ces présumés cousins qu'elle ne connaît pas, elle est accueillie par le fils de la maîtresse de maison, Alec, qui se garde d'avouer qu'il n'est pas un vrai d'Urberville mais qui, séduit par sa fraîcheur, la couvre de fleurs et lui offre de l'employer au poulailler : « Tandis qu'elle baissait innocemment les yeux sur les roses de son corsage, elle ne pressentait guère que, derrière la brume bleuâtre du tabac, se cachait le "malheur tragique" de sa vie, celui qui allait devenir le rayon sanglant dans le spectre lumineux de sa jeune existence. » Car Tess aura beau se méfier des attentions de son jeune maître, il finira par obtenir par la force ce qu'elle ne veut pas lui octroyer de son plein gré.

Ainsi Tess, âgée de seize ans, sera violée une nuit au fond des bois, dans sa robe des jours de fête.

« Pourquoi fallait-il que sur ce beau tissu féminin, plus délicat que toile arachnéenne, encore intact et blanc comme neige, le sort infligeât une empreinte aussi grossière ? Et pourquoi si souvent l'être grossier prend-il possession de l'être supérieur, l'homme de la femme pour laquelle il n'était point fait, la femme du compagnon qui n'était point pour elle ? » Tess se trouve brutalement arrachée à son état de fille : fille pas même encore à prendre, fille sans histoire, sans autre histoire du moins que ce dérisoire fantasme familial de noblesse ancestrale et ce non moins dérisoire accident survenu à un vieux cheval. La voilà plongée dans cet état qui n'en est pas un, l'état proprement innommable qu'est, dans la société victorienne, celui de la fille qui n'est plus vierge sans être encore mariée : un état entre deux, entre victime du mépris masculin et coupable de sa propre désirabilité, vierge et martyre, fille à marier et fille de joie, fille et femme. Et entre les deux, ni l'une ni l'autre : fille perdue, fille compromise, fille chassée en un instant de l'ordre réglé des états de femme.

L'insupportable dans le viol des vierges n'est pas seulement la violence physique et la douleur infligée au corps, ni la violence morale et l'humiliation infligée à la dignité d'être humain à qui se trouve dénié même le droit à la maîtrise de sa propre intimité : l'insupportable, c'est aussi cette violence identitaire qu'est l'imposition brutale d'un contact avec le sexe en dehors de tout état sexué, en dehors de toute place assignée à la sexualité. C'est pourquoi les crises d'identité dont témoignent maintes femmes violées se trouvent redoublées dans le cas des vierges, et plus encore des filles impubères, et plus encore lorsque le viol s'aggrave d'un inceste, parce que le brouillage des états se complique d'une confusion proprement inqualifiable, et invivable, entre des places exclusives l'une de l'autre : la place de l'autre au sein de la famille et la place de l'autre sexué, la place du sujet dans un rapport familial et sa place dans un rapport sexuel où, forcément, elle est mise en position d'occuper la place d'une autre. Et lorsque cette autre est la mère — en cas d'inceste perpétré par le père — alors la crise identitaire consécutive au viol est à son maximum, la fillette étant non seulement confrontée à la brutalité du basculement physique dans un monde sexué qui n'est pas le sien, mais aussi mise à la place de sa mère, donc chassée de l'état de fille sans avoir pour autant accès à celui d'épouse.

C'est ce basculement identitaire infligé à la vierge dans un monde de sexualité où elle ne peut qu'errer faute d'y avoir une place, faute d'être «en état» de s'y trouver, qu'évoque Hardy : «Un immense abîme social allait dès lors séparer la personnalité de notre héroïne de celle qui avait franchi le seuil de sa mère pour aller tenter la fortune au poulailler de Trantridge.» C'est par ces mots que se clôt la première partie du roman, «Jeune fille», à laquelle va faire suite la deuxième, «Femme». On y voit Tess rentrer dans sa famille, fuyant son séducteur. Mais elle n'est plus la même : «Ce n'était plus la naïve enfant qui avait quitté la maison paternelle, celle qui se tenait là, immobile, courbée par la pensée, et qui se retournait pour lancer un coup d'œil en arrière. Elle n'avait point le courage de regarder devant elle, dans la vallée.» Et sans doute est-ce aussi devant elle, dans l'avenir, que Tess n'a pas le courage de regarder : car une fille compromise n'a plus d'avenir, comme elle va en faire la cruelle expérience.

Elle a refusé de devenir la maîtresse de son séducteur. Quant à être sa femme, il n'en est pas question : d'abord parce que ce hobereau ne le lui a pas proposé (tout au plus a-t-il offert son aide matérielle en cas de nécessité) ; et surtout parce qu'elle ne l'aime pas, parce qu'elle ne peut vouloir pour mari celui qui n'a su que la traîner, littéralement et moralement, dans la boue. C'est là pourtant la solution qu'espérait dans sa naïveté la criminelle mère de Tess : «Oh ! maman, maman, s'écria la jeune fille à la torture [...] Pourquoi ne m'as-tu pas dit qu'il y avait du danger avec les hommes? Pourquoi ne m'as-tu pas avertie? Les dames savent contre quoi se défendre parce qu'elles lisent des romans qui leur parlent de ces tours-là! Mais je n'ai jamais eu l'occasion d'apprendre de cette façon et tu ne m'as jamais aidée!»; et sa mère: «Je croyais que si je te parlais de ses tendres sentiments et à quoi ils pourraient mener, tu serais désagréable avec lui et que tu laisserais échapper la chance!»

Son histoire ayant été devinée, Tess se voit mise à l'index, et finit par s'exclure elle-même de la vie du village, repliée sur l'espace domestique, réfugiée dans la solitude de la nature inhabitée: «Elle restait si renfermée qu'à la fin presque tout le monde la crut partie. Tess ne prenait d'exercice qu'à la nuit et c'était dans les bois qu'elle se sentait le moins isolée.» Ni vierge ni femme mariée, et à défaut de pouvoir prétendre à une place dans le monde habité, elle se réfugie dans cet état d'épouse de la nature qui est parfois celui des filles qui ne veulent pas se faire prendre, cherchant à se fondre dans une nature agreste où elle trouve comme un reflet de sa propre situation, à cheval entre deux mondes, aspirant à l'inexistence ou, du moins, à la transparence. Mais elle ne peut s'abandonner à une vraie communion avec cette nature dont elle se sent séparée, désormais, par sa propre faute, qui l'exile de cet état d'innocence incarné par le monde animal et végétal. Et si, dans les champs où elle travaille quelques mois plus tard, elle s'assimile à l'élément naturel par cette sorte d'empathie qui semble propre à la nature féminine («Un homme qui travaille aux champs y est une personnalité distincte; une femme s'y confond; [...] elle s'y est assimilée»), quelque chose en elle fait tache, l'isole, l'empêche de se fondre dans le paysage, de passer inaperçue: «Elle s'assit au bout du tas de gerbes, tournant un peu le dos à ses compagnons [...]. Aussitôt qu'elle eut disposé son goûter devant elle, elle appela la grande fille, sa sœur, à qui elle prit le poupon et qui, heureuse d'être débarrassée, s'en alla se joindre aux jeux des autres enfants. Tess, rougissant encore plus, d'un mouvement curieusement furtif et pourtant courageux, dégrafa sa blouse et allaita l'enfant.»

C'est qu'elle a dû subir le pire destin des compromises: avoir un enfant hors mariage. Certes, c'est le poids des conventions et de la vie sociale qui rend douloureuse une expérience qui, à l'état de nature, eût été vécue sans drame : le problème est qu'elle vit avec ses semblables, donc dans des relations et dans des conventions. L'état de nature qui est celui, animal, de l'accouplement et de l'enfantement, n'est pas celui des humains vivant en société, où accouplement et enfantement n'ont place que dans le cadre d'un contrat — le contrat de mariage. Aussi la compromise n'est-elle à sa place ni dans la nature, ni parmi les humains. Le témoin de sa déchéance va cependant disparaître : le nourrisson meurt à quatre mois. Mais l'enfant n'était que la concrétisation de l'état de fille-mère, qui continue d'être celui de Tess même s'il n'est connu que de ses proches : il est devenu, quoi qu'elle veuille, quoi qu'elle fasse, son identité. Elle va en faire l'expérience dans la laiterie où, loin de son village natal, elle a trouvé du travail. C'est là qu'elle va pouvoir croire au « réveil de la vie » — titre de la troisième partie — lorsqu'elle y rencontre Angel Clare, fils de pasteur ayant renoncé à la carrière ecclésiastique.

Ce n'est pas leur première rencontre : ils s'étaient déjà croisés, au tout début de l'histoire, ce même jour où le père de Tess avait été informé de ses possibles origines, pour le malheur de sa fille. C'était lors de la fête annuelle des vierges, et le jeune Angel, qui passait par là, y avait fait danser plusieurs d'entre elles mais — autre faux pas initial — avait négligé Tess. Ainsi donc tout commence par un homme qui marche sur une route solitaire, et par un acte manqué, une occasion qui n'aura pas été saisie, un projet d'alliance non réalisé... Il est trop tard lorsqu'ils se retrouvent quatre ans plus tard, mais lui ne le sait pas : il ignore que Tess se considère comme celle « qui ne pourrait jamais en conscience permettre à un homme de l'épouser et qui avait religieusement pris la résolution de ne pas se laisser tenter ». Il a décidé de faire de Tess sa femme, celle qui partagera sa vie. Car, contrairement à sa famille, il n'a pas de préjugés hiérarchiques : il sait « combien la différence entre la femme bonne et sage d'une couche sociale et la femme bonne et sage d'une autre couche sociale est moindre qu'entre les bonnes et les mauvaises, les sages et les sottes de la même classe ». Et pour lui Tess est, sans le moindre doute, à la fois bonne et sage. Mais elle sait, elle, ce que lui ne sait pas — et dont elle va devoir payer « la conséquence », titre de la quatrième partie.

Angel fait sa cour, lui demande de l'épouser. À son grand étonnement elle refuse, sans parvenir à lui expliquer pourquoi, et bien qu'elle l'aime elle aussi, qu'elle le lui montre, qu'elle le lui dise. Il insiste. Mais le remords, l'indécision, l'amertume d'un passé qu'elle ne parvient pas à effacer l'arrêtent, sans qu'elle parvienne à lui parler autrement que par allusions : «Pourquoi n'êtes-vous pas resté et ne m'avez-vous pas aimée quand je... quand j'avais seize ans ; quand je vivais avec mes petits frères et sœurs et que vous dansiez sur la pelouse !... Oh ! pourquoi ? pourquoi ?» Peu avant le mariage, hantée par le sentiment de s'approprier indûment un amour immérité, elle se résout à faire à son fiancé l'aveu de sa faute dans une lettre qu'elle glisse sous sa porte, mais qui reste dissimulée sous un tapis : Angel n'en prend pas connaissance. Le mariage a lieu.

«Quand ils arrivèrent à la maison, elle se sentait contrite et abattue. Sans doute, elle était Mme Angel Clare, mais avait-elle quelque droit moral à ce titre ? N'était-elle pas avec plus de vérité Mme Alec d'Urberville ?» Ne se fiant qu'à la confiance entre époux en ce moment qui suit la cérémonie et précède la nuit de noces, elle profite de ce qu'Angel réclame son pardon à propos d'une ancienne amourette pour lui avouer son passé à elle, attendant de lui, dans la douceur de leur nouvelle intimité, un semblable pardon : «S'appuyant le front sur la tempe d'Angel, elle commença le récit de ses relations avec Alec d'Urberville et de leurs conséquences, à mi-voix, sans hésiter, et les paupières baissées.» Ainsi s'achève la quatrième partie.

La cinquième, intitulée «La femme paie», s'ouvre sur la réaction d'Angel : «Dois-je croire à tout ceci ?» Et lorsqu'elle quémande son pardon : «Oh ! Tess, le pardon ne s'applique pas à votre cas. Vous étiez une personne ; maintenant vous en êtes une autre. Mon Dieu ! Qu'a donc le pardon à voir avec une aussi grotesque... prestidigitation !» Ainsi, lorsqu'un homme a connu une femme, il demeure le même homme avec une autre femme ; mais lorsqu'une femme — une fille — a connu un homme, elle ne sera plus la même : la fille présumée vierge n'est pas la même personne que la même fille une fois déflorée. Et cela est vrai, en un sens : au sens où elle a changé d'état. Elle n'est plus une fille à prendre mais une fille perdue ; et qui donc ne peut plus être prise, du moins dans le cadre du mariage. Ce sera un mariage blanc : Angel va se séparer de sa femme sans avoir consommé leur union. Tess tente bien de plaider sa cause, d'affirmer la constance de son amour pour lui et la continuité de son identité à elle. Mais rien n'y fait : celle qui parle n'est plus pour son époux celle qu'il a épousée, celle qu'il a aimée. « Comment pouvez-vous, ô mon mari, vous, cesser de m'aimer ? — Je répète que la femme que j'ai aimée, ce n'est pas vous ! — Mais qui ? — Une autre femme qui avait votre forme. » Si seulement elle le lui avait dit auparavant, il aurait pardonné — mais c'est lui-même qui l'a empêchée de parler chaque fois qu'elle l'a tenté, imaginant qu'il ne pouvait s'agir que de peccadilles... Elle insiste : « Je ne suis pas la femme fausse que vous pensez ! » — et lui : « Soit, vous n'êtes pas fausse, ma femme, mais vous n'êtes plus la même. Non ! plus la même. » Elle lui propose de divorcer : il dit que c'est impossible. Elle songe au suicide : il lui fait promettre de ne jamais y recourir. Elle espère malgré tout en la possibilité d'une vie commune, un jour, plus tard — mais lui : « Comment pouvons-nous vivre ensemble pendant que cet homme est vivant ? Lui, qui selon la nature, est votre mari et non pas moi. S'il était mort, ce pourrait être différent. »

Il la quitte pour s'embarquer à l'étranger, lui laissant un pécule et s'assurant qu'en cas de besoin elle pourrait lui demander secours. Elle n'ose se révolter, rentre chez ses parents. Ayant dépensé ses économies à faire réparer le toit de la maison familiale, elle part chercher du travail dans des contrées arides où on ne la connaît pas. Elle y mène la vie la plus dure et la plus solitaire, celle des ouvrières qui se louent pour quelques mois d'une ferme à l'autre. Un jour, revenant d'une vaine course jusqu'au village de ses beaux-parents à qui elle n'a finalement pas osé se présenter, elle croise sur la route son ancien séducteur, que le remords a converti en prédicateur. Le regard qu'ils échangent produit un double bouleversement, en elle et en lui. Tess se trouve replongée dans un passé haïssable : « À l'accablement inerte de son chagrin, à la soif de tendresse qui la dévorait, succéda l'impression presque physique d'un passé implacable qui l'enserrait encore. La conscience qu'elle avait de sa faute devint un véritable désespoir. Il n'y avait donc pas, il ne pourrait donc jamais y avoir solution de continuité entre sa vie d'autrefois et sa vie d'aujourd'hui ? Le passé ne serait jamais complètement passé tant qu'elle ne ferait pas elle-même partie du passé.» S'y ajoute le sentiment de l'injustice, de l'inégalité formidable entre ce qu'elle a souffert à cause de lui, et ce dont il a joui et bénéficiera grâce à elle : « Je suis indignée, lui dit-elle, que vous me parliez ainsi, quand vous savez quel mal vous m'avez fait. Vous et vos pareils, vous prenez sur la terre votre saoul de plaisir et vous rendez la vie de pauvrettes comme moi amère et sombre de chagrin, et puis, après en avoir eu votre content, vous trouvez très beau d'assurer votre plaisir dans le ciel en vous convertissant ! Honte à vous autres ! Je ne crois pas en vous. Tout cela je le hais ! »

Quant à Alec d'Urberville, c'est à la tentation charnelle qu'il se trouve de nouveau confronté. Alors il va la suivre, la désirer, et la poursuivre encore de ses assiduités : le converti a perdu la foi, l'amoureux a refait surface — il a suffi, pour cet apostat, d'un regard. Elle éprouve une fois de plus ce sentiment affreux d'être la cause de son propre mal sans pour autant en être la coupable, ne pouvant être tenue pour responsable de ce qui néanmoins ne serait pas arrivé si elle n'était pas qui elle est — comme si le châtiment n'était rien d'autre que le châtiment d'exister : « Et en elle se ranima le sentiment misérable, déjà souvent éprouvé, qu'en habitant le tabernacle de chair que la nature lui avait donné, elle commettait le mal. » Attaquée pour la seule raison qu'elle est ce qu'elle est — une femme — elle ne peut pas nier qu'elle est bien qui elle est lorsqu'on lui dit que c'est parce qu'elle est une femme qu'il doit lui arriver malheur, parce qu'elle est belle qu'elle sera désirée, puis séduite et abandonnée. Le crime dont Tess est la victime, c'est l'équivalent d'un crime contre l'humanité lorsque l'humain est une femme, victimisée pour le seul motif qu'elle est femme. Crime, donc, contre la féminité : de même qu'on tue quelqu'un pour ce qu'il est et non pour ce qu'il a fait, de même on viole une femme pour cela seulement qu'elle est femme. Et si ce n'est pas de sa faute, du moins c'est à cause d'elle, à cause de ce qu'elle est : « En habitant le tabernacle de chair que la nature lui avait donné, elle commettait le mal. »

Tess cherche à échapper aux attentions de son séducteur, implorant le secours de son mari qui ne répond pas à ses lettres, ses demandes de pardon. C'est alors qu'elle est rappelée à la maison familiale par la mort de son père. La petite famille

doit déménager et changer de contrée, en partie par la faute de
Tess et de sa mauvaise réputation. À ce moment réapparaît
d'Urberville, qui propose de loger et d'aider les siens. Persuadée d'être une fois de plus coupable des malheurs de sa famille,
et lassée d'attendre en vain des nouvelles d'Angel, Tess finit
par se rendre aux propositions de celui qui n'est pas son mari
— et pourtant : « Pourtant la conscience que, dans un sens
brutal, cet homme seul était son mari semblait peser toujours
davantage sur elle. » Mais Angel, relevant d'une grave maladie,
revient chercher sa femme, plein de remords de l'avoir abandonnée, impatient de lui signifier son pardon et son amour. Il
retrouve sa trace dans une ville d'eaux où elle vit avec celui
dont elle est devenue la maîtresse. Il ne comprend pas tout
d'abord pourquoi sa jeune femme, vêtue à la dernière mode,
ne veut pas l'approcher ni le suivre. « Je vous ai attendu et
attendu, explique-t-elle. Mais vous n'êtes pas venu, et je vous
ai écrit et vous n'êtes pas venu. Il disait toujours que vous ne
viendriez jamais et que j'étais absurde. Il a été très bon pour
moi et pour maman et pour nous tous, après la mort de père...
[...] Il m'a regagnée à lui. »
« Ah !... c'est ma faute ! », dit Clare, qui a enfin compris. Il
s'en va, marchant tout seul sur la route, à nouveau : « Le long
ruban de route blanche s'étendait en s'amincissant et, tandis
qu'il le contemplait, un point mouvant parut : un être humain
qui courait. » C'est Tess, qui court pour le rejoindre, ayant poi-
gnardé son amant : « Cela m'est venu comme un éclair, l'idée
que je vous regagnerais de cette façon. Je ne pouvais supporter
plus longtemps de vous perdre ; vous ne savez pas combien
j'étais incapable de supporter que vous ne m'aimiez pas !...
Dites que vous m'aimez maintenant ! Mon cher, cher mari !
Dites que oui, maintenant que je l'ai tué ! » Et il lui dit qu'il
l'aime. Et ils s'enfuient tous deux, enfin unis — jusqu'à ce
qu'on les rattrape à l'aube dans le temple païen de Stonehenge,
où Tess s'est endormie sur la pierre du sacrifice. Elle sera
exécutée.

Il n'y a guère que le roman qui puisse nous livrer complètement témoignage de la force des valeurs morales qui gouver-
naient la société traditionnelle, lorsqu'une fille perdue par le
sexe hors mariage risquait fort de devenir — sauf chance
exceptionnelle — une fille déchue, et pour toujours. En ce sens

Tess est non seulement un roman de formation, analogue à ces
Pamela, Clarissa, Amelia ou *Evelina* que lisaient les jeunes
filles pour apprendre dans les livres ce qu'on ne disait pas dans
les familles; mais il est aussi un roman de témoignage, un
document qui livre accès à cette époque pas si lointaine où une
fille, à se laisser séduire, risquait tout, y compris sa vie.

Au seuil des trois états

Nous mesurerons plus loin les conséquences de ce risque,
avec l'état d'illégitimité qui guette les filles compromises et les
femmes ayant rapport au sexe en dehors du mariage : chute
qui constitue l'une des trois perspectives, l'un des trois états
de femme ouverts aux jeunes filles, avec le célibat des filles
sans histoire, que craignent les filles à prendre, et le mariage,
qu'elles espèrent — ou dont, mal prises, elles désespèrent.

Mariée, l'héroïne verra son statut économique dépendre de
sa disponibilité sexuelle, mais dans le cadre contractualisé et
institutionnalisé du mariage, l'autorisant à entrer dans le cycle
de la reproduction familiale ; maîtresse ou prostituée, c'est
dans l'illégitimité qu'elle devra vivre cette même subordination
de sa survie à sa disponibilité sexuelle ; célibataire enfin, elle
ne devra sa subsistance qu'à son propre travail ou, parfois, à
la fortune familiale, mais paiera cette indépendance de son
exclusion de toute vie sexuelle. Condition économique, condition sexuelle, degré de légitimité du lien économico-sexuel :
c'est l'articulation de ces trois critères majeurs de l'identité
féminine qui structure l'espace des possibles ouvert aux filles
dès lors que se profile leur entrée dans le monde des états de
femme. Dépendance sexuelle légitime, dépendance sexuelle
illégitime, ou indépendance asexuée : c'est le sort qui s'offre
aux premières, aux secondes, ou aux tierces — et le choix de
ces termes se justifiera avec l'analyse de chacun de ces trois
états dans la société traditionnelle telle que la représente le
roman. Ils ne sont évidemment pas de même valeur : ainsi
l'accident de la séduction et de la grossesse hors mariage interdit à Tess d'entrer dans le cycle normal des états de femme tel
qu'il s'ouvre à une jeune fille en devenant une première, dotée
d'un statut économique stable, d'une vie sexuelle et d'une

pleine visibilité ; elle ne peut alors que se résigner, en gagnant sa vie dans la solitude, à tomber en état de tierce, dotée d'un statut économique indépendant mais précaire, et privée de vie sexuelle ; puis, en devenant la concubine de son séducteur pour secourir de nouveau sa famille, à basculer en état de seconde, sexuée mais dépendante et maintenue dans l'ombre.

Commençons par le plus enviable des états, que recherchent les filles autant que leur famille : observons comment la fiction met en scène l'espace des possibles ouvert aux femmes mariées, comment se déclinent les différentes façons d'occuper une place qui est indubitablement la première de toutes — et de quel prix se paie ce privilège.

DEUXIÈME PARTIE

La place de la première

HENRIETTE : *Me voilà guérie des romans, pour toujours !*
NOIRMONT : *C'est le vrai moment d'entrer en ménage.*

Eugène Labiche,
Mademoiselle ma femme.

Chapitre V

LA PREMIÈRE MENACÉE

Toutes les places ne sont pas également visibles, également fantasmées, également marquées dans les objets comme dans les pensées. Celle de la première est au sommet de la hiérarchie, indiscutablement : enfants fièrement exhibés, portrait en grande pompe, loge à l'Opéra, entrée au bras de l'époux, lumières, regards, bijoux, fourrures, parures, fortune familiale et vertu conjugale portées à fleur de peau, tout est là pour attester que la place de la première épouse est bien la première place, que celle qui l'occupe y est bien à sa place et que cette place, nulle n'est en mesure de la lui contester. Et nul ne peut s'y tromper : la première — légitime — n'est pas une seconde — illégitime — comme l'atteste d'abord cette inscription symbolique des biens qu'est le contrat de mariage, lequel assurera sa subsistance ; et elle n'est pas non plus une tierce, une vieille fille désexuée, comme l'atteste ensuite ce primitif marquage du corps qu'est la défloration, lequel assurera le droit de passage du mari en même temps que l'ouverture du droit de la femme au statut de mère [1].

La première souveraine

Voici par exemple comment la maîtresse dans l'ombre, dans *Back Street* de Fanny Hurst (1933), voit sa rivale : « Corinne était, avec Richard et Irma, dans une loge de droite, et on eût dit qu'ils posaient pour le portrait de *Madame Walter D. Saxel et ses enfants*. Corinne, avec une toque de martre ornée d'ai-

grettes, une magnifique jaquette de même fourrure ouverte sur
un jabot de dentelle, paraissant entre ses deux rangs de perles
sur son buste menu : de la tête aux pieds l'épouse fière et sûre
d'elle, la mère impeccable, la femme vertueuse, normale et
bien défendue. À Corinne, tout était arrivé juste à sa place et à
son heure, et il en serait toujours ainsi, la vie y pourvoirait.
Ses enfants eux-mêmes l'entouraient toujours, comme pour la
protéger.» Première souveraine, femme comblée, épouse in-
contestée, elle n'a qu'un handicap par rapport à la maîtresse :
ne pas savoir qu'elle n'est pas la seule, que son époux en aime
une autre. Mais pour la maîtresse cette petite avance en
termes de lucidité, de capacité à voir, se paie d'un immense
écart avec l'épouse, d'un irrattrapable retard en termes de visibilité, de capacité à être vue ; et même si elle sortait de l'ombre
en devenant la seconde épouse, elle ne connaîtrait jamais le
privilège d'avoir été la première — ce dont la narratrice du
Rebecca de Daphné Du Maurier fera, nous le verrons, l'exemplaire épreuve. À celle encore qu'un beau mariage a dotée de
toutes les souverainetés, voici ce que peut envier une tierce, la
cousine Bette de Balzac (1843), vieille fille peu gâtée par le sort
face au bonheur de sa parente : «Pour Adeline, le baron fut
donc, dès l'origine, une espèce de dieu qui ne pouvait faillir ;
elle lui devait tout : la fortune, elle eut voiture, hôtel, et tout
le luxe du temps ; le bonheur, elle était aimée publiquement ;
un titre, elle était baronne ; la célébrité, on l'appela la belle
Mme Hulot, à Paris ; enfin, elle eut l'honneur de refuser les
hommages de l'empereur, qui lui fit présent d'une rivière en
diamants, et qui la distingua toujours.» De même la fille voit
sa mère parée de tout l'éclat de sa souveraineté, telle Rachel
du Frocq dans *L'Arche dans la tempête* d'Elizabeth Goudge :
«Elle était très belle, droite et élancée comme une tige de
lavande, grande et imposante comme un pin dans un val
abrité, avec une abondante chevelure brune nattée et enroulée
en couronne ; elle avait un port de reine. [...] Tout ce qu'elle
touchait, tout ce qui l'entourait était éclairé par son charme et
réchauffé par son ardeur.»
  Fille, vieille fille, maîtresse : toutes envient cette première
qui, de l'extérieur, paraît dans la pleine lumière, dans la gloire
et l'orgueil d'avoir été choisie, alors qu'elles-mêmes sont
reléguées dans la honte ou dans l'ombre. Mais les regards

idéalisants ne voient pas tout ce qui leur demeure caché : ces menaces latentes, indéfinissables, soudain cristallisées en une prévisible catastrophe ou une longue désillusion, qui hantent l'existence des femmes mariées. Or c'est précisément à ces menaces que le roman donne forme, s'intéressant aux épouses supposées sans histoires dès lors qu'elles en ont une, justement, devenant des femmes « à histoires », comme on dit des enfants à problèmes. Tant qu'elles ne sont « que » des premières, elles n'ont pas d'histoire, étant comme transparentes au récit : de même, pourrait-on dire, que certains tissus ne prennent pas la teinture, de même le bonheur ne prend pas la fiction. Seules les crises leur offrent accès à l'espace du roman, qui les montre basculant d'un état à un autre ou d'une modalité à l'autre parmi les différentes façons d'occuper cette place. Les épouses comblées ne font pas des héroïnes de roman. Soumise, enchaî-née, détrônée : telles les reines de tragédies, la première est perpétuellement menacée de ce risque qu'est la perte de sa souveraineté, si ce n'est de sa place.

La menace conjugale : de soumission en déception

Si les jeunes filles aspirent à devenir « l'Unique, l'Idole capri-cieuse et souveraine ! », comme il est dit dans *Notre cœur* de Maupassant (1890), le réel peut réduire ce rêve à une pesante et décevante quotidienneté. Car il en faut peu pour que s'effon-dre une souveraineté qui, essentiellement extérieure ou anté-rieure à la vie conjugale, a du mal à se maintenir dans l'intériorité du foyer. Il y a d'abord cette perte de souveraineté qu'est le basculement dans la soumission de l'épouse qui, le jour, doit à son mari l'obéissance des gestes et des mots et, la nuit, la disponibilité de son corps. Certes, la soumission conju-gale peut se vivre — ou plus sûrement se rêver — dans le bon-heur d'appartenir, dans cette jouissance de la passivité propre à la féminité traditionnelle : « Un homme était venu, qui lui avait mis la main sur l'épaule et l'avait courbée. C'était celui-là qu'elle aimait, par cela même qu'il lui avait fait sentir le poids de sa volonté. Il était son maître. » On se souvient toutefois que la femme en question — l'héroïne du *Maître de forges* de

Georges Ohnet — a dû opérer sur elle-même une véritable conversion pour accéder à cette soumission heureuse, après un premier mouvement de révolte contre la soumission malheureuse de la jeune épousée envers celui qui désormais a tout pouvoir sur elle : « Il lui fallait vivre, et vivre liée à un homme qui allait venir armé de ses droits, et pouvant dire : "Je veux !" à elle jusque-là toujours libre, toujours obéie. » C'est que la soumission à une autorité n'est acceptable, voire désirable, que si celle-ci est légitime, ce qui exige au moins que le dominant ne soit pas inférieur au dominé : faute de quoi la domination est vécue comme abus de pouvoir, ainsi qu'en font durement l'épreuve tous les otages, que ce soit de la force armée ou de l'arbitraire administratif. C'est cette épreuve — plus dure encore parce que définitive, sauf veuvage précoce ou divorce — que subissent les premières confrontées à un époux qui se révèle à l'usage moins excellent qu'il n'y paraissait au temps des fiançailles : la déception à l'égard du mari se double alors de l'enchaînement matrimonial, qui subordonne durablement une femme à un époux qui ne satisfait pas, ou plus, ses aspirations.

Flaubert est un grand portraitiste de ces épouses déçues par le mariage, telle Mme Bovary (1857) ou, dans *L'Éducation sentimentale* (1869), Mme Arnoux, désabusée de ses rêves de jeune fille puis abusée par un mari dont les frasques extra-conjugales et les combinaisons financières finiront par la ruiner. La ruine est également ce qui attend Gervaise dans *L'Assommoir* de Zola (1877), dont le mari alcoolique réduira à néant la situation florissante qu'elle était parvenue à créer. Ainsi encore Dorothy Brooke, l'héroïne du *Middlemarch* de George Eliot (1871), découvre dans le digne Casaubon qu'elle a épousé un vieillard médiocre, vaniteux et mesquin. De même l'Éveline de *L'École des femmes* d'André Gide (1929) confie à son journal sa déception, ayant compris après plusieurs années de mariage qu'elle aimait un homme faux, médiocre, suffisant. L'héroïne de *Mon ennemi mortel* de Willa Cather (1927), jeune femme brillante qui avait fait un mariage d'amour contre l'avis de sa famille et s'en était trouvée déshéritée, imputera à son mari la déchéance de ses vieux jours et l'horreur de devoir mourir « seule face à [s]on ennemi mortel ! ». Et l'héroïne du *Mépris* d'Alberto Moravia (1954) en viendra à mépri-

ser son époux au point de le quitter, l'ayant perçu comme un
veule prêt à l'utiliser pour appâter un producteur de cinéma.
Ce passage de la «vie charmante et libre» de la jeune fille à
la «désillusion d'une ivresse rêvée si différente, d'une chère
attente détruite, d'une félicité crevée», est décrit avec toute la
noirceur possible dans *Une vie* de Maupassant (1883) dont l'héroïne, «tombée si vite dans le mariage comme dans un trou
ouvert sous vos pas», passe sans transition de l'état de fiancée
à celui de femme: «La veille encore rien n'était modifié dans
son existence; l'espoir constant de sa vie devenait seulement
plus proche, presque palpable. Elle s'était endormie jeune fille;
elle était femme maintenant.» Et aussi brutalement que d'un
état à un autre, elle passe des rêveries enchantées de la promise
au viol conjugal perpétré lors de la nuit de noces: brutale et
douloureuse confrontation avec une réalité dont elle ignorait
tout, n'en ayant été prévenue que par quelques paroles sibylli-
nes — lesquelles n'ont fait qu'ajouter un peu plus d'ombres à
ce continent noir qu'est, pour une demoiselle sortant du couvent, la sexualité. Même si elle aperçoit durant le voyage de
noces ce que peut être le plaisir, le sexe va demeurer pour elle
le lieu non de la souveraineté promise mais de la soumission,
voire de la déchéance: «Elle ne disait plus rien, les yeux baiss-
sés, révoltée toujours dans son âme et dans sa chair, devant ce
désir incessant de l'époux, n'obéissant qu'avec dégoût, résignée,
mais humiliée, voyant là quelque chose de bestial, de dégradant, une saleté enfin.» L'humiliation s'aggrave du silence en
lequel elle est forcée de vivre: car à qui se confier dès lors que
celui qui devait être son soutien, son ami, son confident, est
devenu la cause même de sa souffrance, de son humiliation? À
qui se plaindre d'avoir été si mal mariée sinon à ses parents,
qui ont choisi ce mari pour son bonheur, et dont elle ne ferait
que s'éloigner un peu plus en les accusant de son malheur? À
qui se confier dans cette province isolée, sinon à un confesseur
qui ne peut lui prêcher que la résignation? Dans ce silence et
cette solitude elle ignore même si cette douloureuse expérience
est propre à toute femme ou si — désastreuse hypothèse! —
elle ne lui serait pas réservée en particulier à elle, victime d'un
mari pervers auquel un malheureux destin l'aurait liée. Car
qui sait ce que connaissent ses compagnes de couvent? Qui
sait si elles n'ont pas eu la chance, elles, de trouver un époux

«normal», qui ne les soumette pas à ce traitement dégradant? C'est ainsi qu'à l'humiliation et à la solitude d'une violence indicible s'ajoute le démon de la comparaison, qui plonge dans l'irréalité les femmes qui en fantasment une autre comme supérieure.

À cette épreuve nocturne se superpose l'installation morose dans une vie dénuée de tout rêve : «Mais voilà que la douce réalité des premiers jours allait devenir la réalité quotidienne qui fermait la porte aux espoirs indéfinis, aux charmantes inquiétudes de l'inconnu. Oui, c'était fini d'attendre. Alors plus rien à faire, aujourd'hui, ni demain ni jamais. Elle sentait tout cela vaguement à une certaine désillusion, à un affaissement de ses rêves.» C'est qu'elle a obtenu tout ce dont, jeune fille, elle pouvait rêver — et un peu plus encore, qu'elle n'eût pas imaginé. La seule chose alors qui lui manque c'est, si l'on peut dire, quelque chose dont elle pourrait manquer : quelque chose à espérer, un ailleurs auquel rêver, un plus tard à quoi aspirer. Mais il n'y a rien, pas d'ailleurs, pas de plus tard : tout est là. Elle est une femme mariée. Ne reste que le réel : une existence sans activités et sans buts, un mari qui «était devenu un étranger pour elle, un étranger dont l'âme et le cœur lui restaient fermés». Car c'est à un homme avare, brutal, grossier, négligé, buveur, égoïste et adultère, que la voilà liée pour la vie. Le bonheur à quoi elle aspirait n'aura duré que le temps d'un voyage de noces, où elle n'aura qu'à peine goûté à ce plat — l'amour — qui devait régaler son existence entière.

Cette brièveté du temps «racontable» contraste avec la temporalité uniforme du reste de sa vie, traversée seulement de quelques épisodes qui ne seront mémorables — autant dire romanesques — que parce que douloureux : désillusions en chaîne, accouchements malheureux, révélations honteuses, deuils et attentes déçues[2]. Désabusée, désavouée, trompée sous son propre toit, elle se réfugie dans l'amour maternel. Car Maupassant n'a épargné à sa malheureuse héroïne qu'un seul motif de perte de la souveraineté : la stérilité — ou sous une forme atténuée l'incapacité de donner naissance à un fils — qui prive la femme mariée de ses pouvoirs de mère (épreuve qui ne semble guère avoir inspiré les romanciers : les femmes privées de maternité n'apparaissent que comme des figures secondaires, telle Nancy Lammeter, épouse stérile de Godfrey

Cass dans *Silas Marner* de George Eliot, 1860). Un second enfant meurt à la naissance tandis que le mari disparaît accidentellement. Veuve, elle bascule dans l'adoration sans limites de la femme désexuée pour un fils qui l'exploite sans lui rendre son amour, lui échappe, tourne mal et meurt à son tour. Ne lui reste que sa petite-fille qu'elle finit par recueillir : comme quoi, commente la bonne, « la vie, ça n'est jamais si bon ni si mauvais qu'on croit ».

La menace de l'autre femme : la précédente

Outre la soumission à l'autorité morale, corporelle et matérielle du mari, la perte de souveraineté passe par la subordination affective ou sexuelle à une ou plusieurs rivales : là encore, l'homme qui fait la force de la première en faisant d'elle son épouse est en même temps celui qui peut faire son humiliation en lui préférant une autre femme. Et là encore, le malheur est silence : la plainte est sans effets sur celui qui toujours peut nier, ruser, ou passer outre, tandis qu'à prendre l'entourage à témoin la victime ne ferait que rendre public, donc d'autant plus blessant, l'outrage privé. N'ayant pour elle ni la loi, ni la coutume, et à peine la morale, l'épouse est sans recours face au mari adultère — sinon à se réfugier dans la maternité, la résignation ou la haine.

L'inquiétude de sa propre souveraineté peut n'affecter la première que rétrospectivement, lorsqu'elle se découvre jalouse du passé de son mari, en rivalité avec les femmes qui l'ont précédée quoique au titre inférieur de maîtresses. Ainsi la jeune épouse de *La Dame en gris* de Georges Ohnet (1895) est obsédée par le mystérieux passé de son mari, peuplé d'anciennes maîtresses, jusqu'au jour où elle se trouve face à une inconnue en qui elle devine une ex-rivale, « la gorge serrée, les tempes battantes, le cœur bouleversé par l'intuition soudaine que celle qui venait de la regarder ainsi la connaissait, était mêlée obscurément à sa vie ». Bien que protégée par son statut de première, elle n'en éprouve pas moins la mystérieuse présence de cette « dame en gris » — apparition quasi spectrale, menace sans contours, terreur sans objet : « Hélène, tremblante, ne pouvait

détacher ses yeux de cette apparition attendue et redoutée. Elle
ne trouva pas un instant extraordinaire que l'inconnue fût là.
Elle eût trouvé surprenant qu'elle n'y fût pas. Leur mise en présence était, pour elle, une fatalité inévitable, et, en face de
cette mystérieuse créature, elle tremblait de douleur, d'angoisse
et de colère. Elle chercha Jacques à ses côtés, mais inutilement.
Pouvait-il y être, d'ailleurs, puisque la dame en gris ne se montrait qu'en son absence ? En proie à un trouble insurmontable,
poussée par une envie irrésistible, Hélène se leva, faisant de la
main, à l'inconnue, signe de l'attendre. Mais, comme si ce
mouvement avait rompu le charme, la dame en gris disparut
ainsi que par enchantement, et Mme Prévinquières ne vit plus
devant elle que le passage noir et vide.» Elle mourra de vouloir
connaître l'identité de cette femme qui était là avant elle et
dont, en se mariant, elle a pris la place ; puis cette ancienne
maîtresse mourra à son tour d'avoir usurpé la place de la
morte en renouant avec le veuf, selon un schéma classique que
nous verrons à l'œuvre avec le «complexe de la seconde». La
prégnance de cette configuration romanesque témoigne de la
violence des rivalités féminines entre la présente et l'absente,
en même temps que de leur intrication : rivalité qui, si elle
frappe surtout la plus fragile des deux — la seconde — peut
aussi affecter la première lorsqu'elle imagine, fantasme ou fan-
tomatise la permanence, dans le cœur de l'époux, d'une précédente aimée.

Le propre de ces rivalités obscures avec une précédente est
que tout se passe en silence. Et lorsqu'elles s'explicitent, c'est
dans le refus et le rejet de l'homme qui tente de mettre une
femme en rivalité avec celles qui l'ont précédée : refus et rejet
que met en scène Balzac avec la mémorable lettre qui clôt *Le
Lys dans la vallée* (1836), en un retournement inattendu du
séducteur en homme abandonné, du vainqueur en perdant :
Natalie de Manerville, à qui Félix de Vandenesse vient d'adresser le récit édifiant de ses amours non consommées avec la
défunte Mme de Mortsauf et de ses amours rompues avec lady
Arabelle Dudley, lui signifie qu'elle préfère renoncer à l'épouser plutôt que de devoir affronter la concurrence *ex post* de ces
deux femmes : «Je ne me soucie pas de combattre des fantômes
[...] Nulle femme, sachez-le bien, ne voudra coudoyer dans
votre cœur la morte que vous y gardez [...]. Merci, cher comte,

je ne veux de rivale ni au-delà ni en deçà de la tombe.» Or n'est-ce pas justement la loquacité de cet homme obsédé par les précédentes qui permet à Natalie, en explicitant le danger, de l'éviter — tant il est vrai que silence et dénégation sont les pires obstacles au maintien dans le réel, et donc dans la raison?

La menace de l'autre femme : la seconde

Plus concrète est la mise en rivalité avec une maîtresse présente, ou la crainte de son éventualité, qui déposséderait la première de sa souveraineté. Ainsi, dans *Béatrix* de Balzac, Sabine du Guénic, jeune épouse hantée par une jalousie rétrospective envers celle dont Calyste avait été éperdument amoureux, découvre non plus la menace fantasmatique d'une précédente rivale mais celle, beaucoup plus réelle, d'une rivale au présent. Calyste, devenu l'amant de Béatrix, «maudit alors la divination que l'amour donnait à Sabine», et se débrouille aussi mal que possible dans sa situation d'homme adultère: «Il n'y a pas de plus grande maladresse pour un mari que de parler de sa femme quand elle est vertueuse à sa maîtresse, si ce n'est de parler de sa maîtresse, quand elle est belle, à sa femme. Mais Calyste n'avait pas encore reçu cette espèce d'éducation parisienne qu'il faut nommer la politesse des passions. Il ne savait ni mentir à sa femme, ni dire à sa maîtresse la vérité, deux apprentissages à faire pour pouvoir conduire les femmes.» Pour la jeune épouse trompée, son roman tourne au cauchemar, le pire étant d'imaginer que sa rivale la supplante non seulement comme amante mais comme mère, ce qui lui ôterait sa dernière prérogative, l'ultime bastion de sa souveraineté — et Balzac devra inventer un dispositif aussi compliqué qu'improbable pour délivrer la pauvre Sabine de sa rivale.

Toutes les épouses trompées n'ont pas la chance d'avoir un romancier ingénieux pour réécrire leur vie dans le sens qui siérait à leur bonheur autant qu'à la moralité: la plupart doivent se contenter de compromis fragiles, relevant des ressorts subtils de la psychologie plus que des procédés spectaculaires du romanesque. Dans la tradition du roman psychologique, *Une honnête femme* de Henry Bordeaux (1903) raconte comment une épouse heureuse en ménage et entièrement dévouée à ses enfants réagit à l'adultère de son époux par un silence qui menace sa propre santé et l'harmonie du couple, jusqu'à l'aveu et à la confession qui rétablissent l'entente. Dans un registre plus moderne et non moralisateur, la figure classique de l'épouse trompée en proie à la jalousie fait l'objet d'un roman de Colette au titre évocateur : *La Seconde* (1929). Fanny, la narratrice, y est la jeune épouse de Farou, homme de théâtre à la mode, plus âgé et paré d'un prestige certain dans ce petit milieu parisien. Tout aussi certaine est sa vie amoureuse extra-conjugale, amplement garnie de maîtresses présentes et passées : ce dont Fanny a la sagesse de ne pas se sentir — ou s'avouer — blessée. Elle ne commence à souffrir qu'en découvrant le rôle ambigu de Jane, l'amie qui partage la vie du couple, dont elle comprend qu'elle est la maîtresse de Farou en les voyant s'embrasser dans la salle de bains. Alors s'effondre la protection contre la jalousie qu'elle parvenait à maintenir envers des secondes, si l'on peut dire, secondaires, c'est-à-dire provisoires et extérieures au foyer : dès lors que la rivale s'avère proche non seulement de l'époux mais d'elle-même, elle se trouve démunie face au danger que représente toute autre femme à qui son mari prodigue ses faveurs.

Confrontée à cette preuve d'une double trahison — le mari adultère qui ne respecte pas les bornes du foyer et l'amie qui trahit sa confiance —, elle n'a d'autre ressource que de s'éva-nouir : seul moyen de manifester qu'elle n'a plus sa place, qu'elle n'a plus de place où être. L'évanouissement des femmes, c'est le moment où la place se dérobe, lorsqu'il n'y a plus *lieu* d'être[3]. Façon de s'absenter en faisant peser sur autrui la culpabilité, l'évanouissement peut prendre la forme de ce profond sommeil en lequel elle tombe, dans sa loge de théâtre, lors de la générale de la nouvelle pièce montée par son mari : comme si elle se retirait ainsi de l'enjeu et du jeu pour lequel, à l'inverse, la seconde manifeste un intérêt total. Mais ce refuge dans l'absence — évanouissement ou sommeil par quoi le corps, négativement, fait état de la dépression — ne peut être que temporaire, sauf à se radicaliser dans la mort. Doublement trompée, Fanny envisage un moment de se doter de la seule arme qui lui donnerait définitivement prise sur un mari volage et une rivale illégitime : un enfant, ce précieux ins-

trument du privilège des premières, qui lui rendrait sa souveraineté dans le devoir et la maternité, faute d'avoir pu la
conserver dans le désir et la conjugalité. L'auteur toutefois ne
s'abaisse pas à cette solution facile : c'est que l'intéresse davantage la mise au jour du trouble motif qui se découvre à la
femme trompée derrière la double trahison perpétrée par son
mari et sa meilleure amie. Car la révélation de l'adultère va
s'aggraver d'une autre découverte, plus troublante peut-être :
la seconde ne se contente pas de la tromper avec son mari
mais encore l'imite, elle, en sa place de première. « Fanny
reconnut une intonation qui ne rappelait pas la voix de Jane.
"Elle m'imite, ma parole [...]. Mais c'est *mon* livre qu'elle
prend là !... Mais c'est à *mon* beau-fils qu'elle donne des
ordres, c'est dans *ma* maison que..." » Plus que son mari, c'est
sa personnalité tout entière que la seconde cherche à lui ravir
ainsi, par admiration — sa rivale étant aussi son admiratrice
inconditionnelle. La liaison de la seconde avec l'époux apparaît
alors comme le moyen de manifester sa fascination envers la
première, de s'identifier à elle : « Vous c'était moi, en plus
beau. » On est dans la configuration girardienne de la triangulation du désir, où le mari n'est que l'objet apparent d'un investissement amoureux relevant moins d'une finalité sexuelle que
d'une quête identitaire, axée sur le médiateur du désir ou
plutôt, ici, sa médiatrice — celle à qui appartient le mari[4].

Comment Fanny va-t-elle s'accommoder de cette seconde
encombrante, qui n'a rien trouvé de mieux que de lui prendre
son mari pour pouvoir se prendre pour elle ? Plutôt que de
chasser l'intruse ou de quitter l'époux, elle va décider de retourner l'appropriation indue en hommage et la trahison en témoignage d'admiration, donc en aveu de sa propre souveraineté.
C'est que si l'ambivalence est réelle, chez la seconde, entre
désir de destruction et désir d'identification — l'un et l'autre
passant par la séduction du mari —, tout aussi réelle est l'ambivalence, chez la première, entre haine pour la rivale et
affection pour l'admiratrice. Aussi la balance est-elle difficile à
établir entre admiration et trahison, incommensurables autant
qu'indissociables : « Mais, poursuivait Fanny en revenant doci-
lement près du feu, où trouverais-je, et de quel droit, une
balance qui pèse ce que je dois à cette main et ce qu'elle m'a
pris ?... » À cette ambivalence s'ajoute la proximité entre les

deux femmes, cette complicité qui les lie de telle sorte que, paradoxalement, ce qui fait souffrir la première — d'être imitée, investie par une autre en sa place et son identité — est en même temps ce qui fait sa ressource contre la solitude d'une position dont elle ne peut partager l'inconfort avec son mari : « À son flanc s'assit le seul être humain à qui elle pût parler avec une chance d'être comprise. » À se débarrasser de sa rivale, elle se priverait de sa seule véritable amie et complice. Aussi va-t-elle se résoudre à faire à la seconde, malgré tout, une place auprès d'elle : entre deux maux, mieux vaut choisir la menace permanente de l'envahissement par une autre plutôt que la solitude dans un tête-à-tête inégal avec l'époux volage. Et c'est sur cette solution bancale — mais en est-il de plus stables ? — que s'achève le roman.

La menace de l'autre femme : l'invitée

Tout comme *La Seconde* de Colette, *L'Invitée* de Simone de Beauvoir, publié moins de quinze ans après (1943), se déroule dans le monde parisien du théâtre, aux mœurs suffisamment libérées pour qu'un homme marié puisse y afficher des liaisons ; il y est également question d'un trio épouse-époux-maîtresse, du point de vue de la première ; et son titre désigne lui aussi non la première, bien qu'elle en soit le personnage principal, mais la seconde — en parfaite symétrie, nous le verrons, avec *Rebecca*, où la narratrice est la seconde et le sujet du titre, la première. De même que la Fanny de Farou, la Françoise de Pierre Labrousse est la compagne légitime d'un grand homme de théâtre qui ne fait pas mystère de ses aventures avec d'autres femmes, dans le milieu avant-gardiste des intellectuels parisiens de l'entre-deux-guerres. Mais à la différence de Fanny, qui subissait les infidélités de son mari avec la résignation tacite des épouses traditionnelles, Françoise les accepte comme une marque d'ouverture d'esprit témoignant de la modernité de leur couple : modernité au nom de laquelle elle-même peut s'autoriser une semblable liberté, quoiqu'elle ne cherche guère à en profiter. Cette configuration inédite contraste avec la situation traditionnelle d'Elisabeth, la sœur de Pierre, autre figure de femme libre mais malheureuse dans le rôle classique de la maîtresse entretenant une liaison clandestine avec un homme marié dont elle cherche vainement à obtenir le divorce. C'est sur ce contraste entre deux façons de vivre l'affranchissement à l'égard de la morale bourgeoise que s'ouvre le roman, entre le malheur de la traditionnelle Elisabeth et le bonheur — présenté comme presque excessif dans sa complétude — de la moderne Françoise.

Celle-ci prend sous sa protection une jeune provinciale, Xavière, qui — tout comme Jane à l'égard de la Fanny de Colette — porte à Françoise un amour admiratif. Et comme chez Colette, cette admiration amoureuse se déplace sur le mari, avec lequel se noue une relation qui exclut Françoise. Alors s'ouvre en celle-ci une fêlure, qui lui fait prendre conscience de l'éloignement de Pierre : « Françoise le regarda avec une souffrance étonnée. Jusqu'ici quand elle pensait : "nous sommes séparés", cette séparation restait un malheur commun qui les frappait ensemble, auquel ensemble ils allaient remédier. Maintenant elle comprenait ; être séparée, c'était vivre la séparation toute seule. » Elle en tombe malade : les poumons sont atteints, comme si la situation était devenue, littéralement, irrespirable (exactement comme la Geneviève du *Repos du guerrier* de Christiane Rochefort, quinze ans plus tard, qui se réfugiera dans la tuberculose une fois épuisées toutes les ressources disponibles pour convertir Renaud à l'amour tel qu'elle l'entend). Ainsi met-elle à l'épreuve l'attachement de Pierre. Ce n'en est pas moins autour du lit d'hôpital que se déclare l'amour entre celui-ci et Xavière. Tous trois s'accorderont alors pour former ouvertement un trio — mais un trio inégal, en lequel ne fait que se profiler l'éventualité d'un passage à l'acte sexuel entre « l'invitée » et Françoise. La situation s'avère intenable pour elle, exclue de la relation entre Pierre et Xavière. Ne sachant plus où est sa place, elle fait l'expérience de la plus radicale des crises d'identité à laquelle une femme puisse se trouver confrontée : « Son sourire s'était fait chaud comme un baiser et Françoise se demanda avec malaise pourquoi elle se trouvait là, en train d'assister à ce tête-à-tête amoureux ; sa place n'était pas ici. Mais où était sa place ? Sûrement nulle part ailleurs. En cet instant, elle se sentait effacée du monde. »

Pierre finit par rompre avec Xavière, mais cette décision

peut s'interpréter de deux façons : soit — version enchantée —
c'est par amour pour Françoise, afin de préserver sa place face
à la présence envahissante de Xavière ; soit — version désenchantée — c'est par jalousie envers Xavière, pour la punir
d'avoir fait du jeune Gerbert son amant. Toujours est-il que
Françoise entreprend, contre son propre intérêt, de le réconci-
lier avec Xavière. Là encore, deux interprétations sont possibles pour expliquer cette réponse altruiste au sacrifice de
Pierre : soit il s'agit pour elle de se disculper de toute responsabilité dans cette rupture ; soit, plus perversement, de maintenir
Pierre dans une fixation amoureuse suffisamment proche pour
qu'elle puisse la contrôler, contrairement à ce qui se passait
lorsqu'il la trompait hors de sa vue et, si l'on peut dire, de son
consentement. Cette dernière interprétation n'est pas explicitement suggérée par l'auteur : c'est qu'elle romprait radicalement
avec la version enchantée d'une femme tolérante et moderne,
en faisant de cette « libéralité », fortement imprégnée de volon-
tarisme existentialiste, une forme retorse de despotisme conjugal, par où l'épouse autorise les frasques de son mari à la seule
condition qu'elle en choisisse elle-même les objets — telle une
mère abusive attentive à surveiller, voire à organiser, les fré-
quentations féminines de son fils. Ayant rabattu Xavière dans
les bras de Pierre, Françoise ne se gêne pas alors pour faire de
Gerbert son amant, au su de Pierre et à l'insu de Xavière :
ainsi se persuade-t-elle d'avoir réconcilié Xavière et Pierre par
grandeur d'âme, et d'avoir couché avec Gerbert par amour de
la liberté. Mais cette perception enchantée d'elle-même sera
vite balayée par Xavière lorsque celle-ci apprendra ce qui s'est
passé : « Je sais, dit Xavière. Vous étiez jalouse de moi parce
que Labrousse m'aimait. Vous l'avez dégoûté de moi et pour
mieux vous venger, vous m'avez pris Gerbert. » Le dégoût
d'elle-même s'empare alors de Françoise : confrontée à cette
vision désillusionnée d'elle-même, elle se découvre dans les
yeux d'autrui non plus en héroïne magnanime à l'avant-garde
d'une humanité moderne et libérée, mais en Junon mesquine
et impitoyable. Ce dégoût n'ira pas jusqu'à la persuader de se
supprimer elle-même : elle se contentera de tuer Xavière en faisant croire à un suicide au gaz. Et l'auteur semble feindre elle-
même de croire à un drame philosophique existentialiste, achevant le roman sur cette fin éminemment peu convaincante : « Il

suffisait d'abaisser ce levier pour l'anéantir. Anéantir une conscience. Comment puis-je? pensa Françoise. Mais comment se pouvait-il qu'une conscience existât qui ne fût pas la sienne? Alors, c'était elle qui n'existait pas. Elle répéta : "Elle ou moi." Elle abaissa le levier.»

De *La Seconde* à *L'Invitée*, c'est à peine une quinzaine d'années — mais au moins une génération — qui séparent ces deux mises en scène de la première tentant de s'accommoder de la présence, entre elle et son époux, d'une seconde. Toutes deux oscillent pareillement entre haine et amour pour une intruse qui, avant d'être une rivale, est d'abord une admiratrice et qui, tout en les menaçant dans leur souveraineté de première, fixe au moins sous leur regard et leur contrôle les velléités adultères de l'époux. Mais si l'une, traditionnelle, balance entre révolte et résignation, l'autre, moderne, balance entre l'indifférence hautaine de celle qui se veut libre et la haine vengeresse de celle qui se sait liée, et qui tient à ce lien comme à ce qui la tient à une place : sa place à elle, la place de la première. C'est pourquoi *L'Invitée*, à la différence de *La Seconde*, apparaît comme une tentative pour frayer le passage de la figure classique de la première menacée — victime résignée — à la figure moderne de la femme libérée, complice active des libertés amoureuses que peut s'autoriser l'homme marié. Mais ce passage demeure un cul-de-sac, une illusion de perspective : derrière cette version enchantée se profilent les impasses d'une situation invivable et les mensonges de l'auto-illusion, dès lors que la femme libérée se découvre prisonnière de ses propres affects, la femme libérale jalouse de ses prérogatives, et la femme moderne prête à défendre, jusqu'au meurtre de sa rivale, sa place de première.

La menace de l'autre femme :
la remplaçante

Dans *La Seconde*, l'épouse menacée parvenait à s'accommoder de la présence de l'autre en lui cédant un peu de sa souveraineté ; dans *L'Invitée*, elle ne maintient celle-ci qu'en supprimant physiquement sa rivale. Dans l'un et l'autre cas la première sort de l'épreuve non pas, certes, totalement victorieuse mais, au moins, n'ayant pas à céder sa place. Il arrive aussi que l'épouse soit, plus radicalement, remplacée par une seconde, menaçant non plus seulement sa souveraineté mais sa place même : tant il est vrai que la place de première est par définition unique, non partageable — et c'est sa force autant que sa vulnérabilité. Remplacée, la première peut l'être « pour de vrai » — c'est le drame des épouses abandonnées pour une autre femme — ou bien symboliquement, pour peu que le mari commette l'erreur funeste d'introduire une maîtresse sous le toit conjugal : impardonnable faute de place, car le lot de la seconde est de demeurer invisible, ou transparente, sous peine d'horribles catastrophes.

C'est cette catastrophique « mise en place » de la seconde supplantant la première que conte *La Dame de chez Maxim's* de Feydeau (1897), sur le mode comique mais avec un arrière-plan authentiquement tragique. Car c'est l'unité de temps qui fait la tragédie, et l'unité de lieu la comédie : aussi cette confusion des rôles, lorsqu'elle se produit dans le même lieu, engendre d'irrésistibles effets comiques, mais parce qu'elle a lieu dans le même temps, elle prend un caractère tragique que n'aurait pas la simple succession de la première par la seconde — laquelle renverrait au schème de la seconde épouse, qui ne devient tragique que lorsque le mari paraît toujours lié à la première dans le temps de son second mariage. Tragique en effet seront pour Gabrielle Petypon les conséquences de la présence imprévue, dans le lit de son mari, de la « Môme Crevette » qui, « chez Maxim's », ne figure pas parmi les honorables « dames » accompagnées de leur époux, mais parmi les danseuses dont ceux-ci s'amusent pour une nuit — quitte à être, une fois réveillés, les derniers à en rire. De la seconde à la première : c'est non seulement l'ordre des états de femme qui basculera, mais l'ordre social tout entier, avec le renversement du vice en distinction et de la vertu en confusion, puis en défection : hantée par le fantôme de la désexualisation, l'épouse remplacée sera réduite à l'état de tierce qui, exclue du regard masculin, voit ce qu'elle est seule à voir parce qu'elle est seule, et qu'on ne la voit pas...

Soumission à la loi de l'époux, voire subordination à l'autre femme, qui toujours peut lui prendre sa place ou, du moins, son statut de femme unique : la menace d'instabilité, voire de déchéance, est inhérente à la souveraineté des premières, comme l'atteste la fiction — colères mythiques de Junon, quiproquos vaudevillesques de la comédie de boulevard ou subtiles stratégies conjugales du roman psychologique. Loin d'être monolithique, l'état de première se subdivise en plusieurs « états dans l'état » : menacée de perdre sa place ou de basculer en tierce, la première peut aussi se trouver en état d'acceptation ou de révolte à l'égard de la loi conjugale, d'adultère, d'émancipation, ou d'exil — situations dont nous allons observer successivement la logique.

Chapitre VI

LA PREMIÈRE CLIVÉE

Tant que la menace prend la forme d'une autre femme, elle demeure extérieure, donc à peu près surmontable, même si c'est dans la douleur de la violence ou du renoncement : ne serait-ce que parce que cette douleur peut se dire, et sa cause se désigner. Moins visible par contre, moins dicible et du même coup plus grave, car guère accessible à la plainte, est une autre menace, qui mine de l'intérieur la souveraineté de la première.

Entre « société » et « individu »

« Longtemps après avoir écrit la préface d'*Indiana* sous l'empire d'un reste de respect pour la société constituée, je cherchais encore à résoudre cet insoluble problème : *le moyen de concilier le bonheur et la dignité des individus opprimés par cette même société, sans modifier la société elle-même* », écrivait George Sand (c'est elle qui souligne) dans sa préface à l'édition de 1842 de ce premier roman publié en 1832. L'intrigue, banale, repose sur un thème récurrent dans la littérature, des chefs-d'œuvre aux romans Harlequin : une femme et un homme s'aiment mais sont séparés par un obstacle, en l'occurrence l'époux, et sont sauvés *in extremis* d'une issue tragique par un *happy end* — l'héroïne se remariant avec celui qui depuis toujours l'aimait véritablement. Se pose alors une double question : pourquoi une telle situation est-elle aussi récurrente dans les romans ? Et qu'est-ce exactement que cette

« société » qui opprime les individus ? Qu'exprime ce schème narratif qu'affectionnent tant les romanciers — l'épouse déchirée entre mari et amant — et que signifie son interprétation par une oppression sociale ?

En imputant à la « société » la responsabilité des malheurs féminins, ainsi extériorisée et projetée sur une instance transcendante à l'individu, la romancière opère une interprétation bien particulière, déjà présente chez Germaine de Staël accusant la société des infortunes de Corinne. Car pourquoi ne pas décrire plutôt cette situation comme un conflit intérieur entre la fidélité à un époux, une famille, un contrat, et l'authenticité d'un sentiment amoureux unissant deux êtres en toute intériorité, en toute individualité, en toute irréductibilité à quelque raison extérieure à eux-mêmes ? À ce clivage interne entre deux principes d'accomplissement également investis par une femme, que le roman excelle à décrire sur le plan narratif, l'auteur préfère l'hypothèse d'un conflit entre deux instances distinctes et très inégales : l'individu, la société [1]. Aussi serait-il naïf de prendre pour argent comptant cette opposition présentée comme une matrice explicative. Car « la société » ainsi invoquée est une notion sollicitée pour donner une forme acceptable et une causalité exprimable à des situations conflictuelles qui, sinon, seraient condamnées à cette expérience infiniment plus trouble et troublante qu'est l'ambivalence intérieure, en vertu de laquelle un être se trouve clivé, partagé au plus profond de soi entre deux dimensions inconciliables mais également investies, également nécessaires.

Entre deux jeunes mariées

« Pourquoi la Société prend-elle pour loi suprême de sacrifier la Femme à la Famille ? » demande pareillement une héroïne des *Mémoires de deux jeunes mariées* que Balzac publia en 1842, l'année même de cette préface de George Sand à qui justement est dédié ce roman. Toutefois le contraste mis en scène par Balzac y est moins extérieur et moins général que l'antagonisme « individu »/« société » : en faisant passer la barre de l'opposition entre deux héroïnes très proches et à bien des égards semblables, chargées d'incarner chacune un pôle du

clivage, le romancier construit un dispositif extrêmement effi-
cace permettant d'expliciter la faille qui habite toute épouse.
Doublement atypique dans l'œuvre balzacienne — roman par
lettres, il n'appartient pas à *La Comédie humaine* — il est aussi
doublement exemplaire : et par la précision de la dualité ainsi
mise en scène, et par son caractère évolutif qui, par-delà la
simple mise en regard de deux personnages, permet de marquer la progression de leur opposition au fil de la vie conjugale,
et l'impitoyable rivalité sous-tendant l'amitié féminine, que
hante l'épreuve de la comparaison.

Ces deux amies élevées au couvent, nobles et belles mais mal
dotées, préfèrent n'importe quel mariage à la réclusion à vie
que leurs parents auraient volontiers décidée. Louise choisira
pour mari un aristocrate destitué mais chevaleresque, qui
l'adore en secret et lui écrit des poèmes ; Renée fait l'objet d'un
mariage arrangé avec un provincial sans prestige. Le chiasme
entre ces deux vies est d'autant plus net que Renée s'emploie à
« faire de son mari un amant », en ne se donnant pas tout de
suite à lui pour mieux lui faire sentir le prix de ses faveurs,
tandis que Louise, en épousant celui qui l'aime au mépris des
stratégies matrimoniales, réussira à « faire de son amant un
mari ». Renée la provinciale voit en Louise « la partie romanesque de [s]on existence », déléguant à cette Parisienne le soin
de vivre pour elle tout ce qui ne lui sera pas permis, d'accomplir la part d'elle-même qu'il lui faut sacrifier. Apprenant le
mariage de son amie, Louise ne se prive pas d'insister sur leur
différence : « Comment, bientôt mariée ! mais prend-on les
gens ainsi ? Au bout d'un mois, tu te promets à un homme,
sans le connaître, sans en rien savoir. [...] Tu sors d'un couvent
pour entrer dans un autre ! »

Renée prend le parti de la résignation, sachant la voie sans
surprise en laquelle elle s'engage : « Entre nous, je n'aime pas
Louis de l'Estorade de cet amour qui fait que le cœur bat
quand on entend un pas, qui nous émeut profondément aux
moindres sons de la voix, ou quand un regard de feu nous
enveloppe ; mais il ne me déplaît point non plus [...]. Nous,
nous pouvons choisir entre l'amour et la maternité. Eh bien,
j'ai choisi : je ferai mes dieux de mes enfants et mon Eldorado
de ce coin de terre. » Peu charitable, Louise stigmatise le
« monotone infini de son cœur » : « Tout cela va se perdre dans

les ennuis d'un mariage vulgaire et commun, s'effacer dans le vide d'une vie qui te deviendra fastidieuse! [...] Et si tu rencontres, dans un jour de splendeur, un être qui te réveille du sommeil auquel tu vas te livrer?» Ce mariage de raison la confirme dans son propre désir de «quelque belle passion, pour que nous connaissions bien la vie», et elle fait miroiter à la provinciale les charmes de la passion à laquelle celle-ci a dû renoncer: «Hénarez ose me regarder, ma chère, et ses yeux me troublent, ils me produisent une sensation que je ne puis comparer qu'à celle d'une terreur profonde.» L'ambivalence est ici évidente (et peut-être constitutive de l'amitié féminine?) entre la générosité de faire partager son bonheur et la perversité de souligner par contraste le malheur de l'autre: «Tu te maries et j'aime!»

La pauvre Renée s'efforce de trouver des charmes à sa situation en se montrant, comme on dit, philosophe: «Le mariage se propose la vie, tandis que l'amour ne se propose que le plaisir; mais aussi le mariage subsiste quand les plaisirs ont disparu, et donne naissance à des intérêts bien plus chers que ceux de l'homme et de la femme qui s'unissent.» Louise revient à la charge: «Beaucoup de philosophie et peu d'amour, voilà ton régime; beaucoup d'amour et peu de philosophie, voilà le mien.» Sous ces coups d'épingle complaisamment réitérés par sa meilleure amie («Le doux murmure de ton filet de tendresse conjugale vaut-il mieux que la turbulence des torrents de mon amour?»), Renée craque: «Mais, chère! tes dernières lettres m'ont fait apercevoir tout ce que j'ai perdu! Tu m'as appris l'étendue des sacrifices de la femme mariée [...]. Pourquoi la Société prend-elle pour loi suprême de sacrifier la Femme à la Famille en créant ainsi nécessairement une lutte sourde au sein du mariage? [...] Tu peux avoir les illusions de l'amour, toi chère mignonne; mais moi, je n'ai plus que les réalités du ménage.» Dans cette infinie déception qu'aggrave le démon de la comparaison, les seules consolations sont les ressources des femmes détachées de la vie amoureuse: la dévotion et, surtout, le dévouement aux enfants. Renée fonde sur la maternité des attentes aussi infinies que la perspective de ces plaisirs qu'elle ne connaîtra pas: «J'attends le fruit de tant de sacrifices qui seront un secret entre Dieu, toi et moi. La maternité est une entreprise à laquelle j'ai ouvert un crédit énorme, elle me doit trop aujourd'hui, je crains de n'être pas assez payée.»

Louise s'entête à comparer leurs destins au profit du sien, vantant l'intensité de la passion amoureuse contre la pérennité des joies familiales : «Chère biche, tu as le fruit sans avoir eu les fleurs, et moi j'ai les fleurs sans le fruit. Le contraste de notre destinée continue [...]. Voici dix fois en dix mois que je me surprends à désirer de mourir à trente ans, dans toute la splendeur de la vie, dans les roses de l'amour, au sein des voluptés, de m'en aller rassasiée, sans mécompte, ayant vécu dans ce soleil, en plein dans l'éther, et même un peu tuée par l'amour.» Mais Renée, enfin mère, va reprendre l'avantage, renvoyant les plaisirs vécus par son amie à des satisfactions bien superficielles en regard du bonheur profond offert par la maternité : «Par tout ce que tu m'en as dit, chère mignonne, l'amour a quelque chose d'affreusement terrestre, tandis qu'il n'y a je ne sais quoi de religieux et de divin dans l'affection que porte une mère heureuse à celui de qui procèdent ces longues, ces éternelles joies. [...] Aussi peut-être est-ce pour nous le seul point où la Nature et la Société soient d'accord. [...] La femme n'est dans sa véritable sphère que quand elle est mère ; elle déploie alors seulement ses forces, elle pratique les devoirs de sa vie, elle en a tous les bonheurs et tous les plaisirs. Une femme qui n'est pas mère est un être incomplet et manqué. Dépêche-toi d'être mère, mon ange ! tu multiplieras ton bonheur actuel par toutes mes voluptés» (mais Balzac, trouvant sans doute un peu fort ce vertueux panégyrique, le tempère par la voix de son héroïne dans un post-scriptum en forme de repentir : «Je ne veux pas laisser partir cette lettre sans te dire un mot d'adieu ; je viens de la relire, je suis effrayée des vulgarités de sentiment qu'elle contient»).

«Nous voilà toutes deux femmes : moi la plus heureuse des maîtresses, toi la plus heureuse des mères» : Louise-l'amoureuse tente d'arrêter la confrontation à égalité. Mais Renée-la-mère, qui tient à sa revanche, se risque à renverser les rôles, revendiquant la meilleure place : «Oh, mon ange, combien mon cœur s'est agrandi pendant que tu rapetissais le tien en le mettant au service du monde !» Sûre de son avantage, elle invite son amie à lui rendre visite. Mais Louise s'en ira précipitamment, jalouse de la maternité de son amie : «Tu es trop belle femme et trop heureuse mère pour que je puisse rester auprès de toi. [...] Je ne veux te recevoir qu'ayant à mon sein un bel enfant semblable au tien.» Ayant avoué sa défaite, Louise va continuer de dégringoler une pente rendue toujours plus glissante par le contraste entre sa propre stérilité et la fécondité de Renée, qui met au monde une petite fille : « Pour la première fois de ma vie, ma chère Renée, j'ai pleuré. [...] Ta fécondité m'a fait faire un retour sur moi-même, qui n'ai point d'enfants après bientôt trois ans de mariage. [...] Une femme sans enfants est une monstruosité ; nous ne sommes faites que pour être mères. Oh ! docteur en corset que tu es, tu as bien vu la vie.» Devenue veuve, et sans enfant, elle ne regagnera du terrain qu'en se remariant en secret avec un jeune poète désargenté dont elle est follement amoureuse. Mais elle a beau faire l'éloge de sa chance, elle n'en recommence pas moins à perdre du terrain : « Hélas ! ma Renée, je n'ai toujours point d'enfants. [...] Oh ! quelle monstruosité que des fleurs sans fruits. Le souvenir de ta belle famille est poignant pour moi. Ma vie, à moi, s'est restreinte, tandis que la tienne a grandi, a rayonné. [...] Ton bonheur m'a fait envie en te voyant vivre dans trois cœurs ! Oui, tu es heureuse : tu as sagement accompli les lois de la vie sociale, tandis que je suis en dehors de tout. Il n'y a que des enfants aimants et aimés qui puissent consoler une femme de la perte de sa beauté.» Puis, persuadée à tort que son aimé la trompe, elle se donne la mort, réalisant son vœu de mourir à trente ans, en pleine beauté, en pleine passion, tout en paraissant donner raison à son amie par la bouche de qui parle « la société » : la partie s'achève sans qu'on puisse décider laquelle des deux a gagné.

Ainsi prend fin la correspondance entre les deux jeunes mariées : gageons toutefois qu'elle continue dans la tête de Renée, clivée entre deux modèles d'accomplissement qui n'opposent pas seulement des femmes les unes aux autres, mais des aspirations contradictoires à l'intérieur de chacune. Et c'est tout l'intérêt de ce roman que d'opposer deux expériences antinomiques, en restituant l'ambivalence qui habite le rapport au mariage, sans chercher à en tirer une conclusion morale qui donnerait raison à l'une ou à l'autre. Doublement réductrice est en cela la lecture d'Arlette Michel, pour qui « le bilan de ces deux expériences désastreuses est fait par Renée de l'Estorade

— à qui le romancier donne assez largement raison[2]»: d'abord parce qu'elle néglige la forme d'accomplissement que réalise le personnage de Louise en allant jusqu'au bout de la logique amoureuse qui fait sa raison de vivre; ensuite parce qu'elle passe à côté de ce qui fait l'essentiel de ce roman et, plus généralement, de la forme romanesque, à savoir la liberté que peut s'octroyer le romancier à l'égard du moralisme: ce en quoi Balzac est un précurseur du regard sociologique, bien plus radicalement que par ses descriptions de la société de son temps.

Entre famille et femme

«Pourquoi la Société prend-elle pour loi suprême de sacrifier la Femme à la Famille?» demandait Renée. Loin d'être accidentel ou dû à de funestes contingences, ce sacrifice paraît constitutif du mariage en son essence même: c'est la Femme contre la Famille, ou Germaine de Staël contre Bonald — ce contempteur du matérialisme, de l'athéisme et de la démocratie — que les pères bien intentionnés font lire à leurs filles au sortir du couvent: «Pendant que tu lisais *Corinne*, je lisais Bonald, et voilà tout le secret de ma philosophie: la Famille sainte et forte m'est apparue.» D'un côté donc, la femme en tant que personne à part entière, dotée d'une personnalité autonome et d'aspirations spécifiques; de l'autre, la femme en tant qu'épouse, maillon indispensable d'une communauté familiale mais remplaçable en ses fonctions, n'ayant de nom que celui de son époux, d'intérêts que ceux de sa lignée, d'existence que par la place qui lui est attribuée dans une configuration qui lui précède et qui lui survivra — celle, temporelle, d'une généalogie et celle, spatiale, d'une maisonnée. C'est là toute l'ambiguïté du statut de la première en tant que membre et représentante de cette famille «sainte et forte»: souveraine en sa place, elle est entièrement soumise à l'ordre matrimonial qui la lui octroie. «Mariée, elle ne s'appartient plus, elle est la reine et l'esclave du foyer domestique», écrivait Balzac dans *La Femme de trente ans* (1832). L'épouse, dans les milieux privilégiés où, selon Veblen, le loisir est une mesure de la fortune, a pour fonction d'être un porte-étendard du mari et de la famille tout entière. Signe extérieur de richesse, consommatrice ostentatoire d'argent, de temps et de loisirs, elle a la charge autant que le privilège d'être un porte-bijoux, porte-fourrures, porte-fortune, porte-relations, porte-loisirs et même porte-culture, lorsqu'elle règne dans ces salons mondains où elle s'affirme comme le chef domestique d'une petite communauté de gens compétents : compétents par leur savoir, avec les intellectuels, par leur goût, avec les mondains, ou par leur talent, avec les artistes[3].

Qu'elle soit vécue comme réduction à des intérêts extérieurs à la personne, ou comme agrandissement par l'association à une communauté plus puissante que l'individu isolé, l'entrée dans une famille par l'institution du mariage est porteuse d'une fondamentale ambivalence. Car d'un côté, l'épouse a l'avantage de n'être pas seule : de même que sa naissance, son mariage l'inscrit dans une lignée, une famille, nouant son sort à des intérêts collectifs. Mais elle le paie d'une dépendance envers son mari et parfois ses proches ainsi que, plus tard, ses enfants, entraves à l'autonomie. Cette dépendance peut être espérée, recherchée (telle, dans l'histoire littéraire, Louise Colet insistant pour que Flaubert la présente à sa mère) ; mais elle peut être aussi subie comme un fardeau, refusée et rejetée comme une aliénation, une atteinte identitaire qui réduit la personne à un individu interchangeable, défini comme membre d'un collectif familial auquel elle se sent intimement étrangère, si même elle ne s'estime pas niée par lui. Cette ambivalence est si profondément inscrite qu'on la retrouve au cœur même de la langue, dans la connotation contradictoire attachée au «lien», qui ligote en même temps qu'il relie, ou à l'«attachement», qui entrave en même temps qu'il permet l'affection ; ou à l'adjectif «isolé», qui renvoie à solitaire autant qu'à protégé. Il existe donc une fondamentale ambivalence entre aspiration à l'indépendance et aspiration au lien : le lien étant accordé à la première, qui luttera éventuellement pour conquérir l'indépendance, laquelle est plus ou moins le lot de la seconde et surtout de la tierce, qui aspireront à s'attacher. Par-delà la condition de la femme mariée, cette contradiction est généralisable à tout travail identitaire[4] ; mais les femmes y sont probablement plus sensibles, parce que s'y engagent des liens profondément investis sur le plan affectif, alors que chez les hommes la dépendance familiale peut se vivre de façon plus distanciée.

À ce signe extérieur de richesse que peut représenter le mariage s'oppose l'intériorité de la vie personnelle, où la femme n'est plus définie par son appartenance à une communauté « autre » — qui donc l'« aliène » au sens premier du terme — mais par des propriétés qui lui sont spécifiques, faisant d'elle un être autonome, insubstituable : une personne à part entière. À ce statut, le mariage fait par définition obstacle : « J'étais un être auparavant, et je suis maintenant une chose ! » se plaint Renée après ses noces. Louise au contraire vante l'assomption de son « moi », autrement dit de son identité personnelle, qu'elle a cherché à maintenir entière dans un mariage qui ne fût pas de convenance, c'est-à-dire d'intérêt familial, mais d'amour, c'est-à-dire de choix individuel : « Ce triomphe enivre l'orgueil, la vanité, l'amour-propre, enfin tous les sentiments du moi. »

Entre procréation et création

« La maternité est une entreprise à laquelle j'ai ouvert un crédit énorme », reconnaissait Renée : la procréation participe de ce pôle matrimonial, qui tire l'état d'épouse vers ce qui connecte à autrui mais éloigne de soi-même. Et plus encore : dans l'insatisfaction diffuse de la première découvrant qu'avec le mariage elle n'appartient pas à elle-même, mais d'abord à un époux et à sa famille, la maternité est ce qui compense cette aliénation tout en l'accentuant, par ces bonheurs et ces buts supérieurs que sont l'expérience sensorielle de la procréation, l'expérience psychologique de la toute-puissance sur un être entièrement dépendant, et la conscience de continuer une lignée permettant de réaliser le lien entre passé, présent et futur. Toute femme certes, sauf cas de stérilité, peut avoir biologiquement accès à la maternité ; mais seules les premières la vivent dans ces trois dimensions, physiologique, psychologique et relationnelle, grâce à l'institutionnalisation du lien conjugal et matrimonial qui légalise le rapport sexuel dans le lien indéfectible du mariage (indéfectible ou, du moins, suffisamment stabilisé pour n'avoir pas à être constamment renégocié), assurant une fois pour toutes le statut de mère-des-enfants-de-l'homme. À l'opposé de ce lien privilégié entre maternité et place de première, le statut des enfants de seconde est d'autant plus défavorisé que leur mère est moins légitime : si une seconde épouse peut, comme une première, être mère, elle sait que l'héritage paternel ne reviendra pas en priorité à ces « enfants d'un second lit » ; la maîtresse ne peut guère espérer que quoi que ce soit aille aux « bâtards » qu'elle a engendrés ; quant aux « rejetons » nés accidentellement des prostituées ou des filles perdues, le père n'en a le plus souvent pas même connaissance. Autant dire que si la seconde est mère, ce ne peut être que par accident, ou par défaut — défaut d'être une première.

C'est pourquoi, plus encore qu'une expérience, la maternité est une identité, propre à séparer radicalement les mères de toutes celles qui ne le sont pas. « Il y a un gouffre permanent, entre les femmes qui ont des enfants et celles qui n'en ont pas. Moi, je suis d'un côté, elle de l'autre », constate l'héroïne d'*Intempéries* de Rosamond Lehmann (1936), retrouvant une amie d'enfance devenue mère de famille, laquelle recherchait justement dans la maternité cette identité, cet ancrage dans un statut qui donne prise au réel : « Tout le monde semble avoir une vie consistante, réelle, excepté vous. On est comme une espèce de mensonge, vide. [...] J'avais pensé que d'avoir des enfants, cela me guérirait : c'est une des rares choses pour lesquelles on ne peut pas jusqu'au bout jouer la comédie. » Mais, de même que l'identification à une communauté familiale comporte des contreparties qui font l'ambivalence de l'état de première, de même l'identité de mère impose des sacrifices : celui de son temps et de l'attention portée à sa vie personnelle, à son expérience intérieure ; mais aussi celui de la dimension pleinement sexuée de l'épouse, disponible au désir de son mari autant qu'aux exigences de ses enfants. Épouse et mère, la première doit se maintenir à la fois désirable, et respectable : double et parfois contradictoire impératif, comme le suggère l'incompatibilité entre les qualités corporelles — formes plantureuses de la génitrice, formes déliées de la séductrice. C'est le mot charmant de Louise s'apprêtant à rendre visite à Renée après ses couches : « Je verrai si, comme on le dit, un enfant gâte la taille. »

Il y a là un difficile équilibre entre les exigences de la bonne mère et les obligations de la parfaite épouse : celle-ci qui, à trop aimer l'amour et soigner son apparence, risque de négliger sa progéniture et de devenir une mauvaise mère, qui continue d'appartenir à son mari ou à ses amants plus qu'à ses enfants ; celle-là qui, à trop se dévouer aux enfants, risque de devenir une mauvaise épouse, incapable de se maintenir dans une dimension sexuée et basculant, à la limite, en tierce. L'allaitement peut suffire à détacher le mari dès lors qu'il n'a plus accès au corps de sa femme, exclusivement dévolu à l'enfant : dans *Une honnête femme*, Henry Bordeaux explique ainsi l'adultère du mari qui, «privé de sa femme» qui «voulait avoir l'honneur de nourrir elle-même», «fut accessible aux plus basses tentations et n'y résista pas toujours». Plus profondément, certaines femmes refusent de sacrifier l'état d'amante à celui de mère : telle Catherine dans *Le Plaisir* de Binet-Valmer (1912), qui «avait pris de l'adoration pour ce corps que Pierre adorait» et «ne voulait pas d'enfant, afin de demeurer seule avec Pierre»; telle Christine dans *L'Œuvre* de Zola (1886), pour qui «c'était une douceur triste, alors, après les chagrins de la nuit, de n'être plus qu'une mère jusqu'au soir. [...] Seul, le petit Jacques eut à pâtir de ce déplacement de tendresse. Elle le négligeait davantage, la chair restée muette pour lui, ne s'étant éveillée à la maternité que par l'amour. C'était l'homme adoré, désiré, qui devenait son enfant ; et l'autre, le pauvre être, demeurait un simple témoignage de leur grande passion d'autrefois[5]».

Tolstoï campe, à l'opposé, des personnages de femmes ayant totalement basculé dans la maternité. Dans *La Guerre et la paix*, la belle Natacha subit après son mariage une véritable métamorphose, sacrifiant tout souci de séduction et tout intérêt pour autre chose que sa vie familiale, perdant sveltesse, vivacité, spiritualité, sociabilité, charme : «Natacha ne suivait pas cette règle d'or que proclament les gens d'esprit, particulièrement les Français, d'après laquelle une jeune fille, en se mariant, ne doit pas se laisser aller ni dire adieu à ses talents, mais doit s'occuper plus encore de sa personne et chercher à séduire son mari autant qu'elle tenait à séduire son fiancé. Natacha, au contraire, avait abandonné d'un coup toutes ses séductions. [...] Se faire des anglaises, porter des paniers et chanter des romances afin de rendre son mari amoureux lui aurait semblé aussi étrange que de se parer pour ne plaire qu'à soi-même.» De même l'héroïne d'*Un mariage d'amour* (1852), après qu'un sourd désaccord a cassé l'entente amoureuse entre son mari et elle, fait l'épreuve de ce multiple basculement qu'est le passage du mari-amant au mari-père, la conversion de l'amour conjugal à l'amour maternel et du désinvestissement érotique à la sensualité maternante : « "Il est à moi ; à moi !" pensai-je avec une heureuse tension dans tous les membres en serrant l'enfant contre ma poitrine, me retenant à grand-peine pour ne pas lui faire du mal. Et je me mis à baiser ses petits pieds froids, son ventre, ses mains, sa tête à peine couverte d'un léger duvet.» Son appropriation de l'enfant, centre exclusif de son rapport au monde, finit par exclure même le père («personne en dehors de moi ne devait le regarder»), comme l'explicite la fin de ce triste roman d'amour : «Depuis ce jour-là, mon roman avec Serge était achevé ; l'amour d'autrefois était devenu un souvenir cher, il avait à jamais disparu ; un sentiment neuf, l'amour de mes enfants et de leur père, fut à l'origine d'une autre existence, d'un bonheur différent, que je n'ai pas fini de vivre à la minute présente...»

«Personne en dehors de moi ne devait le regarder» : Tolstoï résume là cet état extrême de l'amour maternel, si familier qu'on finit par le croire normal, qui tend à faire le vide autour du désir de symbiose dont la mère nourrit sa relation avec son enfant, au prix de tous les autres liens, y compris son propre lien avec son mari, le lien du père avec l'enfant et le lien de l'enfant avec le reste du monde. C'est la névrose de l'amour maternel, forme extrême de cette pathologie de l'attachement qui consiste à donner à l'autre — l'enfant — toute la place : ce qui équivaut à ne lui permettre d'en occuper aucune qui soit vraiment la sienne, dans une confusion des identités oscillant entre ces deux extrêmes contradictoires mais finalement équivalents que sont l'humilité sans bornes de qui aspire à se fondre dans l'autre, et la mégalomanie infinie de qui se grandit en parasitant l'identité d'autrui. Cette mortifère aberration de la maternité s'enracine dans la jouissance perverse d'exercer une toute-puissance sur un être entièrement dépendant : toute-puissance instrumentée par un don sans fin, exigeant en retour une remise de soi tout aussi infinie.

Cet attachement à l'enfant au détriment du père maintient plus encore la mère dans l'orbite de la vie familiale, ce bouillon de culture des pathologies de l'amour. À cette vie domestique de la mère entièrement refermée sur la maisonnée mais ouverte aux regards à l'intérieur de celle-ci, s'oppose la vie secrète de la femme à la recherche d'elle-même, qui ne se satisfait pas d'une existence réduite à la conjugalité et à la maternité. Cette vie secrète échappe au mari, qui peut ne pas même l'envisager — pas davantage qu'il ne reconnaît à sa femme une identité personnelle : « Robert croit me connaître à fond ; il ne soupçonne pas que je puisse avoir, en dehors de lui, une vie propre. Il ne me considère plus que comme une dépendance de lui. Je fais partie de son confort. Je suis sa femme », note la narratrice de *L'École des femmes* de Gide. Cette quête identitaire peut s'accomplir dans trois directions, qui toutes exigent le secret ou, au moins, la solitude — tant il est vrai que « pour protéger l'individu contre le risque de se confondre avec les autres, il n'est de meilleur moyen que la possession d'un secret qu'il veut ou qu'il lui faut garder[6] ». La première direction est le tête-à-tête avec la création : c'est *Corinne* contre Bonald ; c'est la « chambre à soi » revendiquée par Virginia Woolf ; c'est le goût du savoir qui fait les femmes savantes moquées par la comédie ou les égéries courtisées dans les salons mondains ; et c'est l'écriture, qui permit à George Sand, à Colette et bien d'autres d'échapper à leur destin conjugal, et qui dans la fiction produit d'étranges figures de femmes écrivains, partagées entre la crainte de n'être qu'un bas-bleu et le désir d'accéder à leur autonomie : telle la poétesse Ella dans la nouvelle de Thomas Hardy « Une femme imaginative » (1893), « adoratrice de la muse » mariée à un fabricant d'armes et qui, se découvrant enceinte d'un troisième enfant, éprouve la difficulté à « trouver un moyen d'exprimer ses émotions dont la limpidité et l'éclat, douloureusement enfouis, s'étaient progressivement enlisés dans les soins du ménage et l'amertume de donner des enfants à un père trivial ».

La deuxième de ces trois directions permettant à une femme mariée de cultiver une existence autonome n'est plus la « création » en tant qu'elle relève des facultés créatrices individuelles, mais la « création » en tant qu'elle relève de la nature créée, comme lorsqu'on parle de « création divine ». C'est l'amour de la botanique, dans la soigneuse confection d'un herbier ; c'est la fabrication d'un jardin, mixte de naturel et de civilisation, qui instaure un espace d'autonomie intermédiaire entre la libre solitude et les liens familiaux, deux pôles également nécessaires mais incompatibles entre lesquels il crée un compromis vivable, comme dans *Elizabeth et son jardin allemand* d'Elizabeth von Arnim (1898) ; c'est la contemplation mélancolique ou exaltée d'un paysage aimé ; c'est la communion avec les éléments ; c'est l'immersion quasi mystique dans une réalité sauvage, d'autant plus sublime qu'elle est désertée par les hommes, échappant à la contingence, au présent, à la matérialité des soucis domestiques. Le tête-à-tête avec la création y prend la forme d'une nécessaire solitude face aux éléments : solitude en laquelle sont par moments décrites ces héroïnes romantiques se consolant dans la contemplation d'un paysage, se perdant en promenades solitaires. Mais ce ne sont jamais que des moments romanesques : la femme qui se cherche dans un contact secret avec la « création », c'est-à-dire avec la nature, ne fait pas à elle seule une héroïne de roman.

Beaucoup plus prisée des romanciers est la troisième direction permettant d'exister hors du cercle familial : l'amour. Mais ce n'est plus bien sûr l'amour conjugal du mari, ni l'amour maternel des enfants : c'est l'amour adultérin, la passion qui fait rêver les jeunes filles, l'exacerbation amoureuse dont Renée a dû faire son deuil tandis que Louise tentait de l'ancrer au sein du mariage. Le problème est que celui-ci est loin d'être le lieu le plus propice à cette forme d'accomplissement qui, là encore, exige le secret — celui de l'intrigue amoureuse. Et là, le matériel romanesque ne manque pas.

Entre mari et amant

Il y a donc, d'un côté, le mari, « qu'on épouse par raison, à qui l'on se donne par devoir, et pour être femme enfin ! », comme dit amèrement Renée. Et de l'autre, il y a l'amant. Mais il serait trop simple d'opposer l'un à l'autre comme le devoir au plaisir ; car il suffirait alors de privilégier le registre moral de l'opposition pour qu'il n'y ait plus ambivalence mais, simplement, alternative entre le bien et le mal, où le bon choix

s'impose de lui-même et où le mauvais ne peut signifier que
dépravation, ou démence. À l'inverse, il serait également trop
simple d'opposer conjugalité et adultère comme l'aliénation à
l'authenticité ; car il suffirait alors de privilégier le registre
éthique — hédonisme ou exigence existentielle — pour qu'il
n'y ait plus qu'alternative entre la vie mauvaise et la vie
bonne, l'attachement obligé et l'attachement choisi, l'amour de
convention et l'amour-passion : alternative dont le premier
terme ne pourrait revenir qu'aux lâches, aux sottes ou aux
insensibles. Cette distinction entre la morale, dirigée vers le
souci du bien d'autrui, et l'éthique, dirigée vers le respect de
principes n'engageant que soi, est librement empruntée à Paul
Ricœur, chez qui la « visée morale » renvoie aux obligations,
aux normes, aux interdictions, impliquant l'exigence d'universalité et l'effet de contrainte, tandis que la « visée éthique » est
définie comme « visée de la vie bonne, avec et pour les autres,
dans des institutions justes [7] ». Si l'on admet avec Ricœur que
l'éthique, ainsi distinguée de la morale, exige à la fois l'estime
de soi, la sollicitude et le sens de la justice, il suffit d'appliquer
cette triple exigence à soi-même (« soi-même comme un
autre », selon le beau titre d'un autre de ses ouvrages) pour
construire un « souci de soi » pris dans une authentique visée
éthique, laquelle définit exactement l'exigence identitaire, ainsi
différenciée du respect des règles morales [8].

Pour prendre la mesure de ce que signifie la tentation adulté-
rine, il faut donc tout mettre dans la balance : la morale et
l'éthique, le devoir et le plaisir, le matériel et le spirituel, les
coûts et les intérêts. Il faut voir que si le mari figure, avec la
famille et les enfants, le pôle du devoir, il représente aussi le
prestige, le nom, la fortune, la stabilité, tout ce qui fait le privilège de la place de première ; et que si l'amant est celui qui fait
courir le risque de tout perdre — respect, tranquillité, subsistance — il est aussi celui qui permet à la femme de s'affirmer
de façon autonome, d'être appréciée pour elle-même plus que
pour des qualités extérieures, de vivre enfin quelque chose
dont elle ne soit comptable à personne. Ce que la première
aime peut-être avant tout en celui qui est ou pourrait être son
amant, ce n'est pas tant qu'il soit un *autre*, mais qu'il lui permette d'être *elle-même* en devenant qui elle est, pleinement,
enfin rendue à elle par la médiation d'un regard amoureux :

« Il n'y a que toi dans ton amour, et tu aimes Gaston bien plus pour toi que pour lui-même », remarquait finement Renée à propos du second amour de Louise. Le mari donc, c'est celui qui protégera du pire, quoi qu'il arrive, et que les mères prudentes enjoignent à leurs filles de ne pas s'aliéner, telle la mère de Louise : « Sacrifier tout à son mari n'est pas seulement un devoir absolu pour des femmes de notre rang, mais encore le plus habile calcul. » Mais l'amant est celui qui donne accès au meilleur : à l'amour et à l'amour-propre, à ce qui en soi n'appartient qu'à soi. « Que prouve un mari ? Que, jeune fille, une femme était ou richement dotée, ou bien élevée, avait une mère adroite, ou satisfaisait aux ambitions de l'homme ; mais un amant est le constant programme de ses perfections personnelles », note la duchesse de Langeais de Balzac (1834).

« Le constant programme de ses perfections personnelles » : si l'adultère demeure stigmatisé par la morale chrétienne, l'amour fou est une valeur sûre de la morale romanesque, si même il n'est pas constitutif de l'univers du roman — de *La Princesse de Clèves* à *La Nouvelle Héloïse*, d'*Indiana* à *Belle du Seigneur*. Les exemples y abondent de ces femmes prises entre deux hommes et, à travers ces deux modalités de l'attachement, entre deux définitions d'elle-même : l'une, conjugale, qui les renvoie à la dépendance familiale et à la plénitude d'une place qui se paie d'un déficit identitaire ; l'autre, amoureuse, qui assure leur indépendance en tant que personne à part entière, dotée d'une autonomie et d'une intimité inaliénables, mais qui se paie du risque de perdre cette place de première. Même si elle demeure ambivalente (et ce qui fait sans doute une part de sa puissance romanesque), cette valorisation de l'amour est un phénomène récent dans notre histoire, hormis la parenthèse que constitua au Moyen Âge l'amour courtois. Aussi est-ce une petite révolution que révèle — ou accomplit — le roman en périmant ou, du moins, en tempérant une conception qui, traditionnellement, considérait comme une putain une femme qui aime, même sans se faire payer, alors qu'une femme qui ne se laisse aimer que parce que c'est le prix de sa subsistance incarnait la vertu[9].

Sans doute cette possible valorisation de l'amour détaché de sa forme conjugale n'émergea-t-elle que parce que sa mise en scène romanesque suggère, par-delà l'exigence morale, le souci éthique, laisse deviner derrière l'amour fou éprouvé pour un autre la quête ardente d'un amour de soi : quête à laquelle la sexualité, plutôt qu'une fin, offre un moyen, une voie privilégiée, un possible passage. Entremêlée avec la libido qui attire fatalement vers l'éventuel amant les jeunes mariées, surtout lorsqu'elles sont victimes d'un mariage arrangé, il y a l'aspiration à être soi, aimée pour ce qu'on est, admirée pour ce qu'on fait, dotée d'une véritable intimité, et gérant à sa guise ce peu qui ne dépend que de soi. « Je savais ce que je faisais quand je m'évadais du mariage pour aller vers l'amour. J'engageais, contre l'honneur de mon mari, ma vie à moi », déclare l'héroïne de *La Marche à l'amour* de Georges Ohnet (1902) tombée dans l'adultère. Celui-ci peut aussi prendre une forme homosexuelle : la liaison saphique, chez une femme initiée à l'amour par un homme, apparaît alors comme une façon d'échapper à une dépendance trop entière envers le masculin, de se doter d'un espace affectif et sexuel autonome. Ainsi, l'héroïne de *Claudine en ménage* de Colette (1902) entretient une liaison avec la belle Rézi, mais la complicité envahissante de son mari maintient sous le regard et la loi du mâle sa courte échappée dans une sexualité purement féminine.

Mari, amant : dans une telle configuration romanesque, le moralisme n'a plus cours, pas davantage que les interprétations traditionnelles en termes de conflit entre devoir et plaisir — tant il est vrai qu'il peut y avoir du plaisir à exercer sa souveraineté de première, et du devoir envers soi-même à accueillir ce qu'offre l'existence, à aller jusqu'au bout de ce qu'elle permet. L'opposition entre le mari et l'amant, comme entre procréation et création, entre famille et femme ou encore entre Renée et Louise, est l'homologue de l'opposition entre hétéronomie et autonomie, identité collective et identité personnelle : deux modes d'accomplissement aussi nécessaires qu'antagoniques, de sorte que le clivage entre l'un et l'autre ne peut se réduire à une opposition entre bien et mal, morale et immoralité ou, à l'inverse, servitude et liberté. C'est pourquoi également ce clivage n'est pas propre à certaines femmes mariées mais, fondamentalement, à toutes, parce qu'il n'est pas contingent mais constitutif du mariage en sa forme traditionnelle. Et c'est pourquoi enfin il n'est pas extérieur — entre une femme et une autre, comme le met en scène Balzac, ou entre une femme et « la société », comme le suggère Sand — mais intérieur à chacune.

De l'ambivalence

La critique littéraire tend aujourd'hui à inverser le sens de l'opposition devoir/plaisir au profit du couple plus moderne servitude/liberté. Mais c'est rester dans la logique de l'antagonisme entre un pôle positif et un pôle négatif, évacuant du même coup la dimension tragique de l'ambivalence entre deux pôles à la fois désirables et haïssables. Car il s'agit bien d'un «clivage»: ce terme exprimant à la fois l'intériorité d'une division qui, contrairement au simple partage, n'est pas réductible à un choix conscient, et l'impossibilité d'assigner un signe unilatéralement positif ou négatif à l'un ou l'autre des deux pôles; auquel cas le sujet serait simplement partagé entre le mal (le péché) auquel il aspire réellement et le bien (la vertu) qu'il doit feindre de respecter, ou bien entre le mal qu'on (la société) voudrait lui faire et le bien qu'il (l'individu authentique) voudrait se faire à lui-même. Il faut sortir d'une problématique morale de la contradiction entre bien et mal, autant que d'une problématique politique du conflit entre liberté et aliénation, ainsi que d'une problématique esthétique de l'opposition entre authenticité et imitation, pour adopter une problématique scientifique, qui neutralise les jugements de valeur en se contentant de décrire les formes et les implications du clivage: problématique qui exige de prendre au sérieux la notion d'ambivalence, laquelle est au cœur du problème.

L'ambivalence a le double inconvénient d'être à la fois contradictoire à la logique, puisqu'elle implique la coprésence d'un terme et de son contraire, et attentatoire à la cohérence d'un être, intérieurement clivé entre des principes, des désirs, des aspirations antagoniques et néanmoins authentiques. Aussi est-elle souvent l'objet de dénégation intellectuelle et d'évitement pratique. Or la réalité des sentiments ambivalents ne peut être restituée qu'à condition de rompre avec le logicisme, pour se rapprocher de la logique de l'inconscient. Le propre du logicisme en effet est de tendre à éliminer les contradictions en les ramenant à l'un des termes, ou en les renvoyant au chaos de la confusion ou de l'inclassabilité. En prenant, selon la belle formule de Marx, «les choses de la logique pour la logique des choses», le logisme de la pensée savante s'efforce de réduire toute cohérence à la seule logique de la non-contradiction, en vertu de laquelle, si l'être est, le non-être n'est pas. C'est au nom de ce principe que l'ambivalence peut être ramenée, comme fit Lévy-Bruhl, à une «mentalité prélogique», tandis que la mentalité logique des sociétés occidentales y serait étrangère. Or bien des choses deviennent compréhensibles dès lors qu'on accepte d'intégrer l'ambivalence à notre culture en admettant que clivages et contradictions se produisent non seulement entre des groupes ou entre des personnes, selon la nature des situations, mais aussi à l'intérieur d'une même personne[10]. Mais cette hypothèse exige d'opérer un passage entre l'extériorité du collectif et l'intériorité de l'individuel et, corrélativement, entre les disciplines qui ont en charge la gestion de ces découpages, telles la sociologie et la psychologie[11].

La logique parménidienne de la disjonction des contraires est à la logique ce que, pourrait-on dire, la géométrie euclidienne est à la géométrie, à savoir l'application d'un cas particulier: non plus, en matière de géométrie, le cas d'un espace à courbure nulle mais, en matière de logique, le cas d'un système de représentations à régime de valeurs unique. Il suffit d'élargir le modèle en se plaçant dans un système à plusieurs régimes pour se donner un outil de description autrement plus complexe, et par là même plus performant, qui permet d'intégrer la coprésence, pas forcément conflictuelle ou chaotique, de représentations ou de valeurs pourtant exclusives l'une de l'autre sur le plan strictement logique. Seule l'hypothèse d'une pluralité des régimes d'expérience permet de donner sens à la coprésence d'exigences contradictoires sans devoir recourir à l'hypothèse d'une domination de l'une sur l'autre, à la dénonciation des contradictions ou à la stigmatisation du relativisme[12].

Une fois opérée cette rupture avec le logisme et, corrélativement, avec l'univocité des régimes d'expérience, la seconde condition permettant de restituer à l'ambivalence toute sa réalité consiste à accepter de plonger dans un monde psychique où, selon la suggestive analyse de Juliette Boutonier, «la logique ne règne plus» — à savoir le monde de l'inconscient: «Il y a dans l'ambivalence une contradiction incompatible avec la conscience qui juge et raisonne. C'est pourquoi il est impossible que l'ambivalence s'installe ainsi en pleine lumière dans la conscience, elle n'y parviendra que rationalisée, justifiée, ayant perdu sa véritable identité. Chez le normal, l'ambivalence est forcément plus ou moins inconsciente : il serait plus exact de dire qu'elle est toujours à quelque degré incompatible avec les exigences de la pensée consciente. [...] C'est cette unité des contradictions inadmissible pour la logique et parfois la morale, en tout cas pour le Moi, qui constitue l'ambivalence. Nous pouvons bien hésiter entre le oui et le non, l'amour et la haine, admettre leur conflit, mais nous ne pouvons pas penser qu'ils ne font qu'un. Or c'est là l'ambivalence. C'est pourquoi les observateurs qui ont décrit des sentiments ambivalents ont souvent méconnu cette inavouable dualité, ou l'ont rationalisée, transposée, intellectualisée, de telle sorte que l'ambivalence elle-même est absente, ou se devine à peine dans leurs analyses [13]. » Dans une perspective non plus psychiatrique mais psychanalytique, cette capacité à vivre et à assumer les ambivalences a été souvent mise en évidence comme une visée fondamentale du travail analytique — de Carl G. Jung à Alice Miller ou à François Roustang, qui relève l'affinité entre ambivalence et hypnose [14].

Distance avec le logicisme, proximité avec l'inconscient : faute d'adopter l'une au moins de ces deux postures, le sujet en proie à l'ambivalence risque de se trouver pris dans une tension interne difficilement soutenable. Il tendra alors à la transformer en antagonisme, c'est-à-dire en opposition entre deux entités inégalement extériorisées et inégalement valorisées, l'une comme positive, l'autre comme négative. Ainsi naissent ces antagonismes de sens commun entre le «moi» (bon) et le «monde» (mauvais), entre la «vérité» (scientifique) et la «croyance» (populaire), ou entre «l'individu» (authentique) et «la société» (aliénante) : antagonismes propres à fixer une ambivalence interne sur des instances extérieures au sujet et éthiquement hétérogènes. Extériorisation des conflits internes et transformation des ambivalences en antagonismes sont d'ailleurs parmi les rôles essentiels que le sens commun assigne aux sciences sociales, et en particulier à la sociologie, chargée d'objectiver des tensions internes en les extériorisant sous la forme du «social» ou de «la société» qui, par opposition à un «individu» naturel, authentique et bon, cristallisent tout ce qui est perçu comme collectif, artificiel, inauthentique et, plus généralement, mauvais. Tout un chacun n'en est pas moins capable si nécessaire de mobiliser ces ressources pour son propre compte sans faire appel aux sociologues, comme l'illustre, entre autres innombrables exemples, la préface de George Sand imputant à «la société» les malheurs de son héroïne — exemple typique du «rejet de la tension» selon Louis Dumont [15]. Cette extériorisation permet d'échapper au registre de la tragédie propre à toute situation vécue comme contradictoire pour investir celui, moins désespérant, du drame opposant des êtres aux intérêts divergents: drame susceptible de solution, et autorisant les fins heureuses des romans sentimentaux, dont *Indiana* fournit un des modèles.

Seule donc l'ambivalence permet de comprendre le clivage inhérent à la condition de la première, entre identité collective et identité personnelle, famille et individu, création et procréation, fidélité conjugale et passion adultère... «Et si tu rencontres, dans un jour de splendeur, un être qui te réveille du sommeil auquel tu vas te livrer?...», demande Louise à Renée. Oui: que se passe-t-il lorsqu'une femme mariée, s'éveillant à la vie amoureuse, se trouve tentée par l'adultère?

Chapitre VII

RENONÇANTE, CONSENTANTE

Clivée entre deux pôles d'excellence contradictoires, la première connaît une véritable crise lorsque l'ambivalence qui la menace intérieurement s'extériorise dans l'éventualité d'un adultère : le clivage alors n'est plus entre elle et elle mais entre le mari et l'amant et, à travers eux, les valeurs que chacun représente. Si elle renonce à cet amour, elle garde l'estime de soi eu égard à la morale, mais renonce à ces valeurs éthiques que sont l'accès à une certaine autonomie, à ce «souci de soi» qu'exige la conquête d'une identité personnelle[1]. Et si elle y consent, elle affirme cette exigence éthique d'authenticité amoureuse et de choix de son propre destin, mais renonce à la fidélité aux valeurs morales et, corrélativement, à l'estime de ceux qui attendent d'elle une telle fidélité. Enfin, sur un plan hédoniste, cette alternative entre le mari et l'amant implique également le choix entre, d'une part, la tranquillité d'une existence en tous points avouable parce que conforme aux exigences matrimoniales et, d'autre part, l'excitation d'une existence laissant place au secret et à la fragilité du plaisir.

L'amant, «ce demi-dieu, toujours absent, toujours présent chez une femme mariée», dit Balzac dans *La Cousine Bette* : dès lors qu'elle est secrètement amoureuse ou courtisée par un amant potentiel, la femme mariée n'a d'autre choix que de renoncer au passage à l'acte, ou de consentir — sachant que dans l'un et l'autre cas elle y sacrifiera une part d'elle-même. Renonçantes, consentantes : la littérature n'est pas avare de telles figures.

Le drame de la renonçante

Paradigmatique de la première renonçante est *La Princesse de Clèves* de Mme de La Fayette (1678) : premier grand roman de la modernité, il est aussi celui par excellence de la femme qui, ne découvrant le véritable amour qu'après le mariage et avec un homme qui n'est pas son mari, se défend à longueur de pages de devenir sa maîtresse, jusqu'à en mourir. Avec la répétitivité obsessionnelle du fantasme, le roman rejoue la scène de la tentation en en déplaçant les enjeux, d'autant plus excitants qu'ils sont plus infimes : non pas l'accouplement mais le simple effleurement de la main, non pas le contact corporel mais l'aveu du désir, non pas la parole mais le regard, non pas le regard mais la simple présence — au point que le renoncement à la présence sera finalement poussé jusqu'à la mort de l'héroïne, seule solution qui permette à l'auteur de dénouer la répétition de l'irritant fantasme en lequel s'est réfugié l'impossible passage à l'acte. Au siècle suivant, *Julie, ou la Nouvelle Héloïse* mettra en scène un semblable schéma, commencé dès avant le mariage[2]. Mais il faudra attendre un chef-d'œuvre de la littérature romantique pour voir explicité le clivage de la première à travers le regard intéressé du prétendant, narrateur du *Lys dans la vallée* de Balzac (1836). Félix de Vandenesse, le précepteur des enfants de Mme de Mortsauf, peut laisser s'installer avec sa protectrice une relation quasi maternelle où, plutôt que l'amant face à la maîtresse, il apparaîtrait comme le fils adoptif face à une mère d'élection. C'est en tout cas sur la forme maternelle de l'attachement qu'elle veut rabattre l'amour qu'il lui confesse. Toutefois c'est elle qui, cent pages plus loin, se plaindra de n'être pour lui qu'une mère. Car entre-temps l'amoureux s'est transformé en homme aimé, et donc en potentiel amant. Que faire ?

Elle ne fera rien : plutôt souffrir et faire souffrir que de faillir à la morale conjugale ; plutôt renoncer que fauter. Ce serait à tout prendre un mal supportable — la vertu console — si l'épouse fidèle demeurait certaine que la vertu est tout entière, incontestablement, du côté du renoncement. Or voilà qu'elle entrevoit une autre façon de considérer les choses, une autre conception de l'excellence : voilà qu'elle découvre l'ambivalence, prend conscience du clivage. C'est lady Arabelle, sa rivale heureuse dans le cœur de Félix, qui lui révélera que l'amour extraconjugal est non seulement possible aux femmes mariées mais digne d'être revendiqué comme la marque d'une qualité supérieure, une preuve de grandeur morale autant que d'excellence aristocratique : « Aimer, tête levée, à contresens de la loi, mourir pour l'idole que l'on s'est choisie en se taillant un linceul dans les draps de son lit, soumettre le monde et le ciel à un homme en dérobant ainsi au Tout-Puissant le droit de faire un dieu, ne le trahir pour rien, pas même pour la vertu ; [...] voilà des grandeurs où n'atteignent pas les femmes vulgaires ; elles ne connaissent que deux routes communes : ou le grand chemin de la vertu, ou le bourbeux sentier de la courtisane ! » La pauvre Mme de Mortsauf voit le malheur du renoncement aggravé d'un horrible doute sur sa nécessité : « Pour la comtesse, le monde se renversa, ses idées se confondirent. Saisie par ce grandiose, soupçonnant que le bonheur devait justifier cette immolation, entendant en elle-même les cris de la chair révoltée, elle demeura stupide en face de sa vie manquée. » Le doute ne cessera plus, se transformant en un tourment auquel seule la mort prématurée mettra fin. Et la renonçante, qui a perdu l'amour, n'est même pas assurée d'y avoir gagné la vertu : « "Si je me suis trompée dans ma vie, *elle* a raison, *elle* !" reprit Mme de Mortsauf. »

Du renoncement au consentement

Et fatalement vient le moment où la première tombe dans l'adultère. Cela arrive d'autant plus vite qu'elle est haut placée dans la hiérarchie : l'aristocrate plus que la bourgeoise (la femme du peuple n'ayant guère accès au monde romanesque, du moins à l'état de première), et la Parisienne plus que la provinciale, parce que Paris est le lieu par excellence du roman, c'est-à-dire de l'intrigue, c'est-à-dire de l'amour. Stendhal l'explique dans *Le Rouge et le Noir* (1830) : « À Paris, la position de Julien envers Mme de Rênal eût été bien vite simplifiée ; mais à Paris, l'amour est fils des romans. Le jeune précepteur et sa timide maîtresse auraient retrouvé dans trois ou quatre

romans, et jusque dans les couplets du Gymnase, l'éclaircissement de leur position. Les romans leur auraient tracé le rôle à
jouer, montré le modèle à imiter; et ce modèle, tôt ou tard,
et quoique sans nul plaisir, et peut-être en rechignant, la
vanité eût forcé Julien à le suivre.» La condition provinciale
et bourgeoise de Mme de Rênal ne fera que retarder son
consentement à l'amour avec le précepteur de ses enfants:
consentement qui finira tragiquement par une tentative de
meurtre lorsqu'elle apprendra qu'il la trompe avec une fille
d'aristocrates parisiens. Là où le renoncement n'aboutit guère
qu'à des drames de la résignation, le consentement finit régulièrement en tragédie.

C'est ce lent passage du renoncement au consentement que
décrit Balzac, deux ans après Stendhal, dans *La Femme de
trente ans* (1832). Au premier épisode, Julie d'Aiglemont
renonce, à contrecœur. Amoureuse, mais vertueuse, elle décide
de ne plus se donner à son mari faute de s'autoriser à se
donner à un amant: «Mon dévouement pour lui sera sans
bornes, mais d'aujourd'hui je suis veuve. Je ne veux être une
prostituée ni à mes yeux ni à ceux du monde; si je ne suis
point à M. d'Aiglemont, je ne serai jamais à un autre» (et l'on
remarque ici ce changement de régime souligné par Jean-
Louis Flandrin, réservant désormais le stigmate de la prostitution au sexe sans amour là où, auparavant, il marquait toute
forme d'amour pour l'amour). Au deuxième épisode elle s'est
retirée du monde, pleurant la mort de celui qu'elle aima en
secret sans avoir pu se résoudre à en faire son amant, et qui
périt horriblement à seule fin de lui conserver son honneur.
Au troisième épisode, elle prend un amant...

Mme de Mortsauf, Mme de Rênal, Julie d'Aiglemont: par-
delà les différences d'attitude envers l'adultère, du douloureux
renoncement au lent consentement, ce qui demeure commun à
ces trois cas est la jeunesse de l'amant ou du prétendant.
Maternelle toujours apparaît la première, parce qu'elle a des
enfants, et parce qu'elle est plus mûre ou, au moins, d'âge équivalent, alors que le mari est plus âgé. Cet écart d'âge corres-
pondait à une pratique courante à une époque où les jeunes
gens faisaient volontiers leur initiation auprès de femmes
mariées, se protégeant ainsi des maladies vénériennes et des
grossesses. Mais à cette donnée réelle s'ajoute probablement

un élément plus fantasmatique, qui explique la récurrence des romans écrits par des hommes et mettant en scène des femmes adultères, de Stendhal à Balzac comme de Flaubert à Tolstoï : plus qu'une crise d'identité féminine exacerbant le clivage entre conjugalité et sentimentalité, entre vertu et sexualité, entre hétéronomie familiale et autonomie personnelle, ne faut-il pas y voir plutôt la mise en scène d'une crise de rivalité fantasmatique entre un romancier qui s'identifie à l'amant, et une figure de père symbolisé par le mari ? Car ce qui intéresse là les romanciers c'est, manifestement, la femme en tant qu'elle est entre deux hommes, et non pas entre deux états de première — renonçante ou consentante, fidèle ou adultère. L'amant ne figure plus ce qui conduit l'héroïne vers un accomplissement identitaire, mais ce qui permet au romancier une victoire fantasmatique sur le rival, à savoir le mari. *Fanny*, d'Ernest Feydeau (1858), est le roman par excellence de l'amant jaloux du mari : plus que tous les autres romans de la femme adultère, il révèle le ressort inconscient de ces expressions romanesques du complexe d'Œdipe masculin, transformé par le romancier en drame de la triangulation époux-épouse-amant. Cette hypothèse expliquerait par exemple que D. H. Lawrence, dans cette célèbre apologie du consentement que fut en 1926 *L'Amant de lady Chatterley*, ait brouillé l'image du garde-chasse comme incarnation de la nature brute et du monde populaire, diamétralement opposée à l'intellectualisme aristocratique d'un mari rendu impuissant par une blessure de guerre : en révélant peu à peu l'amant comme un être cultivé et sensible, que seuls des malheurs antérieurs ont poussé à s'exclure de l'élite, l'auteur du roman semble ménager à lui-même et à ses lecteurs la possibilité d'une identification avec ce rival heureux d'un mari prestigieux mais insuffisamment viril — quitte à affaiblir la puissance romanesque de l'opposition entre les deux hommes.

La tragédie de la consentante

Cette hypothèse contribuerait également à expliquer cette bizarrerie littéraire qu'est le début de *Madame Bovary* (1857). Le roman de Flaubert s'ouvre en effet sur la jeunesse non de son héroïne mais de son futur époux, et qui plus est du point de vue d'un « nous » (ses collègues d'école) qui ne réapparaîtra plus dans le roman : comme si le pivot en était fondamentalement Charles en tant qu'il se confronte à d'autres représentants du sexe masculin ou, en termes girardiens, en tant qu'il est le médiateur du désir pour Emma. Comment mieux suggérer que ces histoires d'adultère féminin sont d'abord des fantasmes de rivalité masculine, mettant en scène le triomphe de l'amant sur le mari ? Beaucoup plus en phase par contre avec la spécificité de l'expérience féminine est, à la fin du roman, la mort d'Emma. Car la cause de son suicide n'est pas d'avoir pris des amants alors qu'elle est mariée, mais d'avoir trop dépensé pour sa toilette alors qu'elle n'en avait pas les moyens : c'est le soin d'elle-même, le travail pour se donner une apparence conforme à ses aspirations — de même que par ses amours elle se donne une existence conforme à l'image idéalisée qu'elle se fait d'une vie de femme — qui est au fondement de son égarement et de sa perte. Ce n'est donc pas la transgression de la morale sexuelle qui cause son malheur, mais la transgression des frontières hiérarchiques et économiques. L'adultère encore une fois est moins le but que le moyen, le passage obligé pour une conquête de soi, une façon d'échapper à une vie où l'on n'est pas soi-même pour se construire — quitte à tout perdre — une vie qui permette d'être en conformité avec soi, en cohérence avec l'image que l'on se fait de ce qu'on est ou, du moins, de ce qu'on devrait être. L'amant, c'est l'instrument de passage entre soi et soi, entre soi aliénée à une entité sécurisante mais extérieure — la famille — et soi aspirant à une réalité plus risquée mais plus authentique, plus personnelle, plus intérieure — fût-elle empruntée, comme pour Don Quichotte, à l'imaginaire romanesque.

Le destin tragique d'Emma Bovary suffit à alerter sur les dangers encourus par celles qui, en consentant à l'amour, échappent à la tutelle conjugale. C'est que la consentante se met en état d'extrême fragilité, et à bien des égards : fragilité d'abord du lien avec son amant, que ne garantit aucune institution, aucun contrat, aucune autre contrainte que la promesse échangée en un moment d'exaltation amoureuse ; fragilité ensuite du lien avec son monde, qui peut lui faire durement payer les libertés qu'elle a cru pouvoir prendre avec les valeurs qui le soudent. C'est ce que signale la duchesse de Langeais à

Montriveau, peu conscient de l'inégalité entre le peu qu'il perdrait à entretenir une liaison avec elle et l'énormité de ce qu'elle-même risquerait d'y laisser : «Je suis mariée, Armand. Si la manière dont je vis avec M. de Langeais me laisse la disposition de mon cœur, les lois, les convenances m'ont ôté le droit de disposer de ma personne. En quelque rang qu'elle soit placée, une femme déshonorée se voit chassée du monde, et je ne connais encore aucun exemple d'un homme qui ait su ce à quoi l'engageaient alors nos sacrifices. Bien plus, [...] ces mêmes sacrifices sont presque toujours les causes de votre abandon.»

Est-ce là une façon de suggérer que ce qui attire l'amant dans la femme mariée, c'est d'abord sa position dans le monde, et qu'à lui sacrifier cette position elle se dépouille de l'essentiel de sa séduction? Peut-être est-ce la prescience de ce défaut inhérent à toute relation extraconjugale qui, dans le roman de Tolstoï (1877), rend Anna Karénine si pessimiste quant à l'avenir de sa vie avec le prince Vronski, une fois qu'elle a sacrifié mari, enfant et respectabilité à sa passion amoureuse. Et plus que pessimiste : perdante même, victime de sa propre « prophétie autoréalisatrice » lorsque, à force de répéter à son compagnon qu'il cessera de l'aimer, qu'il la quittera, que déjà il a commencé à se lasser de leur vie commune, elle finit par le détacher effectivement d'elle, ou du moins par rendre leur union si invivable qu'elle préférera renoncer à sa propre existence.

Beaucoup plus qu'un trait de personnalité propre à l'héroïne, ce «syndrome d'Anna Karénine» est une caractéristique structurelle de toute femme mariée adultère, conséquence obligée de la fragilité inhérente à cet état : car dans cette position instable, elle tend à projeter sur la relation affective une situation objectivement marquée par l'incertitude de l'avenir, l'absence de toute garantie (et c'est ce même syndrome qu'on retrouve dans l'histoire littéraire avec la triste histoire de Louise Colet accablant Flaubert de ses demandes de preuves d'amour, de ses accusations et de ses doutes, jusqu'à le détacher effectivement d'elle). Si le pire n'est pas toujours sûr, autant faire en sorte qu'il le soit [3]...

Chapitre VIII

LA PREMIÈRE ÉMANCIPÉE

L'opposition entre renoncement et consentement peut se vivre sur le plan non seulement moral et identitaire, mais aussi hiérarchique, entre l'excellence de la première souveraine et la misère de la première déchue, ou entre insertion et exclusion par la société qui est la sienne grâce à son mariage. Car passer dans le camp des consentantes équivaut, pour peu que le secret ne soit pas bien gardé, à s'exclure de la société des renonçantes, quitte à intégrer la société, plus marginale mais plus libre, des femmes émancipées, où l'entrée dans l'adultère signe l'initiation à une existence conjoignant la jouissance du confort matériel et des plaisirs amoureux, en un statut quasi normalisé — tel celui des femmes séparées, divorcées ou veuves.

La liberté sexuelle, autrement dit la possibilité pour une femme de vivre pleinement une vie amoureuse extraconjugale, n'en demeure pas moins dans la société traditionnelle une transgression, qui se paie par la mise à l'index et l'exclusion hors de la vie sociale, allant de la mauvaise réputation à la répudiation légale : tribunal de la moralité tenu par les femmes, préposées à la circulation des ragots et à la gestion des relations. L'épouse émancipée n'est donc pas assimilable à la femme libre, laquelle évolue, nous le verrons, dans un monde moderne où la morale sexuelle est beaucoup moins contraignante : car une totale liberté d'action signifierait à terme la mort relationnelle, la fin de toute vie sociale, le bannissement dans la honte et l'opprobre. Dans la petite marge d'affranchissement qu'elle peut s'octroyer, elle est contrainte à d'infinies précautions, à de lourdes règles de prudence pour éviter d'avoir à sacrifier à sa vie amoureuse tout lien avec ses proches. Aussi le sort assez idyllique de l'émancipée continuant à évoluer librement dans son milieu n'est-il accessible qu'à quelques privilégiées : délicat équilibre un peu moins difficile à réaliser dans l'aristocratie, qui pratique volontiers une conjugalité de pure convention ; à Paris, lieu par excellence de la dépravation romanesque ; et plus généralement dans les grandes villes ou les pays en lesquels se fixent les fantasmes de liberté : l'Italie des romantiques, l'Amérique des victoriens, l'Europe des Américains.

Dans la petite société des émancipées de roman figure par exemple la Sanseverina de *La Chartreuse de Parme* (1839), née Gina del Dongo, veuve du comte Pietrasanta et successivement maîtresse du comte Mosca du temps où il était marié, épouse du duc de Sanseverina avec qui elle contracte un mariage blanc, seconde épouse du comte Mosca devenu veuf — et, toujours, amoureuse platonique de son neveu Fabrice. On y revoit aussi lady Arabelle Dudley du *Lys dans la vallée*, cette aristocrate parisienne qui affichait fièrement sa liberté amoureuse. Dans *Adultera* (1882), Theodor Fontane, anticipant cet autre roman de la femme adultère qu'est *Effi Briest* (1895), montre une émancipée embourgeoisée, qui vivra son concubinage avec l'aimé dans un bonheur conjugal assombri seulement par la déchéance matérielle et la mise à l'écart de la bonne société. Plus tard encore on trouvera des émancipées modernes chez les jeunes femmes de l'entre-deux-guerres, épouses adultères voire maîtresses infidèles à leurs amants, que décrit Drieu la Rochelle dans son *Journal d'un homme trompé* (1934). Le comble de l'émancipation (mais secrète, jusqu'au châtiment) sera la prostitution que pratique par plaisir, dans une maison close, la *Belle de jour* de Joseph Kessel (1928). On trouve même, au chapitre des purs produits du fantasme masculin, *La Madone des sleepings* de Maurice Dekobra (1925) : aristocrate, jeune, belle, débauchée... et veuve.

Veuve joyeuse, veuve dangereuse

Il n'existe guère de situation plus propice à l'émancipation que le veuvage, surtout lorsque la femme est encore jeune — cas fréquent à l'époque où l'on mariait volontiers les filles à des hommes beaucoup plus âgés, et où l'espérance de vie était courte. Plus propice encore est son veuvage si elle dispose de quelques rentes lui assurant l'aisance financière. Et pour peu qu'elle n'ait pas été dégoûtée de l'amour par le mariage ou la dévotion, une certaine liberté lui sera laissée de vivre une vie amoureuse sans pour autant s'exclure de sa propre société. Encore lui faudra-t-il multiplier les précautions, comme Michèle de Burne dans *Notre cœur* de Maupassant (1890): veuve d'un mari despotique, elle prend garde à se conduire en « femme affranchie qui veut rester honnête », avec le concours de son père qui « lui servait de chaperon et de porte-respect ». Mais le plus célèbre exemple de ces veuves joyeuses devenues des dangers publics pour la moralité masculine est la Mme de Merteuil des *Liaisons dangereuses* de Choderlos de Laclos (1782), épouse infidèle à qui la mort de son mari permit de passer de la première consentante à la veuve galante: en quoi elle s'oppose à la prude Mme de Tourvel, « sensible dévote » que tente de séduire Valmont — classique figure de première renonçante puis, après bien des hésitations et au prix d'une lourde culpabilité, consentante. Dans la lettre LXXXI, Mme de Merteuil relate à son complice les ruses grâce auxquelles elle s'est bâti sa situation de femme émancipée sans perdre pour autant sa respectabilité. Devenue veuve, elle se retire d'abord à la campagne, s'attelant à une double conquête: celle des hommes, vers lesquels l'attire la « coquetterie », c'est-à-dire le désir de la séduction pour la séduction, cette sorte de perversion esthète du rapport amoureux; et parallèlement celle de la confiance d'autrui en sa respectabilité, qui la mette à l'abri de l'ostracisme et de l'opprobre que lui vaudrait la mise au jour de sa conduite. Pour maximiser ses chances de conquête amoureuse tout en minimisant les risques de soupçon, elle adopte cette technique des grands séducteurs (réels comme Casanova, ou fictionnels comme Dom Juan) qu'est la rapidité, « pour avoir observé que ce sont presque toujours les soins antérieurs qui livrent le secret des femmes ». Mais cette rapidité de séduction, si elle fait la force des grand(e)s libertin(e)s, est une faiblesse du point de vue du roman qui, au contraire, adore les circonlocutions de l'intrigue amoureuse, les longues approches, la lenteur des émois. C'est là l'une des raisons pour lesquelles le roman qui relate les méfaits de cette veuve dangereuse n'est pas centré sur ses propres pratiques de séduction à l'égard des hommes, trop prêts à se laisser débaucher par une femme trop facilement disposée à se laisser conquérir — mais sur celles de son *alter ego* Valmont, affronté à ces cibles infiniment plus difficiles, et donc plus romanesques, que sont une épouse vertueuse et une vierge amoureuse.

Tout son savoir-faire auprès des humains — mâles jouisseurs autant que dames blâmeuses — n'évitera pourtant pas à la Merteuil le châtiment divin, par la petite vérole qui la défigurera *in extremis*, la privant de sa première ressource, la beauté. Il faut toutefois remarquer que cette héroïne n'est véritablement une femme émancipée que parce qu'elle possède au moins un témoin de son triomphe, en la personne de Valmont : faute de quoi elle n'existerait même pas en tant que personnage de roman. C'est que l'état de femme émancipée est d'une grande fragilité, oscillant entre ces deux risques d'élimination que sont le secret absolu — interdisant à l'intéressée de se vanter de ses exploits à autrui et, par là même, d'être pleinement qui elle est en apparaissant pour ce qu'elle est — et, à l'opposé, la divulgation, qui la condamne à l'isolement en lui interdisant de maintenir des liens avec sa propre société, c'est-à-dire d'apparaître tout court. À ce dernier malheur n'échappera que de justesse une autre héroïne de Balzac, grand romancier des premières en tous leurs états.

Épouse frondeuse, concubine scandaleuse

C'est une série d'épreuves en forme d'exclusion qu'affronte la Dinah de *La Muse du département* (1843) : exclusion d'une société provinciale trop étriquée pour faire plus que tolérer une jeune femme brillante, puis, une fois séparée de son mari et installée à Paris avec son amant, exclusion d'une société parisienne scandalisée par son audace à afficher son concubinage. Dinah est une femme supérieure, condamnée pour cela dans sa ville de province à la stigmatisation, la mise à l'écart de la « société » des autres femmes — victime, à cette petite échelle, de l'ambivalence du singulier, qui condamne l'être perçu comme hors du commun à devenir objet de haine autant que d'admiration, transformable en bouc émissaire ou, à l'opposé, en héros, en génie ou en saint [1]. Mal mariée à un vieillard souffreteux, elle tombe amoureuse d'un journaliste parisien de passage en province. Non contente de consentir à ses avances, elle le rejoint à Paris et, dans l'espérance de son prochain veuvage, se met en ménage avec lui au mépris des convenances. Sa position devient alors radicalement rédhibitoire aux yeux de son milieu provincial, et quelque peu stigmatisante pour le « monde » parisien. Elle entame ainsi une sorte de vie parallèle, avec tous les attributs de la respectabilité petite-bourgeoise : un appartement où elle a fait venir sa mère, ses enfants, le père de ces enfants, et même quelques amis ou relations de cet homme, appartenant à un milieu suffisamment intellectuel et artiste pour ne pas mettre totalement au ban les femmes en situation douteuse.

Toutefois sa position ambiguë — aristocrate séparée de son mari, concubine embourgeoisée — lui interdit de prétendre se maintenir dans le monde parisien, comme elle ne va pas tarder à en faire la dure expérience. Le sacrifice de sa respectabilité auquel elle a consenti par amour va lui apparaître dans toute son ampleur un soir où, visiblement enceinte, elle se montre au théâtre : « Mais une horrible souffrance l'attendait. Par un hasard assez commun, la loge donnée au journaliste, aux premières, était à côté de celle louée par Anna Grossetête. Ces deux amies intimes ne se saluèrent pas, et ne voulurent se reconnaître ni l'une ni l'autre. Après le premier acte, Lousteau quitta sa loge et y laissa Dinah seule, exposée au feu de tous les regards, à la clarté de tous les lorgnons, tandis que la baronne de Fontaine et la comtesse Marie de Vandenesse, venue avec Anna, reçurent quelques-uns des hommes les plus distingués du grand monde. La solitude où restait Dinah fut un supplice d'autant plus grand, qu'elle ne sut pas se faire une contenance avec sa lorgnette en examinant les loges ; elle eut beau prendre une pose noble et pensive, laisser son regard dans le vide, elle se sentait trop le point de tous les yeux ; elle ne put cacher sa préoccupation, elle fut un peu provinciale, elle étala son mouchoir, elle fit convulsivement des gestes qu'elle s'était interdits. »

Isolée au sein des regards hostiles, abandonnée par ses proches, la voilà exposée à perdre, en même temps que l'estime d'autrui, sa propre contenance, la maîtrise de ses gestes et de son apparence: c'est son identité tout entière qui en une soirée bascule, la renvoyant à l'état de misère qu'est cette image de provinciale godiche qu'elle a toujours cherché à éviter. Et au supplice d'une infériorité manifeste s'ajoute la torture d'une implacable visibilité, faite non d'admiration ou d'envie mais de mépris, ou de pitié: pitié qu'éprouve à son égard un ancien amoureux, toujours transi et toujours protecteur, qui va se révéler son seul allié en cette épreuve — le seul qui vienne se montrer dans sa loge. Il lui signifie la situation en laquelle elle s'est mise, et dont elle ne pourrait se sauver qu'à «être Mme de Staël, ou posséder deux cent mille livres de rente!». Ne possédant aucun de ces deux atouts, Dinah tente de se réfugier dans la résignation à sa propre exclusion, transformée en dédain de l'honneur, cette vertu superficielle: cherchant à pratiquer la «philosophie» de ceux qui, à devoir renoncer au «paraître», n'en voient plus que la «vanité», elle fait de nécessité vertu.

Mais c'est pire encore qui l'attend: ayant perdu son appartenance à son propre monde, elle va perdre aussi l'amour qui motiva ce sacrifice, et devra faire son deuil de l'amour-passion — effet de cette fatalité propre aux relations adultères qui veut que le sacrifice de sa position par la femme mariée finisse par éloigner d'elle son amant? Son mari, à qui elle a fait savoir qu'elle est prête à renoncer à l'état de concubine pour revenir à celui, moins disqualifiant, de femme séparée, accepte par intérêt de lui offrir une pension, un hôtel particulier à Paris et la position qui va avec: c'est ainsi que «la comtesse de La Baudraye devint une femme honnête». Balzac aime voler au secours de ces premières trop ostensiblement émancipées, que leur imprudence ou leur passion jette hors de leur propre société: comme Béatrix dans une situation analogue, Dinah échappe à l'exil auquel sont condamnées, nous allons le voir, les épouses ayant consenti sans précaution à l'amour adultère.

«Voilà, je suis une femme perdue», se dit, dans les bras de son futur amant, Anne de Guilleroy dans *Fort comme la mort* de Maupassant: «Quelques secondes dans ma vie, quelques secondes qu'on ne peut supprimer, ont amené pour moi ce petit fait irréparable, si grave, si court, un crime, le plus honteux pour une femme.» Devenir une femme adultère est bien un changement d'état, et non des moindres, si l'on en croit les conséquences tragiques qui peuvent en découler. À défaut d'en mourir, comme Emma ou Anna, ou de trouver un lieu pour abriter son émancipation, la femme adultère peut être condamnée à un exil définitif hors de sa propre société. Bannissement, ou errance: c'est l'ultime avatar qui menace la première. De cette punition infligée à la consentante, et d'autant plus lorsqu'elle est mère, les plus beaux exemples proviennent, non par hasard, de cette société puritaine entre toutes qu'est l'Amérique du Nord.

Femme bannie

On n'entre dans *La Lettre écarlate* de Nathaniel Hawthorne (1850) qu'avec bien des précautions, au terme d'un long prologue exposant les circonstances dans lesquelles l'auteur découvrit le récit qu'il va faire au lecteur. Héritage d'un temps où la fiction était encore un genre mineur, suspect de futilité, ce procédé, cher à toute une tradition romanesque, présente le roman non comme une invention imaginaire mais comme un document rapporté par un témoin, en une mise en abyme faisant intervenir plusieurs strates narratives : l'histoire vécue par ses protagonistes, le témoignage laissé par des contemporains, le récit fait par un narrateur, sa restitution au lecteur. Ainsi nous est contée l'histoire d'une femme qui fut mise au ban de la communauté, jugée publiquement, ayant dû subir l'outrage des regards posés sur elle sans le respect de cette condition minimale du statut de personne qu'est la possibilité d'une réciprocité : « L'infortunée coupable faisait aussi bonne contenance que pouvait faire une femme sous le millier de regards qui pesaient impitoyablement sur elle, convergeaient sur le signe qu'elle portait. C'était presque intolérable. » On l'avait condamnée à vivre dans l'isolement et à porter, cousue sur sa poitrine, cette lettre écarlate, ce « A » qui la marquera d'un stigmate définitif, la réduisant à cet unique et ineffaçable état : femme adultère, c'est-à-dire, dans la société puritaine, femme perdue dès lors que découverte — perdue par la sexualité hors mariage, donc déplacée, hors la place de la première, fût-elle veuve.

Elle sera emprisonnée, puis punie par la singularisation qui la met à l'écart du commun, isolée et stigmatisée, réduite à cette seule dimension de son identité que résume la lettre marquée au fer rouge, comme on le faisait aux bagnards, comme on le fera aux juifs avec l'étoile jaune. Cette stigmatisation matérialise celle qu'encourt traditionnellement toute femme adultère, telle la Fanny d'Ernest Feydeau soupçonnée par son mari (« Et c'était toujours la même insulte, le même mot infâme qui la marquait au front, comme un fer rouge, et qui la rabaissait, comme elle disait, au dernier rang de toutes les femmes ») — Fanny qui affirmait à son amant : « La maison est le poste d'honneur confié à la femme. La femme qui se respecte ne le quitte jamais. » De sa maison — lieu par excellence de la souveraineté féminine — sera justement chassée l'héroïne de Hawthorne, condamnée à vivre aux marges de la communauté, enfermée dans cette prison sans murs qu'est la privation des liens avec autrui, partageant un pauvre logement avec sa petite fille née de l'adultère. Car entrée en prison avec son péché, la femme en est ressortie avec son enfant.

Cette prise en charge publique de la faute par la communauté permet toutefois à l'intéressée d'extérioriser une culpabilité qui, sinon, pourrait détruire de l'intérieur, définitivement, sa propre estime de soi. La punition, c'est une façon de délivrer le sujet fautif de la responsabilité de la peine et de la réparation, mettant en cohérence la désignation par autrui, la représentation et l'autoperception du sujet — mise en cohérence sans laquelle la crise identitaire ne peut trouver d'issue. À preuve le sort apparemment meilleur mais intérieurement invivable réservé au pasteur pour et par qui cette femme devint adultère : ses concitoyens, ignorants de sa faute, continuent de lui porter une estime qu'il sait injustifiée, la subissant comme une blessure ou, en langage chrétien, une croix. Faute d'une sanction publique il doit se punir lui-même en secret, par la flagellation et le jeûne. « Il ne porte pas de lettre sur ses vêtements comme toi, mais je n'en saurais pas moins lire en son cœur », dit du pasteur fautif quelqu'un qui l'a deviné à la jeune femme qui, elle, peut concentrer son châtiment sur le stigmate, et l'y circonscrire. Elle va même jusqu'à en faire un glorieux ornement grâce à ses talents de brodeuse : du stigmate à l'ornement, et de l'infamie à la gloire, c'est bien l'ambivalence du singulier qui permet le renversement, lui offrant dans son malheur le bénéfice d'une certaine compassion, une amorce de réintégration dans la communauté des liens : « Comme il arrive souvent dans le cas d'un individu que quelque singularité met en vue dans une communauté mais qui n'intervient ni dans les affaires publiques, ni dans les affaires privées, une sorte de sympathie générale avait fini par se développer envers Hester Prynne. »

Mais cette relative atténuation de sa peine, elle la paie de l'isolement imposé, avec sa conséquence première qu'est le renoncement à la sexualité. Elle bascule ainsi visiblement en tierce puisque c'est le prix du maintien, même marginal, dans la communauté : « Le charme de son apparence physique même avait subi un changement du même genre. Cela pouvait en partie venir de l'austérité voulue de son costume et de la rigoureuse retenue de ses manières. Une chose qui la transformait d'ailleurs bien tristement aussi était la disparition de sa belle et abondante chevelure. [...] Elle avait perdu un des attributs essentiels de la féminité. » Elle reporte toutes ses capacités affectives sur sa fille, la petite Pearl — jusqu'au jour où surgit à nouveau l'éventualité d'un lien amoureux avec le pasteur. La fillette cessant alors d'occuper la place de l'homme, les rapports changent entre mère et fille sans que celle-ci, instrument passif des déplacements affectifs de celle-là, n'y comprenne ou n'y puisse rien : c'est la manipulation des filles par leur mère comme objet de substitution, comme dans *La Leçon de piano* de Jane Campion (1993), comme chez tant d'épouses insatisfaites ou désexuées. Dans ce basculement entre désexualisation et sexualisation, entre mère et amante, le stigmate est d'autant plus visible que se rapproche la tentation sexuelle dont il est la cristallisation, rappel de sa présence passée en même temps qu'interdiction de son retour ; et la chevelure est le signe de la sensualité, qu'il faut dissimuler pour signaler le renoncement à l'amour sexué, corrélatif du rapprochement avec l'enfant : « Elle avait respiré une heure d'air libre — et voici que ce misérable stigmate écarlate rougeoyait de nouveau à son ancienne place ! Hester rassembla ensuite les épaisses boucles de sa chevelure et les enferma sous sa coiffe. Comme si la lettre écarlate avait exercé un sortilège et flétri ce qu'elle touchait, la beauté d'Hester, la chaleur et le rayonnement de sa féminité disparurent comme disparaît le soleil et une ombre sembla s'étendre sur elle. Une fois ce mélancolique changement opéré, Hester tendit la main vers Pearl. Reconnais-tu ta mère, à présent ? demanda-t-elle avec reproche mais d'un ton adouci. Oui ! répondit l'enfant traversant le ruisseau d'un bond et serrant Hester dans ses bras. Oui, à présent, tu es tout de bon ma mère et je suis ta petite Pearl ! »

Mais l'état de tierce fait retour lorsque s'effondre l'espoir de fuir la communauté en compagnie de l'homme. Ce renoncement mélancolique permet de maintenir le lien avec l'enfant, la petite fille mise-à-la-place-de-l'homme, mise-à-la-place-du-sexe, et qui dès lors va faire l'objet de descriptions enchantées en être féerique. C'est ainsi que la femme adultère, de marginale exclue par sa propre communauté, finira peu à peu en « femme-qui-aide [1] » : « Les gens allaient à elle avec toutes leurs perplexités et tous leurs chagrins et lui demandaient conseil comme à quelqu'un qui avait passé par un très grand malheur. [...] Les femmes surtout se rendaient à la chaumière d'Hester. Elles venaient demander pourquoi elles étaient si malheureuses et s'il n'y avait pas de remède ! » Il n'y a pas loin, on le voit, du stigmate à la sainteté : c'est, toujours, l'ambivalence du singulier. Et de la sainteté (ou de la sagesse consolante) à la prophétie, il n'y a pas loin non plus, lorsque Hester se surprend à annoncer une vérité nouvelle dont elle-même serait la préfiguration : « Hester les consolait et les conseillait de son mieux. Elle leur disait aussi que des jours plus clairs viendraient, quand le monde serait mûr pour eux, à l'heure du Seigneur. Alors une vérité nouvelle serait révélée qui permettrait d'établir les rapports entre l'homme et la femme sur un terrain plus propice à leur bonheur mutuel. Elle-même, Hester, s'était autrefois follement imaginée qu'elle était peut-être la prophétesse de cette ère future. Mais elle avait depuis longtemps reconnu que la mission de révéler une vérité divine et mystérieuse ne pouvait être confiée à une femme marquée par le péché, courbée sous la honte ou même seulement sous le poids d'une vie de chagrin. L'apôtre de la révélation à venir serait bien une femme, mais une femme irréprochable et belle et pure. »

Cette « ère future » pourrait bien être, nous le verrons, un nouvel état de femme — mais il faudra sortir de cet ordre qui réserve à la femme adultère des traitements si raffinés. Après le châtiment par la stigmatisation et le bannissement, voici le châtiment par la déchéance des liens maternels, et l'errance.

Femme punie

Que se passe-t-il lorsqu'une première, au lieu de sacrifier la femme sexuée à la mère, abandonne mari et enfant pour s'en aller vivre sa vie ? C'est ce qu'expérimente, dans la bonne société new-yorkaise du début de ce siècle, l'héroïne de *La Récompense d'une mère* d'Edith Wharton (1925). Séparée très tôt de son mari, elle vit seule en exil sur la Riviera, découvrant l'amour avec un jeune amant au cours d'une brève mais intense liaison. Devenue veuve, elle est rappelée à son foyer par sa fille, riche orpheline en âge de se marier. Une idylle quasi amoureuse s'installe entre mère et fille, dont la relation, exaltée par cette longue séparation, est à la limite de l'inceste platonique qui attache la mère à sa fille mise à la place de l'impossible amant, en un dévoiement de l'amour maternel aussi normalisé que ravageur : « Elle s'effrayait parfois de sentir combien cette passion maternelle ressemblait à la brusque et dévorante flamme de son ancien amour.» La mère envisagerait volontiers une vie commune avec sa fille jusqu'à la fin de ses jours, comme un vieux couple. Mais la jeune fille, qui n'a plus trois ans, tombe amoureuse d'un homme sans savoir qu'il fut le grand amour de sa mère et sans que lui-même sache de qui elle est la fille. Apprenant cela, la mère s'effondre: à la jalousie et au dépit amoureux de toute femme se voyant supplantée par une autre dans le cœur d'un homme s'ajoute la rivalité avec sa propre fille, seul être aimé par elle et dont elle soit aimée.

Elle tente de faire échouer le mariage, ne parvenant qu'à provoquer une rupture qui fait le malheur de sa fille et la retourne contre elle, jusqu'à ce que son consentement aux noces renoue la paix. Mais elle ne peut se résigner à partager le même toit que le jeune couple, non plus qu'à épouser le vieil ami qui pourrait l'attacher à un foyer, faisant d'elle l'épouse basculant doucement en tierce qu'elle avait déjà refusé de devenir avec son mari. Alors elle s'enfuit à nouveau, retrouvant «son vieux mal d'être une déracinée», redevenant la vagabonde, l'errante sans espoir de retour ni, cette fois, d'amour. De cette triple défaite sur tous les fronts de la première — épouse, amante, mère — elle sort brisée, et seule: à la fois perdante et perdue. La morale de l'histoire est claire: une première doit se résigner à renoncer à sa vie amoureuse, à son identité sexuée, si elle ne veut pas entrer en mortelle rivalité avec sa fille, seule femme au monde dont elle n'a pas le droit de désirer la défaite; si elle ne veut pas, autrement dit, que cette «récompense d'une mère» qu'est une fille aimante et aimée ne devienne la punition de celle qui refuse le renoncement maternel à la sexualité.

L'inceste du deuxième type

Similaire est la situation des *Dames de Croix-Mort* de Georges Ohnet (1886), où une chaste veuve de trente-huit ans, mère d'une fille adolescente, cède à la tentation de l'amour en épousant un homme de son âge, lequel ne tarde pas à s'intéresser à sa belle-fille en qui il découvre, trop tard, celle des deux qu'il aurait dû épouser. La jeune fille tente de dissimuler à sa mère les assiduités du beau-père, mais il est démasqué, au désespoir de la mère, qui le chasse. Lorsqu'il revient en cachette importuner sa belle-fille, celle-ci le tue, perdant avec son innocence la beauté de sa jeunesse et ce qui la différenciait de sa mère : « Quand on la revit dans le pays, ses cheveux étaient devenus tout blancs. Entre elle et sa mère, au premier abord, il n'y avait guère de différence. » Ainsi le retour déplacé de la veuve dans le monde sexué provoque l'intrusion tout aussi déplacée de celui-ci dans l'univers asexué de la fille ; et le climat incestueux, éradiqué par le meurtre de l'homme et le deuil de toute sexualité, instaure entre mère et fille l'indifférenciation mortifère autant que l'impossibilité d'un retour à la complicité des femmes, « séparées toujours par l'ombre inquiétante du beau garçon » qui, ayant épousé la mère, voulut posséder la fille.

C'est la même sanction que connaîtra Anne de Guilleroy dans *Fort comme la mort* de Maupassant : si son basculement dans l'adultère lui avait paru si tragique, n'était-ce pas le pressentiment de l'horrible punition subie plusieurs années après, quand son amant tomberait amoureux de sa propre fille ? Le portrait qui fut à l'origine de leur liaison déclenche la révélation de leur ressemblance en même temps que l'impossible amour du peintre vieillissant pour l'adolescente, réduisant la mère au désespoir et lui-même à la mort. « Et il allait devant lui, épris d'elles, de celle de gauche comme de celle de droite, sans savoir laquelle était à gauche, laquelle était à droite, laquelle était la mère, laquelle était la fille [...]. N'était-ce pas une seule femme que cette mère et cette fille si pareilles ? Et la fille ne semblait-elle pas venue sur la terre uniquement pour rajeunir son amour ancien pour la mère ? »

Peu après, Paul Bourget contera dans *Le Fantôme* (1901) cette même indistinction entre mère et fille, vue par l'homme qui épouse la fille de son ancienne maîtresse. Elle sent bien que son époux et elle sont « séparés par quelque chose que l'on ne peut définir, et qui est là... » : ce « coin fermé, la chambre où l'on n'entre pas », où son mari a le sentiment de dissimuler un fantôme. La « sensation de l'inceste », accentuée par la ressemblance des deux femmes, le précipite dans une neurasthénie qui manque de disloquer le couple, jusqu'à ce que la jeune femme, apprenant la vérité, se résolve, pour l'amour de leur

enfant, à continuer de vivre avec l'amant de sa mère. En mora-
liste, Bourget juge sévèrement la situation : «Cette substitution, sentimentale et physique, de l'épouse à la maîtresse, de la
fille à la mère, constituait une véritable monstruosité.» Mais
l'ami de la famille atténue la faute que se reproche le mari :
«Vous n'avez pas commis ce crime-là. S'il y avait un inceste
dans le mariage que vous avez fait, vous n'auriez qu'à vous
tuer. Il n'y a pas d'inceste.»

Il y a, plus exactement, «inceste du deuxième type», que
Françoise Héritier définit comme le rapport existant «entre
des consanguins n'ayant pas entre eux de rapports sexuels,
mais qui partagent un même partenaire» — le paradigme en
étant cette même relation mère/fille[2]. L'inceste au premier
sens du terme n'aurait lieu en effet que si l'homme qui met ces
mères en rivalité sexuelle avec leur fille en était le père — ce
qui n'est le cas chez aucun de ces auteurs. Cette constante peut
s'interpréter, certes, comme la retraduction euphémisée, donc
acceptable dans la tradition romanesque, d'une situation strictement œdipienne. Mais l'inceste du deuxième type qui s'y
trouve perpétré est suffisamment ravageur pour constituer en
soi un ressort puissamment dramatique, comme en témoigne
sa réitération dans au moins trois romans français en quinze
ans, et un roman américain vingt ans plus tard. Car pour la
mère il aboutit au désespoir, à la fantomatisation ou à l'errance
de l'exilée, condamnée comme Œdipe au bannissement et à la
solitude faute d'avoir su occuper la place qui lui était réservée
— celle de l'épouse fidèle, de la mère désexuée, de la femme au
foyer[3]. Et pour la fille, c'est l'horreur de l'indistinction identitaire : « "Savez-vous ce qui me déchirait davantage? C'était de
me dire que lui, il ne m'a jamais aimée... Non! Ce n'est pas
moi qu'il a aimée en moi... Ce n'est pas moi... Ah!" gémit-elle
avec un regard de terreur, "ne m'en faites pas dire plus!..." »,
dit l'Éveline de Bourget.

On se souvient des conséquences également ravageuses, sur
la Lol V. Stein de Duras, de la rivalité avec une femme qui
pourrait être sa mère. Car la rivalité et la peur d'être dépossédée par l'autre femme ne vont pas seulement de la mère à la
fille (première punie) et de la première aux secondes (première
menacée), mais aussi de la fille à la mère, ainsi que, nous
allons le voir, de la seconde à la première épouse : il s'agit

alors du «complexe de la seconde», où la rivalité mère/fille agit à un niveau encore plus enfoui, plus symbolisé, en une dimension inconsciente des états de femme qui met à contribution la psychanalyse.

TROISIÈME PARTIE

Le complexe de la seconde

Pomme, poire, abricot,
Y'en a une y'en a une,
Pomme, poire, abricot,
Y'en a une de trop.

Comptine

Chapitre X

LA MISE EN CRISE DE L'IDENTITÉ

L'état de seconde épouse paraît marginal eu égard à ces états si nettement distincts que sont la jeune fille, la femme mariée, la maîtresse illégitime et la vieille fille. Mais sa proximité juridique avec la place de la première — l'une et l'autre sont des épouses légitimes — en même temps que sa proximité hiérarchique avec l'état de seconde — dont elle partage le sentiment d'infériorité à l'égard de la première — en font une situation trouble, propre à exacerber une crise identitaire dont le moteur est si profondément enfoui qu'elle ne peut s'expliciter que par la double médiation de l'imaginaire et du symbolique : en d'autres termes, de la fiction et de l'interprétation.

Rebecca de Daphné Du Maurier est le roman par excellence du complexe de la seconde, donnant une forme très pure au drame de la seconde épouse, et à ses ressorts inconscients. Il continue d'ailleurs d'être un *best-seller* depuis sa parution en 1938, où il connut un succès considérable, comme le film qui en fut tiré par Alfred Hitchcock et David O. Selznick[1]. Parce que son intrigue s'enracine dans une dimension inconsciente de l'identité féminine, son analyse nécessite un long développement, qui va occuper deux chapitres au cours desquels vont se déployer pas à pas le récit en même temps que sa signification, à partir du point de vue qui est à la fois celui de la narratrice et celui du lecteur — ou plutôt de la lectrice puisqu'il s'agit, nous allons le voir, d'un point de vue spécifiquement féminin.

Celle qui n'a pas de nom

Rebecca n'est pas celle qu'on croit : elle n'est pas celle qui raconte, dans le roman, ni celle qu'on voit, dans le film. Rebecca c'est l'*autre*, l'autre femme : celle qui a un nom, et qui par ce nom entre dans la légende en donnant son titre au roman, aussi assurément qu'elle porte son propre titre de légitime épouse — son titre, et son pouvoir. Celle qui parle et raconte l'histoire ne nous dit pas, elle, son propre nom [2]. La vieille Américaine mondaine dont elle est, à l'ouverture du roman, la demoiselle de compagnie, se contente en la présentant de faire « un geste vague dans ma direction en murmurant mon nom » : « un nom charmant et original », selon Maximilien de Winter, le riche veuf anglais rencontré à cette occasion. Elle a donc bien un nom, et sans doute aussi un prénom — mais on n'en saura pas plus : la narratrice, du début à la fin, restera anonyme, aussi obstinément que l'*autre* est l'éponyme [3].

Le nom est, avec le visage, porteur d'*identité*, au sens où il permet l'identification d'un être. Mais il l'est également, à la différence du visage, au sens où il permet à cet être de rester identique à lui-même en se continuant dans le temps : c'est qu'il demeure intact après sa mort, assurant ainsi, dans l'esprit des vivants, sa survie. La signature à elle seule y suffirait déjà : « La signature, Rebecca, s'étalait, noire et vigoureuse, avec son grand R incliné surplombant les autres lettres... » Ainsi l'initiale — la première — surplombe les suivantes — celles qui viennent en second — et leur fait ombre. Ou les écrase, renvoyées à l'anonymat. L'histoire sera donc le récit de la conquête d'un nom — Mme de Winter — ou plutôt du droit à le porter, ce nom qui fut celui d'une autre et dont la jeune narratrice s'autorise si peu que le jour même de son arrivée au château, nouvelle épouse de M. de Winter, elle répond à la voix qui la demande au téléphone : « Vous devez vous tromper, Mme de Winter est morte il y a plus d'un an ! »... « Mme de Winter », elle devra longtemps se contenter de ne l'être que pour sa femme de chambre, qui n'a pas connu la première, qui ne sait rien de l'autre, de Rebecca : « Pour elle, j'étais la maîtresse, j'étais Mme de Winter. » Mais pour elle-même et, lui semble-t-il, pour le reste du monde, elle demeure celle qui n'a droit ni au nom — « Winter » — ni au titre — ce titre qui est à la fois, indissolublement, de mariage et de noblesse : « madame de ». Ce ne sera qu'à la toute fin, une fois percé le secret, qu'elle entrera en possession de son nom, faisant sienne l'identité qui jusqu'alors n'était que son état civil : « C'est moi maintenant qui suis Mme de Winter. »

Entre celle qui a un nom, et celle qui n'en a pas, l'homme, lui, est le légitime possesseur d'un grand nom, ainsi que de plusieurs prénoms, dont l'usage suffit à classer les êtres entrés en relation avec lui : Maximilien de Winter pour les étrangers, Maxim pour les proches, et Max pour... Rebecca. « Ma famille m'appelle toujours Maxim, j'aimerais que vous aussi m'appeliez comme cela », dit-il à la narratrice au début de leur rencontre. Et elle : « J'étais encore assez enfant pour être fière d'un prénom comme d'une plume à mon chapeau, bien qu'il m'eût dès le premier jour appelée par le mien. » Mais dès la page suivante, découvrant une dédicace de Rebecca sur la page de garde du livre qu'il vient de lui prêter : « Max. Elle l'appelait Max. C'était familier, gai, facile à prononcer. La famille pouvait bien l'appeler Maxim si elle y tenait. Les grand-mères et les tantes. Et les gens comme moi, calmes, ternes et jeunes, et qui ne comptaient pas. Max était à elle, elle avait choisi ce nom, et avec quelle assurance elle l'avait tracé sur la page de garde de ce livre. »

Que lui est-il donc arrivé, à la narratrice anonyme, à la séductrice innommable d'un homme richement doté en patronyme autant qu'en patrimoine, un homme mûr (« Vous seriez assez jeune pour être ma fille »), chargé de passé autant que de mystère ? Que lui est-il donc arrivé pour qu'elle doive en faire tout un roman, dont *une autre* sera l'éponyme ?

La position : *devant, avant*

Elle s'est mariée. Tout simplement. Car il l'a épousée, elle, jeune orpheline aussi pauvre que digne, humiliée par la vulgarité de sa patronne en villégiature à Monte-Carlo ; mais qui pourtant, à la stupeur de cette marâtre aussi cruelle que pitoyable, fait sans l'avoir cherché la conquête de Maximilien de Winter, veuf aussi séduisant qu'il est riche (c'est à lui qu'appartient le magnifique château de Manderley dont elle admirait, enfant, la reproduction sur cartes postales coloriées), et réputé inconsolable de son épouse Rebecca disparue en mer un an auparavant : « Il paraît qu'il ne se console pas de la mort de sa femme... » Il lui fait la cour, se déclare, l'épouse, l'emmène en voyage de noces à Venise. Ce pourrait être l'histoire du prince amoureux de la bergère — un vrai conte de fées ; ou du patron amoureux de la secrétaire, du médecin amoureux de l'infirmière — un vrai roman rose, qui comme les contes pourrait s'arrêter là : « Ils se marièrent, furent heureux et eurent beaucoup d'enfants... » Mais la vie n'est pas, certes, un conte de fées, et c'est au roman de le rappeler, pour peu du moins qu'il relève non de la « romance » mais du « roman » au sens noble du terme : non du *romance* mais du *novel*, pour reprendre la distinction proposée par la critique anglo-saxonne[4]. Car derrière le conte de fées, derrière le merveilleux des apparences entretenues par la mise en fiction du fantasme, il y a la réalité. Et la réalité décrite par le roman, c'est le cauchemar : derrière la jeune épouse, il y a l'*autre*.

Derrière, et puis très vite — dès l'arrivée au château, sur les lieux du passé — *devant* elle, c'est-à-dire entre lui et elle : la surplombant, et lui faisant de l'ombre. Puisque *avant*, l'autre était déjà là : derrière, devant, après, avant, c'est à tour de rôle — chacune son tour — que se déterminent les places, dans l'espace et dans le temps ; à tour de rôle que s'occupent les positions et se définissent les identités — les « rôles », justement, selon le terme qu'affectionne la psychologie sociale. Mais que devient le sentiment d'identité lorsque, croyant occuper une place, l'une s'aperçoit que c'est la place d'une autre ? Qui devient-elle lorsqu'elle est condamnée à rester la seconde là où elle croyait être devenue la première ?

Il y a mise en crise de l'identité : comme dans toute situation où ne coïncident plus le sentiment de ce qu'on est pour soi, de ce qu'on donne à voir de soi à autrui et de l'image de soi qu'autrui nous renvoie ; où ne s'ajustent plus le lieu et le moment adéquats à ce qu'on est, à ce qu'on croit être, à ce qu'on est sommé d'être ; où ne s'articulent plus ce qu'on a été, ce qu'on est et ce qu'on aspire à être. Et c'est bien une crise d'identité dont l'histoire de ce mariage nous décrit exemplairement les étapes, à travers une double crise de position : crise de position dans l'espace (question de priorité), et crise de position dans le temps (question d'antériorité). D'un conflit entre l'après et l'avant, celle qui reste derrière et celle qui passe devant, la seconde et la première...

La première

«Pomme, poire, abricot / Y'en a une y'en a une / Pomme, poire, abricot / Y'en a une de trop», chantent les fillettes dans la cour de l'école. *Un* abricot, *une* pomme, *une* poire : il y a bien un masculin pour deux féminins, et que pomme et poire soient «pauvres» ou «bonnes», aucune des deux n'est présumée avoir *a priori* le meilleur rôle... Et pourtant il faut bien décider qui l'aura, cette place de choix : dès lors qu'il y a rivalité, dès lors qu'il y en a «une de trop», c'est-à-dire deux au lieu d'une dans le cœur de l'homme, à la place définie par lui, la question qui se pose est celle de l'antériorité. «Qui était la première?» demande-t-on lorsqu'un bien est en jeu — et c'est celle-là qui sera récompensée, admise à la pleine jouissance de sa possession, rendue à sa juste place (la seule). Ou bien, lorsqu'une faute a été commise : «Qui a commencé?» — et c'est celle-là qui sera punie, dépossédée, exclue...

Qui était la première, à la place dévolue à l'aimée? C'est Rebecca, bien sûr. Et qui a commencé à lui disputer cette place? C'est la narratrice. Pour laquelle tout commence avec la cérémonie, où les choses ne se passent pas vraiment comme elle l'avait imaginé : le conte de fées n'est pas exactement conforme à ce qu'il devrait être, à ce qu'il a dû être pour *l'autre*. Ainsi, le mariage ne se fera pas en blanc : «Pas à l'église? demandai-je. Pas en blanc avec des demoiselles d'honneur, et des cloches, et des enfants de chœur? Mais votre famille et tous vos amis? — Vous oubliez, dit-il, que j'ai déjà subi ce genre de cérémonie.» C'est qu'en effet elle l'avait déjà oublié — et combien facilement — qu'elle n'était pas la première : jusqu'au moment de la cérémonie, puis de son installation au château, à la place d'une autre. «Je n'étais pas la première à me reposer dans ce fauteuil [...]. Une autre avait versé le café de cette même cafetière d'argent, avait porté cette tasse à ses lèvres, s'était penchée vers ce chien, tout comme je faisais.» Et n'étant que la seconde elle n'a droit qu'aux restes, aux pièces secondaires : alors que la plus belle pièce de la maison — celle dont les fenêtres donnent sur la pelouse et la mer — est celle, restée intacte, de Rebecca, la nouvelle épouse loge dans une autre aile, dans une chambre plus modeste «qui avait quelque chose d'inférieur, n'était pas digne de Manderley, comme si c'eût été une chambre de second ordre, pour une personne de second ordre».

C'est ainsi que peu à peu s'insinue le démon de la comparaison : les choses ne sont pas comme elle l'avait imaginé. «Je me rappelle m'être dit que ce n'était pas ainsi que je me figurais ma première matinée ; je nous avais imaginés nous promenant ensemble, bras dessus, bras dessous, jusqu'à la mer, rentrant tard, fatigués, heureux.» Les choses plus exactement ne sont pas comme elle les imagine avoir été avec l'*autre* : «Il ne m'avait pas encore parlé d'amour. Pas le temps sans doute [...]. Non, il n'avait pas dit qu'il était amoureux. Seulement qu'il voulait m'épouser. Bref, précis, très original. Les demandes originales valaient beaucoup mieux. C'était plus authentique. Pas comme les autres. [...] Pas comme lui la première fois, lorsqu'il demandait Rebecca en mariage... Il ne faut pas que je pense à cela. C'est une pensée défendue, inspirée par les démons.» Ne s'autorisant pas plus à parler de ce qui la tourmente qu'à s'approprier le nom dont elle vient d'hériter, elle se tait. Et dans le vide laissé par l'absence des mots s'infiltrent les démons : l'*autre*. Et le doute : elle n'est pas aimée, pas *vraiment* aimée. Car il faudrait des preuves, mais les preuves manquent forcément puisque le propre de la seconde — cette seconde qu'elle est devenue à l'instant où elle s'est vu signifier qu'elle n'est pas la première dont elle a pris la place — c'est de ne voir que ce qui manque, ce qui fait défaut pour être qui l'on est, pleinement, sans être *moins* que l'autre : moins aimée qu'elle, par exemple. Première par l'antériorité, l'*autre* l'est du même coup par la priorité qui lui est due : l'ordre dans le temps est un ordre dans le rang. C'est ainsi que le redoutable augure par lequel sa patronne avait salué l'annonce de son mariage («Vous ne vous flattez pas qu'il soit amoureux de vous ? Le fait est que cette maison vide l'énerve au point qu'il en a presque perdu la tête. Il ne peut absolument pas continuer à y vivre seul ») va finir, quelque deux cents pages plus loin, par prendre sens, lorsqu'il apparaîtra que si l'homme était près de perdre la tête, c'était plutôt de n'y être pas seul, dans sa tête, occupée par une autre : « Maxim n'était pas amoureux de moi ; il ne m'avait jamais aimée. Notre voyage de noces en Italie n'avait pas compté pour lui, pas plus que notre vie commune. Ce que j'avais cru de l'amour pour moi, n'était pas de l'amour. Il était un homme, j'étais sa femme, et j'étais jeune, et il était seul, voilà tout. Il ne m'appartenait pas du tout, il appartenait à Rebecca [5]. »

L'unique

Voilà tout : pas du tout. Rien pour l'une, tout pour l'autre. Et dans ce « tout ou rien » s'exprime une régularité constitutive du sentiment d'identité, dans la mesure où il se détermine non selon une exigence interne de cohérence de soi, mais selon une exigence externe d'adéquation de soi à une *place* — place désirée, revendiquée ou assignée. Et sans doute est-ce l'une des formes les plus fondamentales, quoique les moins visibles, de dépendance, que de devoir son identité à la position occupée vis-à-vis d'un autrui : dépendance qui traditionnellement est le propre des femmes, vouées à l'hétéronomie dans la définition de ce qu'elles sont. Filles d'un père ou épouses d'un mari, c'est à l'un ou à l'autre, à l'un puis, éventuellement, à l'autre, qu'elles doivent leur subsistance, leur statut et jusqu'à leur nom : madame ou mademoiselle ? Or chaque place assignée dans l'ordre familial ne peut être occupée que par une seule personne à la fois : c'est le cas de la mère, par une règle biologique, et de l'épouse, par une règle juridique. Aussi toute rivalité dans l'occupation d'une place ne peut-elle aboutir qu'à une lutte à mort, une résolution agonistique : c'est elle, ou moi. Parce que c'est *tout* (cette place-là, tout entière, toute la place pour moi seule) — ou *rien*. Même si l'on *sait bien* que dans l'ordre du réel les places — les espaces — peuvent se partager, *quand même*, dans l'ordre du symbolique, les places — les identités — ne peuvent se confondre, sauf à risquer la confusion mentale. Si le travail de cohérence de soi qui fonde le processus identitaire est l'objet d'une construction, de compromis, d'efforts d'ajustement au réel, par contre l'occupation de la place définie par rapport à autrui ne supporte de mise en question que conflictuelle, et violente : une place ne se partage pas. Elle ne peut que se conquérir, et se garder — ou se laisser.

Occupant la première place du simple fait qu'elle y fut la première, celle-ci ne peut qu'être la seule vraie, l'unique, la légitime épouse : car si son corps — physique — a disparu dans la mort, sa place — symbolique — demeure. Et la seconde n'en sera forcément que la pâle copie, un faux, un mauvais plagiat, la condamnant à cette forme de néantisation qui consiste à subir l'omniprésence de l'autre, *toute* présente, écrasante — comme l'initiale de son prénom au-dessus des suivantes, comme les rhododendrons de Manderley, « monstres brandis vers le ciel, massés comme un bataillon, trop beaux, trop puissants ». Omniprésente, la première l'est dans la mémoire des parents : « Qui est cette enfant ? Pourquoi Maxim ne m'amène-t-il pas Rebecca ? » demande la grand-mère sénile à qui l'on présente la jeune épouse ; elle l'est pour les domestiques : « Je la sens partout, dit la gouvernante. Vous aussi, n'est-ce pas ? Vous croyez que les morts reviennent et regardent les vivants ? » ; elle l'est même pour les chiens : « Ils vinrent à moi reniflant mes talons, un peu hésitants, un peu soupçonneux », et quand la vieille chienne « eut reniflé l'air et compris que je n'étais pas celle qu'elle avait cru, elle se détourna avec un grognement et se remit à regarder le feu ». Tant il est vrai que les mères (mères-chiens ou grand-mères, en l'absence d'une véritable mère dont l'époux est, comme la narratrice et comme Rebecca, orphelin), savent repérer l'intruse : « Je n'étais pas celle qu'elle attendait. »

La femme

Celle que l'on attend, celle que la seconde elle-même attend de devenir, c'est *la* femme ; et *la* femme pour elle, c'est l'*autre* : celle qui a su occuper pleinement, totalement, l'identité dévolue par l'état civil, et à un double titre. Car femme, la première l'est en tant que de plein droit elle appartient — épouse — à celui qui l'épousa, et qui en retour lui appartient pour toujours ; et femme, elle l'est aussi en tant que de plein droit elle appartient — femelle — au sexe féminin.

C'est que pour être celle qui vient avant et, unique, occupe toute la place, n'en laissant à nulle autre, la première doit avoir qualité à l'être : sinon, comment expliquer, comment accepter qu'elle le soit, à ce point, et le demeure ? Elle doit donc en avoir, des qualités : ces qualités qui font d'une femme une femme — tant il est vrai que toute femme ne l'est pas, ou pas également. Car pour être *totalement* femme, pour se reconnaître et être reconnue comme telle, il ne suffit pas d'en posséder les caractéristiques biologiques attestées par l'état civil et le regard d'autrui : encore faut-il investir ce paramètre identitaire qu'est le sexe, en l'occurrence l'appartenance au sexe féminin, comme un axe privilégié de définition de soi, faisant passer au second plan les autres paramètres — nationalité, religion, statut professionnel etc. Et il faut également s'approprier les qualités qui vont de pair avec les représentations de la féminité : des plus personnelles, inscrites dans le souvenir de personnes réelles, aux plus collectives, véhiculées par les images — tableaux, photos, films, récits — en lesquelles se construit la « femme-femme » de l'éternel féminin, que fixent les clichés.

« Je voudrais, dis-je violemment, je voudrais être une femme de trente-six ans en satin noir avec un collier de perles. » Instrumentant l'investissement de la féminité, cette image de soi projetée dans l'avenir se nourrit du passé, un passé habité par une image de mère elle-même transfigurée : de ces images qui font rêver les petites filles dont la maman s'apprête à sortir pour un soir mener sa vie mystérieuse de femme, « habillée pour un dîner, tout en blanc, avec quelque chose de rose et d'irisé qui flottait autour d'elle. [...] Elle s'était penchée sur le petit lit, souriant mystérieusement des yeux et des lèvres, d'un air heureux ; et Judith avait dérobé sa face à cette présence angélique », se souvient l'héroïne du *Poussière* de Rosamond Lehmann (1927). Investissement de la féminité, conformation à ses représentations les plus typées et idéalisées : ces qualités, la première les possède à l'évidence aux yeux de la seconde, pour qui elle est *la* femme non seulement par antériorité (la première, en vertu de son rang), et par principe (l'unique, en vertu de la loi), mais aussi *par excellence*, c'est-à-dire par essence, en vertu de la nature — en vertu de sa naissance. Et la marque la plus accomplie, la plus spectaculaire de la féminité, c'est cette suprême qualité des femmes qui, « femmes-

femmes», le sont si pleinement qu'il n'y a plus là encore qu'à s'incliner, à s'effacer dès lors que tombe de la bouche d'un étranger la vérité : « "Dites-moi, demandai-je d'une voix indifférente, dites-moi, est-ce que Rebecca était très belle ?" Franck attendit un instant. Je ne voyais pas son visage. Il regardait loin de moi, vers la maison. "Oui, dit-il doucement, oui, je crois que c'est la plus belle créature que j'aie jamais vue ⁶". »

Elle a donc pour elle la beauté, et même la beauté absolue, qui mérite le superlatif du même nom : non pas « plus belle » (« Est-il femme plus belle en ce miroir ? » demande l'orgueilleuse marâtre de Blanche-Neige) mais « *la* plus belle ». Une telle beauté, à elle seule, vaudrait déjà à toute femme — qualifiée, évaluée, identifiée en fonction de son rang sur le marché de la désirabilité — de prétendre à la première place. Mais il y a plus.

La dame

« Une femme de trente-six ans en satin noir avec un collier de perles » : le fantasme de féminité est, en même temps, fantasme de distinction, où s'ancre dans l'esprit de la seconde le sentiment d'une infériorité non seulement existentielle mais hiérarchique ou, si l'on préfère, sociale. Car, courant le risque de ne pas se sentir vraiment femme, elle s'expose aussi à n'être pas une vraie « dame », dans cet univers de la « classe de loisirs » où, selon Thorstein Veblen, c'est à la maîtresse de maison qu'est dévolu le soin de manifester — par l'ornement de son intérieur et de son extérieur, de sa maison, de son apparence, de son esprit, de sa conversation — la capacité de son époux à payer de ses deniers ces attributs de la distinction que sont les bijoux, les vêtements, les meubles ou les manières, tout en payant de la personne de son épouse le temps de les faire valoir.

« Vous aurez une rude besogne comme maîtresse de Manderley. Pour être tout à fait franche, ma chère, je ne vois pas du tout comment vous vous en tirerez [...]. Vous n'avez pas l'expérience, vous ne connaissez pas le milieu. Vous êtes pour ainsi dire incapable de prononcer deux paroles à mes bridges ; qu'allez-vous dire à tous ses amis ? Les fêtes de Manderley étaient célèbres quand elle vivait»: à nouveau semblent devoir se confirmer les sinistres augures de l'ancienne patronne de la narratrice, démunie des ressources nécessaires à occuper cette place-là, à tenir son rang. Car la seconde ressent douloureusement le manque des qualités qui font d'un être non seulement une femme — une vraie femme — mais aussi une dame — une vraie dame. Elle ignore tout des codes. Elle ne sait pas se conduire avec les domestiques, malhabile à gérer, dans les normes d'un univers dont elle n'est pas familière, la frontière avec une position dont elle a longtemps été proche: ignorant que ce n'est pas à elle d'ouvrir la portière de la voiture ou de ramasser son gant, et qu'elle n'a pas à tendre la main au maître d'hôtel. Et qu'elle soit socialement trop bas pour être «à la hauteur», les domestiques sont bien sûr les premiers à s'en apercevoir: «Je vis un petit sourire de mépris sur ses lèvres et je compris immédiatement qu'elle ne me trouvait pas à la hauteur de la situation. Je voyais bien qu'elle me méprisait, marquant avec tout le snobisme de sa classe que je n'étais pas une grande dame, que j'étais humble et timide.»

«L'assurance, la grâce, l'aisance n'étaient pas des qualités innées chez moi, mais des choses qu'il me faudrait acquérir, péniblement peut-être, et lentement, au prix de mainte amertume.» C'est que la grâce, à elle, ne lui est pas innée: manquant de *naturel* — cette aisance dans la manipulation des usages qui efface jusqu'aux marques de leur apprentissage, faisant croire à leur spontanéité, à leur innéité[7] —, elle révèle par le caractère emprunté de ses gestes ce qui dans sa situation est aussi *emprunté*: rien, décidément, ne l'autorise à s'approprier cette place. *L'autre* par contre est celle dont les qualités — même les plus «sociales», comme la maîtrise des codes du savoir-vivre dans la haute société — apparaissent comme «naturelles» parce qu'elles lui viennent de naissance: comme la beauté, ce don des gens gâtés par la nature, et l'éducation, ce privilège des gens bien nés. «Quelqu'un qui n'était jamais gauche, jamais sans grâce, et qui, en dansant, laissait dans l'air un sillage de parfum comme une azalée blanche»: c'est par nature que la première possède cette suprême qualité des êtres habilités à être ce qu'ils sont, cette grâce («Quelqu'un qui était né et avait été élevé pour cela, et qui faisait tout sans effort»), ce don («Elle a un don étonnant pour s'attirer la sympathie des gens : hommes, femmes, enfants, chiens »), cette féminité qui, fût-elle trop visiblement obtenue par un travail sur soi, manquerait de cet indispensable, de cet impondérable supplément qu'est la grâce — grâce dont Rebecca tout entière est nimbée autant que la narratrice en est privée, cadeau de la nature face à quoi il n'y a qu'à s'incliner : « Et je m'aperçois tous les jours de ce qui me manque : l'assurance, la grâce, la beauté, l'intelligence, l'esprit. Toutes les qualités qui comptent le plus dans une femme... et qu'elle avait. Il n'y a rien à faire, rien [8]. »

La robe

« Une femme de trente-six ans en satin noir avec un collier de perles » : plus encore que ce qu'elle rêve de devenir, il s'agit là de ce qu'elle *veut être*, immédiatement, rageusement — tant, seconde, elle se sent peu femme. Peu femme, encore moins dame, et donc « mal habillée, comme d'habitude » — ce que ne va pas tarder à lui faire remarquer sa belle-sœur : « Je peux dire, à la façon dont vous vous habillez, que vous ne vous souciez guère de la toilette », dit-elle. [...] Je m'étonne que Maxim ne soit pas resté une semaine ou deux à Londres, le temps de vous habiller convenablement. Je trouve ça très égoïste de sa part. Et ça ne lui ressemble pas. Il est si difficile, en général. »

La marque sans appel de cette infériorité à la fois hiérarchique et identitaire, ce manque à être dame et à être femme c'est, par excellence, le vêtement. Car pour la robe aussi il faut être « née » : elle est de ces ressources dont le manque ne se rattrape pas. « L'assurance, la grâce, l'aisance n'étaient pas des qualités innées chez moi » — et l'« élégance », pourrait-on ajouter, cette élégance qui revient en droit à l'*autre* : « Je me revois, mal habillée comme d'habitude, bien que jeune mariée de sept semaines, dans une robe de jersey beige, une petite fourrure jaune autour du cou, et par-dessus le tout un imperméable sans forme beaucoup trop grand pour moi et traînant sur mes chevilles ; je pensais être ainsi en harmonie avec le temps, et que la longueur du vêtement me grandirait. » Ce naïf raisonnement vestimentaire est celui des laissés-pour-compte de l'élégance, des déshérités du bon goût. Car, de même que le goût artistique

consiste à apprécier une œuvre non en fonction de critères externes tels que la fidélité au sujet, la convenance du décor ou la ressemblance avec le modèle, mais en fonction de critères internes
établis par comparaison avec les autres œuvres du patrimoine
culturel, ce qui exige une acculturation spécifique ; de même le
goût en matière d'habillement exige qu'on ne considère pas seulement cette circonstance extérieure qu'est l'adéquation à un
corps ou à une fonction, mais aussi la relation spécifique entre
ce qui fait la qualité propre d'un vêtement — sa matière, sa
coupe, sa ligne, sa couleur — et l'ensemble des matières, des
coupes, des lignes, des couleurs possibles. Or c'est, là aussi, une
compétence qui exige une culture de la mode, un apprentissage
du chic — lesquels sont bien le propre des « dames ».

« En la contemplant, le vœu, le désir désespéré d'être un jour
pareille à elle, vêtue exactement comme elle, me donna presque
mal au cœur », note un personnage de *La Ballade et la source*
de Rosamond Lehmann (1944) — laquelle, dans *L'Invitation à
la valse*, faisait d'une robe de bal le nœud d'une crise identitaire. Dans « Une robe neuve » (1925), Virginia Woolf montre
comment une simple robe peut mettre l'identité en crise :
« Non, cela n'allait vraiment pas ! Et, du coup, le chagrin que
Mabel avait toujours tenté de cacher, sa profonde insatisfaction, le sentiment d'être inférieure aux autres qu'elle avait
depuis son enfance la reprit, implacable, inexorable [...]. Regardant sans cesse dans le miroir, se plongeant dans cette dévasta-
trice flaque bleue, elle se savait, faible et vacillante créature,
condamnée, méprisée, reléguée en eau morte ; et cette robe
jaune était comme une pénitence justifiée. » Dans *Instants de
vie* (1940), l'épreuve se produit à propos d'« une robe bon
marché et un peu excentrique » : « Il m'examina de haut en bas
comme si j'étais un cheval arrivant au pesage. Puis il prit son
air renfrogné ; un air qui montrait non seulement sa désappro-
bation esthétique, mais quelque chose de plus profond. C'était
un reproche moral, social, comme s'il subodorait une sorte
d'insurrection, de défi à l'adresse des normes admises. Je me
sentais condamnée à beaucoup plus de points de vue que je
n'en pouvais analyser. Je me tenais là, en proie à la peur, à la
honte et un peu au désespoir — émotions qui étaient comme
tant d'autres complètement hors de proportion avec leur cause
apparente. "Va-t'en la déchirer", me dit-il enfin. »

Empruntés à des romancières anglaises contemporaines de Daphné Du Maurier, ces exemples illustrent, parmi tant d'autres, la fonction identitaire du vêtement[9]. La récurrence du thème vestimentaire dans la littérature, et en particulier la littérature féminine, témoigne de son importance : il est le domaine féminin par excellence, celui où se condensent, se nouent et (parfois) se résolvent les problèmes d'identité. Que la seconde n'ait pas même accès à la dignité vestimentaire ne signale pas seulement un problème hiérarchique d'intégration à son nouveau milieu, ni un problème sexuel de séduction et de désirabilité : c'est, plus profondément, la marque d'un problème identitaire, où se jouent la place et la définition de soi[10]. Et, en tant qu'il est un véritable nœud identitaire, le vêtement est le lieu par excellence de la rivalité féminine : « Armide aurait pu prononcer le mot de cette femme à laquelle on venait joyeusement annoncer la mort de son ennemie mortelle : "Quel malheur ! Moi qui ne m'habillais que pour elle !" » Car, si, depuis vingt ans, elle prenait tant de soin de sa personne, c'était avant tout *pour* ou plutôt *contre* Mme Quatreville. Prête à la recevoir pour la première fois chez elle aujourd'hui, ses préparatifs duraient depuis le matin » (Lucie Delarue-Mardrus, *L'Amour attend*, 1936).

Henry James avait traité dans *Les Deux Visages* (1900) ce thème du vêtement comme instrument de lutte entre deux femmes, pour une reconnaissance à la fois affective et hiérarchique, se concluant forcément par la victoire de la mieux armée des deux, à savoir la première — qui y risque cependant la révélation de sa monstruosité. C'est l'histoire d'une femme mûre, élégante, séduisante, chargée par celui qui avait été son amant de prendre soin de sa jeune épouse en assurant son intronisation dans la société londonienne à l'occasion d'un bal. Manifestant ostensiblement sa bonne volonté, elle attifera sa jeune rivale de façon ridicule : « On vit beaucoup de choses, trop de choses — une quantité de plumes, de ruchés, de fanfreluches de soie et de dentelle, surchargées et disparates, d'où émergeait douloureusement un petit visage qui lui parut malade et terrifié. » Il lui aura donc suffi de *trop* bien faire pour la ridiculiser aux yeux de la bonne société et, peut-être, de son mari. Seul le narrateur, amant actuel de la première, prend intérieurement parti pour la victime contre la cruauté d'une maîtresse dont il dénonce l'«autre visage» — et dont alors, enfin, il se détache[11].

La première chez James, certes, est bien vivante, et persécute réellement la seconde, au lieu d'être une morte qui la hante, comme dans *Rebecca*. Mais le schéma demeure le même : deux femmes — une première, une seconde — de part et d'autre d'un homme ; la souveraineté de la première, l'innocence de la seconde ; la naïveté, l'aveuglement ou l'inconsciente cruauté de l'homme qui livre sa jeune épouse à sa rivale ; la défaite de la seconde à travers un vêtement, et la sanction qui s'ensuit, en forme d'exclusion — défaite qui toutefois, dans l'un et l'autre cas, se retournera contre la première, tant la sympathie des romanciers (et des lecteurs) va, bien sûr, à l'innocente victime. Le roman de Du Maurier, écrit *par* une femme, *pour* une femme et *contre* une autre femme (contre l'*autre*), accorde au vestimentaire la place centrale qui lui échoit dans l'univers féminin, puisque c'est une histoire de robe qui, comme dans la nouvelle de James, sera le nœud et le pivot de la narration, avec le costume que revêtira la seconde sans savoir que c'était celui de l'*autre* : impardonnable faute de robe, d'où éclatera le drame.

Ce vêtement *emprunté* — au double sens de ce qu'on prend à l'autre et de ce dans quoi l'on n'est pas soi-même — n'est que l'ultime étape d'une quête panique d'identité ; car la seconde, flottant dans ses vêtements comme dans sa propre identité, et voyant révélée son incapacité à être qui elle est, s'est mise à flotter d'une identité, d'un vêtement à l'autre. Ainsi abandonne-t-elle sucessivement les places qu'elle s'efforce d'occuper, l'une après l'autre, de la plus désirable à la plus humble : moins que femme, elle se sent enfant («Je ne voulais pas être une enfant. J'aurais voulu être sa femme, sa mère»), puis collégien («J'étais comme un petit collégien timide, amoureux d'un grand»), voire domestique («J'étais comme une petite servante inexpérimentée [...], comme une nouvelle bonne»), ou même chien : «Je suis comme Jasper en ce moment, appuyée contre lui. Il me donne une caresse de temps à autre, quand il y pense, et je suis contente, je suis plus près de lui pour un instant. Il m'aime comme j'aime Jasper [...]. J'étais de nouveau Jasper. Je me retrouvais au même point. Je pris un toast et le partageai entre les chiens.»

Enfant, collégien, domestique, chien : n'importe qui, n'importe quoi mais de plus en plus bas, tant tout flotte et tout sombre dès lors qu'on n'est pas à sa place et que, n'ayant plus de place, on ne sait qui l'on est. Ce pourquoi elle se met à essayer toutes les places, faute d'avoir droit à ce qu'elle croyait être la sienne : la place de la première (épouse), la place de la femme (féminité), la place de la dame (distinction), cette place unique qui dès le moment de la cérémonie s'est avérée — lugubre et fatale découverte, comme les cadavres cachés dans le placard de Barbe-Bleue — être celle de l'*autre*. Et c'est dans ce désarroi identitaire, cet essai panique de personnages qu'elle se met à emprunter ses vêtements, « toujours comme le petit collégien qui porte triomphalement le sweater de son héros ». Or ce « sweater » au sens figuré s'avérera être au sens propre, pour sa perte et pour son horreur, le costume choisi naguère par Rebecca et que la narratrice, innocemment, s'est laissé conseiller de choisir à son tour pour le grand bal masqué organisé à Manderley afin — toujours comme dans *Les Deux Visages* — de présenter la nouvelle épouse à la bonne société. Dans ce costume où, significativement, elle ne se « reconnaît » pas elle-même (« Je ne reconnaissais pas le visage qui me regardait dans la glace »), elle ne sera pas davantage « reconnue » par les autres, et avant tout par son mari, qui ne verront dans cette sinistre mascarade qu'une dérisoire tentative pour prendre la place de la morte qui, *la première*, endossa le déguisement.

C'est ainsi que l'épreuve majeure de l'intronisation officielle sanctionnera impitoyablement son échec face à l'*autre* — en même temps qu'adviendra le coup de théâtre salvateur. Car c'est autour de cette histoire de robe que tout, dans l'économie du roman, bascule : si le premier tiers du livre est le récit de la conquête de l'homme, et le deuxième celui de la défaite devant l'autre femme, la troisième partie est celle de la victoire sur la première : défaite qui éclate avec ce drame vestimentaire, et victoire qui à partir de lui va pouvoir s'accomplir.

Chapitre XI
TENTATIVES DE RÉSOLUTION

Ce qui vient d'être présenté par le biais de la fiction n'est autre que le déroulement réglé d'une crise d'identité. On y voit se succéder un passage de seuil (le mariage); l'accès à une place (l'épouse) redéfinissant radicalement l'identité du sujet; la découverte que cette place est déjà prise, par une première épouse dont s'impose la présence; et la relégation de la nouvelle épouse à ce qui n'est pas seulement une seconde place mais, plus spécifiquement, une place de seconde. Celle-ci possède sa logique propre, articulée autour d'un certain nombre de symptômes trahissant la crise d'identité: incertitude quant à sa propre position, obsession d'une *autre* magnifiée, rabaissement puis négation de soi, endossement successif de rôles toujours plus inférieurisants. Voilà en résumé le «complexe de la seconde».

Existe-t-il une solution à cette situation? Certes, et même plusieurs. Autant dire, s'il n'existe pas une seule solution, qu'il n'y a pas de solution du tout: seulement des tentatives de résolution, plus ou moins satisfaisantes ou réussies, pour permettre, à qui voit sa place symboliquement occupée par un être réellement absent, de ne pas en mourir, réellement ou symboliquement. Ce sont ces divers modes de gestion sinon de résolution de la crise que décrit aussi le roman: l'acceptation, le déplacement, la fuite et, en ultime recours, le fantasme.

L'acceptation : silence et résignation

Nous venons de voir s'opérer l'intériorisation, l'acceptation par la seconde du privilège de la première, dont la domination finit par se trouver, à ses propres yeux, justifiée : si celle-ci est ce qu'elle est, sans doute est-ce qu'elle a toute qualité à l'être, parce qu'elle en a le droit reconnu par les autres, parce qu'elle en a le don offert par la nature ? Si la première est la première, ce n'est pas seulement qu'elle l'*est* effectivement, sur le mode descriptif du jugement de fait : c'est aussi qu'elle *doit l'être*, sur le mode normatif du jugement de valeur, de sorte que la seconde *se doit* de n'être qu'une seconde, sur le mode prescriptif de l'action[1]. Il s'agit ainsi de fonder en mérite le privilège du supérieur et, du même coup, l'humilité de l'inférieur : classique manipulation mentale des inégalités, par laquelle les petits apprennent à sacrifier leur aspiration à la grandeur de manière à pouvoir sauver, au moins, leur croyance en la justice de ce qui est, leur confiance en la cohérence du monde qu'ils sont tenus d'habiter. Si donc la seconde, en s'inclinant devant la supériorité de la première, perd l'espoir de devenir celle qu'elle rêvait d'être — l'élue, la préférée —, elle y gagne en échange le maintien de son adhésion aux valeurs du monde qu'elle a épousé : adhésion sans laquelle elle perdrait non seulement son rang mais la raison de sa présence en ce monde et, probablement aussi, sa raison. En sacrifiant, par son acceptation de la primauté de l'*autre*, son amour-propre et ses aspirations, elle tente de préserver, avec son sentiment de la justice, son amour pour un mari qui, s'il est vraiment ce qu'il doit être, ne peut en préférer une autre qu'*à juste titre*. Seule une telle hypothèse — au prix du rabaissement de soi et de l'humiliation — rend acceptable un aussi lourd renoncement : mieux vaut donc s'y plier que de se révolter.

Et d'ailleurs, quand bien même elle se révolterait, auprès de qui pourrait-elle dénoncer ce tort dont elle est la victime ? Auprès de celui-là même qu'elle accuserait, à savoir son mari, trop avare dispensateur de l'amour qu'il semble réserver à l'*autre* : « Il ne m'appartenait pas du tout, il appartenait à Rebecca. » En lui adressant sa plainte, elle ferait de son malaise une affaire, et de son mari non seulement le juge, seul capable de la rétablir en sa place, mais aussi l'accusé, cible d'une attaque en justice domestique dont il ne pourrait que se défendre en la retournant à son énonciatrice, disqualifiant ses doutes comme états d'âme, caprices de femme et, pourquoi pas, délire, hallucination ou folie. Autant se plaindre du bourreau auprès du procureur, autant réclamer justice à qui vous a injustement puni : situation bien connue puisqu'elle fait l'ordinaire de la vie de famille, où le parent qui aime mal, le parent qui maltraite est justement le seul auprès de qui l'enfant pourrait protester qu'il est mal aimé, mal traité. À dénoncer, elle ne ferait donc qu'aggraver la distance en cherchant à se rapprocher : mieux vaut encore se taire. Et puis, la dénonciation est l'arme des forts, de ceux qui se sentent suffisamment assis dans leur bon droit pour projeter sur autrui la responsabilité d'un dol[2]. Mais la seconde est bien trop faible pour cela : parce qu'elle est femme, parce qu'elle est jeune, parce qu'elle est pauvre, parce qu'elle est étrangère, parce qu'elle est seule et — comme l'enfant dans la vie familiale — sans appuis extérieurs. Aussi n'a-t-elle d'autre ressource que de retourner contre elle-même la responsabilité de son mal, autrement dit de s'humilier. Ainsi se met en place la première « solution », la première tentative pour rendre acceptable le tort qui lui est fait : maintenir la justice, préserver l'amour *de* et *pour* son mari en se persuadant des mérites de l'*autre*, de son droit à occuper la place.

C'est donc dans le silence, unique recours des faibles, qu'elle va accomplir pas à pas la première étape dans sa recherche aveugle d'une solution à l'épreuve identitaire en laquelle l'a plongée son mariage : étape qui a nom, résignation. Mais la résignation ne se fait pas toute seule : elle est un travail et, au contraire de la dénonciation, un travail sur soi plutôt que sur le monde, puisqu'il consiste non plus à extérioriser une plainte mais à intérioriser une souffrance[3]. Et quelle meilleure façon de l'intérioriser, de la faire sienne, que de la considérer comme juste, comme méritée ? Le rétablissement de la justice par l'acceptation de la grandeur d'autrui ne peut s'accomplir pleinement sans cette opération symétrique et inverse qu'est l'auto-persuasion de sa propre petitesse, de sa position subalterne. Et donc, si elle est la seconde ce doit bien être parce qu'elle le mérite, parce qu'elle ne mérite pas mieux : faute de quoi l'aimé dont elle dépend serait injuste, et le monde invivable. Ainsi celle qui vient en second dans l'ordre chronologique des places se fait elle-même seconde dans l'ordre axiologique des valeurs, de même qu'elle a fait de la première dans le temps la première dans le rang. Significativement (puisque nous sommes dans un roman), c'est le rapport à l'écriture qui inaugure ce moment, lorsque la narratrice découvre le bureau de Rebecca : « Je remarquai pour la première fois combien mon écriture était gauche et informe, sans personnalité, sans allure, sans culture même, l'écriture de l'élève médiocre d'un collège de second ordre. » Et puis revient, de nouveau, la robe : « Je suis gauche, je m'habille mal, les gens m'intimident. » Dès lors elle n'a plus qu'à s'effacer derrière l'autre, comme elle le fait avec les domestiques : « Faites comme vous avez l'habitude, comme vous pensez que Mme de Winter aurait fait » ; « Je n'étais qu'une figurante, inutile à tout un chacun ». Figurante *versus* vedette — et un visage peu à peu s'efface derrière l'autre.

Résigné à l'acceptation, le sujet baisse littéralement la tête : renonçant à toute révolte faute de trouver en lui-même ou dans le monde des armes suffisantes, et plutôt que de courir le risque d'un affrontement avec un autrui trop puissant, il préfère céder à la lente extinction de lui-même. C'est le renoncement à être soi (« J'aurais voulu pouvoir perdre mon identité »), l'intériorisation du sentiment qu'on n'est pas à sa place, qu'on n'est qu'une « intruse » (« ... me sentant soudain coupable, indélicate »), une voleuse (« ... me sentant soudain dans mon tort », « ...sur la pointe des pieds ») ou bien, tout simplement, une invitée dans sa propre maison : « J'étais de nouveau une invitée. Une invitée non désirée. J'étais entrée par erreur dans la chambre de la maîtresse de maison. C'étaient ses brosses qui se trouvaient sur la coiffeuse, sa robe de chambre sur le fauteuil. » Et c'est dans le rapport aux objets au moins autant que dans la relation aux personnes que s'élabore peu à peu cette dépossession de soi-même vécue dans la résignation, où le maintien du lien avec autrui et de l'appartenance à une communauté de valeurs se paie du renoncement à sa propre dignité, voire à sa propre identité[4].

Acceptation, silence et résignation : voilà donc un premier mode, non de résolution de la crise identitaire mais, au moins, de contournement de la menace d'anéantissement qu'elle fait peser sur le sujet, en même temps que de détournement des tensions, à la limite du supportable, qu'elle suscite. Un aussi radical abaissement de soi-même ne peut toutefois se faire à titre définitif, tant la résignation ne va pas de soi (ce dont témoigne l'existence même de ce roman): il faut encore d'autres moyens.

Le déplacement : manipulation, possession, médiation

Après cette manipulation mentale des grandeurs respectives, c'est la manipulation symbolique de la présence de l'*autre* qui va permettre de déplacer les affects : façon de jouer avec le réel pour en récupérer un semblant de maîtrise là même où l'on se sent dépossédé de toute prise sur lui ; façon aussi, peut-être, de reconstruire, en rendant l'autre pour ainsi dire présent, une cohérence dans la relation contradictoire entretenue avec lui dès lors qu'il est absent et présent à la fois, rejeté et recherché.

« Je l'avais prononcé enfin ce mot qui pesait sur ma langue depuis des jours. Votre femme » : c'est la parole qui inaugure ce jeu avec l'autre, et cette parole éminemment symbolique qu'est la prononciation du nom. « Je ne comprenais pas comment j'avais pu enfin prononcer ce nom. J'avais prononcé tout haut le nom de Rebecca. C'était un extraordinaire soulagement. J'avais l'impression de m'être purgée d'une souffrance intolérable. Rebecca. J'avais dit cela tout haut » : élément capital de toute épreuve identitaire, le nom est le premier instrument d'une prise à distance sur autrui, comme l'indiquent *a contrario* les interdits dont sa prononciation fait l'objet, de la tradition judaïque aux rituels de sorcellerie[5]. De l'interdit à sa transgression par la nomination : en extériorisant cette part de l'autre qu'est son nom, la narratrice se libère d'une partie de cette charge, de cette présence intériorisée qui, dans le silence, pesait en elle.

La manipulation symbolique, le jeu avec l'apparition-disparition de ce qui fascine et menace à la fois, passe aussi par la destruction des objets qui, en l'absence de l'*autre*, en tiennent lieu, le re-présentent. Intervient alors à nouveau l'écriture, dont la trace est soumise au geste destructeur de l'arrachement

(«J'arrachai la page d'un seul coup, sans laisser de marge
déchirée. Le livre apparut net et blanc avec cette page en
moins. Un livre neuf») puis, comme si ce n'était pas suffisant,
de la combustion : «Maintenant encore, l'encre apparaissait
sur les fragments déchirés, épaisse et noire, l'écriture n'était
pas abolie. Je pris une boîte d'allumettes et y mis le feu [...]. La
lettre R fut la dernière à disparaître, elle ondula un instant,
plus grande que jamais, puis elle se recroquevilla aussi ; la
flamme l'avala. Ce n'était même plus des cendres, c'était une
impondérable poussière... J'allai me laver les mains. Je me sentais mieux, bien mieux. J'avais ce sentiment de nouveauté, de
netteté qui accompagne généralement le calendrier neuf accro-
ché au mur au début de l'année.» Se délivrer du pouvoir sur
soi exercé à distance par autrui en détruisant un objet lui
ayant appartenu : c'est là une relation magique au monde,
seule ressource disponible pour, sinon résoudre, du moins supporter une situation de crise lorsque le réel n'offre pas les
moyens de l'affronter.

Mais de quoi relève ce pouvoir que l'*autre* exerce à distance
sur la narratrice ? Il relève — autre thème magique — de la
possession. Sous une forme atténuée et considérée comme normale, il peut ne s'agir que de cette projection de soi sur autrui
qu'est l'identification : celle que pratiquent par exemple les
petites filles vis-à-vis de leur mère, et dont la littérature psychologique et psychanalytique a fourni l'analyse. Sous une
forme déjà plus pathogène, mais néanmoins fort répandue, il
pourrait s'agir de cet investissement de soi par autrui dont
sont victimes les êtres qu'un plus puissant identifie à lui, s'emparant de ce qu'ils sont pour en faire ce qu'il veut qu'ils soient
ou, pire, ce qu'il veut être : c'est la prise de possession des
parents sur leurs enfants, et en particulier des mères sur leurs
filles, qui alimente la reproduction familiale des malheurs[6].
Mais la dissolution des frontières entre soi et autrui dont il est
question ici relève d'un stade aggravé, que la psychiatrie dési-
gnerait comme pathologique, et le sens commun comme irrationnel. Car à ce stade critique mis en scène par le récit,
l'identification à l'autre ne constitue plus une ressource dans le
travail de construction identitaire, comme pour les enfants, ni
un exercice ou un jeu, comme pour les acteurs dont c'est justement le métier : elle bascule dans la déconstruction, la dépos-

session de son identité qu'entraîne la possession de soi par autrui. Adulte, donc théoriquement autonome et sujet à part entière, le possédé n'en agit pas moins comme s'il dépendait entièrement d'autrui. Son comportement en est le signe, qui paraît alors agi, compulsivement, par des sollicitations déconnectées de la réalité présente, car connectées aux liens secrets entretenus avec l'autre agissant dans l'absence.

C'est ce qui advient un jour à la narratrice, observée par son mari alors qu'elle pensait intensément à Rebecca : « Sais-tu que tu ne te ressemblais plus du tout, à l'instant ? Tu avais une tout autre expression. » Ne pas se ressembler, c'est là la formule type du désarroi identitaire, où le sujet découvre qu'il ressemble, soit à personne (et c'est la néantisation, l'identité en prise sur le vide), soit à quelqu'un d'autre (et c'est la possession, la prise par autrui). Ainsi la narratrice passe du sentiment de n'être rien au sentiment d'être l'ombre d'une autre : « Ce n'était pas moi qui parlais. Je n'étais pas là. Je suivais dans ma pensée un fantôme dont l'ombre venait enfin de s'incarner. Ses traits étaient flous, ses couleurs indistinctes, la forme de ses yeux et la qualité de ses cheveux restaient encore incertaines, encore à définir. Elle avait la beauté qui dure et un sourire qu'on n'oublie pas. Sa voix continuait à flotter quelque part et le souvenir de ses paroles. Il y avait des lieux qu'elle avait visités et des choses qu'elle avait touchées. Peut-être des placards contenaient-ils encore des vêtements qu'elle avait portés, retenant son parfum. » Dès ce moment il est clair qu'elle se sent hantée, habitée comme par un fantôme, c'est-à-dire par un être à la fois absent et présent : « Vous croyez que les morts reviennent et regardent les vivants ? »

Cette possession par la toute-présence de l'*autre* commence sous la forme enchantée d'une fascination quasi amoureuse : « C'était comme si quelqu'un m'eût attendue là dans le petit jardin où poussaient les orties, quelqu'un qui guettait, l'oreille tendue. » Mais elle va prendre peu à peu l'aspect cauchemardesque de la dépossession de soi, la plongée dans l'horreur : « J'étais pleine d'une horreur croissante qui confinait au désespoir. » Alors l'univers entier semble pénétré, habité par cet être absent dont la présence en soi interdit la présence à soi-même : « Peut-être que je la hantais ainsi qu'elle me hantait ; elle regardait du haut de la galerie [...], elle était assise à côté de moi quand je faisais mon courrier à son bureau. Cet imperméable que j'avais porté, ce mouchoir dont je m'étais servie, ils étaient à elle. Peut-être m'avait-elle vue les prendre. Jasper avait été son chien et courait maintenant sur mes talons. Les roses étaient à elle et je les cueillais. M'en voulait-elle et me craignait-elle, comme je lui en voulais?» L'autre est partout, l'autre est comme vivante, de sorte que la vie semble passer de son côté alors même qu'elle est morte («C'était une charmante créature. Si vivante!» se souvient quelqu'un qui l'a connue) — tandis qu'à l'inverse l'existence et l'avenir de celle qui subit son emprise paraissent frappés d'irréalité, conjugués au conditionnel: «J'écrirais des lettres [...], je marcherais dans cette allée [...]. Nous vieillirions ici ensemble, nous prendrions notre thé comme des vieux, Maxim et moi...» Pourtant l'*autre*, absente et présente à la fois, est bien morte: et puissante, elle emprunte aux morts ce qui fait leur puissance, à savoir leur indestructibilité. Car Rebecca, qui ne vieillira pas, est à l'abri de toute vulnérabilité, d'autant plus forte qu'elle est morte, d'autant plus vivante qu'elle est en réalité absente et, en imagination, présente: «J'aurais pu lutter contre une vivante, non contre une morte [...]. Mais Rebecca ne vieillirait jamais. Rebecca serait toujours la même. Et je ne pouvais pas la combattre. Elle était plus forte que moi.»

De l'action symbolique sur l'autre à la possession par autrui: ce sont là deux formes, active et passive, de la manipulation, où le sujet est alternativement manipulant et manipulé. Dans l'un et l'autre cas il y a tentative de déplacement: déplacement de l'*autre* par la destruction des objets qui le représentent, ou déplacement du sujet qui se laisse comme absorber dans l'orbite de l'*autre*. Mais le déplacement n'est pas pour autant une résolution: que ce jeu avec la présence et l'absence bascule dans le délire ou dans le recours à la magie, ou bien qu'il s'en tienne à une secrète obsession susceptible de se résorber d'elle-même avec le temps, le problème n'en restera pas moins non résolu, mais seulement remué, remâché ou — justement — déplacé. Apparaît alors, dans ce régime de l'action à distance, une troisième forme de déplacement: la médiation.

À l'opposé de la possession, où l'une et l'autre tendaient à la limite à ne plus faire qu'*une* — celle-ci fût-elle devenue «une autre», c'est-à-dire aliénée —, la médiation est un processus non de réduction mais de multiplication des actants : entre un sujet et un objet vient se glisser un tiers, par lequel transitent les affects. C'est par exemple le rôle du désorceleur, entre ensorcelé et sorcier, dans la triangulation des sorts étudiée par Jeanne Favret-Saada ; c'est également le rôle du médiateur, entre sujet aimant et objet aimé, dans la triangulation du désir analysée par René Girard. Et c'est dans le roman le rôle dévolu à Mrs Danvers, l'ancienne gouvernante de Rebecca : « Quelqu'un se détacha de cette mer humaine, une personne grande et maigre, vêtue de noir mat, et dont les pommettes saillantes et les grands yeux creux lui faisaient une tête de mort d'un blanc de parchemin. Elle vint à moi et je lui tendis la main, je sentis la sienne molle et lourde, d'un froid mortel, posée sur mes doigts comme un objet inanimé. » Cette morbide gouvernante adorait sa maîtresse, dont elle continue, telle une gardienne des morts, à maintenir vivant le souvenir magnifié : « Vous n'auriez jamais cru qu'elle était si grande, hein ? dit-elle. Les mules sont pour un tout petit pied. Et elle était si mince, aussi. On ne se rendait pas compte qu'elle était si grande, tant qu'on n'était pas à côté d'elle. Elle était exactement de ma taille. » Si Mrs Danvers est la représentante sur terre de son ancienne maîtresse (« C'était son triomphe, son triomphe et celui de Rebecca »), c'est donc de deux façons inverses et symétriques : en tant qu'elle en garantit la survie ici-bas par le souvenir — elle qui « connaissait la couleur de ses yeux, son sourire, la qualité de ses cheveux » ; et en tant qu'elle semble s'apparenter, bien que vivante, au royaume des morts habité par la première, dont elle devient comme le double inférieur, le spectre : « Une silhouette noire m'attendait en haut de l'escalier, et les yeux cernés me regardaient intensément du fond de la tête de mort. »

Cet être à la limite de l'humanité appartient bien pourtant au monde des vivants (qu'elle sera, significativement, la seule à quitter à la fin du roman), dont elle a la vulnérabilité : « Je me disais que c'était une femme vivante comme moi, elle respirait, elle était faite de chair et de sang, elle n'était pas morte comme Rebecca. Je pouvais lui parler, si je ne pouvais parler à Rebecca. » Intermédiaire entre la mort et la vie, la morte et la vivante, la première et la seconde, c'est par elle que peuvent passer, tel un « bon conducteur », les forces émises par sa maî-

tresse ou dirigées contre elle mais dont elle n'est que la déposi-
taire, étant dépourvue de toute puissance personnelle : « Elle
ne me faisait plus peur. Elle avait perdu son pouvoir en même
temps que Rebecca. »

Remarquons enfin que la médiation haineuse opérée par la
gouvernante, entre la seconde et la première épouse, semble
trouver son symétrique dans la médiation amoureuse opérée
par l'époux entre la seconde et son père mort. Cette relation
n'est toutefois qu'allusivement évoquée, lorsque la narratrice
note que son mari « comprenait quelque chose de la vibrante
personnalité de mon père et aussi de l'amour que ma mère
lui portait ». Mais il est fort compréhensible que dans cette
double triangulation, féminine et masculine, celle qui noue le
lien amoureux entre la narratrice et son époux soit infiniment
moins sollicitée par la narration que celle qui noue le lien haineux entre seconde et première, tant cette dernière est bien
l'objet véritable du roman. Reste que pour la narratrice le
mari, quoique trop absent à son goût, semble bien tenir lieu de
père, dont il a l'âge, tandis que la gouvernante tient lieu de
Rebecca — dont nous commençons dès lors à deviner de qui
celle-ci tient lieu. Ainsi la jeune épousée se trouve-t-elle à l'extrémité commune de deux chaînes dont chacune conduit à un
être défunt : un mort, douloureusement absent ; une morte —
mais beaucoup trop présente.

La fuite : suicide, folie, fiction

Pas plus toutefois que le déplacement des objets par la manipulation, ou des sujets par la possession, ce déplacement des
affects par la médiation ne résout quoi que ce soit de la situation en laquelle est prise l'intéressée dès lors qu'elle ne parvient
pas à se résigner, à accepter cette impossibilité d'occuper la
place qui aurait dû être la sienne si elle n'avait été celle de
l'*autre* : au contraire même, cette médiation ne fait que renfor-
cer le dispositif d'emprise objectivé en une tierce personne.
Reste, une fois épuisées les faibles ressources de l'acceptation
et du déplacement, une troisième voie pour échapper à la
crise, et c'est la médiatrice elle-même qui la lui indiquera :
« Pourquoi ne partez-vous pas ? dit-elle. Personne n'a besoin

de vous ici. [...] C'est vous qui devriez être couchée dans la crypte de l'église, pas elle. C'est vous qui devriez être morte, pas Mme de Winter. [...] Regardez, c'est facile, n'est-ce pas? Pourquoi ne sautez-vous pas?»

Cette fuite à laquelle l'encourage finalement la gouvernante n'est pas une simple fugue, telle que, dans des circonstances analogues, l'avait pratiquée, nous le verrons, Jane Eyre : il s'agit de cette fuite beaucoup plus radicale qu'est la destruction de soi-même, par le suicide. Celui-ci prend la place d'une autre forme de fuite, que frôle à plusieurs reprises la narratrice : à savoir la folie. Car c'est cette fuite hors du réel par le basculement dans la folie qui guette, à la limite de la dépression, les morts vivants résignés au silence (acceptation); tout comme ceux qui, à la limite de l'obsession, s'en remettent aux rituels et aux fétiches (déplacement par la manipulation); ceux encore qui, à la limite de la schizophrénie, sont en proie aux fantômes (déplacement par la possession); ceux enfin qui, à la limite de l'érotomanie ou de la paranoïa, poursuivent désespérément de leur amour ou de leur haine un objet qui n'y est pour rien, simple médiateur d'affects destinés à un autre (déplacement par la médiation). Dépression, obsession, schizophrénie, paranoïa : ce sont les principales figures de la maladie mentale qu'approche tour à tour — sans totalement y succomber — l'héroïne du roman, dans son expérimentation de cette particulière crise d'identité qu'est le «complexe de la seconde[7]».

En l'absence de véritable *solution*, la tentation du suicide représente au moins l'espoir de cette *résolution* par la fuite qu'est la *dissolution* de soi dans le néant. C'est le moment clé du roman, le pivot que forme cette scène charnière du costume où la narratrice s'aperçoit, désespérée, qu'elle a revêtu sans le savoir le déguisement qui fut naguère celui de sa rivale défunte, et se voit pour cela chassée du bal par son mari. La voilà donc sur le point de céder à la tentation, de sauter par la fenêtre de la chambre de Rebecca où elle s'est réfugiée : «"Allez-y, chuchota Mrs Danvers. Allez, n'ayez pas peur." Il n'y avait plus rien alentour que ce nuage blanc qui sentait les algues, humide et froid. Je fermai les yeux...»

Et c'est alors — coup de théâtre — que retentit un coup de feu; et qu'on sort du réel — où la crise sans solution ne pouvait se gérer que par un constant bricolage, un essayage panique des voies de contournement, des modes de détournement — pour entrer dans le fantasme, ultime recours de ceux auxquels le réel n'offre pas de ressources. C'est là qu'on sort d'un réel de fiction (le roman) pour entrer dans un fantasme de fiction (la romance) : autrement dit une fiction au carré, une fiction dans la fiction, qui va donner à l'imaginaire ses pleins pouvoirs — fictionnels — dans la résolution — fictive — des tensions engendrées par la conjonction d'une présence symbolique et d'une absence réelle.

Le recours au fantasme : révélation, aveu, renversement

Du roman du réel au roman du fantasme, du *novel* au *romance* : c'est là que l'auteur a recours, non seulement à la fiction — cet imaginaire construit à l'usage d'autrui — mais à l'auto-illusion telle que la propose toute fiction dès lors qu'elle met en scène non plus la réalité telle qu'elle est vécue, mais la réalité telle qu'elle est désirée par le sujet, autrement dit fantasmée. Et c'est ce basculement à l'intérieur même du roman, dans un «roman dans le roman», qui permet de sortir de la crise — de même que dans *Raison et sentiments* de Jane Austen ou que, nous le verrons, dans *Jane Eyre* de Charlotte Brontë. Dès lors en effet qu'ont été successivement expérimentées par la narratrice l'impossibilité d'une solution et la difficulté d'un contournement ou d'un détournement de cette crise, c'est l'auteur qui va faire usage de son droit littéraire à cet ultime recours qu'est le retournement de situation : par ces «retournements», justement, ces «coups de théâtre» qu'autorisent dans la pure fiction les procédés du romanesque [8]. Ils se succèdent dans la dernière partie du roman, qui est la plus mouvementée du point de vue narratif, en même temps — et ce n'est pas un hasard — que la plus faible du point de vue littéraire, dans le roman comme dans le film. Ils vont prendre la forme d'une série de révélations (romanesques), suivies d'un sacrifice (tragique). La première révélation s'annonce à l'instant où retentit la détonation qui arrête la narratrice alors que, sous l'insidieuse pression de la gouvernante, elle était sur le point de sauter par la fenêtre. « "Qu'est-ce que c'est? dis-je sans comprendre. Qu'est-ce qui se passe?" Mrs Danvers lâcha mon bras. Elle regarda par la fenêtre à travers le brouillard. "Ce sont des signaux, dit-elle. Il doit y avoir un bateau échoué dans la baie." »

Il doit y avoir un bateau échoué dans la baie — un secret caché au fond de l'eau — dont l'exhumation va désormais se faire, sous nos yeux, par étapes : « Ce n'était pas le navire naufragé qui était sinistre, ni le cri des mouettes. C'était le calme de l'eau sombre et les choses inconnues qui s'y cachent. » Avec ce « retournement » de l'action, homologue du « retournement » du roman dans le mode romanesque, le désarroi secret de la narratrice en proie au combat intérieur va s'objectiver en un secret ouvert à tous, et que tous vont pouvoir percer, la libérant du poids de cette présence absente qui, depuis son arrivée, la hantait en silence. Car il existe — elle va le découvrir en même temps que les autres protagonistes, en même temps que le lecteur — il existe quelque part un secret : un secret inquiétant (« et quelque chose cependant, tout au fond de moi, désirait ne pas savoir, désirait ne pas entendre ») et qui pourtant va tout expliquer. Il y a, en d'autres termes, une clé, qui permet de donner, dans le roman, une chute à l'intrigue, tout en donnant une fin, dans le fantasme, à ce qui, dans le réel, n'en pouvait pas trouver.

Ce thème du secret éclaire d'un autre jour — ou d'une autre ombre — la relation à Rebecca, marquée depuis le début non seulement par l'ignorance (« Je ne savais rien de cette année précédente, aucun détail de la tragédie qui s'était déroulée ici dans la baie ») mais, pis, par le sentiment d'exclusion, la sensation diffuse qu'on lui cache quelque chose : « Je glanais parfois des bribes d'informations, qui venaient s'ajouter à ma provision secrète. Un mot prononcé par hasard, une question, une phrase en passant. Et si Maxim n'était pas là, cette phrase me faisait une espèce de plaisir clandestin, me donnait l'impression d'une science coupable acquise en cachette. » Ignorance, exclusion, enfermement dans le silence : comment ne pas reconnaître, dans le malheur de cette seconde épouse, l'isolement de l'enfant tenu dans le secret des secrets des adultes? Et comment ne pas reconnaître, dans la puissance de Rebecca en qui se cristallise le lieu même du secret — Rebecca la première,

Rebecca la défunte, Rebecca l'Épouse par excellence —, une figure de la Mère, incarnant le corps en même temps que la clé du secret?

« Je connaissais tous les doutes et les tourments de l'enfant à qui l'on a dit: "On ne parle pas de ces choses, c'est défendu." » Certes la force du secret, sa capacité à recomposer les liens en fonction de lui, ne tient guère à son contenu, forcément faible et déceptif: c'est là, avec le basculement dans le romanesque dont il vient d'être question, une autre raison du caractère décevant de cette dernière partie du roman. Car la force de tout secret réside avant tout dans le fait même qu'il y ait secret: dans l'angoisse et l'humiliation d'en être exclu et, corrélativement, dans le désir passionné d'y être, d'« en être » — d'être, comme on dit, *dans* le secret. Ce secret, la petite fille curieuse va donc vouloir le percer, non tant par curiosité que parce qu'il y va de rien moins que sa propre place dans le monde: dehors, ou dedans. Alors: qu'est-il advenu de l'autre femme? Qui était la première? Quel est son secret?

« Quand tu étais une petite fille, est-ce qu'on ne t'a jamais défendu de lire certains livres, et est-ce que ton père n'enfermait pas ces livres-là à clef? [...] Un mari n'est pas si différent d'un père, après tout. Il y a certaines espèces de connaissance que je préfère ne pas te voir acquérir. Il vaut mieux les enfermer à clef», lui explique, prévenant, son mari. La voilà donc devenue grâce au mariage la femme de Barbe-Bleue, incapable de résister à la tentation de « pénétrer sur un terrain défendu» et d'y aller voir, derrière la porte: « Il y avait une porte à l'autre bout de la pièce, j'allai l'ouvrir, un peu craintive à présent, un peu effrayée, car j'avais l'impression étrange et désagréable que j'allais peut-être tomber à l'improviste sur quelque chose que j'aurais préféré ne pas voir. Quelque chose qui pourrait me faire du mal, quelque chose d'horrible. C'était stupide, évidemment, et j'ouvris la porte.»

Le « secret derrière la porte»: c'est là un thème classique de l'imaginaire féminin dans la littérature romanesque. Déjà central dans *Jane Eyre*, on le retrouve dans *La Chambre du haut* de Mildred Davis (1950), qui a également pour thème la rivalité féminine mais, cette fois, entre sœurs, articulée autour d'une figure de femme à la fois menaçante et inexistante, belle et défigurée, dont la présence absente est maintenue cachée en haut de la maison. *Le Secret derrière la porte*, c'est le titre également d'un célèbre film de Fritz Lang (1948, avec Joan Bennett et Michael Redgrave) où se retrouvent, avec une troublante similitude, les figures essentielles de *Rebecca* : une femme apprend que l'homme qu'elle vient d'épouser est veuf, donc qu'elle n'est pas la première. Le passé de son époux se charge alors d'un mystère que réactivent ses brusques et incompréhensibles accès d'indifférence ou de répulsion. Au moment où elle découvre enfin, derrière l'une des sept portes dont l'accès lui était interdit, le secret monstrueux qui provoqua la mort de la première et faillit entraîner la sienne, la maison est mise à feu par une troisième femme, personnage jusqu'alors secondaire : une secrétaire dont la particularité était de dissimuler sous un foulard la cicatrice d'une blessure — blessure imaginaire, dont l'héroïne vient de percer le secret, autrement dit l'absence puisqu'il s'agit bien de cette quintessence du secret qu'est le secret sans objet. Médiatrice de la morte, personnification de son secret, cette troisième femme endossera alors, *in extremis* et au milieu des flammes, le rôle ingrat de la monstresse — exactement comme dans *Rebecca*. Plus récent, *Fedora* de Billy Wilder (1978, avec Marthe Keller et Mel Ferrer) met également en scène deux femmes (première et seconde), le secret, le foulard sur la joue, la blessure, et ce monstre (sacré) qu'est la star : mère et fille cette fois, explicitement, prises dans la médiation d'une troisième femme (la gouvernante) qui endosse, en même temps que la monstruosité, la charge d'amener par son suicide le dénouement. Ce sont là autant d'histoires de «monstresses», des monstresses d'autant plus terribles qu'elles ne sont pas celles qu'on voit, ou qu'elles sont ce dont on ne voit que le spectre.

Le secret de *Rebecca* — autour de quoi vont basculer et le roman, et le destin de la narratrice, qui dès lors pourra endosser le rôle de l'héroïne — ce secret émerge lentement, telle une longue remontée à la surface des eaux, par affleurements successifs : c'est d'abord son bateau, retrouvé au fond de la mer à la faveur d'un naufrage ; puis son corps, qu'on découvre dans la cabine alors qu'on la croyait noyée au large ; enfin le loquet de la porte, fermée de l'extérieur. Max de Winter est un moment suspecté, mais l'enquête conclut à une fausse manœuvre et à un accident : fin du roman policier. Alors éclate —

mais seulement pour l'héroïne, et le lecteur — la vérité. C'est le moment de l'aveu : « Il n'y a pas eu d'accident. Rebecca ne s'est pas noyée. Je l'ai tuée. J'ai tué Rebecca. » Révélation, retournement — et l'univers entier se renverse autour de l'aveu : il ne l'aimait pas, l'*autre*. Pis, ou plutôt mieux, beaucoup mieux : il la haïssait, au point de vouloir sa mort. « Tu crois que j'aimais Rebecca ? Tu crois que je l'ai tuée par amour ? Je la haïssais, je te dis. Notre mariage fut une comédie, dès le début. »

La plupart des femmes, remarquait finement Rousseau, ne demandent pas tant à être aimées qu'à être préférées... Voilà donc notre héroïne enfin satisfaite, d'apprendre qu'elle est *vraiment* aimée, puisqu'elle est préférée, puisque l'*autre* fut détestée. Et voilà l'*autre* vraiment morte, cette fois, tuée par l'aveu de l'homme qui seul pouvait l'achever, définitivement : enterrée dans le passé, évanouie avec l'horreur. Exit donc la première, et du même coup la seconde — puisqu'il n'y a plus de seconde dès lors qu'elle est passée au premier plan, au premier rang. Il n'y a plus qu'*une* aimée — il n'y a plus que *l'*aimée : « "Je t'aime tellement, murmura-t-il, tellement..." C'est ce que je rêvais chaque jour, chaque nuit, de lui entendre dire, et il le disait enfin. » Ainsi l'aveu de l'homme signe, en même temps que le meurtre de l'*autre*, l'avènement de l'*une*, enfin unique, à l'état de *femme*, enfin femme ; femme, et mère bien sûr, mère en puissance : « Et puis, nous aurons des enfants. »

Après la révélation du secret de la mort de l'autre femme (c'est lui qui l'a tuée), et le retournement de situation par l'aveu (il la haïssait), vient tout naturellement le renversement inespéré des rôles, l'inversion systématique des valeurs : non seulement l'*autre* n'est plus, mais elle n'a jamais été ce qu'elle était puisqu'elle en était même tout le contraire. À mesure que se dénoue l'intrigue se constitue peu à peu la « bonne forme » : Rebecca la parfaite devient Rebecca l'abjecte, le bien se renverse en mal, le « qui est la première ? » — à qui revient la première place ? — peut se muer en « qui a commencé ? » — qui donc a commencé à faire ce qu'il ne faut pas faire, à être ce qu'il ne faut pas être ? Qui donc a prétendu qu'elle était la première ? « Le puzzle se reconstituait morceau par morceau et la véritable Rebecca prenait forme » : celle qui avait occupé un temps la place de la première n'était qu'une vulgaire séductrice

(« Elle avait un don étonnant pour s'attirer la sympathie des gens ») ; une femme sans cœur (« Elle était méchante, vicieuse, pourrie jusqu'à l'âme. Nous ne nous sommes jamais aimés, nous n'avons jamais eu un instant de bonheur l'un par l'autre. Rebecca était incapable d'amour, de tendresse, de pudeur. Elle n'était même pas normale ») ; une allumeuse (« Nous étions tous jaloux, tous fous d'elle ») ; une débauchée (« Elle se mit à faire venir ses amis ici [...]. Elle organisait des pique-niques dans sa maisonnette de la crique ») ; un démon (« Ce n'est pas très sain, tu sais, de vivre avec le diable »), ou encore un serpent : « Grande et noire elle était, dit-il, comme un serpent » — et dans un rêve que fait Max, « il tenait les cheveux dans ses mains et, tout en les brossant, les roulait pour en faire une épaisse et longue corde. Elle s'enroula comme un serpent et il la prit à deux mains et, tout en souriant à Rebecca, la mit autour de son cou ». Remarquons ici l'étonnante similitude entre cette « vraie » Rebecca maléfique et la figure archaïque de Lilith, ce « démon femelle » qu'« on se représentait comme ayant une longue chevelure », selon le Talmud : Lilith qui fut elle aussi la première femme, c'est-à-dire la première épouse d'Adam, que celui-ci demanda à Dieu d'éliminer pour la remplacer par Ève. Esprit nocturne, elle figure dans les mythologies orientales le mauvais ange de la luxure. Lilith est aussi le nom donné par les astrologues à la lune noire, associée à la fois à l'activité sexuelle libertine et à l'activité spirituelle maléfique, telle la magie noire.

Elle n'était donc pas même une femme, celle qui jusque-là incarnait *la* femme par excellence : ce n'était qu'un être androgyne (« Elle avait l'air d'un garçon dans son costume de matelot, un garçon avec un visage d'ange de Botticelli », se souvient Max — et ce fut alors qu'il la tua), mortellement atteint, au lieu le plus secret de la féminité, par un cancer de l'utérus. Et comme si cela ne suffisait pas, elle était incapable d'être mère, selon le médecin que va interroger le couple pour en avoir, comme on dit, le cœur net : « La radio accusait une certaine déformation de l'utérus, je me rappelle, qui la rendait incapable d'avoir un enfant ; mais c'était autre chose, ça n'avait rien à faire avec la maladie. » Remarquons que cette dernière révélation du médecin n'a pas de fonction narrative, n'ayant en effet « rien à faire » avec l'intrigue : contrairement à la révé-

lation de la maladie, qui permet de conclure à un suicide
déguisé (Rebecca ayant provoqué son mari en sorte qu'il
la tue, ce qui renforce sa perversité en même temps que
l'innocence de Max), le motif de la stérilité est purement
psychologique, comme un règlement de comptes échappé à la
romancière pour mieux proclamer que l'autre n'était pas, ne
pouvait être vraiment femme, puisque si même elle n'avait pas
été mortellement punie, par le cancer, là même où elle avait
péché — par excès de féminité — elle n'aurait jamais pu, de
toute façon, être mère.

Le sacrifice

L'histoire aurait pu se terminer là, dans la « romance »
enchantée en laquelle se résout, dans l'ordre du fantasme, une
crise que son maintien dans l'ordre du réel condamnait à
demeurer sans autre solution qu'un bricolage sans espoir entre
de vaines échappatoires. Grâce au renversement des positions,
la seconde aurait accédé enfin à la nouvelle identité promise
par le mariage : « C'était comme si j'étais entrée dans une nouvelle phase de ma vie où plus rien ne serait plus tout à fait
comme avant. La jeune femme qui, la veille au soir, se costu-
mait pour le bal, avait disparu. Tout cela s'était passé il y avait
très longtemps. Le moi assis sur le rebord de la fenêtre était
un être nouveau, différent. » Prenant la place de la première,
elle serait devenue l'épouse enfin reconnue de Maximilien de
Winter, la vraie maîtresse de Manderley, qu'elle aurait su diri-
ger avec autorité : « Je n'aurais jamais cru que c'était si facile
de se montrer sévère. » Ainsi aurait-elle été délivrée du poids
de cette identité qu'enfin elle ne serait plus seule à assumer,
qu'elle pourrait partager, passant du « je » de la célibataire au
« nous » de l'épousée et, pour finir, de la mère : « Je ne serais
plus jamais une enfant. Cela ne serait plus je, je, je, ce serait
nous. Nous serions ensemble. » Il en serait allé comme dans
les contes de fées, qui se partagent avec le roman la prise en
charge fictionnelle des crises de l'identité féminine : « Ils se
marièrent, furent heureux, et eurent beaucoup d'enfants... »
Mais dans le balancement entre ces deux mises en fiction
opposées de l'imaginaire que sont l'enchantement romanesque

du conte, qui fait les dénouements heureux, et le désenchantement tragique du mythe, qui fait les nœuds dont on ne sort pas
sans trancher, le roman va basculer *in extremis* du côté de ce
dernier, en plongeant dans une ultime et sombre tragédie
ce qui, dans une fiction « à l'eau de rose », aurait fort bien pu
en rester au drame-qui-finit-bien. Du tragique, nul ne sort
indemne : quelque chose forcément y meurt, et non de sa belle
mort mais bien d'un acte de violence. Ce quelque chose qui
périt, ce peut être simplement un certain état d'innocence,
celui qui fait le *prix* de la féminité, au double sens de ce qui
donne à celle-ci sa valeur, et de ce qu'il faut pourtant sacrifier
pour y avoir accès. C'est ce que remarque Max : « Il est parti
pour toujours, ce drôle d'air jeune et vague que j'aimais. Il ne
reviendra jamais. J'ai tué cela aussi, en te parlant de Rebecca.
Il est parti en vingt-quatre heures. Tu es tellement plus mûre. »
Et ce peut être aussi, plus matériellement, l'incarnation de la
puissance masculine, elle aussi sacrifiée comme le prix à payer
pour que l'être asexué ait « réellement » accès à son identité de
femme, la jeune fille au statut d'épouse et la seconde, enfin, à
la place de la première. Ce sera le magnifique château de Manderley dont l'image enchantait la narratrice du temps où elle
était encore petite fille, réduit en cendres *in fine* par la folie
jalouse de la gouvernante, ultime incarnation sur terre de
l'idole déchue, de l'horrible déesse. C'est qu'il faut payer le prix
— par le feu, par l'exil, par l'errance — pour survivre à la destruction de ce qui a été sacrifié, et qui ne hante plus les vivants
qu'à l'état de souvenir : la jeune Mme de Winter et son mari
vieillissant réfugiés d'hôtel en hôtel, exilés volontaires hors du
« monde », c'est aussi bien Antigone guidant Œdipe après la
chute, c'est Jane Eyre et son époux aveugle retirés loin de tout,
expiant la mort de la première — cette mort qui a permis à la
seconde de devenir l'épouse, de devenir une femme, enfin [9].
Perte de l'innocence féminine dans la victoire sur la première, perte de la puissance masculine consumée avec le château : la fin tragique passe d'un double sacrifice à l'exil dans
l'errance — et, pourquoi pas, l'« eyrance ». Car tout incite à
voir dans *Rebecca* un moderne *Jane Eyre* : l'homme mûr qui
pourrait être le père, la première femme à laquelle malgré lui
il appartient encore, l'inquiétante gouvernante, le secret et
l'aveu, la lutte à mort, l'abjection, l'incendie, l'amputation de

l'homme rendu à l'état de mari (et dans le film de Robert Stevenson en 1944, l'héroïne était interprétée, comme dans *Rebecca*, par Joan Fontaine). Mais il serait trop simple de faire de Daphné Du Maurier une simple imitatrice, même inconsciente, de Charlotte Brontë : ce serait mettre au compte d'un jeu calculé entre l'invention personnelle d'un auteur original et l'inauthenticité d'un plagiaire ce qui ressortit à un imaginaire commun, aussi fondamental que l'est un schème mythologique — ce dont témoignent le nombre et le succès des réitérations du thème dans le cinéma et la littérature, témoignant de son extraordinaire et troublante persistance dans l'imaginaire.

Une histoire qui n'en finit pas

De cette longue série, *Jane Eyre* est l'un des tout premiers exemples, et des plus remarquables dans sa façon de représenter l'empêchement à occuper la place de la première. Près d'un siècle avant Daphné Du Maurier, Charlotte Brontë centre la narration sur un moment antérieur à celui du mariage : l'héroïne ne se heurte plus, comme dans *Rebecca*, aux obstacles purement intérieurs à l'occupation par la seconde épouse de la place de la première — cette dimension psychique plus qu'événementielle faisant l'exemplarité de ce dernier — mais à un obstacle extérieur, qui empêche le mariage. Comme dans *Rebecca*, les fiançailles de la jeune gouvernante avec le châtelain sont le moment heureux où s'entrevoit l'état de première sans que s'y manifeste encore la menace qui confusément y rôde ; et le mariage devra se faire, si l'on peut dire, sans cérémonie, sans apparat, quasi clandestinement, puisque c'est le lot des épouses secondaires, dont le rang ne justifie pas le tintouin des grandes orgues familiales. Mais contrairement à *Rebecca*, ce mariage ne se réalisera pas, l'«acte» ne sera pas signé, car au dernier moment s'interpose la loi, en la personne d'un — justement — «homme de loi», qui révèle l'existence d'une première épouse, vivante : une folle que l'on garde enfermée dans une chambre du haut, et dont la mystérieuse présence avait alerté la jeune gouvernante à son arrivée au château. Dès lors l'obstacle de la première n'est plus seulement dans la tête de la fille à marier, mais s'incarne en un être vivant (au grand dam du mari, qui se préférerait veuf) et bien réel, mais relégué dans l'ombre par l'état de folie — folie qui semble l'image du dérapage mental qui guette toute seconde en proie à l'obsession de la première... En ce point divergent les deux romans puisque non seulement le mariage ne se fait pas, mais qu'en outre la comparaison entre les deux femmes est d'emblée au bénéfice de la seconde, que l'homme préférerait à la première même si celle-ci n'était pas folle. Cette folie de la première maléfique est une défaillance presque contingente, qui n'appartient pas en propre à son état mais justifie son invisibilité, grâce à quoi la seconde a pu croire un moment qu'elle pourrait se glisser à cette place si enviable : de sorte que dans *Jane Eyre* la découverte de la présence maléfique de la première se confond avec la révélation de son indésirabilité, tandis que dans *Rebecca* c'est le lent affleurement de cette présence, et le difficile effondrement de sa puissance, qui font l'intrigue du roman.

Mais la loi est la loi, et l'Évangile est l'Évangile, et la première est la première... Et la seconde n'est plus rien. Elle n'a plus de place, plus même d'état. Elle s'évanouit donc, faute d'une place à occuper dans le monde, faute d'une identité. Car que faire d'un corps sans état, d'une personne sans attaches, d'un être entre deux noms, d'une femme détachée de tout lien ? Ayant été brutalement exclue de l'état de première puisqu'elle ne pourra être la femme de Rochester, et ne pouvant accepter de régresser vers la tierce, puisqu'elle ne peut rester la gouvernante après avoir été la fiancée, elle a comme seule alternative de s'offrir, ou de partir. Soit en effet, comme l'y invite son ex-patron et ex-futur mari, elle s'installera dans l'état de seconde en occupant la place de la concubine, reléguée au rang de ces courtisanes qu'il a auparavant connues, ces maîtresses statutaires, ces secondes de profession : mais ce serait au mépris de l'Évangile, c'est-à-dire de sa réputation, cet unique capital des femmes sans ressources, et au mépris surtout de son aspiration à l'état de première en laquelle elle a pu se reconnaître tout entière. Soit... elle disparaîtra, faute — ni première, ni seconde, ni tierce — d'un état en lequel paraître. S'enfuyant dans la nature, hors du monde habité et de tout état répertorié, elle se retrouve dépouillée de tout — de tout objet la rattachant au passé, de tout repère, de toute identité.

Ce moment marque le point de basculement entre les deux

régimes de fiction déjà repérés dans *Rebecca*: *novel* et *romance*, roman du réel, aux situations à peu près vraisemblables, et roman du fantasme, qui met en scène la résolution imaginaire, hautement improbable, de situations extrêmes. Rien en effet, dans cette première partie, n'était franchement invraisemblable: seule la première rencontre entre Jane Eyre et son maître, sur un chemin où il tombe de cheval devant elle, relevait de ces hasards heureux qui, lorsqu'ils adviennent, font dire qu'«on se croirait dans un roman». Par contre la seconde partie, qui commence avec le départ de l'héroïne, bascule dans un autre régime romanesque, où s'accumulent les coïncidences improbables, comme surdéterminées par l'acharnement de l'auteur à recourir à la fiction pour résoudre une impasse à laquelle le réel ne peut plus offrir de solution — cette néantisation de l'héroïne, en vacance d'un quelconque état à occuper. C'est pourquoi, à partir de là, tout advient par hasard. Errant en pays inconnu où elle a échoué *par hasard*, Jane Eyre, presque morte de faim, se réfugie auprès d'une maison isolée aperçue *par hasard*, occupée par deux charmantes sœurs — comme issues d'un roman de Jane Austen — et leur frère, lequel offrira à Jane Eyre une place d'institutrice de village, c'est-à-dire le retour à son état originel de tierce. Les deux sœurs feront de Jane Eyre leur amie tandis que le frère lui proposera de l'épouser: faute d'avoir pu devenir châtelaine elle finirait, plus modestement mais plus vraisemblablement, en épouse de pasteur de campagne. Mais voilà que cette petite famille de rêve va se révéler, *par hasard*, être une vraie famille, s'agissant de cousins lointains, et cette révélation coïncide avec le moment où, *par hasard*, on apprend la mort du riche oncle lointain qui avait fait de Jane Eyre sa seule héritière, de sorte que par cette heureuse conjonction de circonstances elle pourra se présenter à nouveau à son maître et ex-fiancé, mais dans un état bien plus digne que celui de simple gouvernante en lequel elle l'avait rencontré puis quitté: dotée d'une parenté de bon aloi, d'une maison et d'une petite fortune. La voilà rendue, par l'artifice de la plus fictive des fictions romanesques, à l'état qui convient à toute jeune fille: vierge bien dotée, en mesure d'aspirer à l'état de première... ou de seconde épouse, si elle choisit de se marier non avec son cousin mais avec son ancien maître. Car entre-temps il est devenu veuf, après l'incendie du château qui brûla entièrement, comme dans *Rebecca*, coûtant la vie à la première («une forte femme avec de longs cheveux noirs que l'on voyait se dessiner sur les flammes»), et coûtant sa vue à l'homme, devenu en partie impotent — tel l'époux vieilli de *Rebecca* après la destruction finale du fantôme de la première. Notre héroïne ne l'en épousera pas moins, «épousant» avec lui, en toute connaissance, son état de seconde épouse.

Un tel dénouement n'a pas, c'est le moins qu'on puisse dire, le mérite du vraisemblable : il aura fallu, pour en arriver à un simple mariage, l'accumulation des artifices romanesques qui sauvent l'héroïne du néant, et le *deus ex-machina* de l'incendie qui sauve le maître du lien honni avec la première épouse en faisant de lui un veuf, diminué certes, mais épousable — enfin — et, finalement, père légitime. Ainsi ils furent heureux et eurent, sans doute, beaucoup d'enfants... Mais malgré son invraisemblance eu égard au réel, ce dénouement imaginaire sauve, à un niveau plus profond, une vérité symbolique des états de femme : à savoir que la place de l'épouse est toujours déjà occupée, et qu'on n'y accède pas sans qu'une autre — la première — en meure.

C'est également ce qu'expérimente la Camille de Musset dans *On ne badine pas avec l'amour* (1834), réticente à son projet de mariage avec Pélican tant elle est persuadée que l'épouse d'un homme est toujours menacée d'être supplantée par une maîtresse. Sa propre histoire lui donne raison puisque, après avoir été sa première promise, elle l'amènera par sa froideur à se tourner vers Rosette, sa sœur de lait — seconde donc au double sens du terme, hiérarchique et temporel. Camille ne retrouvera Pélican qu'au prix de la mort de Rosette : tant il est vrai qu'il existe toujours avant toute promise une autre femme — Camille pour Rosette aussi bien que Rosette pour Camille — que doit supprimer la seconde pour accéder à la première place.

Le motif du «complexe de la seconde» connaît dans la littérature d'innombrables variations, chronologiques, contextuelles, narratives, structurelles. Ainsi la malfaisance de la première peut être vue non par la seconde mais par son propre mari, comme dans un court roman de George Eliot, *Le Voile soulevé* (1859), où un jeune homme pressent grâce à son don de clairvoyance que la pure jeune fille dont il est amoureux va se révéler être, lorsqu'il l'aura malgré tout épousée, une hor-

rible mégère, égoïste et sotte, qui cherchera à l'empoisonner —
et qui, comme Rebecca et comme la première Mme Rochester
dans *Jane Eyre*, est pourvue d'une inquiétante femme de chambre, avec qui elle partage un horrible secret. La force qui fera
se soulever le voile, la puissance qui active le fantasme c'est,
chez Eliot, le don surnaturel du poète anticipant l'avenir,
tandis que chez Du Maurier c'est l'accident révélateur replon-
geant dans le passé et, chez Brontë, la parole de la loi disant la
vérité du présent. Dévoilement, révélation ou explicitation ;
pressentiment, investigation ou publication ; surnaturel, accidentel ou juridique ; avenir, passé ou présent : autant de modalités par lesquelles peut s'inscrire dans la fiction un fantasme
de rétablissement des places que n'autorise pas le réel. Mais il
en faut payer le prix. Or le narrateur, de santé fragile, poète,
hypersensible, est le cadet d'un frère, préféré du père et qui fut
avant sa mort accidentelle le premier fiancé de Bertha : il est
donc lui-même en position de « second ». C'était également le
cas de l'auteur : à l'époque où Marian Evans écrivit ce récit
signé de son pseudonyme, elle était la concubine d'un homme
marié. Occupant la position de la seconde, sans doute rêvait-
elle que le voile se soulève sur la vraie valeur de l'heureuse
rivale, et que la première aimée bascule en ex-première haïe :
basculement fantasmé ici non dans sa propre position mais
dans celle de l'homme, qui tout en occupant la place du mari
est lui-même triplement « second », et par son rang dans la fra-
trie, et par sa position de prétendant, et par sa place dans le
cœur du père...

La femme qui arrive en second derrière une première aimée
peut être, nous l'avons vu, une première épouse menacée par
l'existence d'une précédente maîtresse : le complexe est alors
moins pur et moins violent, puisque l'épouse n'est seconde que
dans le temps et non pas dans le rang, tandis que la première
dans le temps est seconde dans le rang ; mais il n'en est pas
moins fauteur de trouble, du point de vue tant de l'épouse
menacée par une précédente que de la maîtresse remplacée par
une épouse. Ce dernier cas est le thème du *Bras flétri* de
Thomas Hardy (1888) dont l'héroïne, Rhoda, est une fille-
mère abandonnée qui voit le père de son fils revenir au pays
accompagné d'une jeune épouse, qu'elle se fait longuement
décrire par son fils : oui, l'autre est décidément si jeune, et si

belle, et si bonne. Une nuit, elle rêve que sa rivale cherche à l'étouffer de son poids, faisant briller son alliance comme pour se moquer d'elle ; elle finit par vaincre l'incube dans son sommeil, en empoignant violemment ce bras gauche. Peu après elle apprendra que la jeune femme ressent depuis cette nuit-là une douleur à ce bras qui, étrangement, porte des traces de doigts, et ne va cesser de la faire souffrir, et de se flétrir, au point que cette infirmité éloignera peu à peu son mari. L'ancienne maîtresse finira par quitter le pays avec son fils tandis que la jeune épouse ira, sur les conseils d'un guérisseur, toucher le cou d'un pendu dans la cour de la prison, seul moyen de guérir ce mal mystérieux : pendu qui n'est autre que le fils de Rhoda, laquelle est venue là pour récupérer le corps de son fils en compagnie du mari, puisqu'il en est le père. De saisissement, la jeune épouse au bras flétri en mourra sous leurs yeux. Ce personnage cumule donc l'envie des secondes (illégitimes) envers les premières (légitimes), avec la jalousie des premières (aînées) délaissées au profit des secondes (cadettes) [10] : double violence qui la rend malgré elle sorcière, dotée de pouvoirs maléfiques permettant d'accomplir sur la première son désir inconscient de meurtre — mais au prix de la vie de son fils qui, victime d'une erreur judiciaire, semble avoir pris sur lui l'injustice infligée à sa mère.

Il arrive aussi que la place de la seconde soit occupée par un homme en position de prétendant au statut de second époux, comme dans un autre roman de Daphné Du Maurier, *Ma cousine Rachel* (1951) : le narrateur n'est plus une seconde épouse, jeune orpheline très attachée à son époux plus âgé qui fait fonction de père symbolique, mais un jeune homme orphelin (lui aussi a «grandi sans mère»), très attaché à son cousin plus âgé qui fait fonction de père adoptif. Celui-ci ayant épousé au loin une cousine, Rachel, le jeune homme éprouve une fascination-répulsion à l'égard de celle en qui il voit «une espèce de monstre plus grand que nature. Ses yeux étaient d'un noir d'abîme [...] et elle circulait à travers les salles moisies de la villa, silencieuse et sinueuse ainsi qu'un serpent». Cette répulsion se mue en passion lorsque la jeune femme, devenue veuve, arrive au château ; là encore le narrateur est sur le point d'en mourir, et l'histoire se termine tragiquement par la mort de la fascinante intruse. Or dans ce cas de seconde au masculin, la position du «second» n'est pas l'homologue de la seconde épouse, à savoir un jeune homme empêché d'occuper sa place de mari par la présence envahissante d'un précédent époux: la similitude avec le complexe de la seconde porte sur la présence envahissante d'une sinistre première. C'est là une variation sur un même motif marqué par la nature duelle de la première: fascinante et repoussante, magnifique et maléfique, souveraine et promise à la mort.

Cette obsession de la première qui empêche la seconde d'occuper sa place se retrouve dans bien d'autres romans. Dans *La Dame en gris* de Georges Ohnet (1895), la femme qui succède à une première épouse défunte ne peut se défaire de cette présence absente, plus troublante que ne le serait une rivale réelle. «Tourmentée» par un «démon intérieur», elle supplie l'homme aimé: «Je voudrais être sûre que je n'ai pas de rivale, même dans ta mémoire... L'idée que tu pourrais, auprès de moi, faire des comparaisons, avoir des souvenirs, des regrets, m'est insupportable, voilà ce qui me ronge le cœur... Jure-moi que je remplace, pour toi, tout ce que tu as aimé...» Confrontée au portrait de la morte, «la poitrine soulevée par une émotion violente, les doigts crispés, les dents mordant la bouche»: «C'est elle!» — car «de sa rivale morte, Annie souffrait plus que de sa rivale vivante». Quelques années plus tard, dans *Une honnête femme* d'Henry Bordeaux, le silence de l'épouse trompée contraste avec la fascination qu'éprouve à son égard la maîtresse: «Est-elle toujours aussi belle? [...] Ta femme est toujours entre nous»; et lui: «Tu as la rage de l'y mettre.» Peu après, *Esclave... ou reine* de Delly reprend sous forme caricaturale le motif de *Rebecca*: la jeune épouse succédant à une morte, l'époux impénétrable et ambivalent, l'arrivée dans une grande demeure étrangère, la dépression, le secret originel, son dévoilement et, enfin, le renversement heureux du statut de l'épouse, qui d'esclave du mari devient enfin reine de son cœur.

L'année suivante, Edith Wharton met en scène dans *Graine de grenade* (1911) une seconde épouse persécutée par le fantôme de la première, qui écrit des lettres à son mari, lequel devient désagréable lorsqu'il les reçoit. L'arrivée de ces «lettres grises» envahit la vie du couple de la présence non dite de la première épouse («Ne croyez-vous pas qu'elle est partout dans cette maison, et d'autant plus proche de lui qu'elle est devenue invisible à tous les autres?») — jusqu'à la disparition du mari. Et c'est exactement selon ce même motif que débute *Vera* d'Elizabeth von Arnim (1921): une jeune fille ayant perdu son père adoré tombe amoureuse d'un veuf qui vient lui-même de perdre sa femme (dont le prénom, comme chez Daphné Du Maurier, donne son titre au roman) dans des circonstances mystérieuses. Ils s'épousent en catimini avant même la fin de leur deuil. Vient le moment tant redouté de l'arrivée dans la maison qui fut celle de Vera, et où l'époux n'envisage pas le moindre réaménagement, persuadé que cette succession d'une morte à une vivante ne pose aucun problème. Mais dès lors la source du malheur se renverse: ce n'est plus l'obsession d'une première maléfique empoisonnant la vie avec un époux n'ayant d'autre défaut que son aveuglement au drame de sa jeune femme, mais c'est la découverte du caractère de cet homme, qui se révèle égoïste, fat, despotique, cruel. Le roman s'achève dans le suspens, laissant la jeune femme sans défense aux mains de ce moderne Barbe-Bleue, qui a probablement poussé sa première épouse au suicide...

Plus étonnante encore est la permanence du complexe de la seconde dans des romans contemporains. *Une femme empêchée* de Henriette Bernier (1994) en propose une version moderne et paysanne avec l'histoire de Mariette, fille de petits agriculteurs, qui dans la France des années 1930 épouse Paulin, veuf d'une première épouse morte en couches en lui laissant une petite fille. Au-dessus du lit conjugal trône la photo encadrée de la première: la seconde ne s'en remettra pas. «Elle est jeune, et fine, et belle, et voilà soudain qu'au soir de ses noces tout cela ne veut plus rien dire... Car il y a le troisième personnage. Une femme grave, muette, dont le regard se pose sur les deux autres mais ne les voit pas.» Au fil des plus petits objets et des situations les plus triviales, la romancière va montrer peu à peu comment ça ne peut plus «tourner rond» dans la tête d'une jeune fille qui a commencé sa vie de femme mariée sous le regard d'une morte dont elle a pris la place, de sorte que sa place à elle — sa place d'épouse, de maîtresse de maison et de mère — elle ne pourra jamais la trouver. S'interrogeant sur ce malaise, l'homme finit par comprendre que la photo y est peut-être pour quelque chose: alors «Paulin se glisse dans la chambre et il décroche le cadre qu'il porte au grenier. Seulement, le papier qui tapisse les murs a déteint, et au-dessus du lit se détache maintenant un ovale plus foncé». La place de la première est marquée : elle ne peut plus s'effacer. La seconde s'enferme dans une dépression larvée, qui ne dit pas son nom : elle devient boulimique, maniaco-dépressive. «Ce qu'elle a, c'est qu'elle ne sait plus où est sa place», explique le docteur. Il faudra l'hospitaliser, dans le service dont on ne dit pas le nom : chez les fous, où sera la seule place qu'elle pourra occuper.

Plus moderne, parce que situé de nos jours chez des cadres parisiens, *Sa femme* d'Emmanuèle Bernheim (1993) propose une version du complexe de la seconde vu du côté de la maîtresse : une jeune femme médecin, célibataire, a une liaison avec un homme marié et père de famille. Elle pense beaucoup à «sa femme», qu'elle ne connaît pas mais se plaît à imaginer. Le jour où il lui avoue qu'il n'est pas marié, n'ayant inventé cette fiction que pour garder sa liberté, elle refuse de l'épouser et le quitte, pour s'intéresser à l'un de ses patients dont elle a aperçu la femme. C'est donc là une version perverse du complexe de la seconde, devenu compulsion à se mesurer à une autre femme — la première — à travers un homme qui n'est rien d'autre que l'instrument d'une joute identitaire dont l'objet n'est plus tant de vaincre en s'emparant de l'homme que d'instituer, de marquer, de répéter les places respectives : seconde et première, de part et d'autre de l'époux, en un trio sans fin — dispositif pervers analogue à celui qu'inventa Lol. V. Stein pour retrouver, avec sa meilleure amie et l'amant de celle-ci, la place de l'absence qui en une nuit était devenue à jamais la sienne.

Ces romans de la jeune femme ou de la jeune fille confrontée à la rivalité envers une première face à un homme mûr connurent pour la plupart d'exceptionnels succès, devenant des classiques du répertoire ou des *best-sellers* — indice de la charge émotionnelle véhiculée par ce thème [11]. Reste à comprendre ce qui dans ce motif accroche à ce point le désir de fiction, fascinant auteurs et lecteurs — et, surtout, lectrices.

Chapitre XII

DU ROMAN AU MYTHE

Symbolique comme dans *Rebecca* ou réel comme dans *Jane Eyre*, l'accès à l'état de seconde épouse ne s'opère qu'au prix de l'élimination — symbolique dans l'un, réelle dans l'autre — de la rivale honnie, que suit immédiatement la perte de la puissance du mari : puissance symbolique du château détruit dans l'incendie final, puissance plus directement corporelle avec le vieillissement prématuré du mari dans *Rebecca* et, dans *Jane Eyre*, la mutilation de l'héroïque époux, privé de l'usage de ses yeux, et d'un membre (le bras). Autant dire que ce qui fait la force de séduction de l'homme n'est pas dissociable de ce qui fait la force d'obstruction que la rivale oppose à sa possession : la dissolution de celle-ci n'allant pas sans l'affaiblissement, voire l'anéantissement de celle-là. Voilà qui confirme la théorie de René Girard : il n'est pas de désir sans un médiateur qui désigne l'objet comme objet désirable du fait même qu'il le désire ou le possède déjà. Il n'est pas, autrement dit, de désir sans obstacle au désir, l'objet désiré appartenant forcément à quelqu'un d'autre — faute de quoi il n'apparaîtrait pas comme désirable, et ne serait donc pas désiré. Si la première n'était pas déjà là pour alimenter chez une autre le désir d'être à son tour désirée par l'époux, la seconde n'aurait guère de raison de développer un si ardent désir de prendre sa place auprès de lui, de faire de lui l'objet de son désir d'être désirée : ainsi le veut la dure loi que nous découvre la vérité romanesque de la triangulation du désir, en même temps que nous la dissimule l'illusion romantique du tête-à-tête amoureux.

Cette interprétation toutefois ne suffit pas à rendre justice à la spécificité du complexe de la seconde : c'est qu'à la différence du modèle girardien, qui vaut également pour l'un et l'autre sexe, ce motif paraît spécifiquement féminin, du moins au vu du contraste entre sa récurrence romanesque et la rareté de ses équivalents masculins. Exceptionnel semble-t-il est le cas des *Amants du Tage* de Joseph Kessel (1968), sorte de *Rebecca* inversé puisque vu par un homme en véritable « second » : un amant, obsédé par l'image idéalisée du mari de sa maîtresse — laquelle accepta de tuer son époux tandis que lui-même, symétriquement, devenait le meurtrier de sa propre femme — demeure jaloux de ce passé incarné par le mari assassiné, doté de toutes les apparences de la perfection, mais qui s'avérera avoir été en réalité « un fou pervers », qu'elle a tué avant tout parce qu'elle le haïssait. On retrouve bien là, au masculin, le drame de la seconde empêchée dans sa relation amoureuse par la « présence » d'une première, d'abord idéalisée puis — *happy end* oblige — dévoilée en sa petitesse ou sa perversité.

L'obsession du « premier », dans le roman de Kessel, ne touche toutefois que la capacité du « second » à nouer un lien durable avec l'aimée, sans pour autant atteindre sa propre identité, comme pour la seconde, menacée par la perte de sa raison, voire de sa vie. C'est là une première différence, d'ordre narratif, avec notre modèle. Une autre différence, d'ordre historique, est la rareté de ce cas romanesque. Reste donc à comprendre ce qui fait non seulement la récurrence et le succès du « complexe de la seconde » dans la fiction occidentale, mais sa dimension spécifiquement féminine, dont le modèle girardien de la triangulation du désir, pertinent mais trop général, ne suffit pas à rendre compte.

Une homologie

Force est de recourir à un autre modèle interprétatif, qui apparaît dans toute sa netteté pour peu qu'on se détache, non seulement des *personnages* du roman (la narratrice, Max, Rebecca), mais aussi des *figures* narratives (la seconde épouse, le veuf, la première femme), pour s'intéresser à la *position* structurelle de ces personnages et de ces figures. Le personnage de Max, figure du mari, occupe alors la position du père de famille; le personnage de Rebecca, figure de la première épouse, occupe celle de l'Épouse légitime, voire de la Femme par excellence, telle que l'incarne pour un enfant sa propre mère; quant au personnage de la narratrice, figure de la seconde épouse, elle occupe la position dévolue à toute «seconde»: soit dans l'ordre hiérarchique de la légitimité, comme c'est le cas de la maîtresse à l'égard de l'épouse, soit dans l'ordre temporel de l'antériorité, comme c'est le cas de la seconde épouse à l'égard de la première — et de la fille à l'égard de la mère.

Il suffit d'opérer cette transformation structurelle, en remontant aux positions respectives des figures incarnées par les personnages romanesques, pour mettre en évidence, dans cette rivalité à mort opposant deux femmes pour la conquête de l'amour d'un homme, l'homologie — l'identité de structure — entre la situation de la seconde épouse en rivalité avec la première pour l'amour du mari, et la situation de la fille en rivalité avec sa mère pour l'amour du père. Dans cette configuration structurelle, la seconde est l'homologue de la fille (ou de la belle-fille), comme la première l'est de la mère (ou de la belle-mère): la seconde épouse est à la première ce que la fille est à la mère. Il apparaît alors que le personnage de Rebecca, si central dans le roman qu'il lui donne son titre, incarne non seulement la figure imaginaire de la première épouse, mais aussi la place symbolique de la mère. Celle-ci, remarquons-le, est d'autant plus présente symboliquement qu'elle est plus occultée narrativement, puisqu'il est précisé que l'époux, comme la narratrice et Rebecca elle-même, n'a pas de mère (comme aussi Jane Eyre): absente là où on l'attend, la mère est toute présente là où on ne l'attend pas, là même où il ne fallait surtout pas qu'elle fût.

À la lumière de cette homologie, d'autres romans s'intègrent à la même série lorsqu'ils mettent en scène non une seconde épouse, mais une jeune fille aux prises avec une femme faisant figure de «première» dans le cœur du père, même avec un statut de seconde: seconde épouse ou maîtresse ayant remplacé la mère. Ainsi *La Louve dévorante* de Delly (1951) introduit dans l'intimité d'une pure jeune fille une incarnation maléfique de la belle-mère, ex-dame de compagnie devenue la seconde femme du père pour capter à son profit la fortune familiale — une «louve dévorante», comme on surnomme cette «étrangère devenue souveraine maîtresse dans la maison». Ainsi également *Bonjour tristesse* de Françoise Sagan (1954) apparaît comme une version moderne et affranchie du complexe de la seconde, mettant en scène une adolescente orpheline de mère qui, confrontée à la maîtresse de son père, passe envers elle de l'ambivalence haineuse à la tristesse d'une disparition obscurément souhaitée. Peu auparavant, dans *Le Rempart des béguines* (1951), ce n'était pas sous la forme de la rivalité et du désir de mort que Françoise Mallet-Joris présentait cette même ambivalence du rapport de la fille avec la femme aimée par le père, mais sous la forme de la fascination et de la relation homosexuelle, s'achevant tragiquement pour la fille par le mariage du père avec sa maîtresse.

Remarquons toutefois l'absence ou du moins la pauvreté des cas romanesques mettant en scène la rivalité d'une fille avec sa propre mère pour la conquête de l'amour du père : il s'agirait là de la version primaire — et non plus symbolisée par le déplacement sur la première épouse ou la belle-mère — du complexe de la seconde, qui serait alors l'exact équivalent pour les femmes du complexe d'Œdipe pour les hommes [1]. C'est que le roman moderne n'autorise probablement pas, comme le fait la tragédie grecque, la mise en fiction directe des sentiments interdits.

Œdipe au féminin

«Désir de la mort de ce rival qu'est le personnage du même sexe et désir sexuel pour le personnage de sexe opposé [2]» : cette définition canonique du «complexe d'Œdipe» dans le drame de Sophocle — l'histoire de celui qui tua un homme sans savoir qu'il était son père et épousa une femme sans savoir qu'elle était sa mère — vaut aussi bien pour l'histoire de *Rebecca*, dont l'héroïne réussit à tuer symboliquement une femme occupant la place de la mère et à se faire aimer de l'homme qui pourrait être son père. Les romans de la seconde apparaissent ainsi comme l'expression d'un complexe féminin, transformé par la romancière en drame de la triangulation première-époux-seconde (exactement de même que les romans de la première consentante avec un jeune amant étaient, nous l'avons vu, des expressions romanesques du complexe d'Œdipe masculin, transformé par le romancier en drame de la triangulation époux-épouse-amant). Et le «complexe de la seconde» se révèle être l'équivalent romanesque du mythe d'Œdipe : ce qu'on appellerait volontiers un «Œdipe féminin», s'il ne s'agissait là d'une contradiction dans les termes puisque le nom même d'«Œdipe» renvoie, avec la triangulation père-mère-fils, à une configuration forcément masculine.

Ce n'est pas dans le roman mais dans la mythologie que Freud puisa l'étayage fictionnel de sa théorie. Or si, en dépit des hiérarchies culturelles propres à son époque, il s'était autorisé à s'adresser au roman, il aurait pu y trouver un élément absent de son propos : la mise en forme fictionnelle de ce que serait pour les filles le mythe d'Œdipe, dans la triangulation originelle père-mère-enfant. La théorie freudienne s'est toutefois arrangée de cette absence puisque, sans s'arrêter à l'hypothèse d'une carence dans le matériel empirique, elle l'a conceptualisée comme une donnée du vécu : soit que le complexe d'Œdipe ne soit pas une donnée structurante pour les filles, soit qu'il n'existe pas d'Œdipe spécifiquement féminin. Cette double solution possède néanmoins, dans les écrits de Freud, un caractère assez peu affirmé, comme s'il se heurtait là à une incertitude, un sentiment d'inachèvement : «Si vous voulez en savoir davantage sur la féminité, interrogez votre propre expérience, adressez-vous aux poètes, ou bien attendez que la science soit en état de nous donner des renseignements plus approfondis et plus coordonnés», déclarait-il en 1932 dans sa conférence «Sur la féminité», faisant lui-même état des limites de sa propre théorie, et comptant pour les dépasser sur les progrès de la recherche ou les apports de la littérature. Reste à le prendre au mot, en constituant la fiction littéraire en matériau de recherche.

Si donc la théorie psychanalytique ne dispose pas d'une mise en fiction de la triangulation père-mère-fille aussi paradigmatique que l'est dans la doctrine freudienne le drame de Sophocle pour la triangulation père-mère-fils, c'est d'abord en raison d'une carence dans la littérature mythologique. Car si elle abonde en récits mettant en scène des rivalités entre femmes, elle les organise soit du point de vue de l'épouse légitime (Héra et ses vengeances contre les innombrables conquêtes de Zeus, Médée offrant à sa rivale une robe ardente), soit du point de vue de deux antagonistes (telles Aphrodite et Artémis) placées en position égale, également libres d'attaches et disponibles, ou vulnérables, au désir masculin. Elle paraît bien pauvre par contre en récits exprimant la position subordonnée — proprement « œdipienne » — du sujet féminin lorsqu'il n'est pas, dans la configuration familiale, le premier représentant de son sexe. Il y a bien, certes, le personnage d'Électre, qui met en scène une fille aux prises avec le couple parental. Mais il faut être singulièrement indifférent et à la littéralité du récit, et à sa charge symbolique, pour voir dans ce personnage le déclencheur, même innocent comme le fut Œdipe, d'un parricide ou d'un matricide doublé d'un inceste ; tant il est vrai qu'Électre n'assassine pas sa mère Clytemnestre, mais exige que justice soit faite à l'égard de cette femme qui a tué, avec l'aide de son amant, son propre époux ; qu'elle ne couche pas avec son père Agamemnon, mais réclame justice pour lui ; et qu'enfin, loin d'enfreindre les lois, elle ne fait qu'en réclamer l'application, appelant la juste vengeance qu'accomplira son frère Oreste. Ce sont là trois différences, pas précisément mineures, avec l'histoire d'Œdipe confronté à la rivalité avec le parent du même sexe et l'attirance pour le parent du sexe opposé : si Électre incarne bien la haine de la fille pour la mère et son attachement au père, ce n'est pas dans la double infraction à ces deux interdits majeurs que sont le parricide et l'inceste mais bien, à l'opposé, dans l'exigence du respect de la loi.

Voilà qui n'empêcha pas Jung de baptiser « complexe d'Électre » la version féminine du complexe d'Œdipe[3]. Aux carences de la littérature mythologique s'ajoutent ainsi celles de la théorie psychanalytique, guère préoccupée par cette absence d'équivalent féminin du mythe d'Œdipe ou qui, lorsqu'elle en cherche un, croit le trouver là où il n'est pas. Freud critiqua d'ailleurs la dénomination imprudemment proposée par Jung : « Je ne vois aucun progrès ou avantage dans l'introduction du terme "complexe d'Électre", et je suis loin de le recommander », précisa-t-il en note après avoir évoqué le « complexe d'Œdipe féminin[4] ». Or ce ne fut pas pour dénoncer ce qui nous apparaît comme une étrange désinvolture ou, au mieux, une curieuse distraction commise par son ex-disciple dans sa lecture du mythe, mais parce qu'il était en désaccord avec la symétrie ou l'analogie ainsi présupposée entre la situation du garçon et celle de la fille[5]. Mais ne fit-il pas preuve à son tour de la même étrange désinvolture, ou de la même curieuse distraction, en ne remarquant pas que l'expression «complexe d'Œdipe féminin» présuppose bien davantage la symétrie ou l'analogie que celle de «complexe d'Électre»?

Pour Freud, autrement dit, le contenu psychanalytique des complexes masculin et féminin est dissymétrique, mais la forme mythologique qu'il leur donne par l'intitulé «complexe d'Œdipe» est semblable, calquant du même coup la situation de la fille sur celle du garçon. Pour Jung, à l'inverse, le contenu psychanalytique est symétrique, mais la forme mythologique donnée par l'intitulé «complexe d'Électre» renvoie à un récit non symétrique. À l'étrange cécité de Jung, qui ne voit pas que l'histoire d'Électre n'a qu'une très partielle ressemblance avec celle d'Œdipe, fait écho en miroir la tout aussi étrange cécité de Freud, guère attentif au fait que s'il y a spécificité du vécu féminin, il est contradictoire de ne lui donner de désignation que renvoyant expressément au masculin. La question œdipienne dans la théorie psychanalytique apparaît ainsi comme marquée par un certain androcentrisme — cette tendance à universaliser le masculin, à le prendre comme référence sans voir qu'il n'est qu'un point de vue particulier — faisant de la question féminine une simple projection de l'expérience masculine[6].

Ainsi peut-on regretter que Freud, victime sans doute du discrédit qui frappait la production romanesque dans la culture de son époque, n'ait pas lu les romancières aussi attentivement qu'il sut lire Sophocle. Cela l'aurait peut-être gardé d'affirmer, au mépris de l'évidence, que «la relation fatale de la simultanéité entre l'amour pour l'un des parents et la haine contre l'autre, considéré comme rival, ne se produit que pour l'enfant masculin», et que «pour la fillette, la situation œdipienne est l'aboutissement d'une longue et pénible évolution, une sorte de solution provisoire, une position de tout repos qu'elle n'abandonnera plus de longtemps[7]». Le problème n'est pas pour autant de déterminer si l'«Œdipe féminin» est ou n'est pas symétrique du masculin : parce qu'il ne s'agit pas de comparer le féminin *au* masculin ou le masculin *au* féminin, mais de comparer l'un *avec* l'autre, de façon à en dégager les similitudes et les dissemblances; il ne s'agit pas, autrement dit, d'assimiler l'un à l'autre, dans une perspective ontologique, mais de les mettre en parallèle, dans une perspective heuristique [8]. La question n'est pas de rabattre l'un sur l'autre, pour affirmer l'égalité entre les sexes et le droit des femmes à disposer d'un Œdipe au même titre que les hommes (version féministe douce de l'égalitarisme revendicatif); ni à l'inverse de dissocier l'un de l'autre, pour affirmer l'irréductibilité du féminin au masculin et le droit des femmes à ne pas ressembler aux hommes (version féministe dure du séparatisme radical). Il s'agit d'abandonner la visée démonstrative du penseur ou de l'idéologue, pour adopter la posture descriptive du chercheur, en relevant ce qui rapproche et ce qui différencie «complexe de la seconde» et «complexe d'Œdipe». Ce qui les rapproche, c'est la triangulation parent rival/parent désiré/enfant: soit, dans la mythologie, sous la forme père/mère/fils; soit, dans le roman, sous la forme première/premier/seconde.

Quant à ce qui les différencie, c'est tout d'abord qu'il s'agit dans un cas d'un roman, et dans l'autre d'un mythe, avec toutes les caractéristiques qui en découlent [9]. Tout d'abord, le roman est un genre traditionnellement féminisé, par ses personnages autant que par son lectorat et ses auteurs, ce qui lui a longtemps valu un préjugé négatif, associé non seulement à sa dimension imaginaire mais probablement aussi à ses dimensions féminine et sexualisée: l'une et l'autre le faisant mépriser par les savants en raison de son infériorité littéraire, et craindre par les éducateurs en raison de son immoralité [10]. Son discrédit de naguère n'était sans doute pas très éloigné de celui qui touche aujourd'hui la production télévisuelle: au point qu'on peut se demander si la poésie et la littérature antique, genres littéraires majeurs, ne furent pas au roman ce que, aujourd'hui, celui-ci est à la télévision [11]. Aussi le roman n'a-t-il pu gagner son actuel prestige qu'au prix d'une distinction marquée entre genres, opposant au genre noble du roman psychologique celui, abandonné aux jeunes et aux lecteurs peu cultivés, du roman «populaire», féminin (sentimental) ou masculin (policier, science-fiction, espionnage, aventure ou érotisme) [12].

La seconde spécificité du roman est son exigence de vraisemblance. Ainsi, à la différence du mythe, le roman donne de la triangulation originelle une version matrimoniale et ordinaire

— vierge épousant un homme précédemment marié — qui contraste avec la version filiale et extraordinaire — fils épousant la femme de son père — que proposait la tragédie. C'est là une euphémisation acceptable du complexe fille désirante/père désiré, figurant ce dernier par l'époux et la mère par son épouse disparue. En substituant à la primitive triangulation familiale (père/mère/enfant) une triangulation secondaire (époux/épouse/épouse), il satisfait aux codes modernes du vraisemblable, à l'économie proprement romanesque du récit de fiction.

Mais ce n'est pas seulement du mythe que se différencie le roman par cette exigence de vraisemblance : c'est aussi du conte de fées, dont le rapproche par ailleurs l'abondance des récits de « secondes » dans la littérature populaire des contes et légendes. Ce sont le plus souvent des figures de bonnes filles confrontées à une marâtre mauvaise, comme dans *Blanche-Neige* ou *Cendrillon*, à une vieille fée méchante, comme dans *La Belle au bois dormant*, ou à une mère absente donc incapable de faire obstacle à un père trop présent, comme dans *Peau d'Âne*. Plus rarement on y trouve, comme dans *Barbe-Bleue*, une figure de seconde épouse aux prises avec un plein placard de premières, et dont la survie va alors consister non à les remplacer, comme dans les formes romanesques du complexe de la seconde, mais à éviter de partager avec elles le triste sort de la première supplantée par une future seconde dans le cœur d'un époux décidément incapable de se fixer. « Les problèmes œdipiens de la petite fille sont différents, et les contes de fées qui l'aident à les résoudre ont eux-mêmes un caractère différent. Ce qui empêche la petite fille de vivre sans interruption une vie de bonheur parfait avec le père, c'est une femme plus âgée qu'elle et malveillante (c'est-à-dire la mère) » : ainsi Bruno Bettelheim soulignait-il la dimension œdipienne spécifiquement féminine du conte de fées, qui en fait l'équivalent d'un « roman de formation » pour les filles [13]. Ce peut être aussi le cas du roman pour enfants, tels *Les Malheurs de Sophie* de la Comtesse de Ségur (1864), où la maladroite fillette ne cesse de se confronter à la sévérité de sa terrible marâtre [14].

À peu près absent de la mythologie antique, et présent dans le conte mais sous la forme apparemment désexualisée des avatars familiaux de la fillette, le complexe de la seconde a ainsi dû attendre pour trouver sa mise en fiction matrimoniale, et donc sexualisée, que soit inventé un genre littéraire accessible à l'expression féminine: le roman, qui pour la première fois offrit une pleine expression du «complexe de la seconde» en opérant son déplacement de la fillette à la femme adulte, satisfaisant ainsi aux exigences modernes du vraisemblable autant qu'à sa dimension sexuelle. Mais probablement est-ce aussi à cause de lui que si peu d'attention a été accordée à ce complexe: de sorte que, si le drame de Sophocle a permis à la psychanalyse de constituer dans un imaginaire commun le «complexe d'Œdipe» masculin, les figures romanesques du complexe de la seconde ne semblent avoir rencontré aucun écho dans une doctrine psychanalytique singulièrement peu attentive à la réalité du psychisme féminin. Pourtant, parce qu'il épouse au plus près ce dernier, le roman offre à la réflexion une perspective résolument non androcentriste (bien qu'elle soit parfois le fait d'auteurs hommes, sans doute plus sensibles que d'autres à l'expérience féminine) à travers l'expression imaginaire (introuvable tant qu'on s'en tient aux ressources de la mythologie consacrée) de cette position (impensable tant qu'on s'en tient à la version masculine de la configuration familiale) qu'est celle de la seconde: fille ou belle-fille, maîtresse d'un homme marié ou épouse d'un veuf.

Mais ce n'est pas seulement par la forme romanesque de son expression imaginaire que le complexe de la seconde se différencie du complexe d'Œdipe: c'est aussi en raison d'une particularité narrative au moins aussi lourde de conséquences.

Au-delà de la théorie sexuelle

Prédiction et abandon par les parents, changement d'identité et meurtre involontaire du père, épreuve de grandeur face au sphynx puis entrée triomphale dans la ville et mariage avec la reine: dans *Œdipe*, l'essentiel de l'action amenant la situation dramatique sur laquelle s'ouvre la tragédie se joue *avant* le passage à l'acte sexuel, pivot autour duquel bascule le statut du héros, du triomphe à la déchéance dès lors que sera révélée son identité véritable et, conjointement, son double forfait, sanctionné par l'automutilation et l'errance. Dans *Rebecca* par

contre, l'essentiel se joue *après* le passage à l'acte sexuel, c'est-
à-dire le mariage, qui intervient très tôt dans la narration ; et
dans *Jane Eyre*, l'essentiel se joue *sans* qu'il y ait passage à
l'acte sexuel, puisque c'est l'empêchement du mariage qui fait
le cœur de l'intrigue. Alors que le ressort du récit mythique
précède l'entrée dans la ville et la copulation avec la reine, l'intrigue romanesque se noue soit après l'épreuve de l'entrée dans
le château et la défloration par le seigneur, soit dans l'impossibilité d'y aboutir. Autant dire que, si le fantasme d'ascension
hiérarchique est commun à l'une et l'autre fiction — *Œdipe
roi*, la pauvre orpheline promue châtelaine —, il existe entre
mythe et romans une considérable différence quant à la nature
du lien autorisant cette ascension. Ce n'est pas dans la possession de l'autre désiré, avec l'accès à son corps et, par là même,
à sa propre jouissance, que se situe l'enjeu essentiel du
complexe de la seconde, mais dans l'accession pleine et entière
au statut que procure idéalement cette possession : épouse légitime et unique aimée, pleinement et entièrement reconnue
comme telle en tant qu'elle est, justement, entière et pleine —
c'est-à-dire vierge, et fécondable.

Du mythe au roman, il y a donc déplacement de l'enjeu : du
passage à l'acte sexuel à l'accomplissement identitaire — ou
en d'autres termes de l'*avoir*, par la possession de l'autre, à
l'*être*, par la reconnaissance de soi-même. Là est la différence
essentielle qui accompagne le changement de statut de la fiction. Ainsi la disparition du rival, préalable à la prise de possession de l'autre désirée, est le premier avatar de l'histoire
d'*Œdipe*, tandis que la néantisation de la rivale faisant suite à
l'obsédant retour de cet obstacle refoulé est l'ultime avatar de
Rebecca autant que de *Jane Eyre* : grâce à quoi la première
passe de la femme adorée à la femme détestée, ou de la présente à l'absente ; l'époux, du veuf inconsolable au meurtrier
bien pardonnable ; et la seconde, de l'état d'ombre d'une autre
à celui de personne à part entière — mais au prix de l'errance
qui, comme pour Œdipe, signe le destin de ceux qui se retrouvent privés de place pour s'être appropriés indûment celle d'autrui. Satisfaire non plus un désir sexuel doublé d'un fantasme
de puissance (épouser la reine), mais une aspiration identitaire
doublée d'un fantasme de souveraineté (être reconnue comme
l'épouse légitime du seigneur) : c'est donc là, à la différence du

mythe, l'enjeu du roman. Et là où le conte de fées, comme le roman rose, trouve son acmé au moment du mariage de l'héroïne, qui marque son accès réel au statut d'épouse, c'est avec son accès symbolique à ce même statut, conquis sur une première détrônée de sa place, que culmine le roman type de la seconde. «Ils se marièrent, furent heureux et eurent beaucoup d'enfants» : «c'est là que le roman Harlequin l'abandonne. On ne connaîtra jamais la suite... [15]»; on ne la connaîtra, plus exactement, qu'en passant du *romance* au *novel*, du roman rose au drame de la seconde. Là où se terminent les contes commence le roman, avec une autre série d'épreuves.

Voilà qui suggère une spécificité de l'expérience féminine : l'enjeu premier n'y est pas tant la satisfaction sexuelle que l'accomplissement identitaire, l'accès à un soi propre, autonome et reconnu comme tel, clairement délimité, défini de manière stable et irréductible à autrui. Or c'est là un enjeu qui ne va pas de soi, tant il est vrai que c'est avant tout sur les femmes que s'exerce la violence identitaire. Un détail — mais combien révélateur — suffit à le suggérer : si c'est le héros qui donne son titre au mythe, c'est à sa rivale que l'héroïne du roman, anonyme, doit céder cet honneur — comme si le drame de Sophocle s'intitulait «Laïos»... Cette comparaison entre les deux versions — mythologique et masculine d'une part, romanesque et féminine d'autre part — d'une triangulation homologue incite à ajouter, à l'enjeu sexuel mis en évidence par la théorie psychanalytique, l'enjeu identitaire, propre à rendre compte de la spécificité du psychisme féminin — au risque de contrevenir à l'orthodoxie psychanalytique, s'il en existe une. «Nous n'avons étudié la femme qu'en tant qu'être déterminé par sa fonction sexuelle», reconnaissait à la fin de sa vie le père de la psychanalyse [16] : prenant acte de cet aveu d'autolimitation, ne convient-il pas d'élargir l'analyse du psychisme à d'autres dimensions de l'existence, en se libérant de cette réduction freudienne à la sexualité qui, scandaleuse il y a un siècle, fait aujourd'hui figure de dogme plus que d'instrument de pensée [17] ? Il faut pour cela se déprendre des «énigmes» et autres «continents noirs» de la féminité, ces idoles herméneutiques naïvement androcentristes [18], et se risquer dans des champs d'investigation auxquels fait obstacle le réductionnisme sexuel de la doctrine freudienne : réductionnisme indissociable de l'androcentrisme, sans qu'on sache si c'est le sexualisme qui entraîne l'androcentrisme ou l'androcentrisme qui pousse au sexualisme.

«Restent quelques questions à proposer sur les incidences sociales de la sexualité féminine», déclarait Jacques Lacan en 1958. Premièrement: «Pourquoi le mythe analytique fait-il défaut concernant l'interdit de l'inceste entre le père et la fille»; deuxièmement: «Comment situer les effets sociaux de l'homosexualité féminine»; troisièmement: «Pourquoi enfin l'instance sociale de la femme reste-t-elle transcendante à l'ordre du contrat que propage le travail? Et notamment est-ce par son effet que se maintient le statut du mariage dans le déclin du paternalisme [19]?» La piste ouverte par le complexe de la seconde permet de suggérer des réponses à ces trois questions, pour peu qu'on sorte du sexualisme psychanalytique, sans craindre d'affirmer que la vie inconsciente et la constitution du sujet ne se réduisent pas à la question sexuelle — sauf à donner à celle-ci une extension qui lui ôte toute spécificité [20]. À la première question de Lacan, nous répondrons que si le mythe fait défaut, il suffit d'aller voir du côté du roman. À la seconde, que le rapport de fascination liant une femme à une autre ne ressortit pas tant à l'homosexualité qu'à la recherche d'identité par l'intermédiaire d'une autre, médiatrice du rapport à l'homme et du rapport à soi. À la troisième, que la force du contrat de mariage réside dans l'échange entre la disponibilité du corps de la femme et sa reconnaissance par l'homme, sous la triple forme d'une subsistance matérielle, d'une vie sexuelle et d'une identité. C'est dire si le lien conjugal, pas plus qu'il ne peut se réduire à sa dimension économique [21], n'est réductible à sa dimension affective et sensuelle: il faut pour l'analyser sortir des limites d'une théorie sexuelle qui ne prendrait pas en compte la dimension proprement identitaire des affects. C'est elle en effet qui permet de donner tout son sens à cet événement qu'est le mariage, en tant qu'il n'a pas seulement pour enjeu le sexe et la subsistance, mais aussi l'identité.

La place de la mariée

« Devenir un être humain par le biais du mariage ou de l'amour — par le biais de l'*autre*, et nécessairement d'un *homme* — n'a *aucune valeur* pour moi. N'êtes-vous pas d'accord avec moi ? Autrement, si c'est ainsi que l'on devient un être humain, c'est que l'on est une espèce de demi-créature, une ombre léthéenne impatiente de prendre chair et sang [22]. » Marina Tsetaeva stigmatisait ainsi cette condition fondamentale de l'identité féminine qu'est, traditionnellement, la dépendance à l'égard du monde masculin : dépendance non seulement alimentaire ou juridique, contre laquelle s'insurgèrent très tôt les féministes, mais aussi morale, statutaire, psychique — autrement dit, identitaire.

C'est au moment du mariage qu'elle se manifeste de façon particulièrement critique, puisque la dépendance envers le père, qui donne à la fille son nom en même temps que sa protection matérielle et morale, fait alors place à la dépendance envers l'époux, que manifeste une série de changements, dans le nom, le lieu d'habitation, le statut et même le corps, avec la défloration. En outre le changement d'état — de fille vierge à femme mariée, de fille de son père à femme de son mari — ne s'opère pas seulement par un simple transfert de la loi du père à la loi de l'époux : il nécessite aussi tout un travail psychique pour que la jeune femme parvienne à prendre une autre place qui est, homologiquement, la place d'une autre — cette place de la première qu'occupait, dans la configuration familiale originelle, sa propre mère. Aussi ce fondamental passage de seuil que représente le mariage a-t-il toutes chances d'être vécu comme une crise : tant il est vrai que tout basculement en l'état de femme mariée tend à se vivre inconsciemment comme une usurpation, par où la fille, prenant la place de l'Épouse qu'incarnait jusqu'alors sa mère, lui prend du même coup sa place. Autant dire qu'elle n'accède à son identité de femme qu'au prix de la disparition de l'*autre* [23].

Cette question de la place se pose, plus généralement, dans tous les cas où il s'agit d'occuper une position unique. Jeanne Favret-Saada l'a montré à propos des recours à la sorcellerie

comme réponse à «l'enjeu mortel que comporte la conquête d'une position unique. Car il n'y a pas de place pour deux, c'est l'un ou l'autre, c'est sa peau ou la mienne». En ce sens la crise d'identité qu'engendre chez une femme le mariage avec un homme précédemment marié, telle que la met en forme *Rebecca*, apparaît comme homologue de la crise de sorcellerie : maintes caractéristiques de celle-ci peuvent s'appliquer à celle-là — y compris les conditions mêmes de leur transmission et de l'intérêt qu'en éveille le récit, qu'il soit romanesque ou anecdotique[24]. Intéressant autant la psychanalyse que l'anthropologie, ces crises concernent la situation d'un sujet amené à jouir d'un privilège auparavant dévolu à un être très proche — voire à l'être le plus proche — en prenant la place qu'il occupait —, voire que lui seul pouvait occuper : place de la mère auprès de l'homme, place du proche parent dans l'exploitation agricole. Il suffit ainsi de remplacer «producteur individuel» par «fille à marier», «exploitation» par «ménage» et «proches» par «mère», pour comprendre que le recours à la magie chez les ensorcelés du bocage normand, comme le recours au fantasme dans la fiction romanesque, peuvent également s'interpréter comme des modes de résolution des tensions psychiques insupportables engendrées par une telle situation : «Un jeune homme, un subalterne, un célibataire, ne peut accéder au statut de chef de famille et d'exploitation qu'au détriment de tous ses parents proches, sans exception : s'il devient un "producteur individuel", c'est pour avoir fait subir à ses ascendants et à ses collatéraux, ainsi qu'à son épouse, une série de spoliations, d'éliminations et d'appropriations ; c'est pour avoir exercé à leur encontre une certaine quantité de violence, réelle bien que légale et culturellement autorisée [...]. Bien qu'ils reçoivent dès le berceau une pleine autorisation culturelle de pratiquer ce genre de violences, tous les "producteurs individuels" n'ont pas nécessairement les moyens psychiques d'assumer cette suite de spoliations, d'éliminations et d'appropriations directes du patrimoine et du travail de leurs proches : ce n'est pas parce que "c'est la coutume" de succéder à son père, d'éliminer ses frères et de déshériter ses sœurs, que cela va de soi, que le coût psychique de ce genre d'opérations est nul[25].»
On retrouve bien là le complexe de la seconde, incapable

d'assumer la violence spoliatrice consistant à prendre la place d'une première pour pouvoir occuper la sienne propre. Dans cette expérience à la fois critique et commune aux deux sexes, il est toutefois un trait qui appartient en propre à l'expérience féminine, et qui en fait le caractère crucial : c'est l'aspect terriblement «normal», terriblement familier de ce problème dès lors qu'il se pose en cette circonstance à la fois banale et décisive pour l'identité d'une femme qu'est le mariage. C'est ce récit que tant de romans mettent en scène autour de ce moment par excellence où se joue l'identité d'une femme : moment de crise, pour les femmes beaucoup plus que pour les hommes, dont la dépendance est bien moindre à l'égard des figures parentales et du lien matrimonial. De cette crise, ces romans nous offrent de remarquables expressions, en même temps qu'ils déploient les modalités de sa gestion et — si tant est qu'elle soit possible — de sa résolution. Leur succès même et leur multiplication dans la tradition romanesque occidentale confirment à quel point cette histoire, bien au-delà d'un imaginaire qui serait propre à son auteur, touche à des schèmes fondamentaux, à des affects communs, qu'elle exprime en même temps qu'elle aide l'auteur et les lecteurs à les assumer — et le chercheur à les comprendre.

QUATRIÈME PARTIE

Les degrés de la seconde

La femme qui n'est ni mère, ni sœur, ni fille, ni épouse...

Alexandre Dumas, *La Dame aux camélias.*

Chapitre XIII

CONCUBINES ET MAÎTRESSES

Dans l'ordre des états de femme, le complexe de la seconde occupe une place charnière : face à la légitimité de la première, il constitue aussi bien une modalité subjective de l'état de seconde épouse qu'une modalité objective de l'état de « seconde », ayant une sexualité hors mariage. Si le même terme s'impose pour qualifier l'une et l'autre, c'est qu'elles sont confrontées à l'existence, dans la vie de l'homme dont elles dépendent, d'une autre femme qui fut là avant elles ou qui passe devant elles. Certes, la seconde épouse partage avec la première le statut de toute femme mariée, garanti par un contrat de mariage qui lui octroie la souveraineté conjugale. Mais cette proximité objective ne fait que creuser le sentiment subjectif de sa propre infériorité, dans sa dimension la plus intériorisée, la plus symbolisée, ressortissant à la psychanalyse plutôt qu'à la sociologie : ce pourquoi le statut de seconde épouse autorise si bien l'explicitation du complexe de la seconde et la mise en jeu de ses ressorts inconscients — d'où l'insistance des romans à représenter une situation qui par ailleurs n'a rien de très spécifique. Par contre, l'infériorité objective des secondes « irrégulières » leur permet d'extérioriser le problème au lieu de l'intérioriser en une crise identitaire. Paradoxalement, le caractère objectif du handicap, qui n'est pas seulement dans leur tête mais dans la réalité, le rend plus facile à vivre, au moins psychiquement : s'il porte atteinte à la dignité, il ne menace pas l'identité.

L'illégitime légitimée

« Il est de nobles femmes d'une certaine pauvreté d'esprit, qui ne savent *exprimer* autrement leur dévouement le plus profond, qu'en offrant leur vertu et leur pudeur : ce qu'elles ont de suprême. Et souvent ce don est accepté, sans engager le donataire aussi profondément que le supposent les donatrices — histoire fort mélancolique ! » Nietzsche décrivait ainsi dans *Le Gai Savoir* le sort de ces femmes qui se donnent sans la contrepartie du mariage. De la concubine épousée à la fille perdue, il y a cependant des degrés dans la façon d'être une seconde, selon la nature du lien de dépendance envers l'homme, plus ou moins exclusif et affirmé. Au mieux, elle sera l'« épouse morganatique » : première (juridiquement) ayant le statut de seconde (symboliquement) puisque épousée en secret par un homme bien plus haut placé dans la hiérarchie, qui ne la reconnaît pas publiquement pour épouse. Alors le statut social prend le pas sur le statut juridique pour construire une position d'épouse traitée comme une maîtresse : ainsi Molly dans *Silas Marner* de George Eliot, épouse cachée du gentilhomme Goffrey Cass, meurt dans la neige pour avoir voulu se faire reconnaître avec sa fillette.

Plus simple est le cas de la maîtresse ou de la concubine qui parvient à se faire épouser : état limite de la seconde, il régularise son statut en lui conférant la légitimité des femmes mariées — mais une légitimité relative, impliquant le refoulement et la dénégation d'un passé peu avouable. Parmi ces illégitimes qui finissent par « se mettre en règle » (« espoir commun à toutes les femmes de mon espèce », comme dit *La Belle Romaine* de Moravia, 1947) figure Flore Brazier dans *La Rabouilleuse* de Balzac (1832), servante et maîtresse d'un riche et vieux célibataire, qui devient son héritière en se faisant épouser. Plus normale est la légitimation des maîtresses dans les milieux bohèmes, où le concubinage ne procède pas forcément du refus ou de l'impossibilité d'épouser, et où l'arrivée d'un enfant suffit parfois à provoquer le mariage : comme Christine dans *L'Œuvre* de Zola qui, séduite par Claude Lantier, passe successivement de l'état de maîtresse à celui de concubine, puis d'épouse. C'est ce qui arrive également à Manette Salomon dans le roman des Goncourt (1867) : modèle puis maîtresse de Coriolis, elle incarne d'abord la muse et l'inspiratrice, mais révèle ensuite, une fois qu'elle a réussi à se faire épouser, sa nature maléfique — de ce maléfice propre au monde de l'art qu'est l'aspiration à la vie bourgeoise, le goût de l'argent et des honneurs. C'est elle qui empêche Coriolis de réussir, selon ce thème cher aux Goncourt qu'est l'affinité de l'art et du célibat, l'antipathie entre procréation et création. Dans ce passage de l'illégitimité de la maîtresse à la légitimité de l'épouse se révèle l'imaginaire masculin de la femme duplice, ambivalente : tant qu'elle reste un modèle qu'on loue et une maîtresse qu'on entretient — c'est-à-dire un corps — elle favorise l'art par la transmutation du beau naturel en beau artistique. Mais dès lors qu'elle obtient le statut d'épouse et de mère, elle devient ce poison de la vie bourgeoise qui contamine l'art, tarit la création, entrave l'inspiration : contamination que les Goncourt redoublent par la judéité de Manette. Ainsi l'art, par la faute d'une maîtresse trop ambitieuse, se retrouve non seulement marié, légitimé, embourgeoisé, émasculé — mais aussi enjuivé.

Celles qu'on n'épouse pas

Dans *Topaze* de Pagnol (1931), Suzy, accusée d'être une femme entretenue, répond : « Bah ! Comme toutes les femmes ! Que ce soit un mari ou un amant, la différence est-elle si grande ? » Elle l'est : la fiction illustre justement la force symbolique de cette frontière entre maîtresse et épouse, si fragile en apparence — un papier baptisé acte de mariage [1]. Annie, *La Dame en gris* de Georges Ohnet, en fait la triste expérience quand son amant refuse de l'épouser en apprenant qu'elle fut la concubine d'un homme qui lui-même ne l'avait pas épousée en raison de sa basse extraction. Car dans certains milieux l'origine sociale et la respectabilité priment sur toute autre considération, de sorte que même aimante et aimée, une femme qui n'apporte en dot ni nom ni fortune, et qui en outre a appartenu à un autre, ne peut guère prétendre qu'au statut inférieur de maîtresse. L'héroïne est prête à s'en contenter, se privant de toute vie sociale, vivant en recluse, en femme qu'on

a honte de montrer ; mais le romancier, comme pour lui éviter
ce sort dégradant ou pour enseigner à ses jeunes lectrices les
dangers d'une telle solution, la fera mourir prématurément
dans les bras de son amant.

Devenir la compagne, la concubine, rapproche la femme
entretenue de la femme mariée, mais rend plus sensible encore
la différence à la fois infime et abyssale entre ces deux états.
Dans une société puritaine où c'est le regard d'autrui et le respect des convenances qui font la règle morale, coucher avec un
homme, se faire entretenir par lui et — pis — vivre avec lui,
est un état inqualifiable. Il a pourtant un nom : concubine,
comme le sera la *Jenny Gerhardt* de Theodor Dreiser (1911),
dans la communauté allemande émigrée en Amérique à la fin
du siècle dernier. Trop pauvre et trop bonne pour résister au
riche sénateur qui la séduit et lui fait un enfant mais meurt
avant d'avoir réalisé sa promesse de l'épouser, elle se mettra
ensuite en ménage avec un riche héritier qui ne se résout pas à
l'épouser : alors «Jenny traversa une sérieuse crise morale.
Pour la première fois de sa vie, car l'attitude de sa famille
l'avait affligée sans lui ouvrir les yeux, elle comprenait ce que
le monde pensait d'elle. Elle était une femme de mauvaise
vie». Il finit par la quitter pour épouser une femme de son
milieu, évitant ainsi d'être déshérité — mais c'est dans ses bras
qu'il vient mourir. Elle-même finit dans la solitude.

En marge de la vie

«Devant elle s'étendait la vision de ses années solitaires et
elle la contemplait fixement. Que faire ? Elle n'était pas encore
bien vieille. Que pourrait-elle attendre, alors ? Des jours et des
jours interminables dans leur monotonie, et ensuite... ?» : sur
cette amère interrogation s'achève *Jenny Gerhardt*, auquel
Back Street de Fanny Hurst donnera vingt ans plus tard une
sordide réponse. Roman par excellence de la maîtresse maintenue dans l'invisibilité, il obtint un énorme succès à sa parution
en 1933, avec un nombre impressionnant de traductions et
d'adaptations. Son titre français, «En marge de la vie», dit
bien la condition de recluse et de réprouvée de toute femme
illégitime — même si ce n'est pas seulement pour le sexe,

contrairement aux débauchées, ni seulement pour l'argent, contrairement aux courtisanes, mais par attachement à un homme, et un seul. Le poids de l'investissement amoureux, indissociable de la fidélité, éloigne la maîtresse de la prostituée pour la rapprocher de l'épouse, dont elle n'est séparée que par un contrat de mariage et les marques de reconnaissance afférentes : intégration dans le cercle de sociabilité, pérennité du lien, statut de mère, garantie de soutien en cas de veuvage et, plus généralement, visibilité, droit à se montrer, à affirmer publiquement son identité de femme élue par un homme — de femme mariée. Ce que néanmoins ne possède pas l'épouse, et qui fait la force de la maîtresse, c'est la certitude d'être aimée pour elle-même et non par l'inertie de liens trop difficiles à dénouer. En contrepartie l'homme ne peut assumer publiquement, officiellement, cet amour ; et pour peu qu'il sorte de sa vie elle se retrouvera seule, absolument, sans même la consolation d'un nom à porter, d'une identité à incarner, qui pérennise le passé.

Ray Schmidt est une fille légère, qui plaît aux hommes et à qui cela plaît, heureuse d'être courtisée, embrassée, désirée. Elle n'est pas toutefois une fille perdue, une débauchée : nuance qui trouve une très simple (quoique malheureusement peu visible) matérialisation avec le pucelage. Elle apparaît ainsi comme une autre incarnation romanesque de la *Daisy Miller* d'Henry James, qui ruinait sa réputation en se montrant avec des messieurs sans chaperon ; ou comme une affranchie telle la *Carmen* de Prosper Mérimée (1845), ou la Léa de *La Maîtresse* de Jules Claretie (1880), ces ouvrières qui perdent les hommes par leur comportement provocant et leurs formes attirantes : à ceci près que, manifestement imaginées du point de vue d'un homme, elles vivent leur statut de filles légères dans le triomphe d'une féminité désentravée et sûre de son pouvoir érotique, don juans au féminin présentées dans la pure extériorité d'un corps glorieux et d'un comportement cruel où le sexe est tantôt une fin — débauchée — et tantôt un moyen — cynique. Mais l'héroïne de Fanny Hurst apparaît dans l'intériorité d'une femme inquiète, manipulée plutôt que manipulatrice, partagée entre ces objectifs contradictoires que sont la multiplication des objets de séduction et le souci de s'assurer une condition. Elle n'est pas prête à ignorer la hiérarchie des états de femme en devenant une fille perdue, étant trop attachée aux règles morales en lesquelles elle a été élevée. Pas davantage — car elle aime trop la séduction — ne souhaite-t-elle le destin des célibataires. Et quant à l'état de première que lui offre un prétendant au mariage, elle y renonce par amour pour un autre homme qui, lui, est déjà fiancé.

Mais parce qu'elle est d'un milieu modeste, cet homme ne renoncera pas pour elle, quoiqu'il l'aime sincèrement, à un mariage arrangé avec cette Corinne qui introduisait l'état de première, en figure triomphale de l'épouse légitime. Ayant accepté de se laisser déflorer par celui qu'elle aime, il ne restera à Ray qu'à devenir une seconde — cette seconde presque respectable qu'est la maîtresse d'un seul homme. Puis il lui suffira d'abandonner son travail et de s'installer dans l'appartement payé par son amant pour passer à l'état de femme entretenue : « Elle devenait incontestablement une demi-mondaine. » Ombre d'épouse, ou épouse dans l'ombre, elle se résigne par amour à vivre dans le secret. Car à l'invisibilité, qui fait la principale différence entre première et seconde, s'ajoute l'humble renoncement à tout égocentrisme, l'abnégation, l'entière dépendance : telle, dans *L'Entrave* de Colette (1913), celle qui « m'a appris qu'on peut dîner sans faim, parler sans rien dire, rire par habitude, boire par respect humain, et vivre auprès d'un homme dans la plus servile condition, avec toutes les apparences d'une indépendance effrénée. Elle n'ignore pas les crises de neurasthénie, ni le spleen, mais elle connaît deux grands médecins de l'âme : la manucure et le coiffeur, au-dessus desquels il n'y a plus que l'opium et la cocaïne ».

À l'invisibilité et à l'humilité s'associe l'intemporalité du statut, l'incapacité à entrer dans le cycle de la reproduction familiale où une première passe de vierge à épouse, mère, grand-mère, veuve. La maîtresse, elle, est condamnée à l'immuabilité d'un statut sans ancrage social, sans temporalité : « Il voulait conserver intact ce qui lui avait assuré le plus de bonheur, et qu'était-ce, sinon l'immuable régularité de son existence à elle ? » C'est pourquoi elle s'arrime aux signes extérieurs de sa féminité sur laquelle s'est construite cette fragile position d'amante et de confidente : signes auxquels elle ne peut renoncer sans risquer de perdre cette position, la vouant à refuser tout changement dans l'aménagement de son intérieur, à se teindre les cheveux, à retarder au maximum le vieillissement physique. Car lorsque le seul lien qui unit une femme à un homme est son pouvoir d'attraction sexuelle, le moindre affaiblissement de celui-ci — maladie ou vieillissement — signe un risque qui n'est pas seulement d'éloignement, comme pour les femmes mariées, mais de délaissement absolu, sans la contrepartie d'un statut et d'un entretien assuré par contrat jusqu'à la fin de ses jours. Pour peu qu'elle n'ait pas d'enfants — bâtards — disposés à subvenir à ses besoins, la seconde est la plus démunie des femmes : plus démunie qu'une veuve qui a droit, sinon à un héritage, au moins à une considération, une rente, des aides ; et plus démunie qu'une vieille fille qui, lorsqu'elle n'est pas rentière, aura appris dès sa jeunesse à subvenir à ses besoins sans négocier ses charmes. C'est pourquoi la terreur de vieillir n'est pas seulement, chez toute femme, la crainte narcissique de ne plus plaire : c'est aussi le produit d'un lointain atavisme, la conscience enfouie que pour tant de femmes, depuis si longtemps, vieillir c'est ne plus séduire, et ne plus séduire c'est mourir — de solitude d'abord, puis de faim.

Tout changement alors ne peut être que dégradation : le décès prématuré de son amant, aggravé par son isolement, va la conduire en peu de temps à la pauvreté, puis à la misère. Vieille femme solitaire réduite à gagner quelques sous aux tables des casinos, n'ayant plus d'autre lien affectif que son chien, elle mourra de faim à l'étranger, dans une pension sordide. Et cette triste et prévisible fin d'une maîtresse qui accepta de vivre sa sexualité sans avoir su se faire épouser est la morale de ce roman d'apprentissage à l'usage des filles qui, légères ou mal conseillées, exerceraient pour le plaisir, comme une fin en soi, une capacité à séduire qui doit rester un moyen d'existence. Dans la littérature, ces histoires de maîtresses tendent à être des romans de formation destinés à dissuader d'éventuelles candidates — qu'aurait pu lire par exemple la pauvre Juliette Drouet, séquestrée par Victor Hugo dans une solitude affreuse.

Ce peut être aussi pour l'homme que l'histoire finit mal : alors le roman de formation enseigne qu'un fils de bonne famille ne doit pas se mettre en ménage avec sa maîtresse, telle la *Sapho* d'Alphonse Daudet (1884), ancien modèle au passé chargé de liaisons tumultueuses. À travers ce personnage de concubine qui s'attache à son jeune amant jusqu'à l'étouffer, ce roman (significativement dédié par l'auteur à ses fils) met les jeunes gens en garde non seulement contre les femmes légères et les dépravations de la bohème, mais contre les liaisons avec des femmes trop expertes et trop mûres, ces vampires femelles dont les adolescents frustrés rêvent et craignent à la fois qu'elles ne les attirent dans leurs dangereux filets.

Chapitre XIV

COURTISANES ENTRE
SPLENDEUR ET MISÈRE

« La brodeuse de madame est devenue bourgeoise, elle est
mariée... — En détrempe?... demanda Josépha. — Non,
madame, vraiment mariée.» Ce qu'on appelait du temps de
Balzac se marier « en détrempe», ou « à la mairie du XIIIe»
(Paris n'ayant encore que douze arrondissements), c'était se
faire entretenir par un protecteur, capable d'offrir à l'intéressée
une habitation à son nom, un équipage, une garde-robe abondante et des bijoux, pour briller au présent et se préserver dans
l'avenir : en échange de quoi elle subit sa présence — intermit-
tente.

Les formes de l'instabilité

Cette quête d'un établissement, même provisoire, est la seule
garantie de ces femmes contre une instabilité constitutive de
leur état. N'ayant pas la ressource d'un vrai mariage et d'une
maternité légitime pour assurer la sécurité de leurs vieux
jours, elles ne peuvent se permettre, sauf en leurs jeunes
années, de « flamber» les aléatoires ressources que leur appor-
tent les faveurs des hommes. Si la distance est courte entre une
prostituée de bas étage et une courtisane de haut vol — il suffit
de la protection d'un homme riche —, elle n'est guère plus
longue entre la splendeur et la misère. Dans *Splendeurs et misères des courtisanes* (1838), Balzac montre successivement
Esther (alternativement blonde et brune) comme une prostituée de bordel et une courtisane de haut vol ; ce flottement est

symptomatique du statut de ces courtisanes, oscillant sur les trois axes définissant les limites de la prostitution : pluralité ou unicité des amants, luxe ou modestie du train de vie, intérêt ou plaisir. Et c'est cette oscillation que décrit le tragique destin de Marguerite Gauthier, l'héroïne de ce roman paradigmatique des courtisanes qu'est *La Dame aux camélias* d'Alexandre Dumas fils (1848), histoire édifiante d'une courtisane du grand monde[1].

« Mais comment voudriez-vous que les femmes entretenues de Paris fissent pour soutenir le train qu'elles mènent, si elles n'avaient pas trois ou quatre amants à la fois ? Il n'y a pas de fortune, si considérable qu'elle soit, qui puisse subvenir seule aux dépenses d'une femme comme Marguerite. » Ayant cumulé plusieurs amants pour entretenir ce train de vie, elle accepta leurs faveurs par intérêt et non par amour : « Ceux qui avaient aimé Marguerite ne se comptaient plus, et ceux qu'elle avait aimés ne se comptaient pas encore. » Le jour où elle tombera amoureuse, il lui faudra renoncer à la multiplicité des amants, donc au luxe, pour se donner par amour à l'homme avec lequel elle vivra en concubinage faute de pouvoir devenir sa femme. Le sacrifice de sa vie luxueuse la ramène au plus près de l'état de vertu en lequel elle serait demeurée sans des circonstances malheureuses : « On reconnaissait dans cette fille la vierge qu'un rien avait fait courtisane, et la courtisane dont un rien eût fait la vierge la plus amoureuse et la plus pure. » Amoureuse et pure, il lui faudra toutefois renoncer à l'être, par égard pour la famille et surtout la sœur de l'homme qu'elle aime. Elle feindra donc de redevenir impure et dépravée en le quittant, alors qu'elle se sacrifie par devoir ; et la maladie, en l'achevant, viendra rendre tragique une issue qui sinon n'eût été que la fin dramatique d'un espoir déçu, purifiant par la mort cette femme de mauvaise vie transfigurée en héroïne de roman.

L'instabilité marque fondamentalement le statut des courtisanes : d'abord, par cette permanente oscillation entre les limites de la prostitution, de la prostituée à la débauchée, à l'amante ou à la femme cupide ; ensuite, par l'ambiguïté du statut des amants, entre amoureux et souteneur, concubin et client, amant en titre et amant de cœur ; enfin, par les aléas temporels et hiérarchiques marquant les étapes, forcément transitoires, de la carrière. On ne connaît les courtisanes que dans l'éphémère de la gloire, la conversion ou la chute.

Courtisanes réussies

« Autrefois Esther, imbue de la morale particulière aux courtisanes, trouvait toutes ces gentillesses si naturelles qu'elle n'estimait une de ses rivales que par ce qu'elle savait faire dépenser à un homme. Les fortunes détruites sont les chevrons de ces créatures » : dans le monde inversé des femmes illégitimes, la morale place au plus haut celle qui sait ruiner le mieux les plus distingués des protecteurs. Particulièrement réussie en ce sens est la Valérie Marneffe de Balzac dans *La Cousine Bette*, qui a en outre la particularité d'être mariée : fille bâtarde d'un héros de l'Empire, ayant dû se contenter d'épouser un petit employé, elle assouvit son ambition bridée par le train de vie qu'elle obtient de ses liaisons avec des hommes fortunés, et spécialement le baron Hulot, dont elle va faire sa principale victime. De ces liaisons, son mari n'ignore rien, ayant accepté de n'être que la couverture bourgeoise de son état de courtisane. Aussi demeure-t-elle en public l'épouse qu'elle est légalement, réservant au privé la courtisane qu'elle est effectivement.

Mais le comble de la réussite pour une courtisane est de se renier elle-même en se faisant épouser par son protecteur : telle Mme Schontz dans *Béatrix*, ou Odette de Crécy dont Proust fera, dans *Du côté de chez Swann* (1913), celle qui parvient à amener au mariage l'homme du monde accompli et célibataire invétéré qu'était Swann. Le passage par la mairie est, pour une courtisane, le *nec plus ultra* de la conversion.

Courtisanes converties

Une femme mariée qui veut échapper à la corruption du monde se convertit à la religion ; une courtisane qui veut échapper à la corruption de son état se convertit à l'amour : l'amour pur, c'est-à-dire désintéressé, qui perdra une femme honnête, sauvera une femme entretenue. Aussi l'éventualité d'une conversion hors de l'état de courtisane prend-elle essentiellement la forme d'une conversion à l'amour. C'est ce qu'explique dans *Béatrix* Balzac, décidément aussi grand romancier des courtisanes qu'il l'est des femmes mariées : elles « conservent tout au fond de leur cœur un florissant désir de recouvrer leur liberté, d'aimer purement, saintement et noblement un être auquel elles sacrifient tout. [...] Au contraire, les femmes contenues par leur éducation, par le rang qu'elles occupent, enchaînées par la noblesse de leur famille, vivant au sein de l'opulence, portant une auréole de vertus, sont entraînées, secrètement bien entendu, vers les régions tropicales de l'amour. Ces deux natures de femmes si opposées ont donc au fond du cœur, l'une un petit désir de vertu, l'autre ce petit désir de libertinage que J.-J. Rousseau le premier a eu le courage de signaler. Chez l'une, c'est le dernier reflet du rayon divin qui n'est pas encore éteint ; chez l'autre, c'est le reste de notre boue primitive. »

Qu'une telle conversion soit aussi difficile à réaliser qu'ardemment rêvée, c'est ce que conte la douloureuse histoire d'Esther dans *Splendeurs et misères des courtisanes*. Par amour pour Lucien de Rubempré, elle désire changer d'état et abandonner non seulement son métier mais jusqu'à son identité de fille de joie, « s'affranchissant » définitivement de celle qu'on nommait « la Torpille » : affranchissement qui, dans ce monde inversé qu'est celui des prostituées, ne signifie pas comme pour une femme honnête émancipation mais, au contraire, rachat par la vertu — de même que l'amour n'engendre pas la faute mais l'élan vers la pureté. Une telle conversion exige tout d'abord des sacrifices personnels, qui la décident à travailler seule dans une chambre, « à faire des chemises à vingt-huit sous de façon, afin de vivre d'un travail honnête. Pendant un mois, je n'ai mangé que des pommes de terre, pour rester sage et digne de Lucien, qui m'aime et me respecte comme la plus vertueuse des vertueuses ». Mais il y faut aussi un acte légalisé, qui institutionnalise le changement de statut, tant il est vrai que le monde des prostituées est tellement « à part » que sa coupure d'avec le monde des femmes légitimes doit recevoir une sanction juridique : « J'ai fait ma déclaration en forme à la Police, pour reprendre mes droits, et je suis soumise à deux ans de surveillance. » Mais il est plus difficile de sortir de cet état que d'y tomber : « Eux, qui sont si faciles pour vous inscrire sur les registres d'infamie, deviennent d'une excessive difficulté pour vous en rayer.»

Une fois consenti le sacrifice personnel et enregistré le renoncement officiel, il faut opérer tout un travail identitaire en se reconstruisant soi-même de façon à se couper de son propre passé, pour que la vie antérieure se détache de soi telle une identité périmée, qui a fait place neuve pour une autre personne : «Il me semble, à moi, que je ne suis née qu'il y a trois mois. Je priais le bon Dieu tous les matins, et lui demandais de permettre que jamais Lucien ne connût ma vie antérieure.» Le double travail sur soi — d'autoperception et de représentation — doit s'accompagner d'une désignation par autrui de ce qu'on est devenue, radicalement et définitivement autre que celle qu'on a été : redéfinition de soi qui se fait dans une solitude extrême, sans autre soutien que la foi. Puis le (faux) prêtre qui prend en charge sa conversion exige d'elle plus encore : il lui faut renoncer provisoirement à l'amour et apprendre la chasteté, autrement dit se refaire, comme on dit, une virginité, en passant par un séjour au couvent. Minée par la neurasthénie, elle manquera mourir de cette réclusion. Et tout ce travail n'aura servi à rien puisque sa métamorphose en jeune fille vertueuse ne la fera pas épouser par Lucien, mariage qui seul lui permettrait de changer réellement d'état : maintenue par son amant à l'état de maîtresse cachée, elle reste une seconde. Elle retombera dans son ancien état mais un cran au-dessus, en courtisane de haut vol. Désespérée de son échec, elle finira par se donner la mort.

Courtisanes avilies

«Une pauvre fille dans la boue. [...] Les hommes la trouvent belle, ils la font servir à leurs plaisirs en se dispensant d'égards, ils la renvoient à pied après être allés la chercher en voiture ; s'ils ne lui crachent pas à la figure, c'est qu'elle est préservée de cet outrage par sa beauté ; mais moralement, ils font pis» : dans sa dernière lettre à Lucien, Esther rappelle que l'avilissement est l'état premier des courtisanes. Il en est aussi l'ultime, sauf accident heureux ou prévoyance avisée permettant d'échapper au destin naturel des femmes, qui est de vieillir et d'enlaidir, c'est-à-dire de voir se dégrader le seul capital dont disposent celles qui comptent sur leurs charmes pour échapper à la misère. Les choses vont plus vite encore en cas de maladie, face à quoi elles n'ont ni couverture sociale ni protection matrimoniale : pour le narrateur de *La Dame aux camélias*, la vieillesse est le «châtiment ordinaire» et la «première mort» de la courtisane.

Passée en peu de temps de la misère à la splendeur, la *Nana* de Zola (1879) illustre la quasi-fatalité de l'avilissement. Elle est aussi une courtisane ayant réussi, car la description de son ascension et de son triomphe occupe l'essentiel du roman ; mais outre le caractère extrême de l'avilissement auquel le romancier la condamnera à la dernière page, elle est présentée comme doublement symbolique, parce que finalement avilie et, surtout, foncièrement avilissante. Non contente d'incarner le passage de la sensualité enfantine à la sexualité animale, elle figure un rabaissement d'ordre social, l'instrument de vengeance d'une populace pervertie par la misère et qui n'a que le sexe pour entraîner l'élite dans sa corruption, comme l'écrit un journaliste dans un article sur celle qu'il nomme «la mouche d'or» : «... l'histoire d'une jeune fille, née de quatre ou cinq générations d'ivrognes, le sang gâté par une longue hérédité de misère et de boisson, qui se transformait chez elle en un détraquement nerveux de son sexe de femme. Elle avait poussé dans un faubourg, sur le pavé parisien ; et, grande, belle, de chair superbe ainsi qu'une plante de plein fumier, elle vengeait les gueux et les abandonnés dont elle était le produit. Avec elle, la pourriture qu'on laissait fermenter dans le peuple, remontait et pourrissait l'aristocratie. Elle devenait une force de la nature, un ferment de destruction, sans le vouloir elle-même, corrompant et désorganisant Paris entre ses cuisses de neige, le faisant tourner comme des femmes, chaque mois, font tourner le lait.»

Nana est passée de l'état de fille perdue à celui de fille-mère, puis de fille des rues — recourant à une entremetteuse pour trouver un client dans l'heure lorsqu'elle a besoin d'argent — et de fille entretenue. Cherchant à effacer son état de prostituée par celui d'actrice, elle fait ses débuts au Théâtre des Variétés, dont le directeur lui-même proclame qu'il est son «bordel». Personne n'est dupe : Nana est une fausse actrice qui ne sait pas jouer, une fausse chanteuse qui ne sait pas chanter. Malgré ces handicaps, son abattage et sa sensualité lui valent un triomphe, lui permettant de viser plus haut dans la carrière : elle commence par un banquier, puis se met sous la protection du comte Muffat, qui lui achète un grand rôle au théâtre. Mais c'est un fiasco dès le premier soir : elle renonce à la scène pour l'état de courtisane de haut vol, dans un somptueux hôtel particulier près du parc Monceau offert par son protecteur. Avec lui, le contrat est clair : « Lui, donnait douze mille francs par mois, sans compter les cadeaux, et ne demandait en retour qu'une fidélité absolue. Elle, jura la fidélité. » Mais par plaisir, intérêt ou ennui, elle prend des amants, se divertit avec une amante (« son vice »), s'amuse aux courses, et s'acharne à ruiner les hommes qui l'approchent : « L'hôtel semblait bâti sur un gouffre, les hommes avec leurs biens, leurs corps, jusqu'à leurs noms, s'y engloutissaient, sans laisser la trace d'un peu de poussière [...]. Les besoins croissants de son luxe enrageaient ses appétits, elle nettoyait un homme d'un coup de dent. » Être ruiné par Nana devient un jeu dans la rivalité masculine, une sorte de *potlatch* par courtisane interposée entre hommes de la bonne société. On lui propose de l'épouser : elle refuse, trouvant cela « trop sale ». Quant à Muffat, ruiné lui aussi, il n'est pas dupe de ces infidélités mais ne dit rien, retenu par l'attirance sexuelle — jusqu'au jour où, la surprenant au lit avec son propre beau-père, il abandonne son vice pour sombrer dans la dévotion.

Nana se décide alors à tout laisser tomber et part voyager en Orient, dont elle revient avec la variole. Zola la fait mourir de la façon la plus sordide : « Nana restait seule, la face en l'air, dans la clarté de la bougie. C'était un charnier, un tas d'humeur et de sang, une pelletée de chair corrompue, jetée là, sur un coussin. Les pustules avaient envahi la face entière, un bouton touchant l'autre ; et, flétries, affaissées, d'un aspect grisâtre de boue, elles semblaient déjà une moisissure de la terre, sur cette bouillie informe, où l'on ne retrouvait plus les traits. [...] Et, sur ce masque horrible et grotesque du néant, les cheveux, les beaux cheveux, gardant leur flambée de soleil, coulaient en un ruissellement d'or. Vénus se décomposait. Il semblait que le virus pris par elle dans les ruisseaux, sur les charognes tolérées, ce ferment dont elle avait empoisonné un peuple, venait de lui remonter au visage et l'avait pourri.»

Disparue du monde occidental à peu près en même temps que les courtisanes, cette «petite vérole» est longtemps restée la maladie de prédilection de ces mauvaises femmes de romans que la morale punit *in extremis* dans ce qu'elles ont de plus *cher*, à tous les sens du terme — à savoir leur beauté.

Chapitre XV

FEMMES DE MAUVAISE VIE

Pour la morale traditionnelle, une femme non mariée qui a une vie amoureuse est pire qu'émancipée : elle s'apparente à une prostituée, même si elle ne vit pas de sa disponibilité sexuelle. D'autant que si ce n'est pas pour de l'argent qu'elle se donne, ça ne peut être que pour le plaisir — ce qui probablement est pire. Observons ces femmes de mauvaise vie, célibataires suspectées d'avoir des amants par plaisir plus que par intérêt.

Actrices entre amour et vocation

« Femme en vue, femme souhaitée ! De là vient la terrible puissance des actrices », note Balzac dans *La Cousine Bette* : voilà pour les motivations des hommes qui entretiennent des maîtresses recrutées sur les planches, où sera à son maximum la visibilité de l'élue et son rôle dans la rivalité masculine, qui mesure le rang non seulement à la grandeur du nom, au luxe du train de vie et à la richesse des équipages, mais à la notoriété et à la beauté des maîtresses. Et puis, on peut s'intéresser aux « artistes » parce qu'on aime la musique ou le théâtre, tandis qu'à se montrer avec des prostituées on n'avoue que son intérêt pour le sexe : « Il s'agissait d'un souper d'artistes, le talent excusait tout », note Zola dans *Nana*. Quant aux motivations des femmes à s'engager dans cette carrière mixte qui fait de l'actrice une courtisane en puissance et de la courtisane ambitieuse une artiste, elles sont un peu plus terre à terre :

«Dans la carrière du théâtre, une protection nous est nécessaire à toutes au moment où nous y débutons. Nos appointements ne soldent pas la moitié de nos dépenses, nous nous donnons donc des maris temporaires», explique la fameuse Josépha de *La Cousine Bette*.

«Madame, elle, avait toujours été l'autre femme, même au cours de ses brèves incursions dans le mariage»: ainsi apparaît la diva dans *Grand Opéra* de Vicky Baum (1941). Cantatrices, actrices, danseuses, les artistes de la scène, quels que soient leur statut et leurs mœurs, incarnent toujours «l'autre femme», celle qui vit dans un monde «à part» — le monde où les corps s'exhibent, où la féminité s'expose en public, où c'est l'impudeur et non la «modestie» qui est valorisée. Soupçonnée par les femmes rangées de n'être qu'une prostituée attirant les époux pour leur soutirer amour conjugal et fortune familiale, l'actrice est volontiers fantasmée par les hommes en amoureuse, dont la liberté de mœurs vise la volupté plus que l'intérêt, le bas de soie plus que le bas de laine: Théophile Gautier imaginait ainsi *Mademoiselle de Maupin* (1835), cantatrice aux mœurs légères, s'habillant en homme pour être libre de mener une vie galante [1]. L'économie toutefois fait le partage entre ces secondes supérieures que sont les actrices ou les chanteuses au talent exceptionnel, et les simples courtisanes qui n'ont pour elles que leur beauté: l'auteur de *La Dame aux camélias* note assez prosaïquement qu'une certaine Mlle R. «se fait avec son seul talent le double de ce que les femmes du monde se font avec leur dot, et le triple de ce que les autres se font avec leurs amours».

Si l'actrice est mue par la vocation théâtrale, montant sur les planches par amour de son art, l'intrigue romanesque fait alors jouer la tension entre amour et vocation, l'impossibilité de concilier l'excentricité d'une carrière artistique avec la normalité d'une vie rangée: telle *La Faustin* d'Edmond de Goncourt (1882), grande tragédienne entretenue par son amant en une liaison presque bourgeoise, à la limite de la conjugalité — embourgeoisement qui nuit d'ailleurs à son talent, lequel n'éclatera que le jour où elle trouvera l'amour. Si le talent, dans l'imaginaire masculin, désexualise la femme, le désir lui donne du génie. Son nouvel amant l'entretient dans le luxe et l'ostentation: l'actrice supérieure possède un privilège qui la place au-dessus des autres femmes, au sommet de la hiérarchie et même hors hiérarchie, hors du commun. Seulement cette idéalisation se paie d'une désexualisation qui finit par pousser l'amant à traiter sa maîtresse comme une épouse, en la délaissant pour des prostituées — cette prostituée qu'elle ne peut décidément plus être dès lors que sa singularité l'a mise hors du commun des femmes aux mœurs faciles. Mais elle ne peut non plus devenir son épouse, comme il le lui propose lorsqu'elle abandonne son métier pour lui, sacrifiant sa vocation à l'amour — car comment s'imaginer dans un état de première diamétralement opposé à l'état de seconde devenu son identité? «Voyez-vous, mon ami, [...] nous ne sommes pas nées pour faire des femmes légitimes, nous ne pouvons être que des maîtresses, et je serai la vôtre pour toujours.» Les deux amants partent en voyage, mais elle s'ennuie de son métier. Alors Goncourt, peinant manifestement à venir à bout de son intrigue, choisit de faire mourir l'amant de telle façon que, s'apercevant qu'elle est restée comédienne même pendant son agonie, il la répudie au dernier instant. Elle aura donc été jusqu'à la fin, malgré son renoncement à sa vocation théâtrale, une femme illégitime, qu'on ne reconnaît pas.

Actrices entre vocation et corruption

Si l'amour fou a pu sauver la Faustin de la dépravation, mais au prix de sa vocation, c'est lui qui à l'inverse entraînera une pure jeune fille de sa vocation d'actrice vers la corruption qui menace celles qui s'aventurent dans le théâtre. Lise Fleuron, dans le roman du même nom de Georges Ohnet (1884), est une blonde et vertueuse vierge touchée par la vocation du théâtre, diamétralement opposée à l'actrice entretenue qu'est la brune Clémence Villa: comme toujours chez Ohnet, la vertu s'oppose au vice comme la blonde à la brune. Actrice par dépravation, Clémence incarne cette courtisane sortie de la galanterie que Lise, actrice par vocation sortie du Conservatoire, doit se garder de devenir. Mais elle est poursuivie par le désir de son amoureux, qui ne s'encombre guère des égards qu'on réserve aux jeunes filles ordinaires, tant il paraît admis que l'état d'actrice est indissociable de celui de femme entretenue.

Encouragée par cette atmosphère délétère et l'insistance de son amoureux, elle s'abandonne à lui. Elle ne va pas toutefois jusqu'à lui sacrifier sa vocation, trop consciente que son métier, s'il l'expose au danger de corruption, est aussi ce qui lui permet de résister à la prostitution : si elle n'a pas su rester sage, son écart de conduite demeure dans les limites de l'honnêteté tant qu'il n'est motivé que par l'amour et tant qu'elle ne se fait pas entretenir, autrement dit tant que le lien sexuel n'est qu'un prélude au mariage. Son inconduite ne la mènera pas moins à une mort fatale, et c'est Lise mourante qui tire l'amère morale de l'histoire : « Décidément, les comédiennes qui veulent vivre au quatrième étage, s'habiller avec des robes de laine, aller en fiacre et n'avoir qu'un amant, ne sont pas faites pour les grands triomphes... L'avenir est aux actrices qui ont un petit hôtel... L'honnêteté au théâtre est une duperie ! »

De la grisette à la débauchée

Tout en bas de la hiérarchie de ces femmes faciles sont les petites ouvrières aux mœurs légères : peu regardantes sur la morale, ou peu surveillées, elles se disputent les amoureux, n'hésitant pas toujours très longtemps avant d'en faire des amants. Leurs familles, lorsqu'elles en ont, ne se préoccupent guère de ces transgressions des stratégies matrimoniales, étant donné l'absence de patrimoine ou de titre à transmettre. Ainsi se présente la grisette, « petite cousette du siècle passé, insouciante et profitant des plaisirs parisiens [2] ». Femme d'attente pour étudiants, elle-même en attente d'un établissement matrimonial, elle fait dans les romans des apparitions tout aussi brèves et transparentes que dans l'éducation sentimentale des jeunes gens, dont elle n'est qu'un moment éphémère. Un peu plus qu'une prostituée, un peu moins qu'une authentique maîtresse ou qu'une véritable courtisane, elle n'est en tout cas pas une fiancée dès lors que l'étudiant en mal d'amourettes appartient à un milieu qui lui permet d'aspirer à un mariage plus valorisant.

La lorette (ainsi nommée grâce à Notre-Dame-de-Lorette, quartier de prédilection des mœurs légères au XIXe siècle) est une grisette en voie de promotion hiérarchique, régulièrement entretenue par son galant, et à qui ne manque qu'un peu d'ambition ou de moyens pour devenir une véritable courtisane, installée dans un état de débauche relevant alors de l'intérêt plus que du plaisir. Parisienne, la lorette est une cigale seulement préoccupée de briller parmi ses semblables, comme l'explique Balzac mettant en scène dans *La Cousine Bette* un dîner de lorettes : « Une partie est toujours pour ces dames un Longchamp de toilettes, où chacune d'elles veut faire obtenir le prix à son millionnaire, en disant ainsi à ses rivales : Voilà le prix que je vaux ! » Provinciale, elle est plutôt une fourmi soucieuse de son avenir, telle Suzanne, la jeune lingère qui, dans *La Vieille Fille* du même Balzac (1836), feint d'être enceinte du vieux bourgeois dont elle est la maîtresse et lui extorque, sous peine de scandale, l'argent nécessaire à son installation à Paris.

Mais les femmes légères figurent de préférence dans les romans de la bohème, lieu par excellence de la dissolution des mœurs, comme en témoigne ce personnage emblématique qu'est le modèle des peintres et des sculpteurs (ou, sous forme moderne, le mannequin des maisons de couture, comme dans *La Courtisane passionnée* de J.-H. Rosny jeune en 1919) : celle qui, entre employée de maison et prostituée, monnaie son corps mais sous cette forme atténuée qu'est le regard. Car un modèle n'est jamais loin d'une prostituée : dans *L'Éducation sentimentale*, le peintre Pellerin, médisant de Jacques Arnoux, affirme que « si on lui offrait une belle somme, il ne la [son épouse] refuserait pas pour servir de modèle ». Se montrer nue pour de l'argent fut longtemps un signe de débauche dont on mesure mal aujourd'hui le caractère transgressif : ainsi, dans *Le Chef-d'œuvre inconnu* de Balzac (1831), Gillette, résignée à poser nue pour Frenhofer, ne peut s'empêcher de mépriser son amant Poussin d'avoir exigé d'elle, pour l'amour de l'art, un tel sacrifice. Un demi-siècle plus tard, dans *La Femme pauvre* de Léon Bloy (1897), le peintre qui s'apprête à la faire poser nue pour la première fois la découvre en larmes derrière le paravent où elle ne se résout pas à ôter ses haillons. Il n'est guère que les hommes pour voir dans le statut de modèle un supplément ajouté à la désirabilité de la femme (tel le héros de *Sapho* de Daudet : « Et tout au fond de son être, se levait une fierté mauvaise, inavouable, de la partager avec ces grands artistes, de se dire qu'ils l'avaient trouvée belle ») : c'est qu'en bonne logique girardienne, le regard d'un autre homme — et de cet homme au statut particulier qu'est l'artiste — est venu frayer sur ce corps le passage du désir.

Hormis ces grisettes pour étudiants, lorettes pour jeunes gens à la mode et modèles pour artistes, il existe des versions luxueuses et sophistiquées de la débauchée : telle *La Fille aux yeux d'or* de Balzac (1834) dont la double dépravation, dans l'obscur péché homosexuel et l'innocence de l'amour hétérosexuel, finira tragiquement. Sous une forme plus légère, *L'Animale* de Rachilde (1893) conte l'histoire d'une jeune fille de bonne famille dépravée, devenue la maîtresse entretenue de son ex-fiancé. Aimant trop l'amour pour faire une vraie prostituée, elle tombe non dans le ruisseau mais, pis, dans l'animalité, traînant sur les toits comme une chatte de gouttière et recueillant un chat avec lequel elle entretient un lien quasi amoureux — et qui, jaloux, finit par la déchirer à mort...

Protégées par leur jeunesse, les débauchées demeurent des figures acceptables, coupables certes de légèreté mais encore pardonnables — surtout aux yeux des hommes, d'autant plus indulgents qu'ils savent pouvoir en profiter. Elles peuvent même se rétablir *in extremis* dans la conjugalité bourgeoise, telle la jeune blanchisseuse abandonnée par son amant aristocrate dans *Dédales* de Theodor Fontane (1887). Mais pour peu qu'elle vieillisse, la femme de mauvaise vie devient une débauchée au plus vil sens du terme, un repoussoir cumulant saleté, pauvreté et dépravation : telle la Mathilde de *L'Œuvre* de Zola, qui se donne au premier venu au fond d'une arrière-boutique ; telle surtout *Germinie Lacerteux* des frères Goncourt (1865), servante de bonne maison tombée dans la nymphomanie et qui, abîmée par les fausses couches et la boisson, s'avilit en une sombre double vie, « au-dessous de la honte, au-dessous de la nature même ».

Chapitre XVI

DE LA FILLE DÉCHUE
À LA FILLE DES RUES

Tess, on s'en souvient, avait raté son destin d'épouse par l'accident qui l'avait irrémédiablement compromise. Fille-mère, c'est-à-dire fille perdue, celle qui a connu le sexe hors des liens conjugaux est enfermée dans une identité qui n'est plus celle de la vierge promise au mariage, ni celle de la vieille fille en puissance, condamnée à la chasteté par l'impossibilité de se marier — mais celle de la seconde, propre à toutes celles qui ont affaire à la sexualité hors contrat.

Fille déchue

Au plus bas degré de la seconde, l'état de fille déchue n'a guère de définition que négative : la « fille de petite vertu » est essentiellement, comme le dit *La Dame aux camélias*, « la femme qui n'est ni mère, ni sœur, ni fille, ni épouse ». Cette chute n'advient pas forcément par l'appel d'une sexualité irrépressible, la conséquence d'un moment d'égarement ou un calcul d'intérêt : il arrive qu'elle soit infligée de force, par le viol, cette double violence à la fois sexuelle et hiérarchique, où le mépris de l'autre en tant que femme se double du mépris de l'autre en tant qu'inférieure, n'appartenant pas assez au même monde pour requérir le respect. L'arrachement à l'état de vierge et le basculement corrélatif en état de fille déchue, marquant l'assignation à l'état de seconde, adviennent de préférence aux domestiques, pour qui il n'est plus tant un accident qu'une fatalité, une condition quasi obligée : longtemps la

déchéance par le viol, notamment collectif, fut presque un
«rite de passage pour les femmes qui en étaient victimes [1]».
La seule chance d'en sortir est de se faire épouser. Mais cela
n'est possible qu'à condition de dissimuler son véritable état,
ou de tomber sur un homme suffisamment épris pour ne pas
s'en formaliser, ou encore d'accepter un parti peu regardé et
donc peu regardant : un homme laid, pauvre, vieux, veuf, ou
tout cela à la fois. À défaut, la fille déchue est condamnée à
l'exclusion hors de la bonne société féminine avec, comme seul
espoir d'amélioration, l'ascension dans les degrés de la
seconde.

Fille des rues

Imaginons, tel un scénario à agencer soi-même, que Tess soit
devenue une jeune campagnarde déshonorée partie cacher son
infortune à la ville. Elle pourra se placer comme bonne, pour
peu qu'une maison l'accepte malgré l'absence de références ;
elle pourra trouver un emploi en usine, s'il en existe ; elle
pourra aussi, ayant fait l'expérience d'une première déchéance,
continuer dans cette voie, en exploitant financièrement sa
capacité à être désirée. C'est ce qui advient à la Fantine des
Misérables de Victor Hugo (1862), lorsque «l'infortunée se fit
fille publique». Car elle a charge d'âme, ayant eu, de sa
«faute», un enfant, qui est à la fille déchue le témoin vivant et
ineffaçable de sa condamnation, en même temps que le seul
être auquel elle demeure liée, son soutien moral, sa raison de
rester en vie. Mais c'est aussi une charge matérielle, qu'il faut
entretenir — quitte à se faire elle-même entretenir ou, faute
d'amant régulier, à faire payer par des inconnus l'usage de son
corps. Ainsi les filles déchues deviennent des filles des rues. Et
lorsque Fantine sera trop malade pour travailler et trop dimi-
nuée pour séduire, lorsqu'elle aura vendu jusqu'à ses cheveux
et ses dents, il ne lui restera qu'à mourir, dans l'absolue déréliction des femmes tombées au comble de la misère matérielle et
morale : «Elle fut jetée à la fosse publique. Sa tombe ressembla
à son lit.»
Le roman offre parfois aux filles publiques des destins moins
tragiques : mais il faudra attendre un siècle, le temps que la

morale devienne moins stricte et que la valorisation de la vie aventureuse l'emporte sur l'apitoiement ou la dénonciation des égarements. Ainsi *Ambre* de Kathleen Winsor (1944), grand *best-seller* du siècle, montre qu'en cette époque moderne des héroïnes sans vertu — de *Caroline chérie* à *Angélique marquise des Anges*[2] — l'histoire d'une fille perdue déflorée gaiement par un lord de passage peut devenir la fresque haute en couleur d'une aventurière finissant en favorite du roi («Quel chemin n'ai-je pas parcouru!»), à laquelle la lectrice s'identifiera sans douleur.

Les états de la prostitution

Contemporain de ces romans d'aventurières à la vertu légère est *La Belle Romaine* d'Alberto Moravia (1947), jeune fille que sa mère pousse à la prostitution. Même si ces deux crises majeures que sont l'entrée dans le monde sexuel puis le basculement dans la prostitution y sont traitées avec un irénisme qui trahit un point de vue masculin, ce roman est exceptionnel par son thème, guère pensable au siècle précédent sous cette forme non moralisatrice : la littérature n'abonde pas en personnages de filles publiques égarées dans les villes, offertes au premier venu — le sujet n'étant pas franchement édifiant ni follement réjouissant. Les prostituées ne pénètrent la tradition romanesque qu'à partir d'un certain niveau de réussite et, corrélativement, de désirabilité. Il faut donc s'éloigner de la fille des rues issue du peuple — telle Fleur-de-Marie dans *Les Mystères de Paris* d'Eugène Sue (1842) — et se rapprocher de la courtisane, pour que la femme qui monnaie son sexe donne vraiment prise à la fiction. La prostituée de roman est le plus souvent fréquentée par la haute société, le récit devenant alors outil d'éducation pour jeunes hommes de bonne famille : tel, premier en son genre, l'*Histoire du Chevalier Des Grieux et de Manon Lescaut* de l'abbé Prévost (1731), véritable roman de formation destiné à signaler aux jeunes gens tentés par les courtisanes de haut vol les risques qu'ils encourent s'ils ont l'imprudence d'aimer ces femmes entretenues, que peu de choses sépare de la prostituée.

De la courtisane régulièrement entretenue à la call-girl

moderne louée pour un soir ou à la prostituée payée à l'acte, il existe différents états de la prostitution, inégalement représentés par la fiction. La polysémie des termes est à la mesure du trouble que suscite cet état : la «fille» désigne ces «filles» (vierges) restées «filles» (célibataires) tout en perdant leur virginité, autrement dit lorsque le changement d'état physique ne s'est pas accompagné de ce changement d'état civil qu'est le mariage. Si nécessaire, des qualificatifs lèveront toute ambiguïté : «fille légère», «fille publique», «fille des rues», «fille de petite vertu». Entre les termes crus tels que «catin» ou «putain», et les euphémismes tels que «respectueuse» ou «professionnelle», on trouve aussi la «poule» (populaire), la «gourgandine» (bourgeois), la «demi-mondaine» (vieilli) ou la «cocotte[3]». Mais toutes ces variétés de l'état de prostituée ont en commun d'être objet de mépris et d'exclusion hors de la bonne société, voire de la société tout court lorsque la déviation morale devient aliénation mentale — comme *La Fille Élisa* d'Edmond de Goncourt (1877), victime de la cruauté du sort fait aux filles perdues. L'immoralité des bien-pensants à l'égard des «filles» fera même la morale de ce conte immoral qu'est *Boule de suif* de Maupassant (1880), où une prostituée au bon cœur conquiert la bienveillance des bourgeois avec lesquels elle voyage en diligence, mais n'en subira pas moins leur mépris lorsque, pour éviter à la compagnie l'hostilité d'un officier prussien, elle se résigne à lui octroyer ses faveurs.

Par-delà cette constante qu'est le mépris envers toute prostitution, celle-ci est soumise à une gradation interne, selon une hiérarchie doublement déterminée par le nombre et par la qualité des partenaires : tout en bas sont les femmes qui se vendent à des partenaires nombreux, anonymes et peu fortunés ; tout en haut, celles qui se font entretenir par un seul partenaire à la fois, connu de la petite société à laquelle elles appartiennent, et suffisamment fortuné pour leur assurer une existence luxueuse. Aussi n'est-ce pas seulement une différence de niveau de vie qui sépare ces courtisanes de haut vol des putains de portes cochères, mais aussi une différence dans la nature de leur visibilité : la courtisane étant sinon «montrable» par son amant, du moins avouable aux autres hommes, tel un signe extérieur de richesse, un instrument de promotion dans le petit *potlatch* ostentatoire, la surenchère dans la rivalité masculine ;

alors qu'à l'opposé la prostituée de bas étage n'est ni montrable ni avouable ; c'est même elle qui doit « se montrer », c'est-à-dire s'exposer en public, réduite à son statut d'outil sexuel. Le critère du nombre de partenaires — soit dans le même temps pour les plus mal loties, soit dans le cours de leur carrière pour celles qui se débrouillent mieux — est essentiel pour justifier l'absolue démarcation qui sépare les prostituées des femmes mariées, lesquelles peuvent fort bien ne se donner à leur époux que pour satisfaire aux conditions du contrat d'entretien. Enfin, une authentique prostituée peut trouver une forme de dignité dans le fait de n'être pas une débauchée, c'est-à-dire d'exercer non pour le plaisir mais par intérêt : « Lorsque j'allais avec eux, n'est-ce pas ? eh bien ! ça ne me faisait pas plaisir, mais pas plaisir du tout. Ça m'embêtait, parole d'honneur !... », insiste Nana.

Intérêt ou plaisir, luxe ou nécessité, unicité ou pluralité des partenaires : ces trois critères déterminent la hiérarchie interne à l'état de prostitution, en même temps que ses limites externes, définissant la frontière, labile, entre les authentiques prostituées et les autres catégories de secondes. Car il y a celles qui, célibataires, ne s'intéressent qu'au sexe, sans forcément en tirer de l'argent ni multiplier les partenaires : « débauchées » ou « femmes de mauvaise vie » qui font chuchoter les femmes honnêtes. Il y a celles qui ne s'intéressent qu'à l'argent, mettant toute leur passion dans le luxe qu'elles parviennent à se faire offrir : grandes courtisanes qui font la ruine des patrimoines. Et il y a celles enfin qui vivent avec leur unique pourvoyeur comme elles vivraient aux côtés d'un mari si elles étaient mariées : maîtresses ou femmes entretenues, que les plus rigoristes des épouses légitimes traitent parfois de « putains » pour mieux marquer une différence qui n'est plus affaire, dès lors, que de contrat juridique. Femmes de mauvaise vie qui ne s'intéressent qu'à l'amour, femmes entretenues qui ne s'intéressent qu'à l'argent, maîtresses ou concubines qui ne s'intéressent qu'à leur ménage : ce sont ces trois figures extrêmes, à la limite de la prostitution, que nous avons vu se dessiner dans l'espace romanesque imparti aux secondes, autour de ce quasi-silence de la fiction auquel sont condamnées les prostituées de tous les jours, femmes vénales pour de vrai, filles déchues devenues filles des rues, exposées au mépris des honnêtes gens en même temps qu'aux maladies et aux caprices des clients — ces innombrables et anonymes prostituées qui, dans leur déréliction, ne disposent pas même d'un grand modèle romanesque pour étayer leur identité.

L'abîme

La seconde est dans une position intermédiaire entre la première — bien visible mais unilatéralement dépendante, et sexuée — et la tierce — invisible, indépendante et asexuée. Mais c'est un abîme qui sépare de la seconde, vouée à l'illégitimité, la tierce, vouée à l'abstinence : cet abîme qu'est la brève chute dans le passage à l'acte sexuel. La tentation est grande : Jane Eyre, échappée du château hanté par la première épouse et revenue à sa condition d'institutrice, a approché de trop près l'amour pour ne pas regretter cet état de maîtresse qu'elle avait refusé parce que trop dégradant : « Entre-temps, je me demandais s'il n'eût pas été préférable d'écouter la voix de la passion, de renoncer à la lutte, et de sombrer dans le piège doré, de s'endormir sous les fleurs qui le cachent, de s'éveiller dans le luxe d'une villa de plaisance sous un ciel ensoleillé, en un mot, d'être la maîtresse de M. Rochester, et de passer le plus clair de mon temps dans ces transports d'amour, car il m'aimerait comme personne ne m'aimerait jamais. Je ne connaîtrai plus le doux hommage à la beauté, à la jeunesse, à la grâce ; qui donc me reconnaîtra ces charmes maintenant ? Mais où s'égarent mes pensées et surtout mes sentiments ? Quelle est la meilleure existence ? Vivre esclave d'un rêve insensé, dans la fièvre d'un bonheur illusoire, pendant un moment, pour verser peu après des larmes de remords et de honte, ou être maîtresse d'école, libre et honnête, dans un village de montagne, où souffle une brise vivifiante ? »
Examinons donc de plus près ce destin de tierce auquel, sans l'artifice romanesque employé par la romancière, elle aurait été normalement condamnée, comme toutes celles qui dépendent économiquement d'un patron, ou d'une famille, mais non pas de l'activité sexuelle — qui dès lors est exclue.

CINQUIÈME PARTIE

Le point de vue de la tierce

La pire destinée pour la femme, c'est de vivre seule.

Jules Michelet, *La Femme.*

Chapitre XVII

LA GOUVERNANTE

« Je suis la gouvernante. — Ah ! la gouvernante ! répétat-il » : c'est en cette qualité, on s'en souvient, que Jane Eyre avait rencontré son futur époux. On se souvient aussi de Mrs Danvers, l'ancienne gouvernante de Rebecca, que Selznick trouvait dans la première adaptation « moitié moins intéressante que dans le livre ». Et en effet, le personnage de la gouvernante est beaucoup plus fondamental que ne le laisse supposer sa position subalterne. Figure récurrente dans maints romans, elle est au centre d'un des chefs-d'œuvre d'Henry James, qui va nous en fournir la clé.

Le symptôme du fantôme

Le Tour d'écrou (1898) utilise, comme *La Lettre écarlate* de Hawthorne, un complexe procédé de mise en abyme, livrant au lecteur, par l'intermédiaire du narrateur, un récit transmis par un conteur qui le recueillit de la bouche d'un protagoniste qui le reconstitua à partir du témoignage écrit laissé par le personnage principal[1]... « Il n'y a pas de fantômes mais seulement des conteurs d'histoires de fantômes », notait Edith Wharton dans sa préface au *Triomphe de la nuit* (1937) : le propre des histoires de fantômes, et des apparitions en général, est qu'aucun accès n'y est possible en tant que simple témoin, en position de neutralité. Le témoin s'y confond avec le protagoniste dès lors que son récit fait exister l'événement dans l'esprit du destinataire, et l'éventail des postures possibles va de la distance de celui qui n'en veut rien croire et en dénie l'existence même, à l'implication de celui qui en fait état et, par là même, atteste que «quelque chose» s'est produit, que ce soit sur le mode détaché du témoin ou sur le mode profondément investi de celui qui «y croit» et, y croyant, a besoin que les autres y croient tout comme lui[2]. C'est pourquoi, en matière d'apparitions, aucun récit n'est jamais neutre : être, pour un fantôme, ce n'est pas être perçu, c'est être raconté. D'où l'importance, dans de telles fictions de fictions, du dispositif de transmission, que James amplifie par la multiplication des intermédiaires narratifs, détachant le récit du régime de pure fiction pour l'inscrire (fictivement) dans celui du document, du témoignage, du réel auquel il soit possible de croire. Ainsi la complexité de la mise en abyme semble signifier par la structure même du récit l'ineffabilité de la chose en même temps que la nécessité de son énonciation. Mais quelle est donc cette histoire si horrible qu'elle en est à ce point difficile à raconter ?

«La plus jeune fille d'un pauvre pasteur de campagne, elle débutait dans l'enseignement, à vingt ans, quand elle se décida, un beau jour, à se rendre en toute hâte à Londres, sur la demande de l'auteur d'une annonce à laquelle elle avait déjà brièvement répondu» : ainsi commence l'histoire du *Tour d'écrou*, comme commence toute histoire de gouvernante. Jeune fille de bon milieu et de bonne éducation, sa pauvreté et, plus précisément, son absence de dot, la voue au célibat (c'est-à-dire, en régime victorien, à la chasteté), puisqu'elle ne pourrait guère se marier qu'en acceptant de se mésallier, donc en perdant son rang et, avec lui, le peu de dignité qui lui reste. Ne pouvant se faire entretenir par un époux ni demeurer toute sa vie à charge d'une famille trop démunie (à moins encore qu'elle ne soit orpheline ou précocement veuve), la voilà forcée de subvenir elle-même à ses besoins en exerçant ses capacités contre un salaire. Or le seul emploi que puisse occuper sans déchoir, dans la société traditionnelle, une jeune fille bien élevée, consiste à faire pour autrui ce qu'elle ferait pour elle-même si elle en avait la possibilité : élever des enfants. La voilà donc vouée à vivre dans un foyer étranger, condamnée à cette forme supérieure de domesticité que sont l'éducation et l'enseignement des enfants d'autrui.

La rencontre avec le maître, doté de toutes les séductions,

signe l'aspiration de la jeune fille à être admise en tant que femme dans le monde masculin, en même temps que l'épreuve du renoncement forcé à cet espoir impossible. Car ne pouvant espérer se faire épouser par lui, elle n'a d'autre perspective que de renoncer à sa vertu, c'est-à-dire à sa dignité, en devenant sa maîtresse, ou de renoncer à sa féminité en restant vertueuse, préservant ainsi ses liens avec sa famille, son passé, son milieu, sa propre identité. «Elle allait, en somme, au-devant d'une grande solitude»: coupée de sa propre famille, la gouvernante est tenue à distance du monde des adultes et, plus précisément, de l'univers masculin et donc du monde sexué — d'autant plus ici qu'une clause de son contrat stipule «qu'elle ne devait jamais venir le troubler pour quoi que ce fût, mais jamais; ni l'appeler, ni se plaindre, ni lui écrire». Privée d'accès au monde masculin incarné par son maître, elle s'ingénie à en couper également les deux enfants dont elle a la charge: en n'envoyant pas même leurs lettres, elle s'applique en toute innocence, persuadée de ne faire que son devoir, à les plonger dans le même *no man's land*, la même désertification de tout rapport avec les hommes à quoi elle s'est vu condamnée. Cela lui donne en outre barre sur eux — elle qui, vivant dans la dépendance, n'a guère pour exercer une domination que les enfants qu'elle a, dit-elle, «cousu à ses jupes».

Faute de lien sexuel, elle surinvestit le lien affectif avec eux, tombant pour ainsi dire amoureuse de la petite fille dont elle a la charge et avec qui elle instaure, en toute bonne conscience, une relation de séduction et de fascination; puis ce sera au tour du petit Miles de faire l'objet d'un semblable investissement. Tel un leitmotiv revient ce thème de la relation amoureuse aux enfants, décrits comme des anges asexués; car à travers eux, l'exclusion hors du monde sexué peut se vivre non dans le sentiment d'injustice associé à la condition malheureuse de la gouvernante, mais dans l'acceptation fataliste qu'appelle toute condition normale, puisque telle est, dans l'univers enfantin, l'innocence sexuelle — face à quoi tout le reste n'est qu'imperfection, laideur, faute, violence, abomination. Surinvestie comme le garant de la normalité du sort de la gouvernante, cette innocence permet de faire de nécessité vertu, et d'une condition particulière une condition générale.

Cependant l'amour impossible pour l'homme de ses rêves,

qu'elle a détourné sur les enfants, fait surgir les fantômes : c'est au moment où elle songe à son patron qu'a lieu en haut d'une des deux tours la première apparition : « L'homme que je voyais n'était pas la personne que j'avais précipitamment cru devoir être là [...]. Le lieu même, de la façon la plus étrange du monde, s'était transformé, en un instant et par le fait de l'apparition, en une solitude absolue. » Le fantôme est donc, exactement, *l'apparition d'une absence* : apparition de ce qui manque et, plus précisément, de ce qui manque aux gouvernantes coupées du monde sexué, et dont l'absence ainsi manifestée les renvoie brutalement à leur condition solitaire. Récurrente dans cette maison-là, l'épreuve du fantôme s'avère être le propre des gouvernantes puisque la précédente l'avait aussi subie, alors que « en dehors de l'institutrice, personne, dans la maison, n'avait eu à subir l'épreuve ». Et cette première apparition est d'autant plus manifestement associée au maître des lieux que le fantôme prend la forme de « son propre domestique, son valet de chambre, quand il était ici », et qui porte les vêtements de son maître. Les fantômes vont s'avérer être ceux des deux protagonistes de la relation sexuelle impossible : l'ancienne gouvernante pour l'actuelle, le domestique pour le maître. Enquêtant sur ces deux personnes, elle va d'ailleurs apprendre qu'elles entretenaient une liaison, enfreignant ainsi un double interdit, sexuel et hiérarchique. Les deux revenants incarnent donc (si l'on peut parler ainsi d'un fantôme) la transgression de l'interdit majeur : transgression menaçant les êtres innocents que les spectres, en leur apparaissant, cherchent à souiller et à perdre en leur ouvrant leur monde dépravé. Aussi est-ce non seulement la gouvernante qui est victime de ces apparitions, mais aussi ces enfants à qui elle s'est liée par un trouble rapport de projection d'elle-même et de substitution du maître : elle comprend que l'homme veut leur apparaître, et que la femme veut s'emparer de la fillette. Alors, telle Mrs Danvers se livrant aux flammes à la fin de *Rebecca*, la gouvernante va se poser elle-même en victime expiatoire, acceptant de se soumettre à l'épreuve du fantôme afin de l'épargner aux enfants.

Le retour des apparitions signe la récurrence des fantasmes qui hantent la gouvernante, et dont le caractère sexuel ne cesse d'affleurer sous la plume de l'auteur. On y lit tout d'abord l'expression détournée de l'attente de la défloration, acte par excellence qui peut faire d'une femme « une autre femme » en lui donnant accès à la féminité — cette féminité interdite à la gouvernante, et qu'elle ne peut vivre que par la double médiation de l'amour platonique pour les enfants et de la fantomatisation du rapport sexuel : « Miles se tient de nouveau debout, les mains dans les poches, me tournant le dos, regardant hors de la grande fenêtre à travers laquelle, ce jour fatal, j'avais aperçu ce qui devait faire de moi une autre femme. Nous restâmes silencieux tant que la servante fut là — aussi silencieux, pensais-je ironiquement, qu'un jeune couple en voyage de noces qui se sent intimidé par la présence du garçon. » Puis la présence du fantôme intensifiera la relation avec l'enfant, décrite comme une étreinte amoureuse et où le fantôme surgit comme un symbole phallique : « Alors, avec un gémissement de bonheur, je l'enlaçai, je le pressai, éperdument — et pendant que je le tenais sur mon sein, qui sentait battre, dans la fièvre soudaine du petit corps, la pulsation formidable de son petit cœur, mes yeux ne quittaient pas cette chose à la fenêtre, et la virent se mouvoir et changer de posture. Je l'ai comparée à une sentinelle, mais son lent va-et-vient rappela plutôt, pendant un instant, l'allure de la bête frustrée. Mon courage surexcité était tel que, pour ne pas me laisser entraîner, il me fallut, pour ainsi dire, voiler ma flamme. » Enfin, l'apparition fantomatique sera décrite en des termes — « confession », « flétrissement », « damnation », « recommencement », « trahison » de soi-même, « trouble », « secret », « bouleversement », « délivrance » et, enfin, « jamais plus » — évoquant la masturbation : « À ce mouvement, d'un seul bond, avec un cri irrépressible, je sautai sur lui. Car là-bas, encore, derrière la vitre, comme pour flétrir sa confession et suspendre sa réponse, était le hideux auteur de notre misère — la face pâle du damné. Devant cette négation de ma victoire, à ce recommencement de la bataille, un étourdissement me saisit : si bien que mon bondissement affolé me trahit complètement. Mais tandis que je me trahissais moi-même, je vis qu'il ne comprenait que par divination ce qui me troublait. Alors, bien convaincue que, même à cette heure, il en était réduit à deviner la scène, que la fenêtre demeurait toujours vide à ses yeux, je laissai ma secrète inspiration jaillir comme une flamme, afin d'arracher à l'apo-

gée de son bouleversement la preuve même de sa délivrance.
"Jamais plus, jamais plus, jamais plus!" criai-je à l'apparition,
tandis que je m'efforçais de serrer l'enfant dans mes bras.»
Et c'est à la page suivante que s'achève le roman, sur la mort
de l'enfant innocent vaincu par le hideux fantôme...

Quand l'absence apparaît

« Si cet enfant donne un tour d'écrou de plus à votre émotion, que direz-vous de deux enfants?» demande le conteur de
l'histoire : le «tour d'écrou» désigne explicitement l'introduction des enfants dans l'histoire (sexuelle); là est bien le sujet
du roman, avec l'irruption de la sexualité dans un monde où
elle n'a pas sa place — le monde auquel sont condamnées les
gouvernantes. Mais le «tour d'écrou» renvoie également au
geste de visser, au sens où l'on «visse» quelque chose ou quelqu'un pour qu'il demeure en place : ce «tour d'écrou» qu'est
l'introduction des enfants à la place de la sexualité interdite
n'est-il pas également ce qui fait tenir la femme à cette place
intenable où l'on n'est femme pour personne? À ce «tour
d'écrou» s'ajoute le double tour de force d'Henry James :
d'avoir installé dans le dispositif même de la narration cette
présentification de l'objet absent (impossible comme l'homme,
interdit comme le sexe) qu'est toute histoire de fantôme ; et
d'avoir mis en position de narratrice, autrement dit de sujet,
celle qui ne peut pas être la «première» ni même, sauf accident, la «seconde». Or c'est bien là une construction paradoxale, tant il est vrai que le statut d'une gouvernante se
définit essentiellement par une condition négative : celle de
n'être pas une fille à prendre. Ne pouvant accéder au mariage,
elle est à la fois exclue de la vie sexuelle et plongée dans un
monde sexué, habité par des hommes : à la différence des filles
en communauté, qui ont érigé en statut collectif leur inépousabilité, la gouvernante évolue dans un monde où la différence
sexuelle est signifiante, et l'éventualité du contact avec
l'homme et du rapport sexuel, permanente. C'est pourquoi, de
même que la fille qui se retire du monde sexué ou s'en voit reléguée ne trouve place dans la fiction qu'à condition de perdre
son innocence, de sacrifier à sa vocation l'espoir du mariage

ou de refuser sa condition d'épouse de Dieu — de même la gouvernante ne «prend» guère la fiction qu'à condition de se confronter au monde sexué, fût-ce à l'état de fantôme. C'est cette condition négative — l'absence du sexe — qui fait retour (comme on le dit du refoulé) sous la forme du revenant, dont l'apparition dans un récit signale immanquablement la présence d'une femme de qui le sexe s'est absenté. Et lorsque Edith Wharton, dans sa préface au *Triomphe de la nuit*, expliquait que les deux conditions pour que les fantômes se manifestent sont le silence et la continuité — «Car là où est apparu un jour un fantôme, il semble aspirer à réapparaître, et il préfère manifestement les heures silencieuses» —, n'exprimait-elle pas l'homologie entre fantômes et sexualité, également soumis à cette double fatalité du silence et de la récurrence?

Rien d'étonnant alors si Jane Eyre, arrivant au château pour sa première place de gouvernante, s'enquiert en plaisantant de l'éventualité d'un fantôme. Et plus tard, ignorant de quelle inavouable présence est hantée une chambre secrète, elle passe à côté de l'horrible vérité: pas assez près pour la voir mais suffisamment pour l'entendre, comme si, invisible aux autres et trop loin pour les voir, elle-même ne pouvait approcher la vérité que par l'ouïe, tels les enfants ainsi avertis des mystères auxquels seuls ont accès leurs parents: «Quel était ce mystère qui se révélait, tantôt par le jeu, tantôt par le sang, aux heures les plus sombres de la nuit? Qui était cette créature qui se cachait sous la forme d'une femme et possédait un rire démoniaque?» Et lorsque arrive le maître, il apparaît — exactement comme dans *Le Tour d'écrou* — tel un fantôme, un être surnaturel semblable à ceux dont lui parlait jadis la gouvernante de son enfance (les gouvernantes ne sont-elles pas d'excellents conducteurs de fantômes?). «Ce n'est pas un fantôme», dit-elle plus tard, l'ayant aperçu à l'improviste. Ce n'est pas un fantôme, non: c'est simplement un homme, cet être interdit aux tierces.

Mais les fantômes qui hantent la vie sans avenir des femmes sans lien sexuel sont relégués, dès lors que l'homme a déclaré sa flamme, à l'état de — justement — fantômes, chassés de la réalité par l'aveu de l'amour et la puissance de la chair masculine, si proche qu'on peut la toucher, si désirable qu'on peut, réellement, en rêver: «"Vous, monsieur! Vous êtes un fantôme, plus encore, un simple rêve." Il étendit sa main en riant.

"Est-ce là un rêve ?" dit-il en l'approchant de mes yeux ; il avait une main musclée, vigoureuse, le bras long et plein de force. "Oui, je la touche, mais c'est un rêve quand même", dis-je.» C'est un rêve, un rêve de tierce : sortir de sa condition de femme inépousable, indésirable, en devenant la fiancée du maître. Combien difficile est cette sortie hors de l'état de tierce, c'est ce que rappelle Charlotte Brontë, en s'ingéniant à opposer maints obstacles à ce projet de mariage. Ayant réussi à les surmonter par l'artifice du romanesque, Jane échappera, en devenant la seconde épouse, à la dure condition de tierce : «J'aurais voulu être de nouveau sa gouvernante», dit-elle de la fillette dont elle avait eu la charge, «mais ce fut impossible, tout mon temps et toutes mes pensées étaient maintenant au service d'un autre, de mon mari».

Entre domestique et gouvernante

La récurrence des figures de gouvernantes dans les romans, notamment au xixᵉ siècle, recoupe un phénomène réel, qu'attestent les rares études historiques qui lui ont été consacrées[3]. À la différence des domestiques, femmes de chambre et bonnes à tout faire, la gouvernante (ou la demoiselle de compagnie lorsqu'il n'y a pas d'enfants) est une célibataire qui gagne sa vie sans faire usage de son corps : ses fonctions sont exclusivement intellectuelles et non pas manuelles. Dans la hiérarchie des valeurs bourgeoises, les travaux ménagers sont une déchéance («une telle disgrâce», s'indigne le frère de Cytherea qui, dans *Remèdes désespérés* de Thomas Hardy — 1870 —, se résigne à l'emploi de femme de chambre), qui condamnerait une jeune fille de bonne famille au même titre qu'une mésalliance : aussi l'éducation vise-t-elle à inculquer ce refus des basses besognes qui, quelle que soit la situation financière à venir, fait la différence de classe qui distingue la demoiselle de la bonne. Toute femme exerçant un emploi rémunéré au sein d'une famille n'est donc pas une gouvernante : il faut que l'emploi soit non manuel, et exclusif d'une vie conjugale et familiale personnelle. Là est la différence avec les simples domestiques, qui n'ont pas d'éducation mais peuvent contracter mariage tout en conservant leur emploi pour peu qu'elles épousent un de leurs pairs.

Plus que d'un simple emploi, la condition de gouvernante relève d'un état — la tierce — alors que celle de domestique peut s'exercer en tant que fille à marier si elle est jeune, vieille fille si elle est plus âgée, épouse et mère (cas plutôt rare car peu compatible avec les nécessités de l'emploi), ou encore fille-mère — cas beaucoup plus fréquent car faisant partie, si l'on peut dire, des risques du métier[4].

Il arrive que de simples domestiques approchent du statut de gouvernante, parce qu'elles ont à s'occuper d'enfants : c'est le cas de la *Nêne* d'Ernest Perrochon (1920), engagée comme bonne à tout faire dans une ferme vendéenne et promue bonne d'enfants par la situation de son maître, accablé d'un récent veuvage et de deux jeunes enfants. Habituée à se louer comme servante, Madeleine est un peu trop âgée (près de trente ans) et pas assez jolie pour être encore dans l'état transitoire des jeunes filles à marier. Elle tombe quelque peu amoureuse de son jeune patron mais celui-ci, influencé par une méchante coquette dont il s'est épris, la néglige. Raisonnable, ou résignée, elle reporte toute sa capacité d'amour sur la fillette et son jeune frère, à qui elle sert non seulement de bonne mais de mère de remplacement, d'éducatrice, de marraine («Nêne» est le surnom des marraines). Pour toute étreinte, elle se contente de cet objet captif qu'est le petit garçon. Et de même qu'elle met l'enfant à la place de l'homme auquel il lui faut renoncer, elle s'arroge peu à peu la place de la mère disparue. Sa condition de domestique glisse ainsi vers celle d'une gouvernante, au point qu'elle se reproche de sacrifier parfois aux enfants les soins du ménage. Et c'est jusqu'à sa propre vie qu'elle est prête à leur sacrifier lorsqu'elle les sauve, l'un de la noyade, l'autre du feu.

Plus trivialement, ce sont ses maigres économies qu'elle leur consacre, les couvrant de cadeaux et de parures, à l'imitation des mères à qui leurs enfants servent non seulement de défouloir affectif mais d'instrument de distinction : de même que, selon Veblen, les femmes de la haute société sont utilisées par leur mari pour signifier le rang du ménage, de même les enfants de tous milieux sont utilisés par leur mère pour signifier son excellence, en témoignant de ses ressources et de sa capacité de dévouement. C'est une sorte de *potlatch* qui s'organise ainsi avec les enfants, victimes et bénéficiaires à la fois de la surenchère de dépenses qui fait se confronter et s'affronter les mères, ou celles qui en tiennent lieu. Et si Nêne accepte d'envoyer Lalie à l'école, c'est avant tout pour assurer sa propre impeccabilité aux yeux de sa rivale, la fiancée de son maître, la future première. D'ailleurs elle fera retirer la fillette de l'école parce qu'elle s'est attachée à sa maîtresse, laquelle devient la rivale dont il faut arracher l'objet de sa passion : cibles captives de l'amour qu'elle leur porte faute de pouvoir le vivre avec un homme, instruments passifs de l'amour-propre qu'elle ne peut s'autoriser, les enfants sont aussi les victimes de sa jalousie.

Mais elle n'en est pas pour autant la mère, n'ayant de place auprès d'eux que celle d'une employée qu'on peut chasser à tout moment : ce qui menace de se produire dès lors qu'une seconde épouse se profile à l'horizon pour venir remplacer légitimement la mère morte. C'est que cet amour-là — l'amour de la tierce pour les enfants des autres — n'a pas de place : elle n'a aucun droit, aucun recours. Condamnée à disparaître de la maisonnée comme de la mémoire des enfants, elle se retrouve seule, sans même le soulagement d'une compassion qui serait à la mesure de son chagrin. Ayant perdu sa place et ses objets d'amour, n'ayant que le néant pour toute condition, il ne lui reste plus qu'à aller se noyer dans l'étang près de la maison.

L'état de tierce

Hantée par les fantômes, séquestrée, abandonnée, renvoyée, oubliée, suicidée : tragiques sont les histoires de gouvernantes. Au mieux, il leur faut subir de pénibles épreuves, telle *L'Institutrice* d'Eugène Sue (1851), qui affronte toutes les formes du déplacement, géographique, hiérarchique, familial [5]. Et lorsqu'elles ne sont pas héroïsées par la tragédie ou le drame, elles sont stigmatisées en femme acariâtre et pitoyable ou, pis, détestable et maléfique, redoutable incarnation de la rivalité féminine, de la jalousie des femmes laides et pauvres envers les belles et jeunes épouses débarquant sur leur territoire : c'est l'inquiétante Mrs Danvers de *Rebecca* ; c'est la gouvernante dans les romans Harlequin [6] ; ou encore, dans *Esclave... ou reine ?* de Delly, c'est la cruelle Varvara, parente pauvre qui, gérant la maisonnée du riche et puissant mari (un veuf, évidemment), persécute la pauvre Lise, jeune épouse emmenée dans le lointain château. D'une inquiétante étrangeté, elle paraît celer un mystère, et garde présent le souvenir de la première ; amoureuse du mari, elle terrorise et tente de tuer sa rivale, qu'elle veut faire disparaître en la jetant aux loups ; ayant échoué dans son horrible manœuvre, qui au contraire « retourne » littéralement le mari en faveur de la pauvre épouse, elle finit par se poignarder.

Privées de l'espoir du mariage et donc d'une vie sexuelle, les gouvernantes ont toutes raisons d'être malheureuses, ou maléfiques, selon qu'elles sont héroïnes ou anti-héroïnes. Il faut prendre toute la mesure de leur condition et du malheur insigne qui y est attaché : amenée à évoluer et à vieillir dans un monde habité par les hommes, la gouvernante est une femme à part entière, contrairement à ces « filles » que sont, provisoirement, les vierges à marier et, définitivement, les religieuses, retranchées de tout commerce sexuel avec les hommes dans un monde déserté par le masculin ; mais contrairement aux « premières » et aux « secondes », elle est vouée par son célibat non seulement à renoncer au sexe mais à assurer elle-même son autonomie matérielle, subsistant par son seul travail sans que la dépendance envers son employeur, médiatisée par un salaire, dépende de sa disponibilité sexuelle. Pour une gouvernante, être une « Mademoiselle » est plus qu'une désignation : c'est un statut social, une identité. « Maman lui a donné ce nom comme ça : bien que vous soyez veuve ! Parce qu'une gouvernante doit toujours s'appeler Mademoiselle », précise *La Garçonne* de Victor Margueritte (1922).

Or c'est là une condition dont la gouvernante n'est qu'une figure parmi d'autres, même si le roman en fournit des réalisations privilégiées : vieilles filles, femmes savantes ou veuves incarnent également, dans la fiction, cet état qui n'est plus celui de fille sans être celui de première ni celui de seconde. Aussi le nommerons-nous l'état de *tierce*, en jouant sur les multiples connotations du terme : d'abord, parce que la tierce vient (hiérarchiquement) après la première et la seconde ; ensuite, parce qu'elle n'occupe pas pour autant une troisième position, ce qui sous-entendrait qu'elles sont du même monde, alors que la tierce est d'un monde où le sexe est absent ; enfin parce que, étant exclue du monde des autres femmes — celles qui ont accès à l'homme, donc à leur propre féminité —, elle est toujours *en tiers* — comme « tiers exclu » autant que comme «entière». Pourquoi ne pas parler simplement de «célibataires»? D'abord parce que bien des célibataires sont des secondes, et que des femmes mariées peuvent être devenues des quasi-tierces pour peu qu'elles aient déserté la dimension sexualisée du mariage. Et surtout, parce qu'on réduirait ainsi à une question d'état civil ce qui est, bien plus, un «état» identitaire, une constellation de propriétés qui ne relèvent pas seulement d'une situation réelle enregistrée par le droit et le vocabulaire, mais aussi de l'imaginaire des rôles et de la symbolique des places. Pas plus que l'état civil de la femme mariée ne suffit à décrire l'état de «première», ou l'absence de statut juridique celui de «seconde», pas davantage le célibat ne suffit-il à qualifier l'état de «tierce», appelant une dénomination spécifique. Célibat et virginité, nous le verrons, ne sont que les conditions les plus typiques de la tierce, définie avant tout par son indépendance économique et affective : une tierce est une femme qui n'est pas soumise au désir de l'homme — avec les avantages et les inconvénients d'une telle situation[7].

Le statut particulier de la tierce lui vaut une double et contradictoire propriété quant à la question du regard et de la visibilité. Elle est tout d'abord voyeuse, et *voyante*, au sens où elle voit ce que les autres ne voient pas : les fantômes par exemple, ou plus simplement les réalités qui ne sont accessibles que par le savoir. La tierce en effet n'est pas seulement celle qui n'a pas accès au sexe, mais aussi celle qui a accès au savoir : c'est de cela qu'elle vit, en qualité de gouvernante ou d'institutrice et, nous allons le voir, d'intellectuelle ou de femme savante. Elle est celle qui vit avec les livres, notamment avec les romans — bons conducteurs de fantasmes mais aussi de fantômes. La tierce lit, la tierce voit, la tierce sait — par exemple les secrets de famille, le passé du mari, la situation de chacun au sein de la maisonnée. En ce sens, elle a du pouvoir.

Mais ce pouvoir de clairvoyance, fût-il poussé jusqu'au pouvoir visionnaire, lui vient aussi de cette propriété symétrique et inverse, qu'est l'*invisibilité*. Étant à l'intersection de plusieurs mondes domestiques (adultes et enfants, maîtres et serviteurs), elle circule entre plusieurs statuts, rendue quasi transparente par la vacuité des liens noués avec autrui. Adulte parmi les enfants, enfant parmi les adultes, elle n'a sa place nulle part ; intruse parmi les domestiques, obscure parmi les maîtres, elle demeure au second plan, reléguée dans la nursery, non présentée aux invités, se confondant avec les enfants, sinon avec les meubles. C'est l'humiliation de la tierce, dont l'extrême solitude scelle l'exclusion hors du monde auquel pourtant, par ses origines, elle appartient. Elle est «dans un angle mort» de la maisonnée tout comme, selon les historiens, «la femme seule est dans un angle mort de l'histoire[8]». Mais du même coup, elle peut voir sans être vue : condamnée à l'invisibilité, la tierce n'en voit, n'en sait que mieux — quitte à en voir un peu trop pour son repos. C'est pourquoi cette cinquième partie des *États de femme* peut s'intituler «Le point de vue de la tierce» : «point de vue» au double sens où, seule, elle n'est point vue, et où par cela même elle voit — jusqu'à être seule à voir ce qu'elle voit, y compris des fantômes.

Chapitre XVIII

LA VIEILLE FILLE
ET LE BAS-BLEU

Jeunes, les gouvernantes sont en âge de rêver au mariage même si leur basse condition fait objectivement obstacle à cette grande espérance : leur jeunesse est un facteur d'identité non négligeable, comme le montre *a contrario* le sort que réserve la fiction à celles qui, vieillissant, ont dû abandonner l'espoir d'appartenir un jour au monde sexué. Célibataire dévouée aux enfants, assistant la maîtresse de maison ou consacrée aux œuvres de l'esprit : selon que c'est telle de ces caractéristiques qui prend le dessus, on a affaire à telle ou telle figure de tierce. Ce peut être une gouvernante d'âge mûr, comme Mrs Wix dans *Ce que savait Maisie* d'Henry James (1897), qui reporte sur sa petite élève l'amour pour sa propre fillette morte en bas âge. Ce peut être une dame de compagnie, comme la Miss Morrow du *Crampton Hodnet* de Barbara Pym (rédigé en 1930, publié en 1965) qui «ne prétendait pas être autre chose qu'une femme ayant dépassé sa prime jeunesse, résignée à l'idée que sa vie ne serait sans doute jamais plus palpitante qu'elle l'était à cette heure», et qui doit subir le despotisme de Miss Doggett, sa patronne — autre figure de tierce en vieille fille autoritaire dont la «principale occupation dans l'existence consistait à se mêler des affaires des autres et à écraser de sa forte personnalité ceux qui étaient plus faibles qu'elle». Dépourvue de tout appui hors de la maisonnée où, faute de ressources personnelles, elle a dû trouver refuge, la dame de compagnie a l'invisibilité de la gouvernante : «Une demoiselle de compagnie fait partie du mobilier. Ce n'est pas vraiment quelqu'un.»

La tierce enfin peut être une vieille fille ou une femme savante: figures non exactement superposables mais cependant guère dissociables, ne serait-ce que parce qu'elles ont en commun d'être traitées par la dérision. Car si la gouvernante est forcément malheureuse, ou maléfique, la vieille fille et le bas-bleu sont, nous allons le voir, forcément ridicules.

Vieilles filles, vieilles folles

Deux ans après *Le Tour d'écrou*, Henry James publie une autre histoire de fantôme, mais sous forme humoristique et parodique. Intitulée *La Troisième Personne*, cette courte nouvelle a pour protagonistes deux vieilles filles de bonne famille, caricaturales à souhait («elles avaient bu à longs traits le calice du célibat et le trouvaient surtout amer»), qui héritent d'une vieille demeure hantée par le fantôme d'un ancêtre. Or l'intrigue quitte le registre classique de l'épouvante pour basculer discrètement dans la comédie dès lors qu'au lieu de rester seules avec le secret de l'apparition, elles partagent la même vision. Chacune en effet *le* voit, recherchant la présence de ce bel homme comme elle le ferait d'un soupirant. Loin de représenter, comme dans toute histoire de fantômes qui se respecte, une horrible éventualité dont il faudrait à la fois se défendre et convaincre autrui de sa réalité, l'apparition de leur fantôme devient un heureux événement, qui ne fait pas le moindre doute à leurs yeux: «Ce qui soutenait vraiment le plus nos amies en tout point, c'était leur conscience d'avoir, après tout — et en dépit des apparences — un homme dans la maison. Cela les rayait de cette catégorie des sans homme dans laquelle une femme ne tombe vraiment que le jour où toutes les issues sont condamnées. Leur visiteur était une issue — du moins pour l'imagination — et elles en arrivèrent, lorsqu'elles étaient provoquées, à être la proie de violents émois où elles se sentaient alors si compromises par ses évolutions qu'elles pouvaient seulement considérer avec soulagement le fait que personne ne fût au courant.»
S'étant compromises fantasmatiquement avec leur hôte fantomatique, l'inévitable ne manque pas de se produire: leur allègre complicité face à l'étrange présence de cette «troisième

personne» si attendue se mue en rivalité jalouse, au point que les deux demoiselles finissent par se disputer leur fantôme comme des jeunes filles un virtuel fiancé : le désir de l'apparition est leur seule façon d'échapper enfin, «en dépit des apparences», au dépit de n'avoir pu sortir de leur condition de célibataire. Ainsi les horrifiantes présences qui hantaient la jeune gouvernante du *Tour d'écrou* se sont muées en un plaisant marivaudage où le lecteur, au lieu de partager avec l'héroïne l'effroi de sa hantise, est convié à partager avec l'auteur l'amusement face au ridicule de ces deux vieilles filles qui n'ont qu'un malheureux fantôme pour égayer leur célibat. Passant de la jeune fille sans dot à la demoiselle sans âge parce que sans espoir de mariage, la malheureuse célibataire n'est plus la victime d'un fantôme persécuteur, mais d'un auteur persifleur. Condamnée au fantasme en guise de vie sentimentale, si ce n'est au fantôme en guise de vie sexuelle, la vieille fille est — comble de misère — condamnée à la dérision en guise de vie littéraire.

Le traitement n'est guère différent lorsqu'elle est entre deux âges, trop jeune pour être définitivement une vieille fille et trop vieille pour être encore une jeune fille à marier. C'est le cas de *La Vieille Fille* de Balzac (1836), quadragénaire issue de la meilleure bourgeoisie d'Alençon, à qui sa fortune permet de viser un beau mariage mais qui veut être certaine de n'être pas épousée pour son argent. Aussi n'a-t-elle pas encore trouvé de prétendant satisfaisant ces deux désirs contradictoires, malgré son ardent désir de devenir épouse et mère. Le portrait qu'en dresse Balzac suggère que son apparence physique n'est pas un modèle de féminité, pas plus qu'elle n'est un modèle de distinction avec sa «bonne grosse taille, un embonpoint de nourrice, des bras forts et potelés, des mains rouges». Au moral le portrait n'est guère plus flatteur, qui dresse un catalogue des ridicules associés à l'état de vieille fille : maniaquerie, souci des petites choses, hypocondrie, passion pour sa jument qui «avait empêché Mademoiselle d'avoir des serins, des chats, des chiens, famille fictive que se donnent presque tous les êtres solitaires au milieu de la société». Et à l'autre extrémité de l'éventail des êtres auxquels il est loisible de s'attacher, la divinité occupe le besoin d'amour que la jument ne suffit pas à étancher : tout comme l'amour excessif pour les animaux de compagnie, la dévotion extrême est une constante chez les vieilles filles qui, comme celle-ci, ont «recours à la religion, cette grande consolatrice des virginités bien gardées!». Aussi s'interdit-elle le recours à toute coquetterie, «préférant les malheurs de sa virginité infiniment trop prolongée au malheur d'un mensonge, au péché d'une ruse»: «les dévotes, commente Balzac, sont stupides sur beaucoup de points».

Aimée sincèrement par un jeune homme pauvre qui n'ose se déclarer, elle est courtisée de longue date par deux vieux garçons qui convoitent sa fortune: un noble désargenté et décati, et un bourgeois viril mais plébéien. C'est à ce dernier qu'elle finira par accorder sa main, un peu au hasard, par dépit de s'être ridiculisée aux yeux de toute la ville en se jetant à la tête d'un bel aristocrate de passage qu'elle s'imaginait vieux garçon. Mais son époux ne la rendra ni femme ni mère: le mariage demeurera non consommé — l'ex-vieille fille poussant la niaiserie jusqu'à ne pas s'en apercevoir. Il n'est guère de roman où Balzac soit allé aussi loin dans la satire et dans la cruauté: la vieille fille, conjuguée à la vie de province, attire décidément tous les sarcasmes, aiguise l'esprit caustique. Son désir de mariage, tant qu'il demeure refoulé, la condamne à l'invisibilité: rien en elle ne donne prise au romanesque, hormis l'éventualité d'échapper à cet état de vieille fille qui, justement, fait son identité. Et si ce désir s'exprime et tente de se réaliser, alors c'est à la déception ou, pis, à la déchéance qu'elle se voit condamnée.

C'est ce qui arrivera à la protagoniste d'un roman de Joan O'Donovan, *Une femme de tête* (1959) dont le titre, «The Visited», eût parfaitement convenu à *La Troisième Personne* de James. Vieille fille modernisée, cette célibataire quinquagénaire vit avec sa vieille mère; en vacances à l'hôtel (où elle «descend dîner en bas de coton»), elle rencontre un homme marié mais séparé de sa femme, dont elle devient la maîtresse, entrevoyant ainsi la fin de sa solitude. Mais passant de l'état de tierce à celui de seconde, elle se trouve confrontée à la présence d'une première et n'a de cesse que cet homme, quoique terne sinon franchement minable, accepte de divorcer pour pouvoir l'épouser: elle va jusqu'à s'humilier, finissant même par ressembler à sa mère, pour «mettre le grappin sur lui» et légitimer son propre statut en accédant à ce rang de seconde épouse qui lui permettrait d'échapper au statut de maîtresse, après avoir échappé à son ancien état de tierce. Mais à force de forcer le réel pour qu'il épouse ses aspirations, elle devient folle, assassine sa vieille mère, et se suicide. Vieille fille, vieille folle...

Gentilles tantes ou tutrices méchantes

L'homme que convoite cette « femme de tête » a une fillette, aux yeux de qui elle occupe une position de tutrice ou de future belle-mère. Marâtre trop soucieuse de contenir son exaspération face à cette encombrante enfant, en même temps que de prouver ses qualités d'éducatrice, elle essaie sans succès de se montrer gentille, et ne réussit vraiment qu'à être méchante : l'ambivalence est caractéristique de la tierce dès lors que, intégrée à une maisonnée où elle ne peut par définition figurer en tant qu'épouse et mère, elle y occupe la position de tante ou de tutrice — gentille, ou méchante.

C'est l'un des thèmes de *La Cousine Bette* de Balzac, vieille fille apparemment bonne mais en réalité maléfique, parente méchante qui consacre toute son énergie, toute sa finesse à ruiner la famille qui l'accueille. Laideur et rivalité féminine sont à l'origine de ce caractère dont « la jalousie formait la base ». Et l'aspect vestimentaire vient, bien sûr, compléter ce portrait de vieille fille installée dans son état, insoucieuse de corriger ses disgrâces corporelles et son handicap social par les artifices de l'apparence, la faisant ressembler « à une couturière en journée », allant jusqu'à gâcher, par « ses fantaisies toujours arriérées », les effets qu'on lui offre, de sorte que « le chapeau de trente francs devenait une loque, et la robe un haillon » : automortification vestimentaire qui tient à cette forme d'excentricité qu'est l'incapacité à se voir dans le regard des autres, à construire son identité dans un lien avec autrui plutôt que dans un monologue solipsiste entre soi et soi. Recueillie par sa belle cousine devenue baronne, Bette s'intègre à la famille mais conserve son ressentiment : « L'envie resta cachée dans le fond du cœur, comme un germe de peste qui peut éclore et ravager une ville, si l'on ouvre le fatal ballot de laine où il est comprimé » (Balzac aime recourir à cette métaphore germinative à propos de ces êtres incomplets, non déve-

loppés, que sont les vierges vieillissantes). C'est à la satisfaction de ce ressentiment que la cousine pauvre s'emploiera par
tous les moyens, s'acharnant à détruire le ménage de la mère,
puis celui de la fille, en s'alliant à la courtisane vicieuse qui
séduira le père, le beau-père et le gendre. Ce n'est qu'à la toute
fin que les méchants périront et que les bons l'emporteront,
sans que soit démasquée toutefois la duplicité de la pauvre
vieille fille.

   Il est exceptionnel de voir une telle figure de tierce au centre
d'un roman : plus souvent, lorsqu'elle fait partie d'une famille,
elle est une figure secondaire, n'existant que par rapport à l'héroïne, jeune fille confrontée à travers elle au statut de tierce
dont elle attire l'identification aimante ou, au contraire, la
rivalité haineuse. Jalousie patente de la tierce envers la jeune
fille promise à l'état d'épouse, jalousie latente de la jeune fille
envers la première en qui s'incarne, beaucoup plus puissamment qu'en la tierce, la mauvaise femme ou la mauvaise mère :
c'est toute une chaîne de rivalité féminine qui se noue dans l'espace clos de l'univers familial, à l'abri des bonnes manières et
des bons sentiments, à l'insu des époux, des pères et des fils.
Maléfique et jalouse, la tutrice méchante est intermédiaire
entre la gouvernante des romans et la marâtre des contes de
fées : c'est la tante-tutrice de *Jane Eyre*, c'est la patronne de la
jeune narratrice au début de *Rebecca*, toutes femmes en qui le
ridicule le dispute à la malveillance et dont, pour leur malheur,
dépendent les orphelines. Ce peut être également la belle-
mère, comme dans *La Louve dévorante* de Delly, qui en offre
une double incarnation avec une ex-tierce devenue seconde
épouse et une première basculée en tierce, veuve autoritaire
persécutant les siens ; face à ces deux puissances féminines
maléfiques, et à l'aveuglement des hommes passés sous leur
coupe, les êtres faibles — enfants, gentilles tantes, jeunes épousées — ne peuvent espérer d'autre ressource que l'improbable
et romanesque «protection virile qui saurait les défendre
contre les méchancetés» : protection que seuls, bien entendu,
les romanciers sont en mesure d'offrir à leurs personnages —
sous la forme, si possible, d'un beau mariage.

   «Monique adore tante Sylvestre. D'abord, toutes les deux,
elles ne sont pas pareilles aux autres. Les autres, c'est des
femmes» : pour la jeune «garçonne» de Victor Margueritte,

sa vieille fille de tante est une tierce gentille, provisoirement liée à elle par la complicité sans rivalité de celles qui n'ont pas accès à l'homme — l'une parce qu'elle est encore fille, l'autre parce qu'elle l'est et le sera toujours. Plus complexes et ambivalentes sont les figures démultipliées de la tierce que met en scène *Ces dames aux chapeaux verts*, publié par Germaine Acremant la même année que *La Garçonne* (1922), avec le même phénoménal succès, et qui présente une jeune héroïne toute semblable à cette Monique : Arlette est une Parisienne de bonne famille, éduquée de façon moderne (elle joue au tennis et possède son « brevet de chauffeur »), dont le destin souffre des revers de fortune de son père. Mais au lieu d'entraîner un mariage arrangé dont le refus, nous le verrons, précipitera Monique dans l'état de femme émancipée, ces déboires financiers feront de la pauvre Arlette une orpheline ruinée réduite à accepter la tutelle de ses cousines : quatre vieilles filles de province, aussi caricaturales que l'était l'héroïne de Balzac près d'un siècle auparavant. Parangons d'anti-modernité, ces demoiselles sont, littéralement, des anti-héroïnes, puisque toute l'intrigue va consister à suivre les efforts de l'héroïne pour se libérer de leur emprise et échapper à l'état de vieille fille.

L'aînée, Telcide, est une quinquagénaire dévote, méchante et tyrannique ; Rosalie est dévote et souffreteuse ; Jeanne est dévote et instruite ; Marie, la plus jeune (elle n'a que trente-cinq ans) est dévote, naïve et enfantine (« Les vieilles demoiselles s'amusent aussi facilement que les petits enfants ! »), incarnant la gentille tante alors que Telcide incarne la tutrice méchante. Elles ont donc en commun la dévotion, qui est leur vertu principale ; et bien sûr, elles n'aiment pas les romans... À l'intransigeance morale s'ajoutent la rigidité mentale (« Une vieille fille change plus facilement de confesseur qu'elle ne change d'opinion ») et la raideur physique. Car leur renoncement au monde de la séduction va de pair avec l'abandon de toute prétention à l'individualité : dépersonnalisation que manifeste une stratégie vestimentaire ostensiblement uniformisante (mêmes robes noires informes, mêmes chapeaux verts) qui, paradoxalement, les rend excentriques, au point que c'est cette uniformité même qui sert à les désigner, les ridiculisant aux yeux de tous ceux qui, telle leur petite cousine, ne partagent pas l'univers moral de la tierce. La jeune Parisienne a tout loisir d'observer ces êtres étranges qui lui sont désormais, pour son malheur, familiers : « Comment devient-on vieille fille ? me suis-je souvent demandé. Quels sentiments éprouve-t-on à mesure qu'on voit le monde se resserrer autour de soi et qu'on assiste à la mort lamentable de tous ses rêves, tombant un à un comme tombent les roses d'un jardin ? » Une réponse lui est donnée par le journal intime de Marie, qui révèle une jeune fille semblable à elle-même mais dont les rêves de mariage furent brisés par le diktat jaloux d'une mère abusive, qui crut bon d'interdire à sa fille l'issue qui eût risqué de la rendre plus heureuse qu'elle-même. Voilà donc l'une des voies menant à l'état de vieille fille, ce mauvais sort qui menaçait toute une génération de femmes parvenues à l'âge du mariage après l'hécatombe de la Première Guerre mondiale, à l'époque où fut publié ce roman.

Il est malheureusement bien d'autres voies que le hasard des guerres ou l'intransigeance des mères, comme l'explicite la terrible Telcide en un moment d'abandon et de lucidité : « Vieilles filles ! Nous sommes des vieilles filles ! On nous désigne ainsi quand nous passons. On fait presque de ce nom une injure qu'on nous jette à la face. On raille nos défauts. On critique notre caractère. On reproche notre égoïsme, nos scrupules, nos préjugés. Nous ne sommes pas élégantes, nous sommes laides, nous demeurerons isolées [...]. C'est certain que nous le sommes, vieilles filles ! Mais pourquoi le sommes-nous, est-ce qu'on s'en inquiète ? Bien entendu, il en est qui, à vingt ans, trop ambitieuses, ont décidé de n'épouser que des princes ou des marquis ! Ces princes et ces marquis ne se sont pas présentés. C'est bien fait ! À quarante ans, elles auraient accepté un épicier. Oui, mais trop tard ! [...]. Toutes celles-là ne sont pas très sympathiques. Mais il y en a d'autres... Il y a les femmes d'un seul amour, qui ont attendu un homme, qui ne leur a pas donné l'aveu qu'une autre a reçu... Il y a des femmes de devoir, qui ont consacré leur jeunesse à des parents malades, à des enfants abandonnés, et qui se sont trouvées trop âgées pour en profiter, lorsque la liberté leur a été rendue... Il y a des femmes pauvres, dont le seul crime était de n'avoir pas de dot... Il y en a des quantités d'autres... mais surtout il y a le troupeau lamentable des femmes qui n'ont jamais été jolies.

Peu importe qu'elles aient eu la bonté, l'éducation, l'intelligence, tout ce que la volonté personnelle peut acquérir ou développer. Les hommes sont passés, les dédaignant et ne disant : "Je vous aime" qu'aux créatures quelquefois sèches de cœur, mais riches d'une beauté qui n'a jamais dépendu d'elles... Vieilles filles ! on ne sait pas ce que cet état peut représenter de rancœurs et de désillusions.»

Ainsi les tierces à l'état de vieilles filles ne parviennent à échapper au ridicule et à acquérir un peu d'humanité qu'en se montrant capables de partager avec le lecteur la conscience de ce ridicule. Et elles ne parviennent à devenir émouvantes qu'en lui faisant prendre conscience de l'injustice infligée aux femmes, dès lors que leur principale ressource en matière de désirabilité est une qualité extérieure à elles — fortune ou beauté — alors que les qualités intérieures, pleinement méritées par un travail sur soi, restent désespérément sans reconnaissance, sans récompense.

Des femmes savantes aux bas-bleus

Le portrait de Jeanne, l'une des quatre «vieilles filles aux chapeaux verts», dit bien comment instruction rime avec déféminisation : «Sa carrure est massive, sa physionomie masculine. [...] Son rêve eût été de consacrer sa vie aux mathématiques et à la philosophie. [...] Mais sa mère, dès qu'elle a été la maîtresse de la maison, lui a déclaré : "Je ne veux pas de bas-bleus dans ma famille..."» Apparu dans la langue française vers 1801, le terme de «bas-bleu», désignant une «femme à prétentions littéraires», prend la place de la «femme savante» dont Molière avait inauguré en 1672 le modèle [1]. Cette pièce à juste titre fameuse fournira pour longtemps le paradigme de l'intellectuelle et, surtout, du mode en lequel il convient de la traiter : celui de la dérision. Bélise y cumule le statut de tante, l'état de vieille fille et la réputation de vieille folle en proie à des visions parce que, érotomane, elle se croit aimée de tous les mâles passant à sa portée. À ces figures classiques de la tierce, elle ajoute le statut de femme savante, que partagent sa belle-sœur Philaminte et sa nièce Armande, laquelle fait du célibat le seul destin vraiment digne d'une femme distinguée.

De même qu'elle méprise les liens du mariage, Armande a traité par le mépris Clitandre, son soupirant, lequel s'est rabattu sur sa sœur Henriette qui, elle au moins, n'a pas la prétention d'être une femme savante. Les choses se concluront bien sûr par un mariage, tournant à l'avantage des gens de bon sens pour qui le foyer sans lumières est la seule place qui convienne à une femme, laquelle est d'autant plus aimable qu'elle est sans esprit ; et pour qui ceux qui prétendent le contraire sont des usurpateurs, comme Trissotin, des aveugles, comme Philaminte, des sottes, comme Armande, ou de vieilles folles ridicules, comme la tante Bélise.

À la puissance de cette satire, il ne se trouvera guère de contreparties romanesques pour opposer de façon crédible un modèle d'intellectuelle qui ne soit ni grotesque ni misérable : tant il est vrai qu'un novateur en position dominée — surtout lorsque la domination consiste essentiellement à lui dénier le droit à la parole — a peu de chances de se faire entendre sous les ricanements des partisans de la tradition — surtout lorsque c'est cette tradition qui fait la domination. Car en forçant systématiquement le trait jusqu'aux extrémités d'un caractère, en grossissant les particularités pour en faire des excentricités, et les excentricités pour en faire des ridicules, la mise en forme satirique tend à rabattre son objet aux limites de la caricature, de sorte qu'il ne puisse être représenté sans appeler aussitôt la disqualification — ce dont témoigneront dans les années 1840 les caricatures de Daumier, où intellectuelles et féministes sont systématiquement représentées en laiderons ridicules. Par ces réductions caricaturales au personnage de la «femme savante» se trouvent exclues du domaine de l'exprimable, parce que leur expression est immédiatement traitée par la dérision, les deux aspirations contenues dans le désir de savoir : l'aspiration féministe à l'égalité avec les hommes, au moins sur le plan du savoir, et l'aspiration plus générale à cette forme minimale de justice qui consiste à juger les personnes selon les qualités que l'on peut cultiver soi-même (comme l'instruction) plutôt que selon celles qui ne tiennent qu'à la nature (comme la beauté) ou à l'action d'autrui (comme l'éducation) — même si beauté et éducation peuvent, pour une part, se travailler. Ce que réclament les femmes savantes, mais que la satire moliéresque a longtemps occulté sous les automatismes de la dérision, c'est une exigence moderne de justice qui ne deviendra légitime et normale que lorsqu'elle sera exprimée par des bourgeois et non plus par des femmes, à partir des Lumières et de la Révolution française : exigence d'être jugé non selon des propriétés extérieures dont on n'est pas personnellement responsable (héritage ou beauté), mais selon ces qualités intérieures, fruit d'un travail sur soi, que sont la réussite (pour les hommes), la vertu (pour les femmes), ou encore la culture — autrement dit, d'être traité selon son mérite.

De la « femme savante » au « bas-bleu », la condition d'intellectuelle tend à se déplacer : de femme instruite ou composant des vers en amateur, elle devient peu à peu celle qui pratique professionnellement l'écriture. Cet état n'en demeure pas moins objet de dénigrement, soit par l'inévitable dérision qui condamne l'aspirante écrivain au ridicule, soit par le nécessaire renoncement à l'écriture si elle veut garder sa féminité, ou à la féminité si elle veut continuer à écrire. Cet exercice professionnel restant associé aux prérogatives masculines, une femme qui s'y adonne s'exclut elle-même du féminin : qu'elle soit fille, épouse, mère ou célibataire, elle est de toute façon rejetée à l'état de tierce, ayant troqué son droit à une vie sexuelle et à une identité de femme contre le droit à l'expression. Jusqu'à la Première Guerre mondiale environ, la femme savante ou le bas-bleu n'apparaîtra dans le roman que comme ridicule, ou renonçante : qu'elle illustre le nécessaire renoncement de la femme à la carrière littéraire, ou le tout aussi nécessaire renoncement de l'écrivain à l'amour[2]. Et il faudra attendre le XXe siècle pour voir émerger un état de femme auteur qui ne soit ni femme savante ridicule, ni bas-bleu renonçante — renonçante à l'amour, ou à la gloire. En attendant, les intellectuelles de roman devront se contenter du statut, peu gratifiant, de l'enseignante.

Enseignantes

L'enseignante est une figure de prédilection de la vieille fille ayant fait profession de ses aspirations intellectuelles : entre gouvernante et auteur, l'institutrice ou la femme professeur, qui a le savoir et en tire son principal mérite, est longtemps restée une figure de tierce, déféminisée et projetant sur les valeurs intellectuelles un investissement vocationnel. Rien d'étonnant dans ces conditions si « 68 % des femmes professeurs sont célibataires en 1923³».

« La pauvre bonne Madame X, quarante ans, laide, ignorante, douce, et toujours affolée devant les inspecteurs primaires » : la laideur est une caractéristique récurrente des enseignantes de romans, telle cette institutrice dans *Claudine à l'école*. À l'exception des rares cas d'idéalisation par une élève amoureuse, comme dans *Olivia*, on ne trouve guère de figures positives d'enseignantes. Ce serait le cas avec *Le Professeur* de Charlotte Brontë (1857), si le héros n'en était justement un homme qui — comme le narrateur du *Voile soulevé* de George Eliot — est un cadet orphelin lancé dans le monde exactement dans la position de la tierce, dont il éprouve au masculin les déboires avant de se changer en fiancé d'une tierce féminine, heureusement transmuée en première par la rencontre avec son homologue masculin⁴. Outre cette remarquable absence d'enseignantes héroïsées dans la fiction, c'est toute la littérature romanesque mettant en scène des institutrices ou des femmes professeurs qui est elle-même d'une affligeante pauvreté. Est-ce parce qu'à l'époque où elle apparaît dans la vie réelle, l'enseignante professionnelle, supplantant la gouvernante, entre en concurrence avec d'autres figures féminines plus romanesques ? Ou bien cette carence est-elle un symptôme de la misère des tierces ? Toujours est-il qu'il n'existe apparemment ni chef-d'œuvre ni grand succès littéraire mettant en scène des héroïnes enseignantes. Force est donc de nous rabattre sur quelques romans obscurs.

L'enseignante y est toujours présentée dans le sacrifice : dans *Les Sévriennes* de Gabrielle Rêval (1900), c'est le sacrifice de la carrière ainsi que du mariage puisque l'héroïne, après de longues épreuves (trois cent soixante-cinq pages de vie de pensionnat, couronnées par le concours d'agrégation auquel elle est reçue première), annonce fièrement son renoncement aux fruits de ses efforts, démissionnant pour consacrer sa vie à l'homme qu'elle aime et dont elle ne peut pas même se faire épouser « devant les hommes », car il s'était promis à une autre ; elle préfère ainsi devenir une seconde plutôt que de rester une tierce — comme s'il demeurait encore impensable

d'être une enseignante mariée. Dans *Un lycée de jeunes filles.*
Professeurs-femmes de la même Gabrielle Rêval (1901), c'est la
vie amoureuse qui est sacrifiée au «devoir», incarné par le
père ou par l'enseignement ; et le roman se termine sur ce mot
édifiant de celle qui a fait selon ses propres mots «le vœu des
Vestales» : «Hélas ! le bonheur n'existe pas, il n'y a que le
Devoir !» De même *Les Cervelines* de Colette Yver (1903) —
ce terme désignant au début du siècle les étudiantes, spécialement en médecine — s'achève par le renoncement de Marceline
à l'amour de Jean : «J'aime trop mes livres, Jean, je suis
mariée avec eux. Même un peu, je ne puis être à vous ; ce
serait quelque chose de trop pauvre ; une vie mutuelle affreuse.
Il me faut l'essor absolu.»

Lorsqu'elle ne se sacrifie pas, l'enseignante est sacrifiée par la
société, telle *L'Institutrice de province* de Léon Frapié (1897),
victime de l'injustice villageoise au point de mourir, «étranglée
net» par l'angine faute de soins médicaux. De ce roman anar-
chisant, qui dénonce l'exploitation des institutrices maintenues
dans la pauvreté et le mépris, retenons cette remarquable
épître par laquelle une prostituée enfonce l'institutrice dans la
misère de sa condition, affirmant que le degré le plus vil de
l'état de seconde est encore préférable à celui de tierce : «Tu as
failli à l'amour. Toi, une femme ? Jamais : une machine à seri-
ner les moutards, qu'on envoie d'un coup de pied d'un bout de
l'arrondissement à l'autre. Qu'est-ce que ça me fait que tu aies
éduqué, élevé, aimé des centaines d'enfants ? Où sont les tiens ?
Ton gosier déchiré, ton larynx éraillé, tes bronches desséchées,
qu'est-ce que ça me fait ? Tu n'es pas à plaindre auprès de nous
autres femelles, tu es vierge ! Aussi, créature bizarre, tu n'es
aimée de personne : aucun enfant ne se souvient de toi après
t'avoir quittée, aucun ne te caresse, aucun ne s'attache à toi ;
vainement tu couves sans relâche des petits qui ne te connaissent plus, sitôt envolés... [...] Moi, j'aimerais mieux faire et
nourrir dix enfants que d'en élever un à autrui, toi, c'est le
contraire, tu as préféré en élever des centaines que d'en créer
un. Je ne suis pas assez bête pour te reprocher de ne pas t'être
mariée, je t'accuse de ne pas avoir aimé ; l'amour sauve de tous
les maux, rachète tous les torts... Je vois bien que tu n'as pas
aimé, à ta face pâlie, ternie, tirée, de vieille fille, objet de risée
pour les uns, de mépris pour les autres. Tu es une exception,

une monstruosité... [...] Je vaux mieux que toi... En dépit des conventions, dans la société une fille publique tient une meilleure place qu'une institutrice publique, il y a plus d'indulgence, plus de cordialité pour la fille. Parce que, en somme, elle est plus pareille au restant des femmes que ne l'est l'institutrice. [...] Moi, je suis la joie, la vie, l'éternel plaisir, l'éternel sourire, l'insouciance. Toi, tu es la fin du rire, tu es l'ennemi, la contrainte. Je suis la femme à tout le monde, c'est pardonnable; tu es l'institutrice du village, c'est pire. Le génie sait chanter ma chair et ma passion; trouve un poète qui puisse gémir et râler et fanfarer des rimes sur ça : l'institutrice!»

Il ne manquait, à ces figures du renoncement et du dévouement aux enfants des autres, qu'une dernière modalité de la misère affective : non plus seulement le défaut de beauté et de féminité, de reconnaissance et de considération, d'accomplissement professionnel et de vie amoureuse — mais encore de tout lien sentimental, y compris et surtout maternel. C'est le thème de *L'Initiatrice aux mains vides* de Jeanne Galzy (1929) dont l'héroïne, Marie, est une jeune enseignante célibataire dans un lycée de province, qui habite avec ses grands-parents et ne vit que pour et par son métier. Sa solitude est grande, tempérée seulement par la lecture et le souci de ses élèves, en une existence quasi monacale, toute tracée d'avance. Dans ce désert affectif, elle n'a d'autre perspective que de tomber amoureuse d'une de ses élèves, sur qui elle projette en silence des sentiments ambigus, relevant à la fois de l'amour féminin pour l'homme, dont ils sont un ersatz, et de l'amour maternel pour l'enfant : «Tu seras mon enfant! Tu seras mon enfant!» Cet affect monstrueux est un affect total en même temps que totalement sublimé : «Elle l'aurait élue. Elle l'aurait pénétrée de son esprit au point qu'aucune barrière ne serait possible.» Déclenché, significativement, par la prise de conscience de l'amour de l'enfant pour sa mère — rivale médiatrice selon le syndrome girardien — cet investissement maternel fait de l'enfant l'objet d'une projection narcissique : «Elle modèlerait cette jeune âme à son image. Identité que cherche en vain l'amour, elle vous obtiendait! Elle aurait une fille de sa pensée semblable à elle-même. Elle éviterait cette immense déception des mères qui, dans l'enfant de leur chair, découvrent soudain l'étranger et parfois l'ennemi.» Mais l'enfant ne lui appartient pas : la mère, jalouse de ce lien amoureux qu'elle a deviné, exige la mutation du professeur, qui ne reverra jamais son élève adorée.

Solitude, misère et déréliction sont bien le lot des enseignantes, qui ne parviennent à intégrer, timidement, l'espace romanesque qu'à condition de demeurer des tierces — ou de mourir. Avec leur banalisation dans la vie réelle, institutrices et, surtout, professeurs de lycée voire d'université, abonderont dans les romans contemporains ; mais ce ne sera plus alors qu'une situation d'arrière-plan, une donnée purement contextuelle et non pas, comme dans les romans précédents, la propriété principale de l'héroïne — ou plus sûrement, de l'anti-héroïne.

Dévotes et béates

La dévotion est, pour la tierce, une manière de faire de nécessité vertu : tant qu'à ne pas connaître les plaisirs de l'amour, autant épouser la dénonciation des turpitudes et la vénération de la vertu, qui permettent aux dévotes de transformer leur misère privée en excellence publique. Rien d'étonnant alors à ce qu'elle soit une caractéristique si répandue parmi les vieilles filles[5] ; rien d'étonnant non plus si le roman ne connaît guère de dévotes que ridicules, puisque c'est décidément le sort de la tierce que d'être tournée en dérision, lorsqu'elle n'est pas prise en pitié. Ce tour des vieilles filles triomphalement incarnées par la dévote s'achèvera toutefois par une figure de tierce dotée d'une double et rare qualité : elle cumule toutes ses réalisations (dévote, institutrice, tante, visionnaire et, bien sûr, vieille fille), et n'est pas traitée par la satire. Tour de force du romancier capable de rendre émouvant un personnage d'essence ridicule, c'est un portrait de tierce d'une exceptionnelle complétude qu'offre Jean Rouaud avec la petite tante Marie des *Champs d'honneur* (1990) — « tante Marie pour toute la commune, variante locale du petit père des peuples ». Célibataire à vie, elle est sans âge, ou plutôt elle a l'âge de celles qui ont renoncé, ayant « déjà cette allure générale de petite vieille qu'elle avait dû adopter l'année de ses vingt-six ans ». Institutrice infatigable, « vieille fille mère immaculée de quarante enfants l'an », sa vocation enseignante se confond avec la vocation religieuse : « Son talent d'institutrice, c'est sa dette au Seigneur, son apostolat, qu'aucun figuier ne demeure plus sans fruit. » Championne en dévotion, elle trouve dans ses occupations religieuses de quoi satisfaire à la fois son goût du savoir et sa bigoterie, tandis que sa croyance sans faille aux pouvoirs surnaturels l'apparente aux visionnaires, bien que ressortissant moins à l'inspiration des grands mystiques qu'au souci d'un cahier bien tenu. Championne aussi en humilité chrétienne, elle réprime toute expansion d'elle-même, de la maternité à la vanité : « De même qu'elle avait fait une croix sur ses amours, la maternité et la plupart des plaisirs terrestres, elle comprimait soigneusement cette région d'elle d'où sourdait le chant. »

Conjoignant la spiritualité de la dévote, l'intellectualité de l'enseignante et la mortification de qui a renoncé à son identité de femme, la consécration aux choses de l'esprit va de pair avec le mépris du corps et de l'apparence, doublement concrétisé dans la question vestimentaire, qu'elle traite avec un ostensible dédain. Les voies du corps, quelles qu'elles soient, sont chez elle impénétrables aux moindres manifestations de tendresse ; de même son corps n'a su manifester sa féminité que de façon avare, aride, comme en témoigne une aménorrhée anormalement précoce, advenue à vingt-six ans, comme en signe de deuil de son frère Joseph, mort à la grande guerre : « Sang pour sang, le marché est honnête. » Elle est ainsi une quasi-veuve, portant toute sa vie le deuil de son frère mort au champ d'honneur. Vieille fille ayant renoncé à la féminité, institutrice dévouée aux enfants des autres autant qu'à ses neveux, dévote qui, si elle ne voit pas de fantômes, invoque les saints : en cette remarquable figure de tierce, habitée par un deuil qui fut aussi celui de sa propre vie de femme, s'ajoute aux états déjà explorés de la tierce celui de veuve, dont il est l'ultime figure.

Chapitre XIX

LA VEUVE

La veuve en état de tierce est coupée du monde sexué. Ce n'est pas le cas de toutes les veuves : premières émancipées, elles tirent au contraire parti de leur veuvage pour s'affranchir. Seules nous intéressent ici les veuves ayant renoncé à la vie sexuelle [1]. Il existe bien des nuances dans ce renoncement, plus ou moins durable, plus ou moins accepté, plus ou moins radical. Si elle se remarie, la veuve renonce à ce renoncement, réinvestissant le monde sexué au titre d'épouse. *La Marquise d'O* de Heinrich von Kleist (1810) expose même un cas — exceptionnel — de réinvestissement infligé de force à une jeune veuve vertueuse violée dans son sommeil par un officier, qu'elle finira par épouser après s'être retrouvée mystérieusement enceinte. Mais plus fréquentes sont les veuves qui ont effectivement renoncé au sexe, sans pour autant abandonner toute participation aux intrigues amoureuses : telles, typiquement, les marieuses, au premier rang desquelles figurent bien sûr les mères, auxquelles leurs filles offrent par procuration une part des émotions dont elles ont dû faire leur deuil. C'est une fois de plus à Henry James, décidément grand romancier de la tierce en toutes ses déclinaisons, que nous emprunterons, en l'espèce de la veuve, notre dernière figure de tierce à la sexualité fantomatique.

L'indésirable fiancé

Dans la nouvelle « Sir Edmund Orme » (1891), le dispositif narratif est, là encore, remarquable par sa complexité, avec une narration de narration rapportée par l'auteur à partir d'un document écrit par le personnage principal; et là encore il s'agit d'un monde d'où le masculin est exclu, et où il ne peut faire retour qu'en apparition de l'absence, à l'état de fantôme, prémonition puis vision mystérieuse d'une présence: « C'est une parfaite présence! — Une splendide présence! m'écriai-je. La maison est hantée, *hantée*!»

Dans le couple formé par Mrs Marden, la veuve, et sa fille à marier, évidente est l'identification entre l'une et l'autre (leur ressemblance est « surprenante »), et réciproque leur fascination mutuelle; l'une et l'autre en outre ont en commun un penchant à la coquetterie, dont s'origina la malédiction qui enchaîne la mère à son propre passé tout en y enchaînant l'avenir de sa fille. Victime en son temps d'un projet de mariage arrangé par sa famille avec un certain Sir Edmund Orme, cette femme avait été amenée, lorsqu'elle en aima un autre, à jouer la coquette, délaissant le premier fiancé qui, désespéré, s'était tué. C'est ce qui lui vaut remords et culpabilité, en même temps que l'étrange faculté de voir apparaître cet ancien fiancé dès l'instant où un homme s'éprend de sa fille. Pire: cet être fantomatique apparaît également au prétendant dès lors qu'il est vraiment amoureux. C'est là certes un bon test, pour cette mère exemplaire, quant à la sincérité du fiancé en puissance. Mais c'est aussi sa « malédiction » que de voir resurgir le fantôme de l'ancien fiancé, malgré elle et à l'insu de tous.

C'est la malédiction de la première basculée en tierce que d'avoir tué l'homme — d'avoir tué le sexe — et de porter un double deuil: de l'époux disparu et, avant lui, du premier fiancé suicidé par amour déçu (de même, dans *Les Caprices de Marianne* de Musset — 1833 — Hermia la veuve, mère de Coelio, avait dans sa jeunesse poussé un prétendant au suicide en le refusant pour donner sa main à celui qui avait servi d'intermédiaire: la malédiction se poursuivra avec son fils, lui aussi repoussé par celle qui le dédaigne pour s'offrir à son meilleur ami qui avait servi d'intermédiaire — ce dont à son tour il mourra). Aussi l'« horreur » de cette absence qui revient à la mère sous forme d'un fantôme équivaut-elle ici à l'horreur du sexe qu'elle voit s'approcher de sa fille: « Tout ce que je voyais, tandis que Charlotte était assise là, innocente et charmante, c'était qu'elle côtoyait une horreur — sans doute l'eût-elle jugé ainsi — une horreur qui se trouvait lui être dissimulée mais pouvait d'un instant à l'autre lui apparaître.» Comme le sexe, le fiancé en devient hautement indésirable: et non seulement celui, suicidé, de la mère — le trop fidèle Edmund Orme — mais aussi celui, en puissance, de la fille, car comment pourrait-elle désirer la présence d'un homme qui, non content de rappeler un fantôme, lui enlèvera l'amour exclusif de sa fille?

Et pourtant il est là, il l'aime: le retour de l'homme refoulé en témoigne. Mieux vaut donc pour la mère en prendre son parti, faisant du nouveau fiancé son complice, avec l'aide de l'ancien qui opportunément n'apparaît qu'à eux deux. Elle va «arranger» le projet de mariage de façon à y maintenir sa propre place en gardant prise sur sa fille, cette autre elle-même à qui, depuis qu'elle est veuve, elle a donné toute la place, y compris celle qu'occupait son mari. Ce faisant, elle répète l'arrangement de son propre mariage tenté par ses parents, pour le malheur du premier fiancé et, aujourd'hui, sa propre malédiction. Car c'est l'absence d'autonomie des filles qui engendre les mauvais choix d'objets, avec leur cortège de fantomatisations du rapport sexuel non consommé, poursuivies de génération en génération. Seule la révolte de la fille contre la loi de la mère lui permettra d'échapper, *in extremis*, à la reproduction du malheur: lorsque enfin elle découvrira le spectre des amours maternelles qui vient à son insu hanter sa propre idylle, elle y perdra sa mère, sacrifiée dans la mort — mais y gagnera, bien sûr, un époux...

Abus identitaire et inceste platonique

Cette figure de veuve pour ainsi dire amoureuse de sa fille est à l'opposé de la marâtre, la mauvaise mère des contes de fées. Elle n'en est pas moins redoutable, comme le suggère le sinistre spectre hérité de sa mère que Miss Marden traîne sans le savoir pour peu qu'un homme s'intéresse à elle, et qui ne peut s'effacer pour laisser place à un lien sexué qu'à condition que la mère disparaisse avec lui. Car c'est bien là la morale de l'histoire elliptiquement contée par James: dès lors qu'une tierce a projeté sur sa fille tout son capital affectif, y compris celui qui normalement revient à l'homme, la fille ne peut elle-même nouer un lien — surtout un lien sexué — avec quiconque, sauf à y sacrifier cette omniprésente duègne, cette mère adorable. C'est là l'horrible, la spectrale vérité qui, derrière l'idéal dévouement des tierces aux enfants, apparaît parfois, tel un fantôme, à la faveur du travail de la fiction : derrière le cri d'amour des forcenées de l'amour maternel («On n'aime jamais trop les enfants!») perce le cri de guerre des tierces assoiffées d'objets à adorer, à investir d'un amour fusionnel, à enrôler dans le désir sans fin d'une absorption sans limites dans et par l'autre — adoration, fusion ou absorption que n'autorisent guère les hommes parce qu'ils sont justement trop «autres», insuffisamment malléables et vulnérables à l'emprise amoureuse. Les enfants par contre sont de parfaits objets, captifs, passifs, entièrement dépendants. Avec les filles c'est encore mieux parce que, davantage qu'avec les garçons, l'emprise maternelle peut se conforter d'une projection narcissique sur une personne semblable à soi, autorisée à en différer dans la seule mesure où elle réalise les aspirations insatisfaites ou refoulées.

Alice Miller utilise à ce propos le terme suggestif d'«abus narcissique» de l'enfant par les parents, et en particulier la mère. Mais plus encore peut-on parler d'«abus identitaire», dès lors que l'enfant est mis à une place qui n'est pas la sienne, dépossédé de sa propre identité par ceux-là mêmes qui ont à charge de l'aider à la construire. C'est le caractère destructeur de cette «symbiose parfaite» qu'analyse l'anti-psychiatre David Cooper à propos de ces interactions parents/enfants «où le couple perd de vue la distinction "parasite/hôte" et devient, sinon en réalité, du moins au niveau fantasmatique, *une seule personne*[2]». Au caractère apparemment fort répandu de cette pathologie de l'amour maternel — d'autant plus pernicieuse qu'elle se présente non seulement comme normale mais comme vertueuse, et désirable — s'oppose étrangement le peu d'intérêt que semblent y porter les théoriciens de la psychanalyse. Et en effet, une théorie centrée sur la sexualité peut difficilement intégrer la possibilité d'une violence incestueuse, ou d'un amour pervers, qui n'ait pas besoin du passage à l'acte sexuel, parce que l'enjeu n'y est pas la jouissance mais l'identification, l'assouvissement non d'une pulsion érotique mais d'un besoin identitaire : pour donner sens à cette forme d'abus, transparent à force d'être répandu, il faut une théorie qui fasse de l'identité autre chose qu'une vue de l'esprit. Certes, Jacques Lacan parla à ce propos de «ravages», mais avec la triple limite que ses textes opposent à l'intelligibilité, étant difficiles à trouver, ardus à comprendre et, surtout, prompts à naturaliser comme un problème ontologique de l'enfant les effets des méfaits des parents. C'est justement ce double déplacement — des parents aux enfants, et d'une maltraitance conjoncturelle à une misère ontologique et donc universelle — que dénonça la psychanalyste Alice Miller, jusqu'à récuser son appartenance à la profession[3]. C'est elle également qui, non par hasard, sut problématiser de façon spécifique, dans *Le Drame de l'enfant doué*, cette question de l'abus narcissique, même si les analyses d'enfances proposées ensuite traitent des effets de l'humiliation propre à la «pédagogie noire» plutôt que de ceux, beaucoup plus paradoxaux, de l'abus narcissique[4].

De cet abus narcissique doublé d'un abus identitaire, le cinéma offre une exemplaire mise en scène avec *Bellissima* de Luchino Visconti (1951). On y voit une mère (Anna Magnani) projeter ses désirs d'admiration et de gloire sur sa petite fille de cinq ans, dont elle veut faire une vedette de cinéma. Femme et épouse en voie de désexualisation, elle délaisse son mari pour sa fille et repousse les avances d'un autre homme, tandis qu'elle met la fillette à différentes places : celle de l'homme aimé, mari réel ou amant imaginaire, ou la sienne lorsqu'elle se mire elle-même dans la chevelure idéalisée de l'enfant, cet emblème de féminité («Coiffée en arrière, comme ta mère : que tu es belle, que tu es belle!»). Elle accapare l'enfant au point de ne pas laisser de place pour le père, qui essaie vainement de renouer le contact avec sa fille. Il s'en va, laissant la place libre pour le tête-à-tête amoureux entre mère et fille : une mère qui, voulant faire de sa fille une vedette, est bien sûr la véritable vedette du film qui nous conte cette histoire ; et une fille qui n'est plus que le jouet passif de l'abus narcissique, l'objet sans défense du tout-puissant et mortifère amour dévorant de la mère. À l'abri des vertus de la maternité, et une fois évacué le père transformé en intrus, celle-ci peut sans vergogne pratiquer l'inceste platonique, en projetant sur l'enfant le fantasme d'amour total qu'elle n'est pas parvenue à réaliser avec l'époux.

Le devenir-tierce

Ce surinvestissement affectif de l'enfant signale infailliblement — exactement comme l'apparition du fantôme — le basculement en tierce de toute femme déféminisée parce que coupée du monde sexué : mère, grand-mère, tante, marraine ou gouvernante, de l'héroïne de *Nêne* à celle du *Tour d'écrou* ou de *L'Initiatrice aux mains vides*. Ce devenir-tierce peut accompagner l'installation dans le célibat ou le veuvage mais aussi, tout simplement, le vieillissement ou le détachement de tout lien sexuel : alors la femme basculée en tierce investit toute sa vie affective sur les enfants. Ainsi Mme Desvarennes dans *Serge Panine* de Georges Ohnet, femme d'action ayant construit à partir de rien une gigantesque fortune, une fois devenue veuve d'un mari effacé (« sa vie entière avait été une absence »), investit tout son amour sur sa fille Micheline : « Mme Desvarennes, c'est triste à dire, se sentit plus maîtresse de sa fille quand elle fut veuve. Elle était jalouse de toutes les affections de Micheline, et chacun des baisers que l'enfant donnait à son père, paraissait à la mère lui avoir été volé à elle. À cette farouche et exclusive tendresse, il fallait la solitude autour de l'être chéri. » Aussi vivra-t-elle le mariage de sa fille comme un arrachement : quelques mois après les noces, elle lui fait une scène digne d'un amant jaloux, l'accusant de ne plus lui donner la première place. Ne parvenant pas à séparer les époux, elle finira par supprimer son gendre pour reconquérir sa fille...

À défaut d'enfants, le surinvestissement affectif de la femme basculée en tierce peut s'opérer sur n'importe quel être susceptible, premièrement, de dépendre entièrement d'elle, incarnant ce lien avec un autre (véritablement *autre*) qu'elle n'a pas pu nouer ou plus voulu maintenir ; et deuxièmement, de ne pas entrer dans le commerce sexuel, du moins avec les humains. Cette double propriété — dépendance affective et neutralité sexuelle — est propre aux enfants comme aux animaux domestiques. Aussi l'amour total et totalitaire de la tierce pour les enfants est-il du même ordre que l'adoration des animaux : même investissement sans limites d'un objet passif et captif, à

cette différence près que l'animal n'a pas à devenir un être actif
et libre, tandis que l'enfant devra y parvenir en dépit de la
chaîne affective dans laquelle l'a emprisonné, sans nul souci de
réciprocité, l'amour féroce de la tierce. C'est ce qui arrive par
exemple à l'héroïne de *L'Entrave* de Colette qui se sent devenir
vieille fille («Je continue à manquer de légèreté, et je prends
tout au sérieux, comme les vieilles filles»): «Ces faims subites
du toucher, ces attendrissements nerveux au contact d'un
animal suave, je sais bien que c'est la force amoureuse, inutili-
sée, qui déborde; et je crois que personne ne les ressent aussi
profondément qu'une vieille fille ou une femme sans enfant.»
Il existe toutefois une différence entre l'amour des chiens et
celui des chats, lequel semble relever plutôt d'un «miroir de la
féminité» propre aux jeunes femmes: de la chatte rivale, incarnation animalisée de la première dans *La Chatte* de Colette
(1933), au chat amoureux de sa maîtresse en devenir-chatte
dans *L'Animale* de Rachilde. Par contre l'amour des chiens
paraît plus spécifique de la femme vieillissante, l'animal de
compagnie faisant alors office d'objet de remplacement, en
place soit du mari absent ou de l'amant défaillant, soit de
l'enfant manquant[5].

État civil, états de femme

Célibat, veuvage ou renoncement au sexe: loin d'être le
destin exclusif des vieilles filles, le devenir-tierce est une limite
qu'approchent et parfois franchissent les femmes mariées, lorsqu'elles remplacent l'amour sexué par l'adoration animale,
infantile ou divine — dévotion sans faille de la bigote, dévouement sans limites de la mère. C'est la pitoyable histoire de
Lucy Moore dans *Trois amours* d'Archibald-Joseph Cronin
(1932), qui vit d'abord pour l'amour de son mari, lequel meurt
prématurément à cause d'elle; puis de son fils, qu'elle amène à
se détacher d'elle; enfin du Christ, lorsqu'elle se réfugie dans
un couvent où elle ne parvient pas à s'intégrer. Épouse, mère,
dévote: c'est l'itinéraire typique de la première basculée en
tierce, qui ne sait vivre que dans un lien exclusif avec autrui,
cumulant dépendance et autoritarisme. Ainsi l'état civil, tel
celui de célibataire ou de veuve, ne se confond pas avec l'«état

de femme», tel celui de tierce. Comme tout état de femme, il conjoint des paramètres relationnels objectivables et la façon dont cette situation est subjectivement vécue : satisfaction ou insatisfaction, acceptation ou refus, résignation ou révolte, transgression, refoulement ou sublimation. Aussi la sociologie des rapports entre les êtres est-elle indissociable de la psychologie des «états d'âme».

Ce sont toutefois des paramètres objectifs qui constituent l'épine dorsale de la configuration des états de femme telle que la met en scène le travail de la fiction. Ces paramètres sont, rappelons-le, principalement au nombre de deux, dont le croisement détermine toute situation identitaire dans l'espace des possibles traditionnellement ouverts aux femmes : d'une part, l'existence ou non d'un rapport sexué au monde masculin et, d'autre part, le mode de subsistance économique. Lorsque celle-ci est fonction de la disponibilité sexuelle, la femme est en état d'épouse ou de maîtressse, qui dépend de son mari ou de ses protecteurs ou clients ; sinon, la femme est en état soit de tierce, qui dépend d'un patron ou d'un patrimoine, soit de fille, qui dépend de son père ou, parfois, d'une communauté de réclusion. À ce double paramètre s'ajoute, pour faire la différence entre premières et secondes, le degré de légitimité de la relation sexuelle : légitimité juridique pour les femmes non mariées, et psychique pour les secondes épouses.

L'Éducation sentimentale de Flaubert constitue à cet égard un véritable répertoire de figures, qui en fait un roman de formation aux états de femme. Frédéric en effet y croise non seulement «les prostituées qu'il rencontrait aux feux du gaz, les cantatrices poussant leurs roulades, les écuyères sur leurs chevaux aux galops, les bourgeoises à pied, les grisettes à leur fenêtre», mais aussi : une première renonçante puis (en vain) consentante, en la personne de Mme Arnoux ; une première consentante puis veuve émancipée, en la personne de Mme Dambreuse ; une seconde courtisane, en la personne de Rosanette dite «la Maréchale» (qui se refera sur le tard une vertu en devenant la maîtresse de Frédéric puis la mère de son fils, et cherchera en vain à se faire épouser par lui) ; une tierce, en la personne de Mlle Vatnaz, la «femme artiste», la «vieille fille», qui deviendra sur le tard une seconde en ayant une liaison avec un ouvrier révolutionnaire ; et c'est enfin une fille à prendre, en la personne de la petite Roque, que Frédéric aura croisée sur son chemin, mais en vain puisque, s'étant enfin décidé à l'épouser après avoir manqué ou gâché l'entière série de ses amours, il arrivera trop tard, le jour de ses noces avec un autre. Ne lui restera alors que le souvenir idiot de ce bordel duquel, adolescent, il s'était enfui, sans oser déjà réaliser son rêve de connaître une vraie prostituée — le premier et le dernier de ces états de femme qu'il aura donc rencontré, et manqué... Une telle interprétation n'est nullement contradictoire avec d'autres, par exemple celle de Pierre Bourdieu qui voit dans ce roman l'expression d'une stratégie d'indétermination chez un fils de bourgeois ne parvenant pas à hériter d'un héritage en lequel il ne se reconnaît pas — situation caractéristique de la difficulté à trouver non un héritage pour l'héritier, mais un héritier pour l'héritage [6]. Aucune de ces deux interprétations — problème de l'héritage ou initiation aux états de femme — n'est exclusive l'une de l'autre, pas plus que de ce qu'elles ne sont ni l'une ni l'autre, à savoir une analyse littéraire des modalités d'écriture. Et sans doute est-ce justement le propre des grandes œuvres que de pouvoir accueillir une pluralité d'interprétations selon l'approche qui en est faite. Parce que le réel est multiple, sa description ne peut que l'être aussi.

En fonction des différents états se décline la diversité des rapports au nom : la fille porte le nom de son père, la première celui de son époux, tandis que la tierce tend à n'avoir pas de nom (c'est la « Mademoiselle ») ; le prénom seul est réservé aux prostituées et courtisanes, chez qui d'ailleurs il est souvent un prénom d'emprunt tout comme, paradoxalement, chez les religieuses (celles-ci piochant dans la tradition hagiographique, celles-là dans la mode galante) ; divas et grandes actrices ont le privilège de voir leur prénom ou leur nom précédé d'un « la », qui exalte leur singularité ; enfin les actrices elles aussi pratiquent volontiers le pseudonyme, ce marqueur des états associés au renom — rejointes en cela par les écrivains.

Le rapport à l'espace varie aussi en fonction des états, notamment sous cette forme si chère aux femmes qu'est la maison, lieu de la souveraineté féminine en même temps que de l'intériorité, intermédiaire entre le monde extérieur et la vie intérieure — qu'ont si bien explorée les romancières anglaises de la première moitié du siècle, Virginia Woolf, Katherine

Mansfield, Daphné Du Maurier, Elizabeth Goudge, Rosamond Lehman... «Et *la maison* est tout chez nous, vous le savez, tout pour les femmes du moins», dit un personnage de *Corinne* de Mme de Staël : carrefour identitaire entre public et privé, la maison est à l'intériorité de la femme ce que le monde extérieur est à la maison. Aussi contribue-t-elle fortement à la différenciation des états : si la fille dans la maison de ses parents aspire à posséder, comme toute première, sa propre maison, celle-ci sera en même temps celle de la famille, du foyer conjugal, l'épouse ne pouvant prétendre au mieux qu'à une «chambre à soi»; la seconde épouse est encore moins chez elle dans sa propre maison, que continue de gouverner symboliquement la première; quant aux secondes, leurs maisons sont soumises à variations selon la hiérarchie et les aléas de la carrière qui les condamne, au pire, à la maison close; la tierce, elle, n'a guère de maison à elle puisqu'elle vit soit chez ses parents, soit chez ses patrons ou dans un logement de fonction; seule la femme non liée, nous le verrons, est dans sa propre maison — au risque d'y vivre seule...

Commun par contre à chacun des états est le paramètre du temps, qui contribue à les définir en faisant de tout état une situation inégalement provisoire ou définitive, inégalement sujette au basculement dans un autre état. Ainsi la seule action de la durée peut transformer une fille à marier en vieille fille, alors que celle qui aura fui dans le mariage la menace du devenir-tierce pourra plus tard s'y trouver confrontée lorsque le renoncement à la vie sexuelle, plus ou moins volontaire ou assumé, l'aura fait basculer en tierce. Place instable de la première, place inavouable de la seconde, place incomplète de la tierce... Ainsi tournent les états de femme tels qu'ils s'offrent aux filles, sous la menace du complexe de la seconde qui hante tout être féminin pris dans le monde sexué : de la fille en attente d'un état à la place de la première, aux degrés de la seconde ou au point de vue de la tierce; de la première ou de la seconde à la tierce; et de la tierce, peut-être, à la seconde — ou de la seconde, parfois, à la première...

Du moins en va-t-il ainsi tant que demeure cette matrice génératrice des états de femme qu'est le lien entre subsistance et sexualité : matrice qui a continûment marqué, durant plusieurs siècles, la définition de l'identité sexuelle dans notre société, comme le révèle le roman. Les choses changent radicalement dès lors que se produit une déliaison du rapport de dépendance économique et du rapport sexuel : déliaison qui, faisant éclater l'ordre des états de femme, trouve son expression dans un certain nombre de configurations fictionnelles.

SIXIÈME PARTIE

États de crise

Donc l'impossible est possible, se disait-il, et l'impossible est arrivé.

Isaac Bashevis Singer,
Ennemies. Une histoire d'amour.

Chapitre XX

AUX FRONTIÈRES
DES ÉTATS DE FEMME

Avant d'observer les formes romanesques de la crise des états de femme, faisons un dernier détour par ce qui se passe à leur marge, quand le roman devient l'expression d'une crise interne au modèle lui-même et qui en dessine les limites. Si les états de femme forment un modèle saturé, n'autorisant qu'un nombre limité de figures (seuls les exemples étant en nombre illimité), les états de crise sont en nombre indéterminé. Ne retenons que quatre de ces passages à la limite du modèle, où l'on verra que la sorcière figure une crise des états de femme ; que la multiplication des femmes en des états incompatibles est mortelle, y compris pour l'homme ; que la civilisation du harem et l'ordre romanesque des états de femme sont exclusifs l'un de l'autre ; et que le passage de la fille perdue à la femme libre, négocié dans l'entre-deux-guerres, signe l'implosion du système.

De la stigmatisée à la sorcière

« Étant donné les choses, tu ne te marieras jamais, Prue » : le fait est que la jeune héroïne de *Sarn* de Mary Webb (1924) est affligée d'un bec-de-lièvre, difformité congénitale très marquée sexuellement puisque, non contente d'enlaidir, elle affecte la bouche. Ainsi stigmatisée, cette fille de la campagne se sent exclue du monde sexué, qu'elle se représente bien sûr en l'état de première : une maison à elle, un homme au foyer, un bébé, une vie sociale. Se sentant « maudite » par sa difformité, elle a renoncé à l'espoir du mariage, cherchant refuge dans les ressources des filles indisponibles : le travail (celui des champs auquel, poussée par son frère, elle se consacre avec acharnement) ; le savoir, par la lecture et l'écriture qu'elle apprend auprès d'un voisin faisant profession de sorcier ; et la spiritualité dans la solitude, la contemplation de la nature, la méditation, l'élan mystique.

Car ce stigmate qui la tient à l'écart du monde sexué va l'exclure aussi du monde habité. Beaucoup plus qu'un simple manque de ressources circonstanciel, tel qu'un handicap physique (laideur) ou matériel (pauvreté), il s'agit d'un marquage total, à la fois extériorisé, donc visible à tous, irréversible, donc attaché consubstantiellement à la personne, et provenant non d'un accident mais d'une anomalie physiologique, donc anormal voire monstrueux. Un handicap aussi absolu, aussi incontournable tend à être vécu comme une forme d'injustice, une condamnation arbitraire puisque immotivée, due à la seule contingence du hasard (ce hasard qu'invoque la mère de Prue : « Si seulement je n'avais pas croisé un lièvre... »). Et ce sentiment d'injustice n'atteint pas seulement la victime du handicap mais la communauté tout entière, au regard de laquelle il lui faut négocier la singularité de sa position. Dès lors qu'il apparaît comme un accident génétique arbitraire, non motivé par le caractère de celui qui en souffre, tout stigmate représente d'abord une atteinte à la justice, pour sa victime comme pour ses témoins : ce en quoi il demeure une expérience commune au stigmatisé et aux normaux, là même où il sépare le premier des seconds[1]. Aussi ne devient-il tolérable que s'il apparaît mérité, motivé par la personnalité ou, du moins, par les antécédents familiaux de la victime : la simple malchance se transforme alors en malédiction, la stigmatisation en manifestation d'une potentialité néfaste, l'injustice du sort en juste punition du maudit, et la victime du stigmate en responsable de son propre malheur, instrument ou incarnation de la puissance maléfique que trahit ce stigmate.

Là intervient l'accusation de sorcellerie : « Ça les rend un peu drôles, vous savez, d'être nées comme ça. Il y en a qui disent qu'elle est un brin sorcière. » En faisant du singulier un monstre ou un paria, l'imputation de sorcellerie lui confère un statut déterminé, une raison d'être ou, comme diraient les lin-

guistes, une «motivation», qui permet d'échapper à l'arbitraire, de conjurer l'injustice. Par l'assignation de la stigmatisée
à un statut connu, autrement dit par la désingularisation du
singulier, ceux qui croisent la femme au bec-de-lièvre sont
désormais en mesure de fixer leur comportement envers elle,
de trouver quoi faire et quoi dire de cet individu hors du
commun, dont l'étrangeté devient dès lors phénomène de foire,
reliquat d'animalité, voire signe de surnaturalité diabolique.
L'imputation de sorcellerie est donc destinée à faire, si l'on
peut dire, «de nécessité vice»: de la nécessité, à laquelle renvoie l'irréversibilité d'un stigmate isolant visiblement l'individu
de la communauté, au vice ou au «mal» que sanctionne l'isolement. Et du mal on glisse au maléfice, au pouvoir occulte — se
changer en lièvre, empoisonner, jeter des sorts — dont le stigmate devient alors le signal: «Il y avait là quelque chose qu'on
ne comprenait pas. La seule raison de tant d'infortunes ne pouvait être, à leur avis, que la malédiction de Dieu. Il devait y
avoir eu un Jonas dans notre navire, se disait-on. [...] Il semblait que moi seule étais la cause de cette malédiction. [...]
Telle était la raison de ces regards haineux, de ces mouvements
de recul, de ces chuchotements. J'étais la sorcière de Sarn, la
femme maudite, marquée par Dieu d'un bec-de-lièvre.»

«Je souhaitais en moi-même de mourir»: conséquence de la
stigmatisation, l'état de solitude est lui-même un stigmate;
en isolant matériellement l'individu de la communauté —
de même que le stigmate l'isole symboliquement — la solitude
appelle la suspicion, étant susceptible d'être interprétée comme
un signe (de la malédiction) et non pas expliquée comme un
effet (de la stigmatisation). Et parce que sa solitude est sus-
pecte, elle condamne le solitaire à plus de solitude encore, de
même que le stigmate condamne celui qui en souffre non seulement à la différence (physique) mais à l'exclusion (sociale) —
exclusion qui renforcera une solitude qui elle-même viendra
confirmer le bien-fondé de la mise à l'écart... «Lorsqu'on vous
voyait à l'écart, autant dire que vous étiez damné»: l'isolement
de la femme au bec-de-lièvre est renforcé par la communauté
qui cherche à se prémunir contre le danger que la stigmatisée
lui ferait courir en tant qu'elle est, non pas «frappée» injustement (en quoi elle ne mériterait que la pitié) mais «marquée»,
désignée comme mauvaise par le mal dont elle est habitée[2].

L'imputation de sorcellerie n'est pas liée exclusivement à la difformité : elle touche toute singularité, toute sortie hors de la norme qui par cela même fascine — dégoût ou attirance, horreur ou désir. Ainsi, une très belle femme peut aussi être désignée comme sorcière, telle l'épouse du berger, «créature étrange, mais jolie à faire venir l'eau à la bouche de tous les hommes». Tout comme le pouvoir de fascination exercé sur les gens par une femme stigmatisée, le pouvoir de séduction exercé sur les hommes par une femme trop belle doit être arraché à l'arbitraire, à l'injustice d'une distribution aveugle des ressources à la naissance, pour être réintroduit dans l'ordre de la nécessité, la logique causale du mérite et la logique symbolique de la marque. Alors l'exceptionnelle beauté devient le signe d'un pouvoir occulte dont la version profane (l'attirance sexuelle) est la manifestation ; et, malgré son statut d'épouse, la femme du berger s'expose au soupçon de sorcellerie du seul fait que sa beauté la met à part des autres : le désir que suscite son apparence physique lui est imputé comme une responsabilité morale, faisant d'elle aux yeux des autres une débauchée, une nymphomane.

Mais revenons à Prue, qui nous fait assister par ses yeux non à un véritable procès en sorcellerie mais, avant cela, à un processus de «sorcellisation», de mise-en-état-de-sorcière. Capable de résister intérieurement à l'imputation de sorcellerie (car elle sait, elle, et n'en doutera jamais, qu'elle n'est pas une sorcière), capable même d'en analyser les raisons, elle est parfaitement consciente de ce qui lui arrive mais incapable d'y remédier, impuissante à se défendre : il lui faudrait pour cela un appui extérieur qui puisse faire entendre raison à la communauté, rétablir l'ordre et rendre la jeune fille à l'état de vierge simplement disgraciée, future tierce sans doute ou, pourquoi pas, future épouse de qui voudrait bien d'elle. En attendant, il lui faut supporter cette mise à l'écart de la communauté, tâchant seulement de maintenir cette stigmatisation identitaire dans des limites — littéralement — vivables, évitant le dérapage dans la violence. Ainsi installée, tant bien que mal, à mi-chemin entre l'ordre des états de femme et le désordre de cet état de crise qu'est la «sorcellisation», la stigmatisée pourrait poursuivre une vie sans histoire : en équilibre entre la tierce qu'elle se résigne à être et la sorcière qu'elle risque de devenir pour la communauté, elle serait vouée à une situation d'ermite guérisseuse que l'on viendrait consulter en cas, justement, de crise — malheur ou maladie — et qui paierait son savoir de sa solitude, ou compenserait celle-ci par celui-là. Mais le romanesque reprend ses droits lorsque survient un homme, qui la rappelle à l'existence du monde sexué, au désir de l'état de femme à part entière et au malheur d'en être exclue : « Je me reculai dans mon coin en me sentant défaillir, car voici qu'était venu mon amour et mon seigneur, et hélas ! j'étais défigurée ! »

Pour faire triompher, malgré le handicap, l'accès à la féminité, c'est-à-dire au désir de l'homme, il faudra recourir non plus à l'ordre fictionnel du roman (*novel*), mais à cette fiction de fiction qu'est l'ordre du pur romanesque (*romance*) : comme dans *Rebecca* ou *Jane Eyre*, la crise ne se résoudra que par le basculement du récit dans un autre régime, qui ne ressortit plus à la description ou à la simple imagination narrative mais au fantasme, voire à la fantasmagorie. Celle-ci se joue une première fois, au sens propre, par une mise en scène qu'invente le voisin un peu sorcier afin d'appâter le châtelain local aux charmes de sa fille : pour rendre service à celle-ci, l'héroïne va accepter de la remplacer, nue et le visage dissimulé, en Vénus apparaissant dans un nuage de fumée sur la trappe montant de la cave ; et là, bien sûr, elle apercevra le beau tisserand dont elle est en silence amoureuse. Dans cette machination fantasmagorique se joue l'épreuve du désir qu'elle n'aurait pu espérer franchir avec succès dans la réalité : « En voyant les épaules du châtelain se courber sous le poids du désir, j'avais compris pour la première fois de ma vie que, quel que fût mon visage, mon corps n'était pas sans beauté. » La seconde et ultime intervention fantasmatique sera l'arrivée impromptue du sauveur, figurant cet appui extérieur qui, proche sans être semblable, et intégré à la communauté sans pour autant s'y fondre, va arracher l'héroïne au lynchage pour l'enlever, au terme d'une lutte héroïque, sur son cheval fougueux — exactement comme dans les contes de fées. Par cette ressource fantasmatique, elle échappe *in extremis* à l'enfer de l'horrible sort réservé aux sorcières — mort violente ou suicide, qui eût été la conclusion d'un roman noir — tout en évitant le purgatoire de l'état de tierce auquel un roman réaliste l'aurait vraisemblablement condamnée. Ainsi va-t-elle enfin pouvoir se projeter dans cet état tant rêvé de première, que sa difformité semblait lui interdire. C'est la terre promise du mariage avec un beau jeune homme, le paradis des romans roses qui, toujours, se terminent ainsi : « Et à ces mots, il pencha vers moi sa belle tête et me baisa sur les lèvres. »

La « sorcellisation », la mise-en-état-de-sorcière, apparaît bien ici comme une crise des états de femme. La sorcière est un phénomène essentiellement féminin, comme le confirment l'étude de la sorcellerie populaire et la statistique des procès [3]. Mais par-delà la relation entre sorcellerie et féminité, c'est dans l'ordre des états de femme qu'il faut envisager cette dimension *critique*, cet état de crise que *signifie* — désigne et produit à la fois — l'imputation de sorcellerie. Le propre en effet d'une sorcière — et c'est ce qui en fait une figure si labile, si difficile à cerner — c'est qu'elle est une femme *dans tous les états*, ou du moins que, apparaissant dans un état, elle est susceptible d'apparaître aussi dans un autre. La sorcière est indépendante, par son savoir, donc non soumise à la loi masculine, ce qui la différencie de la première et de la seconde et l'apparente à la tierce. Mais contrairement à la tierce elle vit le plus souvent dans un monde sauvage — celui de la forêt, des simples, des mystères de la nature — ce qui l'apparenterait aux nymphes et aux amazones si elle n'était seule et isolée (sauf les nuits de sabbat, lorsque aucun humain ne la voit), ou aux filles épouses de la nature si elle n'était au fait des réalités sexuelles, qu'elle contrôle par sa connaissance des philtres amoureux et des drogues abortives. En outre elle est aussi une femme sexuée, contrairement à la tierce : épouse parfois, veuve émancipée ou célibataire débauchée, femme lubrique en tout cas, qui attire les hommes dans ses ébats. Ce qui ne l'empêche pas d'être en même temps le contraire d'une séductrice : vieille ou défigurée, donc peu appétissante aux hommes, c'est — qu'à cela ne tienne — avec le diable qu'elle aura commerce sexuel.

À la fois « religieuse du diable » et « libertine stérile », selon les mots de Michelet [4], la sorcière est un personnage foncièrement ambivalent, incarnant en un même être des états de femme différents voire antagoniques — de même que l'héroïne de *La Lettre écarlate*, moralement stigmatisée, oscillait entre épouse adultère et tierce, débauchée impure et ermite purifiée, maîtresse lubrique et mère, sorcière et sainte. Elle incarne dans les états de femme une figure d'«errance», de désordre, d'impureté, de souillure[5]: figure de crise, par où l'ordre des états de femme peut se transgresser et, en se transgressant, se réaffirmer. C'est d'une certaine façon l'exception qui confirme la règle, le brouillage des états institués qui par sa seule existence en prouve la nécessité. La sorcière est bien, comme le bouc émissaire[6], celle qu'il faut supprimer par la violence pour établir ou rétablir l'ordre des états de femme — quitte à devoir, s'il le faut, la fabriquer.

De la polygamie à la folie

Avec *La Dame de chez Maxim's*, Feydeau montrait sur le mode comique combien angoissante pour un homme est la mise en présence de ces deux états de femme incompatibles que sont l'épouse et la maîtresse. Que dire alors lorsqu'il y en a trois : la première épouse, la seconde épouse et la maîtresse? Plus qu'angoissante, une telle situation est proprement insupportable : et à l'homme, qui y risque sa propre disparition, et aux femmes, en particulier la maîtresse — la plus fragile parce que sans attache légale. Et c'est bien par la disparition de l'homme et le suicide de sa maîtresse que se termine le roman d'Isaac Bashevis Singer qui conte cette invraisemblable histoire : *Ennemies. Une histoire d'amour* (1972). Herman, le héros, est un juif polonais émigré après guerre à New York, veuf de sa première épouse Tamara disparue dans un camp en même temps que leurs deux enfants; il s'est remarié à Yadwiga, une goy qui l'avait caché pendant la guerre et l'a suivi en Amérique; là, il est tombé amoureux d'une rescapée de Dachau, Masha, avec qui il a contracté clandestinement un mariage religieux. Cette classique situation de partage entre une épouse et une maîtresse ne lui cause guère plus que des problèmes d'organisation matérielle de sa double présence, familiers à tout homme adultère. Mais voilà que revient Tamara, rescapée sans qu'il l'ait su. «Donc l'impossible est possible, se disait-il, et l'impossible est arrivé.»
«Herman pensait à ce dicton yiddish que dix ennemis ne peuvent faire autant de mal à un homme qu'il ne peut s'en

faire lui-même.» Car il va vivre comme un cauchemar — mixte d'irréalité et de souffrance sans issue — le partage entre ces trois femmes : deux légitimes (la première et la seconde épouse) et une illégitime au regard de la loi (la maîtresse) ; une première (la mère de ses enfants) et deux secondes (la seconde épouse et la maîtresse) ; deux épousées religieusement (la première et la maîtresse) et une épousée civilement (la seconde épouse). S'il ne peut assumer cette polygamie, c'est qu'il est un être moral, lié par un triple lien de culpabilité à chacune des trois victimes de cette situation dont il est, bien malgré lui, responsable. La première a souffert en déportation, a vécu la mort de leurs deux enfants, et se retrouve trahie puisqu'il en a épousé une autre ; la seconde est celle à qui il doit le plus puisqu'elle l'a sauvé, mais celle qu'il aime le moins, ne l'ayant épousée que par reconnaissance ; quant à la troisième, elle est celle qu'il aime le plus mais à laquelle ne le rattache aucune autre obligation morale que le respect et la compassion dus à tout rescapé. Et pourtant... «Et pourtant il me les faut toutes les trois — telle est la scandaleuse vérité.»

Alors, que faire ? Que faire dès lors qu'il a fini par avouer à sa seconde épouse une part de la vérité («Tamara est sortie du tombeau, elle s'est verni les ongles et elle est arrivée à New York») ? S'inclinant devant la loi et l'ordre des épouses, la seconde propose de se sacrifier — le problème étant qu'elle est enceinte. La maîtresse quant à elle ne s'incline pas devant la loi, car n'existe à ses yeux que la loi de l'amour, qu'elle a fait sanctifier par la religion, et au regard de laquelle c'est elle-même qui doit l'emporter : «Masha était une femme moderne, ô combien ! Toutes les ambitions, toutes les illusions de la femme moderne, elle les partageait.» Aussi sera-t-elle celle qui en mourra, choisissant le suicide plutôt que le renoncement à la place qui est la sienne — celle de la femme aimée. L'homme quant à lui disparaîtra, choisissant le néant plutôt que l'invivable bigamie hantée par le remords d'une maîtresse aimée et sacrifiée. Ne resteront que les deux épouses, réunies autour de l'enfant née de la seconde et qui, bien sûr, porte le prénom de la maîtresse.

L'improbabilité d'une telle situation est atténuée ici par les circonstances historiques : non seulement, sur le plan narratif, parce que la tragédie de la déportation peut rendre plausible la résurrection d'une femme disparue dans les camps; mais aussi, sur le plan symbolique, parce que cette tragédie collective apparaît comme l'homologue de la tragédie personnelle d'un homme qui, ayant échappé à la déportation, n'échappe pas à ses conséquences sur l'avenir des rescapés : comme si la culpabilité du survivant, aggravée ici par le deuil de l'épouse et des deux enfants, trouvait un possible transfert sur la culpabilité de l'homme à la fois adultère et bigame. D'ailleurs les cauchemars qui le hantent tournent indifféremment autour de la démultiplication des femmes et de la menace nazie... Que cette situation cauchemardesque soit la conséquence, sur le plan personnel, du cataclysme historique que fut l'extermination des juifs, cela est explicitement suggéré : «Quelque puissance céleste se livrait sur sa personne à des expériences qui n'étaient pas sans rappeler celles que des médecins allemands avaient pratiquées sur des juifs. [...] Les Puissances avaient décrété qu'Herman serait leur jouet : il s'attendait de leur part à de nouvelles surprises. Elles avaient créé un Hitler, un Staline : on pouvait se fier aux ressources de leur imagination. [...] Ici, l'homme n'était plus que le jouet de forces étrangères, comme un caillou qu'on lance ou comme un météore projeté dans l'espace.»

Ce sentiment d'être «le jouet de forces étrangères», privé de tout repère dans une réalité catastrophique où il n'y a de choix qu'entre la disparition et le remords, est commun à qui a fait l'invraisemblable expérience de l'extermination, et l'à peine moins vraisemblable expérience de la coprésence de ces trois états de femme incompatibles entre eux. C'est pourquoi cette histoire, pourtant digne d'un vaudeville, ne saurait être traitée sur le mode comique : interdisant la distanciation par la dérision, elle ne peut trouver d'issue que tragique. «Donc l'impossible est possible, et l'impossible est arrivé»...

Du harem au roman

La polygamie est possible, et même normale, dans d'autres univers que le monde occidental moderne qui est celui du roman. De l'Afrique à l'Orient, de harems en sérails, épouses et maîtresses peuvent être coprésentes dans l'espace et le temps sans provoquer de crises mortelles. Les romans de Pierre Loti mettent en scène cette multiplication des femmes, quoique sans aller jusqu'à un tel mélange spatio-temporel : c'est leur possible succession dans le temps et leur dispersion dans l'espace que décrivent les amours exotiques — mélange de polygamie à l'orientale et de mariage à l'occidentale — relatées dans *Aziyadé* en Turquie (1879), *Le Roman d'un spahi* en Afrique (1881), *Madame Chrysanthème* au Japon (1887), ou encore *Le Mariage de Loti* en Polynésie (1882). Il faudra à Loti une vingtaine d'années pour jeter un autre regard sur cette « confusion égalitaire de harem », selon le mot de Colette, autrement dit cette mise en équivalence de la première et des secondes dans un même espace : espace d'invisibilité, sauf à monter dans la hiérarchie des épouses ou des concubines jusqu'à conquérir le sommet du pouvoir, comme l'*Impératrice de Chine* de Pearl Buck (1956) qui, devenue la favorite puis la souveraine, prend enfin la place de l'empereur.

C'est en effet le refus du harem par les femmes qui y sont consignées, et non plus sa pénétration enchantée par l'homme occidental, que Loti mettra en scène avec un roman publié en 1906 : *Les Désenchantées*, sous-titré *Roman des harems turcs contemporains*. André Lhéry, le narrateur, est un romancier célèbre, grand connaisseur de l'Orient, qui revient à Istanbul après de longues années. Mais il ne s'agit plus pour lui de se sauver de la solitude par des mariages fictifs avec des femmes de passage : il va s'agir de sauver des femmes orientales, trois Turques qui viennent lui demander — à lui qui a prouvé par ses ouvrages combien il connaît les femmes, l'Orient, et les pouvoirs du roman — de les sauver du mariage par la fiction. Car ces jeunes femmes qui viennent le solliciter clandestinement, « désenchantées » de leur condition traditionnelle par leurs lectures et leur connaissance de l'Occident, se sont éveillées « au mal de vivre, à la souffrance de savoir ».

« Nous sommes des martyres, nous, les femmes de transition entre celles d'hier et celles de demain » : ces « femmes de transition », ne supportant plus la perspective d'une vie cloîtrée et voilée, doublement interdite au regard, vont profiter du retour du narrateur à Istanbul pour lui demander de dénoncer le sort qui leur est fait en écrivant un roman sur leur vie — en faisant de leur vie un roman. Et ce roman des désenchantées est, par une subtile mise en abyme, celui-là même que le lecteur se retrouve en train de lire tandis qu'il assiste aux avatars de l'étrange relation, mi-littéraire mi-amoureuse, entre le romancier et ces trois femmes, dont l'une deviendra vite la favorite : relation suspendue au bref instant où l'élue, cédant à ses instances, acceptera de soulever son voile pour s'exposer à son regard. Or c'est leur entrée non seulement dans le monde occidental des lecteurs qu'elles réclament par cette demande de témoignage, mais aussi dans le monde romanesque lui-même, le monde des héroïnes de roman — ce monde par excellence des états de femme, consubstantiel à eux. C'est ainsi qu'à l'inverse de Mme Bovary, qui en multipliant les liens amoureux cherchait à vivre fictivement comme une héroïne de roman, les désenchantées se fixent sur un unique sauveur dont elles attendent qu'il fasse, littéralement, de leur vie un roman. De même que Shéhérazade, par le recours à la fiction, sauvait sa vie — de même les désenchantées de l'Orient des harems, par le recours au roman importé d'Occident, cherchent à sauver leur existence[7].

En 1923 paraîtra sous le pseudonyme de Marc Hélys *Le Secret des « Désenchantées »*, sous-titré « Révélé par celle qui fut Djénane » et présenté comme l'« envers d'un roman ». La femme de lettres qui en est l'auteur y raconte que le roman de Loti est le récit à peine transformé de l'aventure réelle qu'il connut à Istanbul avec trois jeunes femmes, dont deux seulement étaient de véritables Turques élevées à l'occidentale : la troisième n'étant autre qu'elle-même, une Française admiratrice elle aussi de Loti, et qui aura attendu la mort de celui-ci pour révéler le secret. Ce fut elle, Occidentale nourrie de culture romanesque, qui inventa cette mise en scène qui allait devenir fiction, mise-en-roman de ces Orientales un peu hors du commun qui « avaient énormément lu, à tort et à travers » ; une partie des lettres envoyées à Loti en réponse à ses demandes de documents figurent d'ailleurs, à peine transformées, dans *Les Désenchantées*, comme ayant été reçues par André Lhéry. Ainsi l'instigatrice de cette mise en scène réussit à tromper Loti, et même au-delà de ses espérances étant donné la qualité et le succès du roman qu'il en tira. Mais elle ne parvint pas entièrement à ses fins puisque ce roman ne fut pas celui qu'elle lui suggéra (l'histoire d'une Turque victime de sa propre culture) mais, plus subtilement, le roman de cette histoire à la fois vraie, puisque Loti la vécut réellement, et fausse, puisqu'il ne vécut pas exactement ce qu'il crut. Le témoignage signé Marc Hélys ajoute donc deux niveaux supplémentaires à cette histoire à multiples paliers, deux tours de plus dans la mise en abyme du roman-dans-le-roman fabriqué par Loti à partir de cette demande de mise-en-roman : la dimension fictive de la mise en scène inventée par la femme de lettres française et révélée longtemps après, et la défictionnalisation opérée par Loti à partir de cette vraie-fausse situation, dès lors qu'il préféra faire un roman avec l'histoire vécue plutôt qu'avec la fiction proposée. Ainsi le romancier prit malgré tout à contre-pied la romancière, elle-même prise à sa propre fiction comme l'arroseur arrosé : « Pour avoir voulu faire vivre à Loti un roman, il s'est trouvé que c'est nous qui l'avons vécu[8]. »

Le roman de Loti n'en conserve pas moins sa valeur de symbole puisque, à travers le regard d'un romancier occidental parvenu à croiser un instant celui d'une Orientale, se confirme par la littérature la consubstantialité entre le monde des états de femme et l'espace romanesque : pour sortir du harem, il faut entrer dans le roman.

De la fille perdue à la femme libre

Il est peu de romans qui aient suscité un scandale comparable à *La Garçonne* de Victor Margueritte en 1922 : scandale révélateur de la crise dont il fut à la fois un symptôme et un instrument, illustrant le *free love*, la *new woman* aux cheveux courts — thème qui dès la fin de la première guerre était devenu d'actualité, et dont le cinéma permettra de fixer l'imaginaire sur des figures quasi universelles, telles que Louise Brooks et sa coiffure « à la garçonne »[9]. On y suit l'accès à l'indépendance d'une jeune fille de la bonne société parisienne, qui apprend à n'être plus la fille de son père sans devenir pour autant la femme d'un mari. Une telle indépendance exige plusieurs conditions : la possibilité d'une autonomie financière, liée à une activité personnelle porteuse d'identité plutôt qu'à une situation de rentière héritée ; l'accès à la contraception, qui va de pair avec un bon niveau d'éducation ; et, de préférence, l'appartenance à la haute société, relativement affranchie des préjugés de la petite bourgeoisie et où une certaine liberté sexuelle, telle que la pratiquent les épouses émancipées, n'implique pas forcément la mise au ban. Mais le tout n'est pas d'accéder à cette indépendance : encore faut-il la supporter, c'est-à-dire trouver dans l'état de femme libre la stabilité, et le bonheur. C'est bien là la difficulté pour les pionnières qui demeurent soumises aux préjugés d'autrui, et notamment des hommes mais, plus encore, à leurs propres aspirations intérieures à un état plus traditionnellement féminin. C'est cette ambivalence, ce balancement entre affranchissement et retour au modèle initial que décrit, entre voyeurisme et moralisme, *La Garçonne.*

Jeune héritière moderne, Monique est influencée par une époque «libérée», qui tend à dévaluer l'assignation des femmes aux signes traditionnels de la féminité : «Il faut en prendre ton parti, maman. Depuis la guerre nous sommes toutes devenues, plus ou moins, des garçonnes!» Elle achèvera de perdre ses illusions en découvrant l'infidélité de son fiancé et le cynisme de ses parents, qui voient dans ce mariage un instrument de promotion : double déception qui la décide à devenir une femme libre. Elle quitte sa famille, ouvre une boutique de décoration, fréquente les milieux du théâtre, prend une maîtresse puis des amants, avec le cynisme d'un homme, pour son plaisir, se délivrant de la passivité féminine en pratiquant la contraception à sa manière : la voilà devenue, par l'indépendance matérielle et morale, «garçonne» à ses propres yeux — et «garce» pour d'autres. Mais cette situation ne la satisfait pas : elle se met à désirer un enfant, qui réaliserait le compromis entre le modernisme de la célibataire et le traditionalisme de la mère, l'indépendance conjugale et l'attachement maternel.

Insatisfaite de sa vie mondaine et solitaire, elle sombre dans la futilité, les orgies et l'opium. C'est alors qu'elle rencontre un écrivain, qui l'arrache à sa déchéance et au dégoût d'elle-même. Leur idylle n'est troublée que par la jalousie de l'amant qui, quoique large d'esprit, ne peut s'empêcher de penser à ce passé de «garçonne» que pourtant elle estime révolu grâce à lui. Le problème d'ailleurs n'est pas tant qu'elle ait connu l'amour avant lui, mais qu'elle l'ait connu hors de la loi des états de femme, où le sexe hors mariage ne peut être que débauche ou prostitution : « Une veuve, une divorcée ont généralement subi leur destinée. Elles en sont moins responsables que toi, de la tienne. Elles ont obéi à la loi » (et elle : « Quand je te le disais que tu étais un homme des cavernes ! »). Excédée par cette jalousie qui finit par la couper du monde, elle le quitte pour un autre écrivain un peu plus progressiste : ils se marient, et auront sans doute beaucoup d'enfants. Tout est donc bien qui finit bien, et la morale est sauve : un moment tentée par l'état de femme libre, la « garçonne » finit par réintégrer l'ordre des états de femme, sans autre difficulté qu'un passage dépressif et une rupture avec un fiancé trop regardant sur ses antécédents. Mais pour redevenir une femme du passé, ne vaut-il pas mieux tard que jamais ?

Ce personnage de « garçonne » avait connu trente ans auparavant un antécédent littéraire avec un roman décrivant les mœurs très libres de certaines jeunes filles, à cette époque de leur existence où elles en sont encore à gérer habilement leur virginité de filles à prendre : nous sommes toujours dans la haute société parisienne, en compagnie des *Demi-vierges* de Marcel Prévost (1894), ces « chastes frôleuses » qui, sans être encore passées à l'acte, ont connu les plus intimes caresses de leurs amoureux, et qu'un homme avisé reconnaît à « cette flamme chaude dans le regard, ce je ne sais quoi de vaincu dans les poses, par où se trahissent les vierges qui ont pâmé une fois sous les caresses ». Un observateur, en lequel se projette manifestement Prévost, y voit la conséquence de ce qu'il nomme les « deux krachs », à savoir « le krach de la pudeur », dû à ce qu'on n'élève plus les filles au couvent, et « le krach de la dot », dû à la diminution des dots : « Jamais la jeune fille n'a dépendu de l'homme à ce point, et comme elle n'a qu'une arme pour le conquérir — l'amour — les mères les laissent apprendre l'amour le plus tôt possible. [...] Et c'est le marié, maintenant, à qui l'alcôve nuptiale ménage des surprises. » Prévost reprendra le thème en 1925 avec *Les Don Juanes*, où des femmes et non plus des jeunes filles se comportent comme des hommes en matière de galanterie : célibataires, veuves, séparées ou divorcées, quatre quadragénaires de l'après-guerre, connues pour leur liberté amoureuse, s'entichent de jeunes hommes — et se brûleront les doigts d'avoir « voulu disputer à l'homme son privilège de choix, d'offensive dans l'amour ».

Annoncée par la «demi-vierge» et incarnée après la première guerre par la «garçonne», cette crise des états de femme va se rejouer dans d'autres romans, avec soit des héroïnes malhabiles à gérer leur émancipation (telles *Les Jeunes Filles* de Montherlant en 1936, qui se donnent à l'homme aimé sans obtenir l'amour ou le mariage qu'elles en attendent), soit d'étranges sauts entre le monde traditionnel, où la fille serait perdue par la compromission sexuelle, et le monde moderne, où elle se rétablit à l'état de femme libre. Dans *Jeunesse perdue* de Daphné Du Maurier (1932), situé dans le Paris bohème des années vingt, une jeune fille s'est mise en ménage avec un apprenti écrivain qui refuse de l'épouser, trouvant le mariage vieux jeu; or elle changera en cours de roman non seulement de statut mais d'ordre moral, passant de l'état ancien de fille perdue à l'état moderne de femme libre, qui refuse d'être délaissée, s'autonomise et finit par le quitter pour un autre homme et un statut indépendant — ce statut auquel il l'a initiée, et dont elle s'empare pour le retourner contre lui. C'est ce même saut de la fille perdue à la femme libre que décrira en 1969 *Sarah et le lieutenant français* de John Fowles, situé à la fin du siècle dernier: doublement compromise, avec un lieutenant de passage qui l'a perdue de réputation, puis avec un homme amoureux qui en fait sa maîtresse et ne parvient pas à l'épouser, cette jeune femme disparaît pour réapparaître en femme indépendante, mère célibataire vivant dans un milieu artiste, libre — et libre aussi de se refuser à lui. Après un début typique des romans traditionnels, l'héroïne n'échappe *in extremis* à un mariage prestigieux, qui ferait une fin classique de roman rose, que pour sauter dans la modernité d'un phalanstère artiste où elle élève son enfant, en femme indépendante — mais échappant définitivement à l'homme.

Cette configuration moderne, où l'indépendance n'est plus synonyme de désexualisation et où la sexualité n'implique plus la dépendance économique ou la répudiation, représente l'ultime moment de crise des états de femme: ultime en tant qu'il porte la crise à son acmé, et en tant qu'il fait éclater l'ordre traditionnel. C'est cette implosion du modèle en son dernier état qu'il reste à comprendre à travers ses représentations romanesques.

SEPTIÈME PARTIE

La femme non liée

J'étais née à une époque où il y avait de l'émancipation dans l'air.

René Boylesve,
Madeleine jeune femme.

Chapitre XXI

À LA RECHERCHE
DE L'IDENTITÉ PERDUE

Il existe un tournant majeur dans les modalités de la dépendance féminine, lié à différents facteurs : bouleversements économiques consécutifs à la révolution industrielle, transformation des règles de transmission patrimoniale, accès des filles au système éducatif, pénétration progressive des revendications féministes, déclin des normes religieuses [1]. Le roman s'en empare pour en fournir une élaboration imaginaire qui tout à la fois témoigne de cette évolution et lui donne ses points d'appui fictionnels : tel le roman de Victor Margueritte, qui contribuera à fixer collectivement cette figure de « garçonne » devenue le symbole de la femme émancipée. Par rapport à la continuité historique dans laquelle s'enracinait l'ordre traditionnel des états de femme, cet éclatement, retraduit dans l'imaginaire romanesque, rend son historicité beaucoup plus visible qu'auparavant, lorsque son inscription dans la longue durée pouvait donner l'illusion de l'intemporalité, et de l'autonomie de l'imaginaire à l'égard du réel.

Ce tournant se situe autour de la Première Guerre mondiale, avec des prémices vers la fin du siècle et une affirmation dans l'entre-deux-guerres. C'est dans ces deux générations que s'invente, au moins sur le plan fictionnel, la figure de la femme indépendante ou émancipée, la « femme libre [2] ». Ce terme a toutefois une connotation trop unilatéralement positive, voire militante, pour exprimer la fondamentale ambivalence qui habite ces figures romanesques, prises simultanément dans la découverte exaltée de l'affranchissement et le constat amer des renoncements qu'il entraîne. Aussi lui préférerons-nous celui de «femme non liée», qui respecte l'ambivalence d'un statut partagé entre ce bonheur indéniable qu'est l'absence d'entraves et ce malheur à peine avouable qu'est le manque d'attaches. Car la femme traditionnelle et la femme moderne, la victorienne et la libérée, la liée et la non liée, s'opposent comme les deux formes du désespoir selon Kierkegaard : «Le moi a un égal besoin de possible et de nécessité. Il désespère autant par manque de possible que par manque de nécessité.» Le désespoir par manque de possible est celui des femmes ligotées par leurs liens familiaux ; le désespoir par manque de nécessité est celui des femmes désorientées par l'absence de liens : lorsque «le champ du possible ne cesse de grandir aux yeux du moi, il y trouve toujours plus de possible, parce qu'aucune réalité ne s'y forme. À la fin le possible embrasse tout, mais c'est qu'alors l'abîme a englouti le moi[3]».

«Non liée», la femme moderne ou émancipée l'est par l'effet de cette déliaison, ce découplage entre dépendance économique et vie sexuelle qui défait l'ordre des états de femme, permettant l'accès à l'autonomie mais sans le sacrifice de la sexualité qui était le lot des tierces[4], ou l'accès à la sexualité mais sans cette sujétion à l'homme qui était le lot des premières, ni cette exclusion hors du cercle de la sociabilité légitime qui était le lot des secondes. La femme non liée peut concilier accomplissement sexuel, indépendance économique et juridique, et légitimité morale, donc inclusion dans un réseau de sociabilité.

Écriture et indépendance

Le monde romanesque antérieur à ce tournant contient bien quelques anticipations de cette figure de femme émancipée, mais seulement à la marge, jamais totalement réalisées : tierces ou filles en voie d'affranchissement sexuel, secondes en voie de légitimation, premières en voie d'autonomisation ne font qu'effleurer la possibilité de cette émancipation, ou basculer dans un autre état de femme. La place de la première offre toutefois une possibilité d'émancipation qui se rapproche de ce que sera le statut de la femme moderne, par l'affichage d'une vie spirituelle et intellectuelle : ce sont les égéries de l'élite aristocratique et bourgeoise, ces femmes du monde tenant salon qui parviennent à se construire une position et une identité propres, dépendant essentiellement de leurs qualités personnelles et pouvant éventuellement se concilier avec une vie sentimentale et sexuelle extraconjugale. Mme de Bargeton dans *Les Illusions perdues* de Balzac (1837-1843), Mme de Chasteller dans *Lucien Leuwen* de Stendhal (1836-1894), Michèle de Burne dans *Notre cœur* de Maupassant, Mme Verdurin chez Proust : le roman ne manque pas d'exemples, adossés à des modèles historiques [5].

De cette position passive d'égérie, la femme peut passer à la position active d'écrivain, marquant véritablement la préfiguration de la femme non liée [6]. Mme de Staël avait donné dans *Corinne* la première grande figure de femme auteur, vierge héroïque à qui sa vocation de poétesse avait valu le douloureux sacrifice de sa vie amoureuse. Selon Claudine Hermann, auteur d'une «édition féministe» établie pour les Éditions des femmes (1979), Mme de Staël aurait «seulement voulu montrer le destin d'une femme de talent : plus elle a de talent, plus elle effraie». Redoublant le mixte d'idéalisation et de dénonciation opéré par le roman, un tel commentaire met sur le compte d'une adversité incarnée par «les hommes» ou «la société» une ambivalence interne, qui traverse et clive la représentation féminine de l'accomplissement — comme nous l'avons vu à propos des premières. On voit là les limites d'une perspective idéologique, qui interdit de voir ce qui apparaît dès qu'on se dégage des jugements de valeur : à savoir que ce roman exprime la représentation qu'une femme de talent peut se faire d'elle-même à l'époque de Mme de Staël, projetée sur une héroïne idéalisée jusqu'à la caricature et un contexte noirci jusqu'à la tragédie ; représentation consistant à s'effrayer elle-même de sa propre aspiration au talent, vécue par elle, et éventuellement par autrui, comme un obstacle à sa désirabilité, voire à son identité de femme. À ce renoncement de l'intellectuelle à la féminité fait pendant, symétriquement, le renoncement de la femme à la carrière intellectuelle, que prône Mlle Ulliac Tremadeure dans *Émilie, ou la Jeune Fille auteur* (1837), dissuadant de s'engager dans une carrière littéraire, «la plus redoutable» pour une femme. «En tout temps, à tout âge, *la gloire n'est, pour une femme, qu'un deuil éclatant de* [sic] *bonheur* ! » : le roman se clôt sur cet hommage dûment souligné à Mme de Staël, que corrige toutefois un touchant lapsus qui, *in extremis*, transforme le renoncement morose à la gloire, «deuil éclatant du bonheur», en aspiration glorieuse à un «deuil éclatant de bonheur» — le deuil, peut-être, de l'interdit d'être femme et auteur?

Cette incompatibilité entre identité d'écrivain et féminité, qui se solde forcément par le renoncement à celle-ci (Corinne) ou à celle-là (Émilie), condamne toute femme qui écrit soit à l'obscurité, soit à la solitude. George Sand le dira dans *Lélia* (1833), où l'écrivain douée et indépendante refuse de consommer l'amour avec le poète Stenio, après quoi tous deux meurent tragiquement : l'«anti-réalisme» de ce roman, qui scandalisa Sainte-Beuve, semble l'expression littéraire du caractère peu réaliste, c'est-à-dire peu réalisable, de ce fantasme d'indépendance qui, non par hasard, se clôt sur une impuissance à réaliser aussi l'accomplissement amoureux. Dans *Elle et lui* (1859) elle reprendra ce thème de l'impossibilité de «réaliser», à tous les sens du terme, une telle émancipation, avec une femme artiste indépendante sacrifiée sur l'autel de l'amour, qui se retrouvera seule avec son fils — cette figure avant-gardiste retombant dans le plus traditionnel des destins féminins qu'est la femme seule dévouée à son enfant, ayant sacrifié et son art, et l'amour.

Stendhal le signalait déjà en 1822 dans *De l'amour* : «Je dirai qu'une femme ne doit jamais écrire que comme Mme de Staël (de Launay), des œuvres posthumes à publier après sa mort. Imprimer pour une femme de moins de cinquante ans, c'est mettre son bonheur à la plus terrible des loteries ; si elle a le bonheur d'avoir un amant, elle commencera par le perdre.» Balzac illustrera cette impossible conciliation de l'indépendance par l'écriture avec l'accomplissement sentimental dans *Béatrix*, avec le personnage de Camille Maupin, qui se heurte à un obstacle existentiel, c'est-à-dire intérieur et consubstantiel à son identité, après avoir dû affronter l'hostilité des contemporains aux yeux de qui elle incarne une inacceptable transgression de la morale traditionnelle. S'étant affranchie non seulement du désir de maternité mais aussi de la passivité amoureuse, cet attribut traditionnel de la féminité, la jeune Félicité s'était dépouillée de l'identité qui lui avait été octroyée pour se construire elle-même, dans l'affranchissement à l'égard des règles édictant la division entre les sexes, agissant et aimant comme un homme. Et l'instrument de ce remodelage de soi par l'appropriation des privilèges du masculin — et avant tout l'autonomie — fut l'écriture. Toutefois Balzac ne décrit que de façon succincte la transformation de Félicité des Touches en Camille Maupin : ce qui motive le romancier dans cette figure si atypique, ce n'est pas l'accession magnifique d'une femme à la réussite que souhaite tout écrivain, ou à ce mélange d'amour, de gloire et de bonheur auquel aspirait Corinne ; c'est plutôt son renoncement désolant à l'amour, à la gloire, au bonheur, conté en détail à travers cette histoire sinistre qu'est la défaite face à une rivale, dans la progressive indésirabilité de la femme écrivain. Ainsi le romancier, après avoir doté son héroïne de cet accomplissement majeur du sexe masculin qu'est l'indépendance acquise par ses dons d'écrivain, va la dépouiller de cet accomplissement majeur du sexe féminin qu'est la vie amoureuse. Ce qui intéresse Balzac dans cette femme émancipée, ce n'est pas qu'elle réussisse à devenir l'écrivain admiré que lui-même désire être — mais qu'elle échoue là où elle est une femme.

Dans la fiction, la rivale de Camille, Béatrix, est une femme moins libre, c'est-à-dire plus femme qu'elle. Dans la réalité, c'est une femme également écrivain et libérée de bien des conventions, en la personne de George Sand, à qui Balzac réfère explicitement son personnage («Calyste lisait *Indiana*, le premier ouvrage de la célèbre rivale de Camille»), de même qu'à Mme de Staël. Cette contiguïté entre fiction et réalité ne doit rien au hasard, tant ces personnages réels de femmes écrivains inaugurent et fixent dans l'imaginaire des figures décalées, novatrices, tout aussi mythiques et frappantes que les représentations romanesques, et que la postérité traite d'ailleurs avec la même attention qu'un romancier élaborant ses personnages : leurs correspondances sont éditées, leurs vies scrutées par les biographes, leurs portraits publiés — si même elles n'ont pas construit de leur vivant, en laissant autobiographies ou Mémoires, la représentation littéraire de leur propre personnage. De Germaine de Staël à George Sand, Colette, Virginia Woolf ou Simone de Beauvoir, les femmes écrivains sont doublement emblématiques de la femme libre qui s'affirmera à l'époque moderne. Non contentes de travailler et de gagner leur vie sans dépendre d'un homme, elles construisent par l'écriture des représentations durables et largement diffusables de ce qu'elles sont ou veulent être : en écrivant, elles proposent des figurations romanesques de leur position, et en signant, elles affirment publiquement leur identité d'écrivain. Parmi toutes les façons de conquérir l'indépendance sans renoncer à la vie amoureuse, l'écriture est un moyen privilégié, qui permet non seulement de vivre mais de *représenter* — au double sens des représentations imaginaires et de la représentation politique — l'état de femme non liée.

Colette en sera l'incarnation la plus frappante : d'abord parce qu'elle pourra afficher, plusieurs générations après Staël et Sand, l'affranchissement sexuel de la femme moderne, dans sa vie comme dans ses romans (la dimension homosexuelle étant aussi représentée dans la vie littéraire par Renée Vivien ou Natalie Clifford-Barney) ; puis par l'abondance et la qualité de sa production littéraire, qui font d'elle un authentique écrivain — à la différence par exemple d'une Sibilla Aleramo dont le premier roman autobiographique, *Une femme*, avait fait figure, lors de sa parution en 1906, de manifeste féministe. Mais surtout, Colette a su inscrire dans son écriture ce rapprochement entre réalité et fiction qui fait le caractère si romanesque de ces biographies de femmes écrivains rivalisant avec les héroïnes de roman au titre de modèles identitaires, en systématisant cette fictionnalisation de soi qui constitue un genre à part entière, l'«autofiction». Auteur, elle se construit en effet — notamment avec *La Naissance du jour* (1926) — comme héroïne d'une narration mi-réelle mi-fictionnelle, de sorte que toute son œuvre «se situe dans les marges de l'autobiographie, entre autobiographie et fiction», «dans un espace autofictionnel[7]». Son nom même est significatif de cette intrication entre biographie et roman propre aux grandes figures de femmes écrivains : dès sa séparation d'avec Willy, elle publie sous ce patronyme aux allures de prénom féminin, nom de jeune fille utilisé en pseudonyme après l'abandon du nom de femme mariée, identité publique de l'écrivain condensée, tel un manifeste, en fausse intimité d'un nom de baptême qui n'en est pas un, fausse féminité d'un prénom de femme qui est le nom du père, pseudo-pseudonyme qui est le véritable patronyme :

complexe opération de (re)création nominale, pour une
complexe opération de (re)création identitaire par la création
littéraire, où l'on trouve l'écho de la contradictoire filiation de
Gabrielle Sidonie Colette, entre un père se disant écrivain
mais n'écrivant pas, et une mère nullement écrivain mais écrivant fort bien.

Cette question du nom est centrale, pas seulement chez
Colette. Car par-delà les différences dans l'expression littéraire
de l'indépendance économique et de l'émancipation sexuelle,
la plupart de ces femmes écrivains réelles ont un point
commun, qu'elles partagent avec Camille Maupin : le pseudonyme. Tout écrivain doit « se faire un nom », c'est-à-dire faire
connaître aussi largement que possible le nom qui est le sien
— et parfois même « se faire un prénom », lorsque le père est
déjà célèbre. Mais pour une femme, que signifie « se faire un
nom » lorsque le nom qu'on porte est soit celui, provisoire, du
père, soit celui du mari — d'autant plus lorsqu'on est divorcée ?
L'indépendance par l'écriture exige alors l'adoption d'un pseudonyme littéraire, affirmant que le sujet, avant de se définir
par l'appartenance à une lignée familiale — paternelle ou
conjugale —, existe tout d'abord dans l'exercice de son activité
d'écrivain, signifiée par un nom librement choisi. À cette revendication d'autonomie s'ajoute, pour expliquer la fréquence des
pseudonymes masculins utilisés par les femmes écrivains, l'évitement de la traditionnelle stigmatisation qui est la leur[8] : la
dissymétrie est patente entre l'écrivain homme, qui n'a nul
besoin de transformer son identité pour affirmer son droit à la
reconnaissance, et l'écrivain femme, qui ressent la nécessité de
dissimuler non seulement qui elle est, mais jusqu'au fait qu'elle
est une femme. Qu'il soit partiel ou systématique, l'usage d'un
pseudonyme, souvent masculin ou du moins ambigu, est une
quasi-constante chez les femmes écrivains antérieures à
l'entrée des états de femme dans la modernité — d'Austen à
Brontë et Eliot, de Sand à Colette ou Aleramo. La question du
nom propre rejoint à la limite celle du nom commun, si difficile
à assumer pour une femme tant l'état d'écrivain est associé, ne
serait-ce que grammaticalement, au masculin[9]. L'absence ou,
ce qui revient au même, la pluralité des noms communs de la
femme écrivain fait écho à la pluralité, pour toute femme, du
nom propre, emprunté au père puis au(x) mari(s) — donc à

l'absence d'un nom qui soit vraiment *propre*, marque d'une identité autonome, non référée à autrui : absence que manifeste l'usage du pseudonyme littéraire tout en la corrigeant.

Paradigmatique de la femme écrivain, Colette incarne un affranchissement par l'écriture qui ne se paie pas d'un renoncement à l'amour, et un affranchissement sexuel qui ne se paie pas d'une mise au ban. En cela elle se différencie des héroïnes de roman, qui ne représentaient que des auteurs stigmatisées et renonçantes, finalement incapables d'assumer pleinement et leur identité d'écrivain, et leur vie sexuelle. Autour de cette figure de femme affranchie par l'écriture s'opère la transformation qui permet à la femme non liée de s'affirmer dans toutes ses dimensions, telle qu'elle apparaîtra au XXe siècle dans le roman. Et c'est dans ce double glissement, historique et romanesque à la fois, de l'anticipation à la réalisation de la femme moderne, autonome et sexuée, que se marque véritablement la rupture avec les fictions du XIXe siècle [10].

Reste à remarquer une quasi-constante de ces passages à l'écriture : ils ont lieu d'autant plus volontiers que la femme est seule et, le plus souvent, de cette solitude particulière qui signale une crise des états de femme. Abandon, séparation ou divorce semblent favoriser le basculement dans l'émancipation par l'écriture. Ainsi, la rupture générale avec l'ordre des états de femme, permettant l'émergence de la femme non liée, paraît consubstantielle d'une rupture individuelle avec le lien matrimonial, par le divorce, dont la progressive expansion au cours de notre siècle accompagne, juridiquement et économiquement, l'implosion des états de femme que met en scène le roman.

Divorce et délivrance

L'émancipation féminine revêt des aspects très différents, que la loi entérine sur bien des points [11]. Le divorce est, sur le plan matrimonial, le passage à l'acte juridique, négocié individuellement, de cette transformation générale de l'équilibre entre les sexes. Son extension est contemporaine de l'évolution des premières représentations romanesques de la femme non liée [12]. Et le roman fournira maintes représentations de cette étape si marquante pour l'identité féminine.

Un tel bouleversement de la morale chrétienne ne peut aller sans résistances : résistances externes des défenseurs de la famille et de l'indissolubilité du mariage, résistances internes des femmes, clivées entre l'aspiration à l'autonomie et le respect des valeurs qui ont fait leur éducation. Dès 1904, Paul Bourget mettait en scène dans *Un divorce* le drame de conscience d'une divorcée, s'achevant après bien des épreuves sur cette sentence édifiante : « Et se sentant la prisonnière de ce divorce, [...] la mère de Lucien et de Jeanne maudit une fois de plus cette loi criminelle, à la tentation de laquelle sa faiblesse de femme avait succombé, loi meurtrière de la vie familiale et de la vie religieuse, loi d'anarchie et de désordre, qui lui avait promis la liberté et le bonheur, et elle n'y trouvait, elle après tant d'autres, que la servitude et la misère ! » Également défenseur de la morale familiale contre le divorce (ou de « l'intérêt social et l'importance primordiale de la famille » contre « les droits de l'individu ») sera, quatre ans plus tard, *Les yeux qui s'ouvrent* d'Henry Bordeaux (1908) : moins roman à thèse en faveur de la morale chrétienne, comme chez Bourget, que roman de formation pour divorcé(e)s, il conte l'histoire d'un couple qui se sépare mais finit par renouer plutôt que de divorcer, chacun refaisant un morceau de chemin vers l'autre pour, finalement, s'unir à nouveau sur des bases plus solides. Et c'est « les yeux fermés », par les bons soins de son mari, sur la réalité de l'amour conjugal (« Les yeux qui peu à peu s'étaient ouverts sur la vie, il les ferma avec ses lèvres »), que la femme menacée du divorce retrouve le chemin de la famille.

« Le divorce et sa promesse romanesque, c'est le cadeau secret qu'on trouve au fond de chaque corbeille de noce, caché sous tous les autres », écrira Drieu la Rochelle trente ans après, dans « Un bon ménage » (*Journal d'un homme trompé*) : mot qu'illustrera, une génération plus tard, un roman écrit par une femme pour exalter le divorce, présenté comme une délivrance après l'épreuve du mariage, à l'extrême opposé des fictions édifiantes proposées soixante ans auparavant par les représentants du roman psychologique. Ayant traité de la domestication de l'homme avec *Le Repos du guerrier*, Christiane Rochefort propose en 1963 le roman de l'émancipation de la femme avec *Les Stances à Sophie*, qui apparaît donc comme symétrique et inverse du premier roman publié cinq

ans auparavant; comme si, en ce court laps de temps, se résu-
mait dans la trajectoire individuelle d'une romancière le renversement général de la condition féminine, passée de la lutte
pour la conquête de l'homme à la lutte pour la conquête de
soi. Plus qu'un roman d'apprentissage de la libération féminine
— qui a déjà eu lieu, dans l'histoire en général et pour ce personnage en particulier —, il s'agit d'un roman de désapprentis-
sage du mariage, exaltant le renoncement effectif et définitif à
cette part de la féminité qui aspirerait encore à la stabilité du
lien matrimonial, à l'ordre traditionnel des états de femme.
C'est le roman où la femme se déprend pour de bon de ce qui
en elle l'attachait encore au passé, marquant la fin de l'ambivalence qui clivait les épouses entre désir d'appartenance et aspiration à l'autonomie, et qui dans la modernité continue de
partager les femmes non liées. Les derniers mots de ce roman
de désenchantement du mariage et de formation au divorce
montrent l'héroïne seule et, par cette solitude choisie et désirée,
redevenue elle-même: « Enfin. Seule. »

Ce qui manque à cette vision enchantée du divorce comme
délivrance c'est, bien sûr, le récit de ce qui se passe après,
lorsque l'état de divorcée devient le moment de l'identité
perdue, à conquérir ou à reconquérir: flottement qui là encore
se manifeste avec le nom, associant le nom de jeune fille,
puisque la divorcée reprend le patronyme qu'elle portait avant
son mariage, et le nom de femme mariée, puisqu'il est précédé
non plus du « mademoiselle » qui désigne les célibataires, mais
du « madame » qui signale l'irréversibilité du passage par la
conjugalité. Parce qu'il est un mixte, si contraire à l'ordre des
états de femme, de célibat et d'appartenance au monde sexué,
l'état de divorcée est porteur d'un désarroi qui s'ajoute au sentiment d'échec associé à un mariage raté. C'est ce que décrit
Intempéries de Rosamond Lehmann (1936) où Olivia Curtis,
séparée de son mari, souffre d'une incertitude identitaire, qui
éclate dès qu'elle se voit confrontée au passé, devant « un
visage d'autrefois ». Retrouvant un ami d'enfance, marié, avec
qui elle noue une liaison clandestine, elle fera la douloureuse
expérience d'une situation indéfinissable, intermédiaire entre
l'indépendance matérielle de la femme non liée, la dépendance
affective de la maîtresse et les effets ravageurs du complexe de
la seconde. Exerçant un petit métier qui lui permet d'être à

peu près indépendante, elle n'est pas tout à fait une seconde dans l'ordre traditionnel des états de femme, comme l'était à la même époque l'héroïne de *Back Street*. Mais sa difficulté à assumer sa situation conjugale ambiguë, aussi bien qu'à s'assumer elle-même, matériellement et moralement, la met dans une position d'infériorité qui lui fait éprouver non pas la maîtrise et l'estime de soi d'une femme indépendante, mais les sentiments infériorisants d'une seconde, dont elle connaît la clandestinité, faite d'invisibilité, d'incertitude et d'exclusion : « C'est ce que j'avais toujours prévu, c'est la punition. Je savais que cela arriverait, un accident, et tous les siens autour de son lit, et moi exclue. » Ce désarroi devient critique lorsqu'elle est confrontée à la présence absente de la première, le jour où son amant l'emmène chez lui en l'absence de sa femme, et où elle pénètre dans sa chambre et son cabinet de toilette : le complexe de la seconde éclate alors avec une violence ravageuse. Elle s'essaie à la résignation (« La Femme seconde ne doit pas avoir trop d'exigences ») mais, apprenant que la femme de son amant est enceinte, juste après qu'elle-même a dû avorter dans la solitude, elle rompt avec lui. Et le roman s'achève sur la résignation à la solitude et au désarroi de cette jeune femme des années trente, à la frontière entre l'ancien ordre des états de femme en lequel elle aurait été une seconde typique, et le nouvel ordre de la femme non liée qu'elle ne parvient pas vraiment à intégrer. Ce flottement identitaire se manifeste par l'usage alternatif de la troisième et de la première personne et par la duplication des répliques de l'héroïne, complétées par un monologue intérieur : procédé caractéristique de ces « romancières de l'intériorité » dans l'Angleterre de l'entre-deux-guerres, qui pourraient dire, comme l'héroïne d'*Intempéries*, « Tout est dans l'esprit du spectateur. Nous ne savons pas, *nous*, ce que nous sommes. Nous ne sommes pas uniquement *nous-mêmes*. Nous ne sommes que le minuscule noyau de notre être, et le reste, c'est une masse confuse d'additions inconnues, suivant celui qui vous regarde. »

Ce désarroi identitaire s'éprouve également pour les hommes confrontés aux divorcées. Dans *Les Flammes de l'été* (1956), Jules Roy conte l'histoire d'une rencontre amoureuse entre un célibataire et une divorcée, tous deux désorientés : lui par la guerre, elle par son statut ambigu, entre libre et non liée (« Je pensais que j'étais une femme libre, en effet, et ce n'est pas vrai. Je suis une femme seule, par ma faute sans doute »). Par son indépendance, elle lui donne le sentiment d'être toujours sur le point de lui échapper : lorsqu'on lui demande « De qui êtes-vous la femme ? », elle répond « De personne » — et il en est bouleversé comme d'une trahison. Jaloux, inquiet, il gâche par son humeur souffrante des moments qui auraient pu être de bonheur et, à force de craindre qu'elle ne le quitte, finit par se rendre insupportable. Elle se dérobe alors au projet de vie commune, l'abandonnant à sa solitude et revenant à la sienne. C'est le « syndrome d'Anna Karénine » — s'aliéner l'être aimé à force de se persuader qu'on n'en est pas vraiment aimé, mettre fin à une relation à force de craindre qu'elle ne finisse — mais inversé de la femme à l'homme, par le renversement des places que crée cette nouvelle configuration où c'est la femme à présent qui est libre, sans demande d'attaches.

Cette désorientation identitaire consécutive au divorce est également le thème, vu par une femme, de *La Vérité sur Lorin Jones* d'Alison Lurie (1988), où une divorcée tente de reconstituer la biographie d'une autre femme au mariage également rompu, artiste morte prématurément. Son enquête devient l'épreuve d'un impossible retour à la cohésion identitaire à travers cette figure de femme dont elle s'efforce de retrouver la vérité, de reconstituer la cohérence. Cette vaine recherche la met face à sa propre quête d'une identité nouvelle, hésitant entre deux solutions également détestables : soit renouer avec une vie sexuelle mais sans recourir aux hommes, en cédant aux avances d'une amie lesbienne, rejoignant ainsi le bataillon de ces modernes féministes qui radicalisent leur refus du patriarcat jusqu'à l'homosexualité ; soit maintenir le contact avec les hommes mais sans rapport sexuel, en devenant une femme de tête, une « superwoman » d'autant plus performante qu'elle s'est coupée de ce qui, dans la féminité, est passivité amoureuse, abandon à l'autre sexe. Face à une alternative qui condamnerait à l'inauthenticité et l'enquêtrice, et l'enquêtée, l'auteur du roman, comme paralysée par l'impossible choix imposé à son personnage, se réfugie dans la romance, selon un procédé que nous connaissons bien, fait d'improbables coïncidences, de renversements inattendus et de dénouements trop heureux pour être vraisemblables : Alison Lurie va jeter son héroïne dans les bras de l'ex-amant de la disparue, permettant au cauchemar identitaire de s'achever en beau rêve d'amour — résolution romanesque typique de la configuration girardienne du désir mimétique.

Quoique présentant par définition des situations de désarroi, ces quelques romans de la femme divorcée ou séparée — repentante chez Bourget, réformée chez Bordeaux, exultante chez Rochefort, désorientée chez Lehmann, inquiétante chez Roy, éclatée chez Lurie — ont en commun le caractère tranché de leurs dénouements : punition ou récompense, retour à la solitude ou fuite en avant dans la romance. Tout se passe comme si la résolution romanesque était chargée d'assumer sur le plan fictionnel la mise en cohérence d'une situation consubstantiellement ambivalente, flottante, incohérente. Cette labilité, cette instabilité constitutive de l'état de femme non liée, on la trouve toutefois mise en scène dans d'autres romans, qui s'efforcent de maintenir sur le plan fictionnel l'irrésolution propre à cette crise ultime des états de femme qui donne lieu à la femme non liée : si du moins il lui reste, justement, un « lieu » à habiter, ce dont ces représentations romanesques — les dernières qui nous restent à observer — permettent de douter.

Liberté et errance

Dans la configuration traditionnelle des états de femme, les personnages de roman se confrontent à un ordre à la fois structurant et contraignant. Les figures de la modernité par contre doivent affronter cette épreuve apparemment moins dure mais profondément perturbante qu'est la déréliction des repères, des règles, de la loi : déréliction décidément constitutive de notre XXᵉ siècle puisqu'elle affecte aussi bien, sur le plan de la morale sexuelle et des structures familiales, les femmes en régime d'émancipation que, sur le plan de l'éducation, les enfants en régime de permissivité ou, sur le plan artistique, les créateurs en régime de singularité.

L'enjeu pour la femme non liée n'est plus seulement l'affrontement entre un monde intérieur synonyme d'authenticité et un monde extérieur (ou « social ») synonyme d'aliénation, avec à la clé la victoire du premier sur le second ou, plus traditionnellement, la nécessaire abdication de l'un face à l'autre. L'enjeu, beaucoup plus intériorisé, devient le repérage des positions, la hiérarchisation des désirs, la réduction des ambivalences, la nécessaire clarification de ce qui est souhaitable, désirable ou, tout simplement, acceptable. L'enjeu devient l'accord sur des objectifs communs — ne fussent-ils communs qu'à deux êtres — dès lors qu'aucune loi générale, aucun ordre institué ne viennent orienter le mouvement des affects. L'enjeu peut même devenir l'accord de soi à soi, sur ce à quoi il convient d'aspirer : attachement ou liberté ? Conjugalité ou indépendance ? Hétéronomie ou autonomie ? Le clivage traditionnel de la femme mariée s'étend alors pour modeler l'identité de toute femme, ouvrant considérablement l'espace des possibles mais la laissant dans la frustration de compromis bancals, dans l'insatisfaction de n'avoir pas accompli l'une de ces visées lors même qu'elle a réussi l'autre, voire dans l'incertitude de ce qu'elle a vraiment réussi, vraiment raté. Et ce n'est pas seulement chaque destin individuel qui se joue dans cette implosion des paramètres du bonheur, mais aussi la définition même de cet instrument primordial du lien avec autrui : l'amour.

Car l'amour existe toujours, certes — mais pour qui, sous quelle forme, à quelle fin ? Comment s'en emparer lorsqu'on n'est plus certain de savoir quoi en faire ? Comment s'approprier un bien qui demeure vital mais dont on ne connaît plus les prises ? Comment investir dans le réel une valeur toujours idéalisée, mais associée à d'autres qui, elles, sont désinvesties ? C'est de cette profonde indétermination, à la fois identitaire et relationnelle, que traite *Femmes amoureuses* de D. H. Lawrence (1921) à travers deux sœurs, Ursule et Gudrun, jeunes femmes modernes qui vivent chez leurs parents mais ont acquis l'indépendance par un statut professionnel (l'une est institutrice, l'autre artiste et professeur de dessin) : modernité et indépendance qu'elles se plaisent à signaler par les couleurs vives et l'originalité de leurs tenues. Aussi le mariage a-t-il perdu pour elles son caractère d'évidence, de destinée normale : c'est qu'il entre en contradiction avec la conscience d'une autonomie, d'une identité propre appelant un peu plus que le choix entre accepter et refuser un époux. Le désir même en paraît absent : « Quand on est réduite au : "oui ou non", on n'a même

pas l'ombre d'un désir. Oh! si je sentais un désir, je me marie-
rais tout de suite. Mais je n'ai que le désir de ne pas me
marier.» Dans de telles dispositions, leur double et parallèle idylle
avec deux jeunes hommes aura du mal à se conclure par la clôture du mariage, qui pourtant représenterait une promotion
étant donné la condition des prétendants. Ursule commencera
par refuser Rupert Birkin, parce qu'il en a parlé à son père
avant de lui en parler à elle; et elle ne finira par l'accepter
qu'en rompant avec sa famille et après s'être donnée à lui, s'assurant ainsi que le mariage ne signifie plus l'obédience aux
liens familiaux, et renversant les positions respectives des deux
sexes par rapport à l'ordre traditionnel où c'est l'homme qui
cherche à posséder la femme avant l'heure. Gudrun quant à
elle a conscience qu'une union avec Gerald Crich interdirait
cette «camaraderie» égalitaire qui lui paraît la seule condition
acceptable dans le mariage; aussi n'autorisera-t-elle qu'une
liaison «à l'essai», se préservant de la passion trop envahissante et trop sexuelle de son amoureux, au point de vouloir le
quitter — ce qui finira tragiquement par la mort du jeune
homme.

Hommes et femmes sont, dans ce roman, également ambivalents. Tandis que Gudrun craint et désire à la fois le mariage,
tenant Gerald à distance, celui-ci se félicite paradoxalement
de cet obstacle à ses désirs: «Car désir vaut mieux que possession, et l'aboutissement final, il le redoutait aussi profondément qu'il le désirait.» Quant à l'union entre Ursule et Birkin,
elle n'est rendue possible que parce que l'un et l'autre recherchent le mariage tout en aspirant à en dépasser les formes traditionnelles. C'est très clairement en effet que le jeune homme
refuse la conception fusionnelle et maternelle de l'amour: «La
fusion, cette horrible fusion de deux êtres qu'exigeaient toutes
les femmes et la plupart des hommes, n'était-ce pas répugnant
et affreux, que ce fût la fusion de l'esprit ou celle du corps pas-
sionnel? [...] Pourquoi ne pouvaient-elles pas rester des individus, limités par leurs propres limites? Pourquoi cette horrible
compréhension universelle, cette haïssable tyrannie? Pourquoi
ne pas laisser de liberté à l'autre être, pourquoi s'efforcer de
l'absorber, ou de se fondre en lui, ou de s'y mélanger?» Le problème est qu'Ursule, malgré ses aspirations à l'autonomie,

porte en elle ce désir fusionnel : « Elle n'était pas du tout sûre que ce fût cet unisson dans la séparation qu'elle désirait. Elle désirait d'inexprimables intimités. Elle désirait l'avoir pour son bien, entièrement, définitivement, d'une manière qu'elle ne pouvait exprimer, dans l'intimité la plus secrète. Le boire. Ah ! comme une lampée de vie. Elle se faisait à elle-même de grandes déclarations : elle était prête à réchauffer entre ses seins les pieds de Birkin, comme dans l'écœurant poème de Meredith. Mais à cette seule condition que lui, son amant, l'aimerait absolument, dans un complet oubli de lui-même. Et elle savait qu'il ne s'oublierait jamais définitivement pour elle. Il ne croyait pas à la renonciation absolue de soi-même. [...] elle croyait, elle, que l'amour était une renonciation totale. [...] Elle croyait que l'amour remplaçait tout. L'homme devait se livrer à elle, pour qu'elle le bût jusqu'à la lie. Qu'il fût son homme, entièrement, et elle, en retour, serait son humble esclave, que cela lui plût ou non. »

Cette double contradiction signe le passage à une modernité où rien ne va plus de soi, y compris et surtout les rapports entre hommes et femmes. Le roman de ce flottement, de cette indécision multipliée par quatre entre des dispositions contraires ou fluctuantes — roman lui-même fluctuant et flottant dans un régime narratif aussi peu démonstratif que possible — s'achève sur ce suspens, entre la fin brutale du compagnon de Gudrun et la continuation floue d'une union entre Ursule et Birkin dont on ne sait à quel avenir, à quelle impasse elle est promise. Entre tradition et modernité, entre aspiration à l'amour et méfiance à l'égard de ses formes connues, les femmes libres ont décidément bien du mal à se lier, même lorsqu'une part d'elles-mêmes le désire, même lorsqu'un homme — lui-même clivé — le souhaite.

Cette déshérence de l'amour fait de la solitude une condition quasi normale de la femme moderne, la presque inévitable conséquence de sa liberté : non liée, elle ne peut être que non accompagnée en même temps que non entravée. Cette solitude n'est pas un destin fatal, certes, et variés sont les modes sur lesquels elle peut se décliner. Mais elle est à tout le moins la base ou le point de départ à partir de quoi tenter de construire des liens, et non plus une situation anormale, erreur de parcours ou échec conjoncturel. La solitude de la femme libre est une

condition structurelle, avec quoi il lui faut, qu'elle le veuille ou
non, composer — que ce soit en l'acceptant, en la refusant ou
en l'aménageant, tant bien que mal, dans les limites assez peu
extensibles du possible. C'est presque devenu un lieu commun
que de stigmatiser la réussite ambiguë de ces femmes de tête
qui font carrière comme un homme mais ne parviennent pas à
accomplir leur vie de femme, souffrant en secret de cette indépendance conquise à grands frais : Simone de Beauvoir soulignait déjà dans *Le Deuxième Sexe* la difficulté pour les
femmes de concilier indépendance et « destin féminin », et quarante ans plus tard une Américaine baptisera « complexe de
Cendrillon » la difficulté de continuer à s'assumer professionnellement et matériellement dès lors qu'on se retrouve prise
dans la sécurité d'un couple [13]. Typique de cette tension entre
deux modèles d'accomplissement est la femme moderne inventée par Paul-Loup Sulitzer dans *Hannah* (1985), petite juive
polonaise qui, de l'Australie à New York, fait fortune dans les
cosmétiques sans pour autant oublier son amour d'enfance
qu'elle continue à rechercher : roman de la femme d'affaires
qui réussit, mais au prix d'une vie sentimentale qui réaliserait
ses aspirations premières [14].

Mais le roman le plus exemplaire de cette nécessaire solitude
de la femme libre, parce qu'il met justement en scène cette
oscillation, cette ambivalence entre conquête de l'autonomie et
renoncement au lien amoureux, avait été donné en 1910 par
l'écrivain qui représente, dans sa vie comme dans son œuvre,
la figure par excellence de la femme non liée : *La Vagabonde* de
Colette. C'est le roman de la divorcée, vue non plus au regard
de la loi familiale, comme chez Paul Bourget ou Henry Bordeaux, mais de l'intérieur, par la femme ; et non plus dans le
parcours qui conduit au divorce, comme chez Christiane
Rochefort, mais dans l'après-coup, dans la difficile gestion de
ce qui est devenu un état : cet état de la femme qui est libre
non par nature, en vertu d'une condition originelle, mais par
un accident dans la carrière matrimoniale. Non liée, elle se
retrouve à la fois sexuée, à la différence de la vierge et de la
tierce, visible, à la différence de la seconde (pouvant « afficher
une liaison » sans se perdre de réputation) et indépendante, à
la différence de la première (elle retrouve son nom de jeune
fille). Et là encore, l'installation dans cet état de crise des états

de femme va de pair avec la fin des évidences dans le rapport à l'amour et aux hommes : quelques années avant Lawrence, Colette met en scène la difficulté de la femme non liée à tomber amoureuse et, lorsque cela advient, à savoir quoi faire de cet amour, quoi faire d'elle-même dans l'amour. Et c'est l'inacessibilité de la femme libre qui fait le cœur de l'intrigue : non plus de l'extérieur, comme dans *Sarah et le lieutenant français* de John Fowles, mais de l'intérieur, à travers le désarroi de celle qui, ne pouvant plus se tenir à aucun état, en vient à se couper du monde, et du monde sexué, faute de pouvoir s'y faire une place, une place qui soit sa place à elle et non la place préfabriquée d'une femme en laquelle elle ne se reconnaîtrait plus, parce qu'elle n'y reconnaîtrait que l'image stéréotypée de l'état de femme élue par un homme — première, ou seconde. Aussi *La Vagabonde*, récit d'un renoncement à l'amour, n'est-il pas le roman de la liberté reconquise contre la servitude du mariage, pas davantage que de la chasteté choisie contre les affres de la jalousie et les risques de l'abandon, comme pourrait le suggérer une lecture idéalisante : c'est le roman de la solitude assumée, en désespoir de cause, contre la douleur de ne plus s'appartenir.

De toutes les formes que peut prendre le vagabondage de la divorcée, la *retraite* (sentimentale, pour reprendre un autre titre de Colette) constitue la version volontariste et pacifiée, dans le repli sensitif sur un intérieur bien à soi — la « chambre à soi » de Virginia Woolf — et la contemplation silencieuse des non-humains, seuls êtres auprès de qui l'on puisse exister hors de toute assignation à un quelconque état : les animaux, les plantes, les objets. À l'inverse, l'*errance* en est la version incertaine, décousue, inquiète, troublante et exaltante à la fois : ce dont témoigne la double errance vagabonde de l'héroïne, et dans l'espace social, puisqu'elle s'est « déclassée » en devenant artiste de music-hall, et dans l'espace géographique, lorsqu'elle « tourne » en province, déracinée de ville en ville, d'hôtel en hôtel. Renée Néré (et l'on remarquera, en même temps que l'anagramme en miroir du pseudonyme, le choix de ce prénom évocateur d'une conversion identitaire, une re-naissance de la divorcée) est donc une « dame seule », comme elle le dit elle-même, qui un jour s'est exclue de son propre ménage, chassée par la multiplication des maîtresses. Première menacée puis

détachée d'un mari trop volage : c'est somme toute la suite —
ou la version moderne, c'est-à-dire non résignée — de *La
Seconde*. Si elle n'est plus une première, elle n'est pas non plus
une seconde : ni femme entretenue par un homme célèbre, ni
maîtresse d'un anonyme, ni fille de mauvaise vie, contrairement
aux autres « dames seules » qui habitent son immeuble, de l'en-
tresol au dernier étage, la divorcée solitaire du rez-de-chaussée
est exclue de toute complicité avec ces femmes installées dans
l'état de seconde. Car elle est sans homme, et elle a un métier :
libre donc, au double sens où elle est à la fois indépendante
financièrement, et — apparemment — disponible sexuellement.
Libre — mais seule. La solitude, c'est la porte ouverte à l'humiliation dès lors qu'elle est associée à la maturité ou à la vieillesse, c'est-à-dire susceptible d'être perçue comme un statut
durable et non plus comme une position d'attente. Elle ne peut
être vécue, de toute façon, que dans l'ambivalence : « Certes, je
le veux "bien", et même je le *veux*, tout court. Seulement,
voilà... il y a des jours où la solitude, pour un être de mon âge,
est un vin grisant qui vous saoule de liberté, et d'autres jours
où c'est un tonique amer, et d'autres jours où c'est un poison
qui vous jette la tête aux murs. » Désocialisée en même temps
que déstabilisée, renvoyée à elle-même et à son soliloque, la
femme libre ne trouve que dans l'écriture (ou ses ersatz : le
« besoin littéraire de rythmer, de rédiger ma pensée ») le support identitaire qui désormais se dérobe. Car c'est une identité
sans consistance que celle qui se réduit, en l'absence de véritable état, à l'image dans le miroir et à la pudique périphrase
signalant l'impossible assignation par autrui à un statut, fût-ce
celui qu'a choisi le sujet : « J'ai devant moi, de l'autre côté du
miroir, dans la mystérieuse chambre des reflets, l'image d'"une
femme de lettres qui a mal tourné". On dit aussi de moi que
"je fais du théâtre", mais on ne m'appelle jamais actrice. Pourquoi ? Nuance subtile, refus poli, de la part du public et de
mes amis eux-mêmes, de me donner un grade dans cette carrière que j'ai pourtant choisie... » Et c'est un effort terrible que
de devoir exister sans l'appui extérieur d'un état constitué,
d'un autrui qui assure et rassure quant à la continuité et à la
qualité de sa propre personne, quant à la cohérence et à la
nécessité de sa propre existence : « Or, depuis que je vis seule,
il a fallu vivre d'abord, divorcer ensuite, et puis continuer à

vivre... Tout cela demande une activité, un entêtement incroya-
bles... Et pour arriver où ?» Tenue par rien, retenue par
personne elle ne peut que fuir, dans une perpétuelle et interminable transformation de l'errance identitaire en vagabondage
ferroviaire : voyager, partir en tournée. On retrouve là ce désespoir par manque de nécessité que Kierkegaard opposait au
désespoir par manque de possible — Kierkegaard pour qui
l'essence de la féminité résidait dans l'abandon, en lequel la
femme perd son moi et trouve le bonheur en même temps que
son moi véritable.

À la «femme libre», à la divorcée de l'époque moderne
échappant à l'ordre traditionnel des états de femme, il ne reste
qu'à découvrir, en même temps que son moi, de quoi est fait le
bonheur. Et elle croira bien sûr le trouver en un homme — un
autre homme, différent du premier. Et elle y renoncera, faute
d'avoir la foi, parce qu'elle n'y croit plus, à cet état — épouse
et mère — qu'il lui propose comme s'il allait de soi. Ce
manque de foi envers les formes instituées du lien amoureux se
manifeste aussi par des accès d'in-différence («Pourquoi lui, et
non un autre ? Je ne sais pas»), par des mouvements contradictoires d'attirance et de refus envers l'éventualité d'un retour à
cet aspect d'elle-même — femme jouissante et sexuée, femme
soumise à sa féminité — qu'elle connaît bien pour l'avoir vécu,
et répudié : «Femelle j'étais, et femelle je me retrouve, pour en
souffrir, et pour en jouir...» Car pour avoir la foi en cet état-là,
il faudrait ne l'avoir pas connu ; or elle sait, elle, ce qu'elle y
perdra : «Tu es celui devant qui je n'aurais plus le droit d'être
triste...» Alors elle s'éloigne : spatialement, en partant en tournée ; moralement et physiquement, en rompant au retour avec
celui qui, pas même encore amant, s'est déclaré son fiancé.
C'est la douleur du renoncement — renoncement à la vie
sexuelle, au mariage, au confort, à la stabilité — mais douleur
moins insupportable que celle de ne plus se reconnaître dans ce
qu'on est devenue dès lors que le mariage, faute d'un véritable
égal, condamne à la soumission au maître, à l'humiliation de
la mésalliance ou à l'aliénation au sexe : «A cette douleur près,
ne suis-pas redevenue *ce que j'étais*, c'est-à-dire libre, affreusement seule et libre ? La grâce passagère dont je fus touchée se
retire de moi, qui refusai de m'abîmer en elle. Au lieu de lui
dire : "Prends-moi !" je lui demande : "Que me donnes-tu ?" Un

autre moi-même? Il n'y a pas d'autre moi-même. Tu me donnes un ami jeune, ardent, jaloux, et sincèrement épris? Je sais : cela s'appelle un maître, et je n'en veux plus... Il est bon, il est simple, il m'admire, il est sans détour? Mais alors, c'est mon inférieur, et je me mésallie... Il m'éveille d'un regard, et je cesse de m'appartenir s'il pose sa bouche sur la mienne? Alors, c'est mon ennemi, c'est le pillard qui me vole à moi-même !... J'aurai tout, tout ce qui s'achète, et je me pencherai au bord d'une terrasse blanche, où déborderont les roses de mes jardins? Mais c'est de là que je verrai passer les maîtres de la terre, les errants !...» Elle reprend donc sa liberté, gardant sa solitude en même temps que son métier, sa vie de vagabonde...

Et pourtant... On la retrouve trois ans plus tard dans *L'Entrave*, toujours libre d'attaches mais devenue rentière, donc oisive, ayant abandonné son métier. Seulement, avec la perte de ce métier qui donnait sens à l'indépendance, disparaît la contrepartie au «désespoir par manque de nécessité», puisque dans cette oisiveté tout, absolument tout, est possible — sauf le manque de possible. En l'absence de tout lien, même professionnel, la liberté ne signifie plus que le vide, et le vagabondage se dissout dans l'errance, dans la perte de soi : «Je puis aller, revenir, faire à ma guise... Seulement, comme disait une petite fille : "Je n'ai pas de guise".» Elle va donc se donner un lien, acceptant de retrouver l'«entrave» du lien amoureux en même temps que le bonheur de séduire — et bien sûr, la dépendance et son humiliation, la jalousie, le désarroi du manque et le désespoir de la séparation, le mensonge du lien renoué dans l'angoisse d'une nouvelle solitude, d'un vagabondage qui serait sans entraves, d'une liberté qui ne serait plus qu'errance...

«Le libre arbitre est un fardeau immense. Si l'on n'y prend garde, le libre arbitre peut finir par signifier qu'il n'existe aucune raison valable de se lever le matin», dit l'héroïne divorcée dans *Mésalliance* d'Anita Brookner (1986) : ainsi glisse-t-on du vagabondage à l'errance...

L'impossible retour à ce qu'on a renié

On pourrait continuer à suivre dans la littérature du XXe siècle les formes romanesques de ce désenchantement de la femme non liée, découvrant le bonheur amer de n'appartenir qu'à soi, oscillant entre l'idéalisation d'un rapport amoureux forcément déceptif parce que le lien s'y mue en dépendance, et le désinvestissement, que tente parfois de compenser une maternité autarcique cherchant à concilier tant bien que mal — mais au prix d'un père pour l'enfant — l'identité traditionnelle de la mère avec celle, moderne, de la célibataire. Mais ces romans de la femme non liée n'en donneraient sans doute qu'une image erratique, décousue. Car cette crise de l'identité féminine, qui a fait imploser l'ordre traditionnel des états de femme par la déliaison entre dépendance économique et disponibilité sexuelle, semble aller de pair avec une crise de la fiction. Le monde du roman lui aussi a changé, sous le coup de transformations internes ou liées à l'histoire des médias, telle l'irruption de la fiction cinématographique puis télévisuelle, qui a probablement contribué à dégager le roman des impératifs narratifs : de même qu'au siècle dernier l'apparition de la photographie a pu libérer la peinture de ses contraintes figuratives, de même le cinéma, le roman-photo, les feuilletons télévisés ne sont sans doute pas étrangers à l'émergence de formes romanesques plus nobles, distanciées par rapport à l'intrigue narrative et à sa dimension sentimentale.

C'est ainsi que la déliaison entre l'ordre des états de femme et l'ordre du roman défait l'étroit nouage entre l'un et l'autre dont nous avons suivi les principaux moments. Mais la fin de notre enquête n'est pas vraiment un dénouement : elle est plutôt l'arrêt forcé devant quelque chose qui semble se déliter, n'existant plus qu'à l'état de traces, lambeaux d'imaginaire, strates fixées dans les inconscients par les restes d'une culture romanesque elle aussi effritée. L'ancienne structuration de l'identité féminine n'est pas caduque, subsistant profondément dans l'imaginaire, notamment dans sa dimension psychique la plus intériorisée, relevant de la psychanalyse : tel le complexe de la seconde, lieu par excellence du travail de construction identitaire dans la rivalité féminine et l'utilisation de l'homme comme instrument d'affirmation à l'égard des autres femmes. Mais ne demeure guère, dans l'incertitude du présent, que la conscience mélancolique d'un ordre qui a perdu sa raison d'être sans s'être vraiment terminé, un ordre auquel on ne peut désirer retourner sans pour autant en avoir fait son deuil.

C'est là l'état des états de femme propre à la post-modernité : l'impossible retour à ce qu'on a renié.

De nouvelles formes contribuent par ailleurs à prolonger l'expression du modèle en renouvelant ses supports : par le développement de ces médias que sont le cinéma, la télévision, la publicité, le roman-photo, la bande dessinée ; par le recours à ces supports identitaires au statut ambigu, mixtes d'observation et de projection imaginaire, que sont les « courriers du cœur », les dossiers psychologiques et les tests des magazines féminins et des périodiques pour adolescentes ; par l'apparition de ces autres modèles d'identification, pas forcément imaginaires, que sont les stars de cinéma, les présentatrices de télévision, les mannequins. Ce sont là autant d'extensions offertes par la modernité aux instruments de construction de l'identité féminine, qui échappent aux supports traditionnels de la fiction, appelant des analyses complémentaires à celle qui a été menée ici [15]. On y constatera probablement la superposition, souvent chaotique ou contradictoire, de deux régimes identitaires, deux principes d'ordonnancement des façons d'être une femme : l'ordre des états de femme tel que l'illustre la fiction traditionnelle, et ce nouvel état de la femme non liée qui en marque la limite et l'éclatement.

Mais pour analyser cette nouvelle configuration, il faudrait explorer d'autres mises en forme fictionnelles, au-delà du romanesque, tant il est vrai que la littérature contemporaine ne semble plus être le lieu par excellence de la construction imaginaire de l'identité féminine tel qu'elle a pu l'être pendant près de trois siècles. Le roman n'assume-t-il pas aujourd'hui d'autres fonctions que la mise en forme de l'imaginaire, l'imaginaire ne trouve-t-il pas d'autres supports que la fiction narrative, et le travail identitaire n'emprunte-t-il pas d'autres voies que l'imaginaire ? C'est dans ces trois directions qu'il faudrait prolonger l'enquête pour observer ce qu'il en est, aujourd'hui, des états de femme — et pour imaginer ce qu'ils vont devenir.

Les structures élémentaires
de l'identité féminine

Selon Norbert Elias, la plus grande révolution dans toute l'histoire des sociétés occidentales est, au cours du XXe siècle, l'accession des femmes à une identité qui leur soit propre, sans plus être celle de leur père ou de leur mari[1]. Ainsi la configuration traditionnelle des états de femme n'aura trouvé sa mise en fiction romanesque que bien tardivement, peu avant qu'elle ne vole en éclats pour laisser émerger cet état de crise qu'est la femme non liée. Reste à comprendre en quoi cette question de l'identité touche particulièrement les femmes, et le rôle que joue la fiction dans son expression et sa résolution.

Identité et féminité

La littérature romanesque fournit, nous l'avons vu, une multitude de récits imaginaires mettant en scène une situation homologue du schéma œdipien, en laquelle Œdipe est une fille, Laïos une mère et Jocaste un père. Or, à comparer ces deux élaborations fictionnelles — féminine et masculine, romanesque et mythologique — de la situation originelle du sujet dans la triangulation familiale, on découvre une fondamentale dissymétrie, qui tient à l'insistance de la problématique de l'identité dans le récit féminin, alors que c'est la possession — sexuelle notamment — qui est au cœur du récit masculin. Parce que le mariage comporte à la fois une dimension matérielle et symbolique, laquelle est non seulement sexuelle mais aussi identitaire, l'approche anthropologique et sociologique y est indissociable de l'approche psychanalytique pour comprendre la crise dont il est le nœud, cette nécessaire spoliation de l'*autre* qu'implique toute aspiration à une place unique lorsque celle-ci est déjà occupée, réellement ou symboliquement[2]. La question identitaire ne semble toutefois guère avoir sa place dans la théorie psychanalytique. La théorie freudienne a beaucoup insisté sur la question de la différence sexuelle, qui intéresse, certes, les deux sexes, mais touche prioritairement la formation de l'identité masculine. Car en matière d'apprentissage de l'identité sexuelle, il existe une fondamentale dissymétrie entre les sexes eu égard à la différenciation de l'enfant par rapport à la personne de référence, c'est-à-dire la mère : si elle s'opère chez les garçons par rapport à une personne du sexe opposé, chez les filles elle doit s'opérer par rapport à une personne du même sexe. Ainsi, l'identité masculine se construit principalement de façon exogène, par rapport à ce qui n'est pas masculin, et l'identité féminine de façon endogène, par rapport à ce qui est féminin. Celle-ci apparaît peu problématique pour peu que la question de l'identité soit pensée exclusivement en termes d'«identification» : quoi de plus simple, quoi de plus «normal» que de s'identifier à un être du même sexe? — en comparaison de quoi la construction de l'identité masculine semble plus difficile. Mais il en va bien différemment pour peu qu'on prenne également en compte l'autre dimension, opposée, du travail identitaire, à savoir la différenciation : dimension assez négligée dans la théorie freudienne, puisqu'il a fallu attendre les travaux d'Erik H. Erickson aux États-Unis pour voir véritablement pris en compte le travail de différenciation, de spécification identitaire, à travers les pathologies mentales nées des obstacles auxquels il se heurte[3].

Dans cette perspective, la différenciation identitaire apparaît aussi peu problématique pour les garçons — puisqu'elle peut se construire d'emblée dans la différence des sexes — que difficile pour les filles, vouées à ne devenir elles-mêmes qu'à condition de se détacher de la référence à leur propre sexe, incarnée par la mère[4]. Cette complexité du travail identitaire chez les filles, qui contribue à rendre si sensible la question de l'identité pour les femmes, est justement ce que ne permet pas de penser la théorie freudienne, où l'identité est implicitement réduite à sa dimension identificatoire, et la différenciation à sa dimension sexuelle. Cette double réduction permet, certes, de penser la spécificité masculine, mais elle évacue ce qui fait problème aux femmes, et notamment tout ce qui, dans le travail identitaire, n'est réductible ni à l'identification ni, corrélativement, à la dimension sexuelle.

C'est également ce qui échappe à l'analyse de la construction de l'identité sexuelle proposée par Élisabeth Badinter : bien qu'ayant le double mérite de faire de la question identitaire une problématique à part entière et d'insister sur la dissymétrie entre masculin et féminin, elle a le défaut de faire de celui-là le lieu de la complexité et du conflit, tandis que celle-ci serait le lieu édénique d'une identité «naturelle», où les choses se feraient toutes seules. Postulant «l'avantage de la petite fille quant à l'acquisition de son sentiment d'identité féminine au contact répété du corps de sa mère», elle fait de la symbiose maternelle un risque spécifique de l'identité sexuelle du garçon alors qu'elle est, à l'évidence, un risque beaucoup plus fondamental pour l'identité (pas seulement sexuelle) de la fille. Une telle interprétation est révélatrice du problème théorique qui affecte l'ensemble de cette thèse : la perspective constructiviste, permettant d'analyser l'identité masculine comme n'étant ni naturelle ni universelle, y est réduite à un artificialisme destiné à dénoncer la croyance en une essence de la virilité. À cette vision négative du masculin est opposée une féminité essentiellement positive, lieu non plus d'une «construction sociale» mais d'une donnée naturelle et originaire. Ainsi, toute la démonstration paraît sous-tendue par l'équation selon laquelle le féminin équivaudrait à la nature, au simple, au vrai, tandis que le masculin équivaudrait à la culture, au compliqué, à l'inauthentique. Et il faut en effet tout le poids de cette idéologie à la fois rousseauiste et féministe pour affirmer, au mépris de l'évidence, que les femmes «émettent rarement des doutes sur leur identité[5]».

Les «doutes sur leur identité», les femmes ont d'innombrables façons de les émettre. Aussi ne suffit-il pas d'affirmer avec Lacan que «la femme, ça n'existe pas» (simple banalité dans une perspective nominaliste, où il va de soi que les concepts abstraits n'ont d'existence que nominale) : encore faut-il montrer comment se déclinent concrètement les façons plurielles d'être «une» femme, quelque part entre l'unicité fantasmatique imaginée parfois, de l'extérieur, par des hommes en mal d'idéalisation (chantres de « la femme » ou propagandistes du « devenir-femme ») et l'infinie diversité des situations réelles, dont la particularité échappe par définition à toute généralisation. C'est entre ces deux pôles opposés que se dessine la possibilité d'une étude raisonnée des phénomènes identitaires, parmi lesquels ces « états de femme » qui, par une structuration commune des représentations, guident chaque sujet dans la prise en charge symbolique des places, l'adaptation à la situation réelle et le déplacement dans l'univers imaginaire des rôles possibles — pour reprendre la tripartition lacanienne des instances. C'est dans cette triple direction que peut s'opérer l'indispensable travail de différenciation endogène à l'égard de son propre sexe, faute duquel l'identification au féminin comporte un risque de symbiose, de fusion et donc de confusion identitaire — dont *Rebecca* est l'une des possibles représentations. Et c'est la double nécessité de se détacher du modèle maternel tout en se référant à son propre sexe qui fait, pour une femme, l'extraordinaire ressource identitaire que constitue la fiction et, en particulier, le roman, grand pourvoyeur de personnages féminins permettant d'étayer et l'identification avec des femmes imaginaires, et la différenciation d'avec la mère, en tant que personne réelle et en tant que place symbolique.

Le roman est aussi un excellent terrain d'investigation pour qui veut observer les phénomènes identitaires, parce que c'est à l'état de crise qu'il tend à les mettre en scène. Or ce n'est pas dans son état « normal », non problématique, que peut s'appréhender l'identité (elle y est à peu près insaisissable), mais dans son état critique, dans les cas de trouble identitaire, de « crise d'identité » : tel le mariage, qui pour certaines femmes — beaucoup plus que pour les hommes — peut catalyser l'une de ces crises où se déploient les conditions d'une déconstruction et, si tout va bien, d'une reconstruction du sentiment d'identité. Et si l'identité n'apparaît guère qu'à l'état critique, comme l'ont expérimenté les psychologues, psychiatres, anthropologues et sociologues qui ont commencé à explorer cette question [6], c'est qu'elle n'est pas une réalité donnée, stable, objective, avec laquelle tout un chacun devrait également composer : elle est la résultante d'éléments plus ou moins extérieurs, stabilisés, objectivés, que chacun contribue inégalement à organiser avec plus ou moins d'autonomie, d'habileté, de difficultés. Elle est, autrement dit, une construction, et une construction paradoxale en ceci qu'elle n'existe dans les esprits et ne fait parler d'elle qu'à condition de poser problème, tandis qu'elle est d'autant moins apparente qu'elle va davantage de soi. Aussi n'est-il rien de plus difficile que d'expliquer ce qu'est un « problème d'identité » à qui n'en a pas : l'« identité » ne prend sens que dans la mesure où le « sentiment d'identité » est atteint.

Quoique relevant d'une expérience très intime, la construction de l'identité n'est pas une action solitaire, qui renverrait le sujet à lui-même : elle est une interaction, qui met un sujet en relation avec d'autres sujets, avec des groupes, avec des institutions, avec des corps, avec des objets, avec des mots. On peut distinguer, dans ce réseau d'interactions, trois « moments » fondamentaux : l'image qu'on a de soi-même (autoperception), celle qu'on donne à autrui (représentation), celle qui est renvoyée par autrui (désignation). À l'état normal, c'est-à-dire non problématique voire non perceptible, l'identité est vécue dans la coïncidence entre ces trois moments, tandis que le trouble s'insinue dès lors qu'il y a écart, décalage voire contradiction : et ce d'autant plus que le paramètre engagé dans l'image de soi (sexe, âge, profession, nationalité, etc.) est plus investi par le sujet, qui peut vivre alors cette incohérence comme une véritable crise d'identité[7]. Le regard est l'instrument premier de l'interaction, sans lequel aucun marqueur d'identité ne peut agir : regard porté par le sujet sur l'autre qui possède telles propriétés et occupe telle position, contribuant à guider l'investissement de propriétés et de positions analogues ou, au contraire, différenciées ; regard porté sur le sujet par les autres, qui le confirmeront ou le contesteront dans sa capacité à posséder ces propriétés, à occuper cette position. Là prend son sens l'acuité particulière du regard que posent les femmes les unes sur les autres : regard analytique, qui détaille, évalue, critique, approuve, compare, compte, soupèse — là où le regard masculin, dès lors du moins qu'il n'investit pas le registre sensoriel du désir, paraît plus global.

Le sentiment d'être une femme tiendra donc à la cohérence entre la façon dont le sujet en question se sent femme (autoperception), dont elle le manifeste à autrui (représentation), et dont autrui lui signifie qu'il l'identifie comme telle (désignation). Celle qui se sent peu féminine tentera par son apparence d'amener autrui à ajuster son comportement avec ce sentiment intérieur, tandis qu'un travesti, qui s'éprouve comme femme mais n'est pas spontanément perçu comme tel, jouera également — mais en un sens opposé — sur la représentation qu'il donne de lui-même pour appeler le traitement féminisant qui correspond à son sentiment intérieur. On comprend dans ces conditions le rôle fondamental du vêtement : zone frontière entre intériorité et extériorité, il est l'instrument par excellence de ce travail d'ajustement identitaire. Aussi est-il d'autant plus investi, et d'autant plus problématique, qu'un tel travail est rendu nécessaire par la distorsion entre ces moments de l'interaction qui font le sentiment d'identité. Atteignant son maximum chez les travestis, cette fonction vestimentaire est sensible également dans les moments de troubles plus « normaux », telle l'adolescence, ou dans les circonstances où le regard d'autrui est particulièrement opérant, telles les « mondanités » — soirées, fêtes, cérémonies. Plus subtilement, il colore d'un trouble quotidiennement réactivé toute situation de flottement identitaire, dont maints romans fournissent la description. Le vêtement est, à l'évidence, une question beaucoup plus féminine que masculine, comme en témoigne ne serait-ce que l'embarras du choix existant en matière de tenues pour les femmes, ou la teneur des conversations qu'elles entretiennent à ce sujet : constatation qui mérite plus d'attention qu'elle n'en suscite, étant une expérience trop familière, trop intimement incrustée dans notre culture pour que nous en percevions le caractère structurant. Cette dimension féminine de la question vestimentaire — qu'elle soit une excitante occupation ou, selon, un problème préoccupant — est l'indice d'une sensibilité particulière à une condition identitaire plus difficile, plus problématique, plus délicate à gérer pour les femmes qu'elle ne l'est pour les hommes.

À travers ces différents points d'appui, ces objets, ces mots, ces actes qui le guident, le travail d'ajustement entre les moments de soi-même vaut pour tous les éléments constitutifs de l'identité. Le premier est l'identification, par l'attribution d'un nom propre : opération identitaire fondamentale, dès laquelle se révèle pour une femme la difficulté d'être soi. Car devoir changer de nom au cours de sa vie, en se mariant ; savoir dès son plus jeune âge que le nom qu'on porte n'est qu'un nom provisoire ou, du moins, destiné plus tard à s'effacer derrière un autre, au point que le prénom même s'y voit officiellement sacrifié (« Mme Maximilien de Winter ») ; ne pas savoir si son nom de jeune fille est son véritable nom, destiné à durer toute la vie, ou seulement le nom du père, destiné à s'effacer derrière celui d'un époux ; traîner même avec soi, en cas de remariages, une ribambelle de noms à ne plus savoir lequel est le bon, et si même il en est un meilleur que d'autres : voilà une expérience spécifiquement féminine, qui suffit à construire un cadre identitaire radicalement différent de celui qui structure l'univers masculin. Certains aimeraient y voir une richesse, un atout plutôt qu'un handicap supplémentaire à surmonter : « Il faudrait pouvoir changer de nom à chaque événement important de l'existence. Actuellement, cela n'arrive qu'aux femmes, le jour de leur mariage [8]. » Mais il faut être bien assuré de soi-même, bien installé dans la certitude d'être celui qu'on est, identique à celui qu'on a été et à celui qu'on sera, pour envier cette forme subtile et familière d'aliénation qui consiste à ne pas savoir si et comment, par son nom, on deviendra — peut-être — celle qui porte le nom d'un autre, celle qui n'a de nom qu'emprunté. Et il faut l'aveuglement de l'androcentrisme pour croire, comme Anselm Strauss, que le changement de nom au mariage est un acte volontaire, alors qu'il n'en est pas de plus institutionnellement imposé, et sans effets émotionnels, alors que toute l'identité féminine est structurée dès l'enfance par cette condition [9].

À cette première opération identitaire qu'est l'identification par le nom propre s'ajoute la définition, par le nom commun. Si le nom propre est (à la non indifférente nuance qui vient d'être dite, et sauf cas de pseudonymie) unique, il existe autant de noms communs pour désigner un être que de paramètres susceptibles de le définir : nationalité, religion, profession, etc. Au premier rang de ces paramètres identitaires figure le sexe, qui a pour lui d'être universel, immédiatement visible parce que fortement incorporé, stable, et simple : si l'on n'est pas « un homme », on est « une femme ». Il serait plus juste toutefois de dire que l'on est un homme dès lors que l'on n'est pas une femme : car c'est la règle de l'identité masculine que de se construire de façon exogène, par distinction d'avec tout ce qui n'est pas homme — les femmes, ou les enfants avant l'intégration dans l'univers masculin. C'est là le rôle des rites de passage, dont Pierre Bourdieu a bien montré que la fonction est moins temporelle — entre un *avant* et un *après* — que catégorielle — entre un *être* et un *autre,* un enfant de sexe masculin et un homme en puissance[10]. « Beaucoup de garçons définissent simplement la masculinité : ce qui n'est pas féminin », confirme la psychologue américaine Ruth Hartley[11].

Mais ce serait encore une illusion androcentriste que de croire que la réciproque est vraie, autrement dit qu'on est une femme dès lors que l'on n'est pas un homme. Car avoir besoin des inférieurs pour affirmer ce qu'on est, par démarcation, c'est là le propre des êtres placés en position de supériorité. L'identité féminine par contre, comme toute identité dominée, ne s'affirme pas tant par démarcation externe à l'égard du dominant que par démarcation interne à l'égard d'autres états de la catégorie d'appartenance. Une comparaison éclairera cette définition endogène de l'identité, en matière de paramètre non plus sexuel mais racial : de même que les femmes dans un monde dominé par les hommes construisent leur identité avant tout par rapport aux autres femmes, de même les Noirs dans le monde occidental tendent à se définir et à s'évaluer non tant par différenciation d'avec les Blancs que par démarcation à l'égard des autres Noirs, selon une hiérarchie organisée en fonction de la proximité au monde blanc, c'est-à-dire de la couleur de la peau : les plus clairs étant, aux yeux mêmes des autres Noirs, les plus enviés, les mieux pourvus en prestige ou en désirabilité[12]. Ainsi l'identité féminine, résultant d'une construction endogène — par rapport aux autres femmes — beaucoup plus qu'exogène — par rapport à qui n'est pas femme —, se définit moins en fonction de l'opposition des sexes que de l'opposition des différentes façons d'être une femme, des différents états de femme. Si l'opposition des sexes, selon Pierre Bourdieu, structure les rapports de domination sexuelle[13], ce trait n'est pertinent que pour la vision masculine des rapports entre les sexes : du point de vue féminin, c'est l'opposition des états qui est le trait le plus pertinent. Et parce que ceux-ci sont essentiellement structurés par le type de rapport entretenu avec le monde viril, le pouvoir masculin s'exerce aussi par la façon dont les femmes utilisent les hommes pour se démarquer les unes des autres, en fonction de leur relation à l'autre sexe — proximité avec l'homme, accès au monde sexué, visibilité et stabilité de leur place.

Cette condition est propre à relancer perpétuellement, pour une femme, la question de son identité, alors que pour un homme elle se pose principalement à ce moment de passage qu'est l'adolescence — relayée ensuite par cette question moins fondamentale qu'est la qualification, la grandeur relative à l'égard des autres (en vertu de quoi on est plus ou moins riche, talentueux, puissant). Pour une femme par contre, c'est en permanence que se détermine sa position dans le monde des femmes, dont l'enjeu n'est pas seulement une question de qualification (en vertu de quoi on est plus ou moins belle, distinguée, vertueuse, maternelle) mais devient vite, plus fondamentalement, une question de définition, en vertu de quoi on est une jeune fille ou une femme mariée, une mère de famille ou une vieille fille, une épouse fidèle ou une femme émancipée, une ménagère ou une femme indépendante. S'ajoutant à la complexité du rapport au nom propre, cette construction endogène de l'identité féminine fait du nom commun — « une femme » — un paramètre identitaire un peu plus problématique qu'il n'y paraît.

Le travail d'ajustement entre les moments de soi-même — autoperception, représentation, désignation — s'applique non seulement à l'identification et à la définition, mais aussi à la position occupée par le sujet : position ou statut qui le stabilise dans un cadre identitaire défini, en même temps qu'elle le désingularise en lui associant des représentations qui lui préexistent et sont communes à d'autres. Cette position passe par les mots qui la désignent (par exemple, celui d'« épouse »), par les corps qui la manifestent (celui de telle femme, insubstituable), par les objets qui la représentent (une alliance, une photo), par les institutions qui la garantissent (le mariage, le droit de la famille, le contrat notarié), éventuellement par les groupes d'individus qui l'encadrent. Et toute position se construit par référence à un modèle, selon une double opération : d'assimilation, ou identification, et de différenciation, ou désidentification. Ces deux mouvements contradictoires, également indispensables au travail de construction identitaire, sont au principe de la condition foncièrement ambivalente de tout être à l'égard de ses personnes ou groupes de référence. C'est cette tension entre assimilation identificatoire et différenciation désidentificatoire qui se manifeste par exemple dans ce symptôme typiquement féminin, et spécialement adolescent, qu'est le couplage de la boulimie et de l'anorexie, où se rejoue le rapport à la mère sous la double forme, contradictoire et complémentaire, de l'assimilation et de la différenciation, de l'ingestion et du rejet [14]. C'est cette même ambivalence encore qui apparaît si prégnante dans les situations de gynécée, tels les pensionnats, où sont portés à leur paroxysme les phénomènes de rivalité, à la limite de la haine, en même temps que de fascination, à la limite du rapport amoureux : ambivalence qu'expérimente la narratrice de *Rebecca*, passant d'un pôle à l'autre de l'obsession extrême — de la fascination amoureuse, où l'identification frise l'autodestruction d'un soi méprisé, au rejet haineux, où la désidentification aboutit à la destruction de l'autre abhorré.

Une position peut se décliner selon différentes instances : la situation, ancrée dans le réel et déterminée par des paramètres spatio-temporels définis ; le rôle, qui puise l'essentiel de ses ressources dans l'imaginaire ; et la place, qui ressortit au symbolique, c'est-à-dire à ce qui se manifeste représenté par autre chose — comme la place de tel membre de la famille représenté à table par sa chaise et son couvert, ou dans le langage par le nom qui lui correspond. Par exemple, en matière d'identité familiale, la position maternelle recouvre à la fois la situation de toute femme élevant les enfants qu'elle a mis au monde, le rôle de la maman, et la place de la mère dans la configuration familiale. Élément constitutif de son identité, la situation occupée par un sujet est fortement contrainte par ses instruments d'ancrage dans le réel : contraintes corporelles, objectales, institutionnelles, économiques, juridiques. La définition du rôle par contre repose sur des instruments moins durcis, parce que puisés soit dans l'empreinte individuelle laissée par la fréquentation de personnes réelles, soit dans le patrimoine commun des représentations imaginaires, en grande partie construites à partir des fictions, littéraires ou audiovisuelles. C'est pourquoi «jouer le rôle» correspondant à la position occupée (ou encore, à l'inverse, se refuser à le jouer) implique une grande marge de «jeu», justement, avec son identité: la maîtrise des rôles — du moins tant qu'elle ne bascule pas dans une telle distance au réel que le sujet risque d'y perdre et le sentiment de la réalité, et le sentiment de son identité — constitue le versant ludique, distancié, bien outillé, de cette labilité qui caractérise le travail identitaire, entre une multitude de paramètres en constante adaptation, plus ou moins soumis à redéfinitions, à renégociations.

C'est pourquoi les analyses sociologiques en termes de «rôle» procèdent le plus souvent d'une réduction abusive des dimensions de l'expérience. Car si «jouer un rôle» sous-entend un certain détachement, une capacité du sujet non seulement à jouer un rôle mais à jouer avec le rôle ou contre lui, les conditions d'un tel détachement ne sont qu'exceptionnellement réunies, parce qu'il y faut un minimum de prise sur les éléments du réel qui composent les situations, et sur les processus symboliques d'occupation des places[15]. En outre la notion de rôle est souvent sous-tendue par une conception essentialiste qui, derrière la superficialité et la contingence associées au «rôle», présuppose l'existence d'un «moi» authentique, un «noyau profond de la personne», selon la juste expression utilisée par des commentateurs[16]: présupposition interdisant de saisir la spécificité du travail identitaire, qui n'est rien d'autre que l'objet d'une construction interactionnelle plus ou moins stabilisée, incorporée, objectivée, institutionnalisée. Ainsi, lorsque Pierre Fauchery propose de mettre en évidence un certain nombre de «rôles» féminins dans les romans du XVIIIe siècle, la définition qu'il donne de ce terme en fait un synonyme d'inauthenticité, au triple sens où il implique l'extériorité, la contrainte et la rigidité, implicitement opposées à l'authenticité de la personne, tout en intériorité, en liberté et en labilité[17]. Mais c'est oublier que les constructions imaginaires qui soutiennent l'identité peuvent être profondément intériorisées, intensément désirées et éventuellement susceptibles d'un «jeu» autorisant modifications et déplacements. La notion de rôle n'est donc pertinente qu'à condition de passer d'une conception normative qui dénonce (même implicitement) le «rôle», à une attitude descriptive qui se borne à constater les ressources disponibles aux personnes pour assurer leur mise-en-cohérence.

Être aux prises avec une situation, c'est devoir faire avec les contraintes et les possibilités du réel. Jouer un rôle, c'est exploiter les ressources d'un capital imaginaire de comportements possibles, souhaitables, acceptables. Tenir une place, c'est savoir évoluer dans un ordre symbolique de contraintes à la fois puissantes et faiblement argumentées, très investies et peu explicitées, structurantes et plus ou moins acquises ; c'est s'orienter dans des schémas relationnels qui ne s'apprennent que par l'expérience et qui, s'ils ne sont pas transmis, demeurent non seulement inassimilables mais inenvisageables, inaccessibles au sujet. La maîtrise des places intervient très tôt, dès l'expérience de la configuration familiale, qui en est le socle et la principale référence. Aussi cette question est-elle au cœur de l'expérience féminine : d'une part, en tant que les femmes sont davantage élevées dans l'intériorité du cercle familial ; et d'autre part, en tant qu'elles éprouvent plus fortement la nécessité, aussi vitale pour l'identité que difficile à réaliser, de se différencier de la personne de référence, à savoir la mère, beaucoup plus proche que pour les garçons puisque appartenant au même sexe — et d'autant plus lorsque à cette difficulté constitutive s'ajoute la propension des mères à se projeter dans leurs filles par un lien d'identification. C'est pourquoi la condition féminine est habitée en profondeur par une double et contradictoire exigence : celle de s'assimiler à tel modèle de femme tout en se démarquant des autres, voire en se démarquant de ce modèle même. Toujours il faut prendre la place, se faire une place, occuper sa place, garder sa place, rester à sa place...

Chacun des paramètres contribuant à définir un être par l'attribution d'un nom commun comporte donc différentes positions possibles, conjoignant la situation, le rôle et la place. Ce sont ces positions que nous avons nommées ici des « états » : ce terme désignant donc la position occupée selon un paramètre identitaire — par exemple ici, le sexe. Ainsi, il est différentes façons d'appartenir à une profession (on peut être professeur agrégé ou certifié, enseignant dans le secondaire ou le supérieur, le public ou le privé, en activité ou à la retraite, de français ou d'histoire), de même qu'il est différentes façons d'appartenir à une religion, à une nationalité, à une famille, à une catégorie sociale ou à une classe d'âge. De même encore, il est différentes façons d'appartenir à un sexe, d'être un homme ou d'être une femme : il est différents « états » de femme qui, entre le flux continu des situations non marquées, non repérées, non valorisées, et la particularité sans fin des positions individuelles, permettent d'arrêter des repères communs, des représentations relativement stabilisées, reconnues, partageables.

Ainsi tout un chacun, dès lors qu'il est défini par tel paramètre identitaire, l'est selon tel état, plus ou moins enviable, plus ou moins marqué, plus ou moins inscrit dans le psychisme individuel et les représentations collectives, plus ou moins susceptible d'évoluer selon les circonstances. C'est pourquoi cette notion d'« états » ne relève pas de la psychologie, autrement dit d'une typologie de caractères individuels, dont les personnages de roman fourniraient autant d'incarnations imaginaires. Elle procède d'une analyse structurale, mettant en évidence les homologies entre les différents types de positions occupées par les femmes dans les romans, selon une combinatoire limitée à quelques critères et donnant lieu à un petit nombre de déplacements réglés. C'est ce système d'« états » qui permet de conférer un statut — systématisé, stabilisé, explicitable, argumentable — aux positions occupées sur un axe identitaire : tels sont, en matière d'identité sexuelle, les « états de femme ».

Travail identitaire et fonction du roman

Parce qu'il met en scène les opérations fondamentales du travail identitaire, le roman guide la mise en évidence des spécificités les plus saillantes de l'identité féminine. Freud luimême appelait à prendre au sérieux le roman comme instrument d'investigation des phénomènes psychiques : « Les poètes et les romanciers sont de précieux alliés, et leur témoignage doit être estimé très haut, car ils connaissent, entre ciel et terre, bien des choses que notre sagesse scolaire ne saurait encore rêver. Ils sont, dans la connaissance de l'âme, nos maîtres à nous, hommes du commun, car ils s'abreuvent à des sources que nous n'avons pas encore rendues accessibles à la science [18]. » Il n'est pas inutile d'affirmer à sa suite — et surtout de démontrer par l'exemple — que c'est également pour l'étude sociologique des structures de notre propre société que les romans sont un objet d'étude légitime, au même titre que les mythes étudiés par les anthropologues des sociétés primitives. Encore faut-il en définir la pertinence et les limites : ni reflet du réel ni déformation illusoire de la réalité, le roman est un système cohérent de représentations, ni plus ni moins significatif que les « faits positifs » saisis par la statistique [19]. Seulement, à la différence de ceux-ci, il n'éclaire pas les comportements réels mais les représentations imaginaires, voire les systèmes symboliques.

Informer sur les structures de l'imaginaire est déjà une fonction suffisamment riche pour mériter l'attention du chercheur. Mais ce n'est pas tout : le roman possède en outre, comme tout système narratif, la capacité d'« informer » à son tour les représentations, au sens où il leur confère une forme, une stabilité, une définition qui les rendent plus opérantes. Il contribue ainsi à programmer l'expérience et, en particulier, le travail identitaire, avec ses modèles et ses anti-modèles : c'est notamment le rôle de ce qu'on appelle justement le « roman de formation ». Il bénéficie donc d'un double pouvoir sur les structures imaginaires de l'expérience : d'une part, il a la capacité d'exprimer, de fixer dans l'esprit des lecteurs les formes relationnelles dont il est l'effet ; et d'autre part, cette capacité de fixation produit elle-même des effets sur les esprits, en donnant un statut, un poids, une force de référence à des affects qui, sans le travail du roman, resteraient plus informels, moins partageables et, du même coup, moins opérants. Représentation passive de l'imaginaire qui lui préexiste, il est aussi un instrument actif de construction de l'identité en tant qu'il propose des objets d'identification ou de différenciation, des modèles ou des anti-modèles de comportement, des situations types, des résolutions fantasmatiques. Il n'est pas seulement un document, qui *informe* — au sens de « renseigner » — sur la structuration de l'imaginaire, mais aussi un outil, qui *informe* — au sens de « donner forme à » — cet imaginaire [20]. C'est là le principe des condamnations puritaines du roman, accusé — probablement à juste titre — de conférer une légitimité, sinon une existence, à des aspirations sentimentales ou érotiques auxquelles la vie réelle donne peu d'occasions de se développer.

Ce pouvoir structurant de la fiction a été relevé par maints chercheurs, selon une large gamme de points de vue : histoire, sociologie, analyse littéraire, philosophie[21]. Cette puissance multiple impartie au roman n'en fait pas pour autant un objet universel, même à l'intérieur du monde occidental : d'abord parce qu'il ne touche pas également toutes les couches de la société, étant traditionnellement considéré comme une lecture plutôt féminine et populaire, sinon vulgaire ; ensuite parce que son essor relativement récent, que l'on peut dater du xviiie siècle, en fait un phénomène bien situé dans l'histoire, répondant à des conditions de possibilité et à des nécessités spécifiques. Parmi elles figure probablement la répression sexuelle, dont Jean-Louis Flandrin a souligné le rôle dans l'essor du roman, et qu'à la suite d'Elias on pourrait analyser comme l'une des composantes du processus d'intériorisation des contraintes en matière de maîtrise des pulsions : c'est elle en effet qui contribue au développement de l'«imagination romanesque», en incitant à la rêverie solitaire ; et c'est même «toute notre civilisation moderne — notre sensibilité, et notre passivité — qui paraît procéder de la répression sexuelle[22]».

Cette question de la passivité mérite d'être soulignée : c'est qu'elle caractérise à la fois la lecture des romans, qui permet au lecteur de n'agir que sur un mode imaginaire en s'identifiant aux personnages romanesques, et la condition traditionnelle des femmes, dont les possibilités d'action sont effectivement limitées[23]. Cette affinité de la fiction avec les structures traditionnelles de l'identité féminine se manifeste de façon plus évidente encore avec l'usage actuel des «romans roses», dont la lecture par de larges catégories de femmes ne serait pas aussi répandue et intensive si elle ne répondait à des fonctions importantes, que ne satisfont ni les épisodes de la vie réelle, ni les autres catégories de narrations — à l'exception, probablement, des téléfilms[24]. Voilà qui autorise à voir dans les romans, et dans l'insistance avec laquelle beaucoup d'entre eux déclinent à leur façon les mêmes schèmes, la mise en forme imaginaire de configurations symboliques et de situations réelles affectant plus particulièrement les femmes. Non contents de fournir l'expression de crises d'identité pour ainsi dire «normales», c'est-à-dire engendrées non par des déséquilibres ou des états limites mais par des situations ordinaires,

ils en constituent des outils pratiques de gestion et de résolution («Qui vous a si bien instruite, bon Dieu! Vous ne lisez
pas de romans?» demande une vieille dame à la jeune héroïne
dans *Hellé* de Marcelle Tinayre, 1898). Autant dire que ces
textes, qui ressortissent traditionnellement à l'histoire littéraire, sont également des instruments d'analyse pertinents
pour les phénomènes affectifs relevant de la psychanalyse, tel
le complexe de la seconde, et pour les phénomènes identitaires
relevant de la psycho-sociologie et de l'anthropologie, tels les
états de femme.

Identité et pluridisciplinarité

L'univers romanesque possède donc sa spécificité, son
régime propre — à l'opposé des problématiques du reflet que
privilégie parfois la sociologie de la littérature [25]. Il n'en porte
pas moins trace des données du réel — économiques, juridiques, hiérarchiques — ressortissant à la dimension historique
et sociologique : d'où les quelques rappels marginaux qui ont
été faits de la réalité historique, pour marquer les liens que
l'imaginaire entretient avec elle, même si là n'est pas l'enjeu du
travail romanesque. Car ce n'est pas du réel que la fiction est
un bon conducteur, mais de l'imaginaire. Le système des états
de femme qui vient d'être décrit n'est donc pas un simple reflet
de l'expérience vécue : il en est un autre mode, spécifique, doté
de sa logique propre. Il possède une «autonomie relative» —
pour reprendre le terme de Pierre Bourdieu — par rapport à
la réalité, c'est-à-dire aux caractéristiques de l'auteur, du
champ littéraire ou de l'expérience des lecteurs : si cette réalité
est bien le référent du modèle, les représentations imaginaires
qu'en offre la fiction n'en possèdent pas moins leur régime
propre, non réductible à l'expérience vécue.

C'est aux situations réelles dans lesquelles se trouvent pris
les sujets que les sciences sociales, à de rares exceptions près,
se sont consacrées, faisant l'impasse sur la question de la
place, abandonnée pour l'essentiel à la psychanalyse. Toutefois
la sociologie interactionniste américaine, à la suite d'Herbert
Mead, ainsi que la psycho-sociologie européenne, ont fait un
grand usage de la notion de rôle, qui leur a permis d'ouvrir le

champ de réflexion à des dimensions moins strictement objectivistes (ainsi par exemple, dans ce partage des territoires disciplinaires, la sociologie ou l'économie de l'éducation tendra à étudier la situation effective des enseignants, la psycho-sociologie s'intéressera au rôle du prof, et la psychanalyse à la place du maître). Reste à mettre en œuvre la perspective qui, sans se laisser arrêter par les frontières disciplinaires, intègre ces différentes dimensions : réalisable ou pas, c'est l'exigence que porte en elle la question de l'identité.

De même, analyser la fiction romanesque revient à conférer toute sa place à l'imaginaire, parallèlement au réel et au symbolique, dans le travail identitaire, pour en faire un objet de recherche, au même titre que la clinique pour les psychiatres ou les psychanalystes et que l'enquête de terrain pour les sociologues ou les anthropologues. La fiction est précisément ce qui permet, par le travail de l'imaginaire et la consistance donnée au fantasme, de représenter l'articulation entre ces deux ordres de structuration de l'expérience que sont l'intériorité de l'inconscient et l'extériorité du monde habité par d'autres, la dimension psychanalytique, ancrée dans la situation originelle du sujet au sein de la famille, et la dimension anthropologique d'un système de possibles, dont la connaissance intuitive conditionne et signale à la fois l'appartenance à notre culture. S'il a fallu conjoindre ces deux approches — le complexe de la seconde et les états identitaires à l'intérieur duquel il s'inscrit —, c'est qu'il s'agissait justement de mettre en évidence l'articulation, que réalise la fiction sur le plan imaginaire, entre deux aspects du problème de l'identité : l'expérience de la place symbolique du sujet dans la configuration familiale, et l'expérience de la situation réelle d'une personne dans l'espace des possibles déterminé par les impératifs économiques, les positions hiérarchiques, les formes de sociabilité, les règles morales, les instruments perceptifs. Ainsi cette multiple approche — historique, sociologique, anthropologique, psychanalytique — dessine les contours d'une problématique qui n'est plus seulement celle de l'inconscient dans le psychisme individuel, ni de la représentation dans une culture collective, mais celle de l'identité, telle qu'elle se construit dans l'articulation du conscient et de l'inconscient, de l'individuel et du collectif, de la contingence et de la règle.

Une telle problématique autorise et même exige ce déplacement entre différentes disciplines, qui permet de rendre compte des articulations entre ces dimensions de l'expérience. Elle permet également de faire l'économie du faux problème qu'est l'opposition entre structuralisme et interactionnisme — réactivation sociologique de l'opposition philosophique entre déterminisme et liberté. Car il n'y a pas soit l'un soit l'autre, soit la stabilité de structures contraignantes, soit la labilité d'interactions sans cesse renégociées : il y a articulation des deux, structures fondamentales de l'identité prises dans une continuité historique, et situations de crise où elles sont mises à l'épreuve, confirmées ou retravaillées. Les structures ne sont pas là une fois pour toutes, inaccessibles aux actions des individus, et les actions ne se font pas à partir de rien, dans un univers sans repères — mais à partir d'un espace des possibles dûment structuré. Opposer ces deux perspectives comme exclusives l'une de l'autre, c'est adopter implicitement une posture idéologique — mixte de sectarisme et de logicisme — qui conçoit les positions épistémologiques comme des partis politiques ou des dogmes religieux, donc forcément antagoniques, alors qu'elles ne sont que des moments de la recherche, qu'il faut articuler et non pas opposer ou, pis, évacuer. C'est en tout cas au risque de ce petit coup de force interdisciplinaire — et de la fragilité à laquelle il expose — qu'on a pu donner sens à ce que nous racontent, avec tant d'insistance, tant de romans.

APPENDICES

NOTES

I. FILLES SANS HISTOIRE

1. Pour une anthologie des «scènes de première vue dans le roman» (pas seulement à propos des jeunes filles), cf. Jean Rousset, *Leurs yeux se rencontrèrent*, 1981.

2. C'est là le propre des «rites d'institution», dont Pierre Bourdieu a bien montré la fonction séparative entre deux catégories d'individus beaucoup plus que de passage entre deux moments d'une vie (*Ce que parler veut dire*, 1982).

3. Aussi la nature dont il est question est-elle autrement plus ambiguë que ne le suggère l'image élégiaque proposée par le préfacier (Paris, Nouvelles Éditions latines, 1933, p. 9): «Pour Mary Webb, c'est assurément son observation poétique et son sentiment de la nature qui l'ont poussée à écrire. Et que cette expression "sentiment de la nature" paraît faible pour définir son inspiration! C'est un amour éperdu qui va de la contemplation passive [...] au désir de saisir et d'étreindre; c'est une divination changeante et jamais lasse, qui, devant un arbre, un bourgeon, une herbe, essaie vingt images comme des cris de reconnaissance; c'est une angoisse religieuse provoquée par le seul renouvellement des saisons, le seul phénomène des échos qui se répercutent, des reflets qui miroitent et s'éteignent.»

4. Moins d'une génération après sa parution adviendra une Corinne devenue réalité, avec Delphine Gay, dont Anne Martin-Fugier a reconstitué l'histoire dans *La Vie élégante, ou la Formation du Tout-Paris, 1815-1848*, 1990, p. 276-278.

5. Sur l'évolution des formes du «sérieux» romanesque, et leur inscription progressive dans la description réaliste des milieux bourgeois et populaires dans la littérature française du XIXe siècle, cf. Erich Auerbach, *Mimésis. La représentation de la réalité dans la littérature occidentale*, 1946.

6. Sur le lien entre séparation et sacré, cf. Émile Durkheim, *Les Formes élémentaires de la vie religieuse*, 1912.

7. Sur le féminisme dans les romans, cf. Patricia Stubbs, *Women and Fiction. Feminism and the Novel, 1880-1920*, 1979.

8. «Le premier postulat du roman monastique est que toute vocation est plus ou moins forcée; le second, que rien ne rend une vocation forcée plus

pathétique, que de la mettre en conflit avec l'amour» (P. Fauchery, *La Desti-née féminine dans le roman européen du* XVIII*ᵉ siècle, 1713-1807. Essai de gyné-comythie romanesque*, 1972, p. 341).

9. Gilles Deleuze le soulignait : «Le problème ne semble donc pas être celui d'un sentiment, du sentiment religieux, mais selon une méthode chère à Diderot, celui d'un état, d'une condition : la religion imposée comme condi-tion sociale, comme vie privée, à celle qui n'a pas la vocation» (introduction à *La Religieuse*, Paris, Marcel Daubin, 1947). Dans la réalité aussi l'entrée au couvent constitue un changement d'état, comme l'explicite Catherine Baker à travers la question vestimentaire, décisive dans les états de femme : «L'habit participe de la clôture ; il est une grille. Une grille pour séparer, une grille pour décoder un personnage. L'habit ne fait pas la moniale, mais. Mais on "prend l'habit" ou l'on "jette l'habit", changeant ainsi d'état» (*Les Contem-platives, des femmes entre elles*, 1979, p. 223).

10. Cf. Robert Graves, *Les Mythes grecs*, 1958, 1987, II, p. 309. Sur la litté-rature relative aux amazones, cf. Pierre Darmon, *Mythologie de la femme dans l'ancienne France,* XVI*ᵉ*-XIX*ᵉ siècles*, 1983, ainsi que Simon Shepherd, *Amazons and Warriors Women. Varieties of Feminism in Seventeenth-Century Drama*, 1981, qui montre l'ambivalence d'une figure récurrente dans la littéra-ture élisabéthaine, entre la Diane glorieuse des auteurs classiques et la Radi-gund incarnant la luxure agressive, la volonté débridée, l'agressivité de la femme qui boit et se bat.

II. FILLES À PRENDRE

1. Pierre Fauchery a bien souligné cette consubstantialité entre état de fille et position d'attente dans les romans du XVIII*ᵉ* : «Tant que le futur roma-nesque demeure "vif", on peut dire qu'il est tout entier rempli par l'attente [...] L'attente adolescente [...] est une attente frémissante, se projetant sur une matière nébuleuse, faite de rêveries, des fantômes des livres, de confuses images viriles... Cette quête d'un bien indéfini ne quittera jamais certaines femmes, même lorsqu'elles auront connu et "usé" l'amour. [...] Et l'on peut dire que certaine *Sehnsucht* romantique résulte d'une hémorragie de l'attente adolescente hors de l'âge où elle est considérée comme légitime» (P. Fau-chery, 1972, p. 739).

2. «La date de publication — 1740 — de *Pamela* de Samuel Richardson peut être considérée comme le *terminus a quo* du roman d'amour tel qu'on le retrouve en 1980 sous la forme du roman Harlequin», et qui peut se résu-mer ainsi : «Comment la jeune fille pauvre mais vertueuse résiste aux avances du fils de sa patronne et finit par l'obliger à l'épouser» (Julia Bettinotti, *La Corrida de l'amour. Le roman Harlequin*, 1990, p. 22). Le roman senti-mental en général propose essentiellement des variations sur l'entrée en rela-tion amoureuse et la question du bon choix d'objet (cf. Bruno Péquignot, *La Relation amoureuse. Analyse sociologique du roman sentimental moderne*, 1991).

3. Pour une réflexion sur l'«effet de beauté» comme ressource construite dans la soumission au désir masculin en même temps que dans la subversion du rapport de domination, cf. Véronique Nahoum-Grappe, «La belle femme», in Georges Duby, Michelle Perrot, *Histoire des femmes*, 1991, III.

4. Edmund Leites, *The Puritan Conscience and Modern Sexuality*, 1986 (traduit sous un titre absurde : *La Passion du bonheur*, 1988).

5. Pierre Fauchery par contre a bien souligné la dimension identitaire de cet attachement à la vertu : « Suivant l'ontologie romanesque, être, c'est être vierge, tout simplement. L'héroïne c'est-à-dire le Bien, se confond avec sa "Vertu", laquelle elle-même se résume en un refus inlassablement répété. On pourrait dire de Pamela — comme de beaucoup de ses sœurs — qu'elle est un *Non* vivant. D'une négation faire l'affirmation absolue, c'est l'alchimie que tentent plusieurs romanciers, et où quelques-uns réussissent » (P. Fauchery, 1972, p. 307).

6. Cette réinterprétation de l'histoire rappelle le renversant (à tous les sens du terme) commentaire de Freud lorsque, analysant le cas d'une jeune fille sexuellement agressée par son beau-père, il ne voit dans sa colère que l'effet de la frustration née de l'excitation érotique non réalisée (cf. *Le Mot d'esprit et son rapport avec l'inconscient*, 1905) : interprétation propre à provoquer une semblable colère puisqu'elle exonère l'agresseur de toute faute (sauf celle de n'être pas allé jusqu'au bout de son agression) et réduit l'agressée à n'avoir d'autres sensations que celles — sexuelles — qui intéressent en elle son agresseur, renvoyant au néant — au titre de « symptôme » — la revendication d'une personne à la dignité et au respect de son identité, tout en renvoyant également au néant — au titre de « résistance » — le scepticisme face à une telle interprétation.

7. « Si l'impur est ce qui n'est pas à sa place, nous devons l'aborder par le biais de l'ordre. L'impur, le sale, c'est ce qui ne doit pas être inclus si l'on veut perpétuer tel ou tel ordre. Sachant cela, nous pourrons commencer à comprendre la notion de pollution » (Mary Douglas, *De la souillure*, 1981, p. 59).

8. Dans *Sense and Sensibility* (*Raison et sentiments*, 1811) ce sont les sœurs Elinor et Marianne Dashwood ainsi que, secondairement, Anne et Lucy Steeles ; dans *Pride and Prejudice* (*Orgueil et préjugés*, 1813), les sœurs Jane et Elizabeth Bennet ; dans *Mansfield Park* (1814), Fanny Price et ses cousines ; dans *Emma* (1816), Emma Woodhouse et son amie Harriet Smith ; dans *Persuasion* (1818), les sœurs Elliot ; et dans *Catherine Morland ou Northanger Abbey* (1818) c'est avec les héroïnes de roman que le personnage principal, telle Emma Bovary, se compare elle-même.

9. Cette opposition entre deux caractères incarnés par deux sœurs est l'homologue d'une autre opposition, centrale dans l'esthétique de l'époque, entre le classicisme et le romantisme ou entre l'ordre et le pittoresque, incarnés respectivement par le jardin à la française et le jardin à l'anglaise : c'est ce qu'indique Edward, l'amoureux d'Elinor, lorsqu'il explique à Marianne son point de vue sur la nature.

10. « Dans ces récits, le mariage, s'il reste le pôle de toute pensée virginale, abandonne ses dernières attaches avec l'illusion poétique. Jamais, hormis dans le roman picaresque, l'arithmétique financière du couple ne fut contrôlée avec plus d'exactitude et de désinvolture ; nulle part les ressources qu'offre le cynisme à une intelligence sans faiblesses jointe à une chasteté sans prévention ne se déploient plus souverainement, avec une lucidité presque gênante » (P. Fauchery, 1972, p. 851).

11. C'est cette asymétrie que néglige Niklas Luhman dans son analyse de l'opposition entre amour de raison et amour de sentiment dans la littérature

des XVIIe et XVIIIe siècles : faisant implicitement l'hypothèse de la symétrie, il ne peut prendre en compte la spécificité de l'expérience féminine et, notamment, la configuration des états (N. Luhman, *Amour comme passion. De la codification de l'intimité*, 1982). Sur l'asymétrie entre sexes dans les rapports de parenté, cf. Claude Lévi-Strauss, *Les Structures élémentaires de la parenté*, 1967. Pour une approche socio-linguistique de l'asymétrie conversationnelle entre sexes, cf. Deborah Tannen, *You Just Don't Understand. Women and Men in Conversation*, 1990.

III. FILLES MAL PRISES

1. Comme le disait excellemment Flaubert : « Vis-à-vis de l'amour en effet, les femmes n'ont pas d'arrière-boutique, elles ne gardent rien à part pour elles comme nous autres, qui, dans toutes nos générosités de sentiments, réservons néanmoins toujours *in petto* un petit magot pour notre usage exclusif. »

2. L'un et l'autre incestes sont du « deuxième type », pour reprendre l'analyse de Françoise Héritier (*Les Deux Sœurs et leur mère. Anthropologie de l'inceste*, 1994).

IV. FILLES LAISSÉES

1. « L'abandon est donc, pour la fille coupable, le destin canonique » (P. Fauchery, 1972, p. 329).

2. « Si l'approche de la rivale est pour la jeune fille délaissée une tentation irrésistible, nulle part le potentiel explosif du thème n'est utilisé plus dramatiquement que dans les récits où l'amoureuse *voit* l'inconstant s'empresser auprès d'une autre : c'est l'emploi romanesque le plus meurtrier qu'on puisse faire du regard » (P. Fauchery, 1972, p. 302).

3. « Il y avait longtemps déjà que la fille d'Anne-Marie Stretter avait fui. Sa mère n'avait remarqué ni son départ ni son absence, semblait-il. » Étrangement, le fait que cette voleuse de fiancé soit une mère n'est pas relevé dans l'essai psychanalytique consacré par Michèle Montrelay à ce roman : cet énoncé littéral définissant l'identité du personnage est négligé au profit d'une interprétation symbolique de la robe noire comme équivalent de la mort (*L'Ombre et le nom. Sur la féminité*, 1977).

V. LA PREMIÈRE MENACÉE

1. Jules Michelet soulignait dans *La Femme* (1860) combien la loi française ancre cette souveraineté morale dans des ressources matérielles établies : « La Française hérite et le sait, elle a une dot et le sait. [...] Cette terre ne s'envole pas, cette maison ne s'écroule pas ; elles restent pour lui donner voix au chapitre, lui maintenir une personnalité que n'ont guère l'Anglaise ou l'Allemande. Celles-ci, pour ainsi parler, s'absorbent dans leur mari ; elles s'y perdent corps et bien. »

2. On retrouve là les caractéristiques de la temporalité féminine observées

par Pierre Fauchery dans le roman du xvııı^e siècle : « Ce qui marque la temporalité des femmes [...], c'est un contraste accentué entre les vides et les pleins de l'existence, les reliefs violents y alternent avec les zones désertiques » (P. Fauchery, 1972, p. 726).

3. « S'évanouir, c'est, pour la femme contrainte de faire face à une situation "sans issue", prendre le large, s'éclipser en tant qu'être volontaire et ne laisser sur place que son enveloppe. Nous avons marqué l'efficacité plastique, comme la valeur dramatique, de ce comportement, qui expliquent l'universalité de son utilisation narrative : qu'il s'agisse de la défaillance éperdue de la vierge traquée, ou de la pâmoison décorative de la femme galante, qui préfère céder à l'agresseur la responsabilité de la "faute", ou le doute de son propre triomphe » (P. Fauchery, 1972, p. 656).

4. Cf. René Girard, *Mensonge romantique et vérité romanesque*, 1961.

VI. LA PREMIÈRE CLIVÉE

1. Arlette Michel a bien souligné la récurrence chez Sand, « romancière du mariage », de ce motif de la mal mariée souffrant d'un clivage intérieur entre « deux tendances également puissantes dont l'une fait détester le mariage et l'autre y fait voir un état de perfection », et qui ne peut se résoudre ni même s'exprimer que par un dispositif de crise proprement romanesque (« Structures romanesques et problèmes du mariage d'*Indiana* à *La Comtesse de Rudolstadt* », 1977).

2. A. Michel, *Le Mariage chez Balzac*, 1978, p. 185.

3. Cf. Thorstein Veblen, *Théorie de la classe de loisirs*, 1899. Sur le mariage en tant qu'il engage non seulement un couple mais une « maison », cf. Norbert Elias, *La Société de cour*, 1969, 1974, notamment p. 28-29. Plus que le niveau de vie, c'est l'importance du patrimoine qui détermine l'investissement du mariage comme stratégie familiale, tel le mariage royal, plutôt qu'inclination individuelle, tel le mariage ouvrier.

4. L'éthologie le suggère : « Tout homme se trouve entraîné par deux besoins contraires : devenir lui-même, ce qui l'arrache à son groupe, et appartenir à son groupe, ce qui l'ampute d'une partie de ses potentialités » (Boris Cyrulnik, *Les Nourritures affectives*, 1993).

5. Est-ce un hasard si le prénom de cette mauvaise mère fut celui, vingt ans auparavant, de la fillette maltraitée par une autre mère indigne, la Mme des Ormes dans *François le Bossu* de la Comtesse de Ségur (1864), qui privilégiait la féminité sur la maternité au point de ne pas supporter que sa fille grandisse tant elle-même refusait de vieillir ? Il y a là — même s'il n'est dû qu'aux modes en matière de prénom — un troublant passage de relais littéraire, comme si la fillette mal aimée du roman pour enfants, une fois mère à son tour, devenait chez le romancier naturaliste la mère mal aimante.

6. C. G. Jung, *Ma Vie*, 1961, 1992, p. 388.

7. P. Ricœur, « Éthique et morale », *Lectures I*, 1991, p. 257.

8. Cette opposition est bien résumée par André Comte-Sponville (*Valeur et vérité. Études cyniques*, 1994, p. 191-192) : « Nous appellerons donc *morale* [...] le discours normatif et impératif qui résulte de l'opposition du Bien et du Mal, considérés comme valeurs absolues ou transcendantes : c'est l'ensemble de nos devoirs. La morale répond à la question "Que dois-je faire ?". Elle se

veut une et universelle. Elle tend vers la vertu et culmine dans la sainteté. [...]
Et nous appellerons *éthique* tout discours normatif (mais non impératif, ou
sans autres impératifs qu'hypothétiques) qui résulte de l'opposition du *bon* et
du *mauvais*, considérés comme valeurs relatives : c'est l'ensemble réfléchi de
nos désirs. Une éthique répond à la question "Comment vivre ?". Elle est toujours particulière à un individu ou à un groupe. C'est un art de vivre : elle
tend le plus souvent vers le bonheur et culmine dans la sagesse. »

9. Avant l'ère du roman, « Ni "amoureux" ni "putain" n'ont le sens et la
valeur que nous leur donnons aujourd'hui [...]. Au xvi⁰ siècle l'amour était
extrêmement contesté et, dans l'ensemble, refusé par la morale chrétienne.
L'amoureux, dans la vision chrétienne de l'époque, c'est l'amant, le paillard,
le luxurieux, sans cesser d'être ce que nous appelons l'amoureux. Le mot
"putain", si abondamment employé à l'époque, avait au contraire la valeur
péjorative qu'il a gardée aujourd'hui, mais pour des raisons qui n'étaient pas
les nôtres. Nos pères du xvi⁰ siècle et nous avons en commun de l'appliquer
aux professionnelles de la luxure, mais nous leur reprochons de jouer pour de
l'argent la comédie de l'amour, alors qu'ils leur reprochaient de vouer leur
vie au plaisir sexuel. Aussi le mot était-il alors proprement appliqué à toute
femme qui recherchait les relations charnelles pour l'amour, pour le plaisir,
la femme honnête étant censée ne les rechercher que pour le bien du mariage,
conformément aux devoirs de son état ; nous dirions presque "par conscience
professionnelle". Paradoxal renversement des valeurs attribuées aux réalités
sous le couvert d'un même mot » (Jean-Louis Flandrin, *Le Sexe et l'Occident.
Évolution des attitudes et des comportements*, 1981, 1986, p. 119).

10. Cf. Lucien Lévy-Bruhl, *La Mentalité primitive*, 1922. Critiquant cette
imputation à une « mentalité prélogique » de la capacité à tolérer la contradiction, Geoffroy E. R. Lloyd, désireux d'« en finir avec les mentalités », propose très justement d'attribuer cette tolérance non aux mentalités mais aux
situations. Il est dommage toutefois qu'il exclue comme une hypothèse « exa-
gérée » que l'on puisse « attribuer une pluralité de mentalités au même individu », jugeant à tort qu'il est « évidemment difficile d'attribuer une pluralité
de mentalités à un seul individu ou à une communauté en tant que telle. »
(G. E. R. Lloyd, *Pour en finir avec les mentalités*, 1990, 1994, p. 32, 52 et 209).

11. C'est une posture de recherche à laquelle conduisent naturellement
nombre d'investigations historiques, qui mettent en évidence non seulement
les ambivalences constitutives de leurs objets mais aussi, indissociablement,
les continuités effectives entre des ordres de grandeur que le logicisme tend à
disjoindre. C'est cette démarche qu'a suivie par exemple Paul Veyne en montrant que le rapport des Grecs à leurs mythes est marqué d'une constitutive
ambivalence entre crédulité et scepticisme, et que seule la prise au sérieux de
cette ambivalence permet de respecter la réalité des représentations tout en
leur donnant sens (cf. P. Veyne, *Les Grecs ont-ils cru à leurs mythes ?*, 1983,
p. 65). Et c'est le refus d'instaurer une discontinuité entre les ordres de grandeur qui fait l'originalité de la sociologie de Norbert Elias, laquelle, en prenant pour objet l'étude des processus de civilisation par l'intériorisation des
contraintes, opère de fait ce passage entre le particulier et le général qu'interdit la logique savante en les traitant comme des entités séparées, des réalités
discrètes.

12. L'élaboration de systèmes « relativistes », conférant une cohérence à la
construction pluraliste des modalités de l'expérience ordinaire, occupe plu-

sieurs tendances récentes de la sociologie, contribuant à un nouveau paradigme dans les sciences sociales. C'est le point commun à des modèles aussi différents que, par exemple, la «cadre-analyse» d'Erving Goffman sur le plan cognitif de la «grammaire» organisant les cadres de perception de l'expérience; les «sphères de justice» de Michael Walzer sur le plan des règles d'équité; ou encore, sur le plan axiologique des valeurs, les «économies de la grandeur» dégagées par Luc Boltanski et Laurent Thévenot dans les différents régimes de justification déployés tant par les acteurs en situation ordinaire que par les savants en situation d'expertise (cf. E. Goffman, 1974; Michael Walzer, *Spheres of Justice*, 1983; Luc Boltanski et Laurent Thévenot, *De la justification*, 1991).

13. J. Boutonier, *La Notion d'ambivalence. Étude critique, valeur séméiologique*, 1938, 1972, p. 59.

14. Cf. C. G. Jung, *Ma vie. Souvenirs, rêves et pensées*, 1961, 1992, p. 392-393; A. Miller, *Le Drame de l'enfant doué. À la recherche du vrai Soi*, 1979, 1983, notamment p. 49; François Roustang, *Influence*, 1990, p. 84 et 93.

15. «Le rejet de la tension se constate d'emblée partout où le jugement tranche arbitrairement une situation essentiellement ambiguë ou incertaine (attitude partisane plutôt que scientifique, par exemple), partout où, des deux pôles en présence, l'un est liquidé, arbitrairement subordonné, prématurément ou définitivement effacé au profit de l'autre» (L. Dumont, *Essais sur l'individualisme*, Paris, Le Seuil, 1983, p. 204).

VII. RENONÇANTE, CONSENTANTE

1. Pour une mise en perspective historique de cette notion, cf. Michel Foucault, *Histoire de la sexualité. III. Le souci de soi*, 1984.

2. Pierre Fauchery, à propos des romans du XVIIIe siècle, parle justement de «ces adultères inachevés ou "rentrés", ces partages de la pensée et du cœur, qui font la trame de *La Nouvelle Héloïse* et de tant de romans issus d'elle...» (P. Fauchery, 1972, p. 388). Pour le siècle suivant, cf. Chantal Gleyses, *La Femme coupable. Petite histoire de l'épouse adultère au XIXe siècle*, 1994.

3. C'est la forme «paranoïaque» de la «logique du pire», par opposition à son antithèse «tragique»: cf. Clément Rosset, *Logique du pire*, 1971.

VIII. LA PREMIÈRE ÉMANCIPÉE

1. Sur les mécanismes constitutifs de cette ambivalence du singulier, cf. Nathalie Heinich, *La Gloire de Van Gogh. Essai d'anthropologie de l'admiration*, 1991.

IX. LA PREMIÈRE EXILÉE

1. Sur la fonction de la «femme-qui-aide» dans les sociétés traditionnelles, cf. Yvonne Verdier, *Façons de dire, façons de faire. La laveuse, la couturière, la cuisinière*, 1979.

2. «L'inceste fondamental, si fondamental qu'il ne peut être dit que de façon approchée dans les textes comme dans les comportements, est l'inceste mère/fille. Même substance, même forme, même sexe, même chair, même

devenir, issues les unes des autres, *ad infinitum,* mères et filles vivent cette relation dans la connivence ou le rejet, l'amour ou la haine, toujours dans le tremblement. La relation la plus normale du monde est aussi celle qui peut revêtir les aspects les plus ambigus» (F. Héritier, *Les Deux Sœurs et leur mère. Anthropologie de l'inceste,* 1994, p. 53 et 352-353). Cf. Nathalie Heinich, «L'Inceste du deuxième type et les avatars du symbolique», in *Critique,* n° 583, décembre 1995.

3. Norbert Elias soulignait d'ailleurs la réciprocité des sentiments de rivalité et de peur de la violence d'autrui, qui ne sont pas seulement le fait d'Œdipe-le-fils mais aussi de Laïos-le-père (*Sport et civilisation. La violence maîtrisée,* 1986, 1994, p. 194-196).

X. LA MISE EN CRISE DE L'IDENTITÉ

1. Réalisée en 1940, l'adaptation cinématographique obtint un Oscar en 1941 et un immense succès tant public que critique, marquant les débuts de la carrière américaine d'Hitchcock. Une courte étude de ce film (cf. *Les Mons tresses,* numéro hors série des *Cahiers du cinéma,* sous la direction de Pascal Bonitzer, 1980) est à l'origine de la problématique développée ici.

2. «Que serait un roman dont le narrateur ne saurait être nommé?» s'interroge Jean-Marie Geng, alias Max Genève, dans une réflexion sur le pseudonyme (*La Prise de Genève,* 1980, p. 30): ce serait *Rebecca.*

3. C'est avec une étonnante intuition des enjeux du roman que David O. Selznick, le producteur du film, conseillait Hitchcock pour son adaptation: «J'espère que vous n'avez pas l'intention de donner à la fille le nom de Daphné ou tout autre nom. Immédiatement après le fait que le personnage qui donne son titre au livre n'apparaît jamais, ce qui a le plus frappé les lecteurs est que le personnage principal n'a pas de nom.» Ainsi l'une a un visage mais pas de nom, tandis que l'autre a un nom mais pas de visage: «Je vous prie d'informer Mlle Du Maurier que je suis entièrement d'accord avec elle en ce qui concerne l'apparition à l'écran de la femme morte et que, outre les raisons qu'elle donne, j'ai toujours eu la conviction qu'il n'est pas une seule femme dont nous pourrions montrer le visage et qui serait en mesure de ressembler à l'image que chacun se fait d'elle» (D. O. Selznick, *Cinéma. Mémos,* 1984, 1985, p. 231, 235).

4. Cf. notamment Norbert Frye, *Anatomie de la critique,* 1957 et *The Secular Scripture,* 1976. «L'anglais a pour sa part préféré *novel,* qui entre en concurrence avec *romance,* ce second terme caractérisant plutôt des histoires où l'imagination prédomine, le premier tendant à signifier "récit réaliste" — mais cette répartition n'est pas rigoureuse» (Pierre Chartier, *Introduction aux grandes théories du roman,* 1990, p. 29). Pour un résumé de cette opposition entre mode «romanesque» et mode «mimétique», cf. Thomas Pavel, *Univers de la fiction,* 1986, 1988, p. 115.

5. Est-ce un hasard si l'héroïne éponyme du roman, qui incarne la première en ce qu'elle a de plus légitime, intégrée à une «maison» — nom, lignée, château, objets —, porte le prénom de celle qui dans l'Ancien Testament incarne l'épouse choisie non par inclination amoureuse mais par devoir familial, pour assurer la continuité de la lignée? C'est l'histoire de Rebecca, que Claude Lévi-Strauss analyse en ces termes: «Le problème du mariage de

Rebecca [...] résulte d'une contradiction entre ce que les juristes de l'Ancien Régime ont appelé la race et la terre. Sur l'ordre du Tout-Puissant, Abraham et les siens ont quitté leur pays d'origine, en Syrie mésopotamienne, pour s'établir très loin vers l'ouest. Mais Abraham rejette toute idée de mariage avec les premiers occupants : il veut que son fils Isaac épouse une fille de son sang. Et comme il est interdit à l'un et à l'autre de s'absenter de la terre promise, Abraham envoie Eliezer, son homme de confiance, chez ses lointains parents pour en ramener Rebecca » (*Regarder écouter lire*, 1993).

6. Selznick surveillait également de près la mise en évidence du contraste entre l'invisible Rebecca et la narratrice, incarnée par Joan Fontaine : « Depuis des mois, j'ai essayé de dire à tous ceux qui travaillaient sur *Rebecca* que ce que je voulais, surtout dans la première partie, c'était que la jeune fille n'ait *rien* de fascinant, mais que ce soit une créature suffisamment jolie et attirante, comme l'est une simple jeune fille, pour qu'on comprenne pourquoi Maxim veut l'épouser. [...] Dans l'un des gros plans les plus importants du film, celui que j'ai vu dans les rushes d'aujourd'hui, où le personnage est presque poussé au suicide, elle a des cils comparables à ceux de Marlene Dietrich à ses pires moments (même si ce sont ses cils, ils sont maquillés de telle façon qu'ils ont l'air faux) et ses sourcils sont tellement épilés qu'il n'en reste rien : cela porte un coup à l'idée même de cette douce jeune fille qui, à Manderley, se bat contre le souvenir de Rebecca, la femme sophistiquée. Je vous prie de remédier à cela à l'avenir, et dès maintenant. Et que puis-je faire pour que vous, les maquilleurs, fichiez en l'air vos trousses et vos pinces à épiler ? Le public est tellement en avance sur vous tous et en a tellement assez de vos maquillages que vous êtes tous en train de contribuer à la mise en pièces des stars » (D. O. Selznick, 1984, 1985, p. 252-253).

7. Cf. Pierre Bourdieu, *La Distinction*, 1979, p. 68-93.

8. *Rebecca* s'inscrit là en droite ligne de la tradition romanesque : « Le domaine électif du romanesque XVIIIᵉ est celui de la grâce : nous tenons là un de ces mots-carrefours qui désignent au siècle ses synthèses favorites. Tempérant la froideur de la beauté canonique ou se substituant à elle, la grâce se donne comme la marque indispensable de l'héroïne : c'est toujours par un degré supérieur de cette propriété que celle-ci se distingue de ses acolytes ou de ses rivales » (P. Fauchery, 1972, p. 182).

9. « Langage du corps et des désirs, il intéresse tant de pulsions contradictoires et traduit tant de besoins à travers des codes divers qu'il joue un rôle très fort dans la constitution d'une identité » (Daniel Roche, *La Culture des apparences*, 1989, p. 39). Significativement, Erving Goffman nommait *identity kit* l'ensemble des objets de toilette nécessaires à un individu pour la gestion de son apparence personnelle (E. Goffman, « Identity Kits », 1965, p. 246).

10. « La femme à son miroir, créant l'image d'elle-même qu'elle va offrir aux autres par des atours soigneusement apprêtés, la femme-objet de sa propre esthétique, machinalement, instinctivement, et sans en être absolument consciente, cherche sa personnalité à travers sa corporéité. La fusion du corps et de la psyché et le narcissisme extraverti représentent les étapes mineures d'une quête plus spécifiquement féminine de l'identité. [...] Pour exister, il faut être *reconnue*, c'est-à-dire admirée, contemplée, aimée. [...] Ainsi donc, le miroir et les parures [...] sont le signe d'une quête de soi qui, dans un premier stade, celui de la prime jeunesse, et quelquefois pendant toute une vie, identifie naïvement la *persona* (le masque) et la personnalité

profonde, l'âme» (Marie Sémon, *Les Femmes dans l'œuvre de Léon Tolstoï*, 1984, p. 231).

11. Critiquant justement la pauvreté des études psychanalytiques sur «la robe» (titre d'un essai d'Eugénie Lemoine-Luccioni), Daniel Sibony propose un commentaire qui s'ajuste assez bien à ces deux fictions : «Chaque femme sait que la question cruciale de la robe c'est de savoir si elle la "coupe" de l'autre-femme ou pas, si par exemple à une soirée elle sera la seule à la porter ou pas ; et, bien sûr, cette "Autre femme", c'est aussi bien la mère, l'Autre comme femme, ou elle-même quand elle s'envisage comme autre [...]. La robe n'est donc ni "n'importe quoi" ni le "rien" [...], la robe c'est pour une femme le lieu d'une lutte et d'une transmission complexe autour d'une féminité problématique à "arracher" à l'Autre-femme, à recevoir d'elle ou à conquérir sur elle ; conquête plutôt âpre et violente : la robe est coupée à même la peau de cette Autre-femme qui n'existe pas, mais dont une femme porte ainsi l'emblème, voire le trophée, signalant aux autres (surtout aux autres femmes, car là encore l'affaire ne concerne l'homme que par la bande, une fois le produit "fini" et la coupure d'avec l'Autre-femme aboutie ou du moins stabilisée), montrant donc aux autres qu'elle a pu prélever sa part de féminité, ou plutôt qu'elle participe à cette coupure du féminin en quoi consiste le féminin... La robe c'est l'ombre portée du corps de l'Autre, de l'Autre femme, ombre transparente ou "incarnée"... Et si l'on veut aborder le phénomène de la mode, sans simplement y plaquer des concepts linguistiques ou psychanalytiques, on est amené à y voir d'abord un moment privilégié dans la transmission du féminin : la figure abstraite de l'Autre-femme y est incarnée par le modèle qu'agite la cohorte des mannequins» (Daniel Sibony, *La Haine du désir*, 1978, 1984, p. 122-123).

XI. TENTATIVES DE RÉSOLUTION

1. Cette tripartition s'inspire de l'analyse des différences pragmatiques entre régimes d'énonciation proposée par Gilbert Dispaux, *La Logique et le quotidien. Une analyse dialogique des mécanismes d'argumentation*, 1984.

2. C'est dans les limites de ce présupposé que trouve sa pertinence l'analyse de la dénonciation comme effort de rétablissement de la justice, telle que la propose Luc Boltanski dans *L'Amour et la justice comme compétences*, 1990.

3. Pour une réflexion sur les rapports entre souffrance et intériorité, cf. Patrick Pharo, «Agir et pâtir au travail», 1989. Sans doute est-ce parce que le silence a partie liée à la résignation que celle-ci n'est guère accessible à l'investigation, si ce n'est peut-être, justement, par la littérature.

4. Cette posture a été décrite dans une perspective ethno-psychiatrique par Georges Devereux dans «La renonciation à l'identité : défense contre l'anéantissement», 1967.

5. Dans la littérature anthropologique relative aux pouvoirs conférés à l'acte de nomination, ne citons ici que le travail de Jeanne Favret-Saada sur la sorcellerie dans le bocage, où la nomination du sorcier est soit taboue pour les ensorcelés (attentifs de manière générale à «en parler» le moins possible pour éviter de donner prise aux sorts, d'y être «pris» davantage encore), soit nécessaire au désorceleur lorsqu'il «prend sur lui» (cf. J. Favret-Saada, *Les Mots, la mort, les sorts*, 1977).

6. Cette question a été exemplairement traitée par Alice Miller dans son premier ouvrage (sous-titré, significativement, *À la recherche du vrai Soi*): *Le Drame de l'enfant doué*, 1979.

7. Nous nous garderons de décider ici si la narratrice est plutôt dépressive, obsessionnelle, schizophrène ou paranoïaque, ou même si elle est réellement psychopathe, simplement névrosée ou tout à fait normale: la seule question pertinente étant de comprendre ce qui rend sa situation pathogène, la faisant parcourir différents états de souffrance dont le roman décrit exemplairement les moments. Le travail du chercheur consiste en effet à «suivre les acteurs» dans ce travail de discrimination — qui fait partie de l'objet de son investigation — entre ces catégories psychiatriques, aussi bien qu'entre ces catégories du monde ordinaire que sont le normal et le pathologique, le rationnel et l'irrationnel: détachement anthropologique dont la nécessité a été exemplairement démontrée par Jeanne Favret-Saada dans son enquête sur la sorcellerie (cf. J. Favret-Saada, 1977, p. 161).

8. Dans les termes de la «cadre-analyse» selon Goffman, il y a là une transformation de cadre au second degré: à la première transformation qu'est le passage du réel («cadre primaire») au roman («mode» de la fiction), s'ajoute l'introduction, au sein du mode romanesque, de cette «fabrication» particulière (mais particulièrement «bénigne») qu'est l'auto-illusion, où dupeur et dupé ne font qu'un: figures du rêve lorsqu'il n'est pas perçu comme tel, ou du fantasme lorsque le sujet en arrive à croire au produit de sa propre imagination.

9. Le marketing éditorial américain nous a valu une suite à *Rebecca*, sous le titre évocateur de *La Malédiction de Manderley* (Susan Hill, 1993): initiative qui, dans son projet même, témoigne d'une remarquable incompréhension des ressorts qui font le succès du roman de Du Maurier. Aussi le résultat ne fait-il qu'hésiter assez poussivement entre diverses possibilités de retour (le retour en Angleterre, le retour de Mrs Danvers, le retour du maître chanteur), pour s'acheminer tant bien que mal vers une fin assez popote (la narratrice enfin satisfaite dans son désir d'avoir une maison et des enfants à elle), mais contrariée quand même *in extremis* par un retour de culpabilité qui vaut à Max d'aller se suicider aux alentours de Manderley. Devons-nous craindre, dans un demi-siècle, la suite de *La Malédiction de Manderley*, où la narratrice épouserait en secondes noces un jeune homme que hanterait le souvenir du premier mari, ce gentleman apparemment admirable mais, de fait, assassin si abominable que sa malheureuse épouse fut contrainte de le pousser au suicide?...

10. Sur la différence entre envie et jalousie — l'une étant désir d'obtenir ce qu'on ne possède pas, l'autre étant peur de perdre ce qu'on possède — cf. George M. Foster, «The Anatomy of Envy: a Study in Symbolic Behaviorism», 1972.

11. *Rebecca* a dépassé 1,7 million d'exemplaires vendus en France, rivalisant avec *Maria Chapdelaine*, *Nana*, *Autant en emporte le vent* et *L'Amant de lady Chaterley*. Aux États-Unis *Rebecca* s'est vendu à plus de 3 millions d'exemplaires, tandis que le film fut, selon Selznick, «l'histoire d'amour qui, après *Autant en emporte le vent*, a obtenu le plus de succès» (D. O. Selznick, 1984, 1985, p. 233). Selon sa fille, un procès pour plagiat fut intenté à Daphné Du Maurier en 1947 aux État-Unis par l'auteur d'un roman, *Blind Windows*, dont «la seule ressemblance avec *Rebecca* était que le principal personnage masculin avait déjà été marié» (Flavia Leng, *A Daughter's Memoir*, 1995, p. 115-120).

XII. DU ROMAN AU MYTHE

1. Il n'existe pas moins des figurations symbolisées de l'inceste père/fille, si l'on en croit l'interprétation de G. M. Goshgarian selon qui, «dans les années 1850, la fiction domestique était aussi pure que purement incestueuse» (*To Kiss the Chastening Rod. Domestic Fiction and Sexual Ideology in the American Renaissance*, 1992, p. 79).

2. Jean Laplanche, Jean-Bertrand Pontalis, *Vocabulaire de la psychanalyse*, 1973, p. 79.

3. «Chez la fillette se développe l'inclination spécifique pour le père et la rivalité corrélative envers la mère. On pourrait appeler ce complexe le complexe d'Électre» (Carl G. Jung, «Versuch einer Darstellung der psychoanalytischen Theorie», 1913, p. 370). Cette association a été reprise par André Green, parlant à propos d'Électre de «complexe d'Œdipe positif» (*Un œil en trop*, 1969). «Peut-être serait-il plus clair de parler de "complexe d'Œdipe féminin positif", caractéristique de l'attachement au père et l'agressivité à l'égard de la mère» (Pierre Brunel, *Le Mythe d'Électre*, 1971, p. 38).

4. Sigmund Freud, «Psychogenèse d'un cas d'homosexualité féminine», in *Névrose, psychose et perversion*, 1920, 1973, p. 253. «Nous avons l'impression que tout ce que nous avons dit du complexe d'Œdipe se rapporte strictement à l'enfant de sexe masculin et que nous avons donc le droit de refuser le nom de complexe d'Électre qui veut insister sur l'analogie entre les deux sexes», répétera-t-il dix ans plus tard («De la sexualité féminine», in *La Vie sexuelle*, 1931, 1969, p. 142).

5. «Ce que Freud a montré des effets différents pour chaque sexe du complexe de castration, de l'importance pour la fille de l'attachement préœdipien à la mère, de la prévalence du phallus pour les deux sexes justifie son rejet du terme de complexe d'Électre qui présuppose une analogie entre la position de la fille et celle du garçon à l'égard de leurs parents» (J. Laplanche, J.-B. Pontalis, 1973, p. 78-79). «C'est seulement chez l'enfant mâle que survient la fatale conjonction de l'amour du parent de sexe opposé et la haine du parent du même sexe, le rival» (S. Freud, «De la sexualité féminine», 1931).

6. Pour différentes approches critiques de l'androcentrisme psychanalytique, cf. notamment Simone de Beauvoir, *Le Deuxième Sexe*, 1949, I, p. 80 et *passim*; Luce Irigaray, *Speculum*, 1974, et *Ce sexe qui n'en est pas un*, 1977; Sarah Kofman, *L'Énigme de la femme*, 1980, notamment p. 163-170; Christiane Olivier, *Les Enfants de Jocaste*, 1980. Pour une démonstration suggestive de l'androcentrisme des chercheurs en général, cf. Fabio Lorenzi-Cioldi, *Individus dominants et groupes dominés*, 1988, p. 54-55.

7. S. Freud, «De la sexualité féminine», 1931, p. 142, et «Sur la féminité», 1932, 1971, p. 169. Le caractère irrecevable de cette assertion a été heureusement souligné: «Une position œdipienne où la fille s'identifie vraiment à la mère pour la supplanter auprès du père ne nous paraît en rien confortable. Les obstacles auxquels la fille se heurte en ce cas à la fois dans son amour pour son père et dans sa rivalité avec sa mère sont assez terrifiants pour que le complexe d'Œdipe de la fille soit, non moins que celui du garçon, le "noyau des névroses"» (Janine Chasseguet-Smirgel, *La Sexualité féminine*,

1964, 1982, p. 179). On peut regretter qu'André Green, proposant sa propre lecture des formes du complexe d'Œdipe dans la tragédie, n'ait pas pris acte du fait qu'il décrit toutes les configurations possibles du couple désiré-désirant (mère/fils, épouse/époux, fille/père), *sauf* celles qui mettraient en jeu un sujet de désir féminin envers un objet masculin, et notamment la configuration père désiré/fille désirante, dont l'homologue masculin constitue pourtant, avec le complexe d'Œdipe, un schème fondamental dans la théorie analytique («*L'Orestie, Othello, Iphigénie en Aulide* nous révèlent la face la plus ombreuse, la plus cachée du complexe d'Œdipe. L'envers de ce complexe, puisque à chaque fois la conclusion aboutit à la mort de l'objet du désir donnée par le désirant : ainsi de la mère par le fils, de l'épouse par l'époux, de la fille par le père» (A. Green, 1969, p. 221).

8. Paul Veyne a bien mis en évidence la différence, fondamentale, entre ces deux pratiques de la comparaison, dont la confusion est source de malentendus récurrents (*L'Inventaire des différences*, 1976, p. 21).

9. Mythe et roman ont fait l'objet de maintes comparaisons, pour en marquer soit les analogies, tel Claude Lévi-Strauss mettant en évidence la continuité entre récit mythologique et roman-feuilleton (*Mythologiques, III : L'origine des manières de table*, 1968, p. 105-106), soit, plus souvent, les différences : tel Marc Augé, pour qui le propre du mythe est de mettre en scène un héros sans auteur et le propre du roman d'introduire une psychologie individuelle (*Génie du paganisme*, 1982, p. 170) ; tel Paul Ricœur, qui caractérise le roman par la nouveauté de l'intrigue et la particularisation des personnages (*Temps et récit, II : La configuration dans le récit de fiction*, 1984, p. 24) ; tel encore Northrop Frye (1976), qui propose une gradation des modes fictionnels selon la position hiérarchique du héros à l'égard des autres humains et de son environnement. Paul Veyne enfin (1983) a montré l'irrecevabilité d'une conception du mythe qui fonderait sa spécificité sur la «croyance» mise en œuvre par le récepteur. Pour des approches plus littéraires de la question, cf. Gérard Genette, *Fiction et diction*, 1991, p. 34-35 ; Michel Zéraffa, *Roman et société*, 1971.

10. Maintenu dans une position secondaire dans la hiérarchie académique des valeurs cultivées, «ce triste genre du roman», comme l'écrivait Michelet en 1859 dans *L'Amour*, ne sera pas admis à l'Académie française avant la seconde moitié du xixᵉ siècle, et ne connaîtra qu'à partir du xxᵉ siècle l'essor qui lui vaut son actuel prestige, inégalé dans toute l'histoire de la culture occidentale (cf. P. Chartier, 1990, p. 29, 48, 107-108). Les spécialistes datent de *La Princesse de Clèves* (1678) l'inauguration du roman «vraisemblable» qui ne soit ni une nouvelle ni un roman d'aventure et de chevalerie, comme le signifiait le mot «roman» au xviiᵉ (cf. J. D. Lyons, «Le roman s'affirme», in Denis Hollier (s.l.d.), *De la littérature française*, 1989, 1993).

11. N'en donnons qu'un exemple, emprunté (pour le plaisir d'une coïncidence rien moins qu'anodine) à Daphné Du Maurier qui elle-même le tient des sœurs Brontë : «Lorsque Branwell plongea la main dans son chapeau — réceptacle habituel de ses griffonnages — où il croyait avoir fourré son poème manuscrit, il s'aperçut qu'il y avait mis par erreur des feuillets détachés d'un roman sur lequel "il se faisait la main". Navré de la déception qu'il nous causait, il allait remettre les feuilles dans son chapeau lorsque nous, ses amis, le pressâmes de nous les lire, curieux de voir comment il maniait la plume du romancier. Non sans quelques hésitations, il accéda à notre requête

et nous tint en haleine pendant près d'une heure...» (*Le Monde infernal de Branwell Brontë*, 1960).

12. Cf. Roger Caillois, «Puissances du roman», in *Approches de l'imaginaire*, 1974, et Marc Angenot, *Le Roman populaire*, 1975.

13. B. Bettelheim, *Psychanalyse des contes de fées*, 1976, 1988, p. 177. Cf. aussi Pierre Saintyves, *Les Contes de Perrault*, 1923, et Marie-Louise von Franz, *La Femme dans les contes de fées*, 1972.

14. Outre la récurrence des figures de seconde, le roman partage avec le conte quelques-unes des figures identifiées par Propp dans les contes: la «lutte contre l'antagoniste», les «prétentions non fondées du faux héros», le «dévoilement du faux héros», la «transfiguration», la «punition du faux héros ou de l'antagoniste», les «noces» et l'«accession au trône» — toutes figures qui dans *Rebecca* se retrouvent dans la partie finale, la plus «romanesque», ouvrant à la résolution fantasmatique du drame (cf. Vladimir Propp, *Morphologie du conte*, 1928).

15. Gérard Genette, *Figures III*, 1972, p. 68.

16. S. Freud, «La féminité», 1932, 1971, p. 177.

17. Sur le fanatisme quasi religieux du réductionnisme sexuel chez Freud, le témoignage de Jung (1961, p. 177-178) est très suggestif. La primauté de la question identitaire sur la question sexuelle a été toutefois évoquée par des psychanalystes, telle Nicole Berry: «Le besoin d'être reconnu par un être humain, d'être distingué dans sa singularité peut être plus essentiel que le besoin d'amour»; ou encore: «Le sentiment de notre identité n'est-il pas plus important, plus implorant que le plaisir?» (*Le Sentiment d'identité*, 1987, p. 14 et 78).

18. Avant d'être un *topos* de la doctrine freudienne, la fameuse «énigme de la féminité» fut un lieu commun de la littérature romanesque, comme le souligne Pierre Fauchery à propos des romans du XVIIIᵉ siècle en lesquels «s'épanouit un nouvel avatar de la femme, qui manifeste l'impossibilité congénitale de toute explication. L'être féminin est en ce cas présenté comme déjouant toutes les techniques de la connaissance: objet sans doute — et qui importe vitalement à celui qui s'y intéresse —, il devient l'objet parfait, en ce sens qu'il ne peut être saisi. [...] Mais toute femme n'est-elle pas candidate à la fonction énigmatique? De l'énigme euphorique à l'énigme pernicieuse, les romanciers ont vingt façons de nous donner à contempler le sphinx éternel» (P. Fauchery, 1972, p. 556-557).

19. Jacques Lacan, *Écrits*, 1966, p. 736. Les initiés connaissent probablement d'autres textes susceptibles d'apporter des réponses, mais leur complexité en interdit l'approche et, plus encore, la discussion. Lacan ayant pris soin de dresser de tels obstacles à sa propre lecture, la meilleure façon de le prendre au sérieux n'est-elle pas de ne pas chercher à les surmonter?

20. La remarque en a notamment été faite par Jean Laplanche dans *Le Fourvoiement biologisant de la sexualité chez Freud*, 1993, p. 106-107, en une suggestive contribution à la critique du réductionnisme sexuel chez Freud, proposée également, sur un plan psycho-sociologique, par Gérard Mendel, *La Psychanalyse revisitée*, 1988, p. 24 et 105.

21. Pour son analyse socio-économique, cf. François de Singly, *Fortune et infortune de la femme mariée*, 1987.

22. Marina Tsetaeva, *Neuf lettres, avec une dixième retenue, et une onzième reçue*, 1987.

23. Des psychanalystes le disent à leur façon : « Quelles que soient nos intentions en prenant pour mari ou pour femme ceux qui sont déjà mari ou femme d'un autre, nous modifions le champ des forces symboliques. Quel que soit le discours que nous tenons et la pureté "de nos cœurs et de nos paumes", dans le monde de la parole, deux sujets ne peuvent pas plus se dresser au même lieu que dans le monde physique. On ne peut pas discuter avec cette vérité-là sans finir par se perdre soi-même » (Marie Balmary, *Le Sacrifice interdit. Freud et la Bible*, 1986, p. 179-180) ; ou encore : « Une fois admis que la rivalité fondamentale, pour une femme, est avec l'Autre-femme (qui rappelons-le... n'existe pas comme telle, c'est sa "place" et sa fonction qui sont incontournables)... » (Daniel Sibony, 1978, 1984, p. 16).

24. « Il me paraît essentiel de remarquer ici que la fascination exercée par les histoires de sorciers tient avant tout à ce qu'elle s'enracine dans l'expérience réelle, encore que subjective, que chacun peut faire, en diverses occasions de son existence, de ces situations où *il n'y a pas de place pour deux*, situations qui prennent dans les récits de sorcellerie la forme extrême d'un duel à mort. Pour qu'un effet de conviction et de fascination puisse être produit par ces récits, il faut bien que ce registre de l'expérience subjective, sous quelque forme que ce soit, existe réellement et que nul n'y puisse échapper. Sans quoi l'on ne pourrait comprendre pourquoi ceux qui y ont été affrontés [...] éprouvent le besoin d'en faire à d'autres la relation, pourquoi les destinataires naturels de celle-ci [...] désirent à ce point la refaire à qui peut l'entendre, pourquoi j'ai été moi-même rassembler ces récits sans jamais me laisser rebuter par la difficulté de l'entreprise et pourquoi je les transmets aujourd'hui à des lecteurs dont on peut bien supposer qu'ils ne se sont pas engagés tout à fait par hasard à me suivre dans cette aventure » (J. Favret-Saada, 1977, p. 96-97).

25. J. Favret-Saada, « La genèse du "producteur individuel" », 1989, p. 494-495.

XIII. CONCUBINES ET MAÎTRESSES

1. Michel Serres souligne la présence très ancienne de cette opposition entre épouse et maîtresse : « Lot, Orphée : la leçon juive fait courir l'épouse devant ; suit, derrière, la maîtresse dans la légende grecque ; femme solidifiée dans le premier texte, pour le deuxième récit évanouie ; dans un cas visible à jamais, permanente ; perdue pour toujours, introuvable dans l'autre » (M. Serres, *Statues*, 1987, p. 331-332).

XIV. COURTISANES ENTRE SPLENDEUR ET MISÈRE

1. Dumas, qui situe son roman dans la continuité de l'abbé Prévost, rappelle que « Hugo a fait *Marion Delorme*, Musset a fait *Bernerette*, Alexandre Dumas a fait *Fernande*, les penseurs et les poètes de tous les temps ont apporté à la courtisane l'offrande de leur miséricorde ». Sur les opéras traitant ce thème (*La Traviata, Manon Lescaut, Madame Butterfly*), cf. Catherine Clément, *L'Opéra ou la défaite des femmes*, 1979.

XV. FEMMES DE MAUVAISE VIE

1. Sur l'actrice comme «emblème de la femme imaginaire», cf. Stéphane Michaud, *Muse et madone. Visages de la femme de la Révolution française aux apparitions de Lourdes*, 1985.

2. J. Guillais-Maury, «La grisette», in Arlette Farge, Christiane Klapisch-Zuber, *Itinéraires de la solitude féminine, xviiie-xxe siècle*, 1984, p. 233.

XVI. DE LA FILLE DÉCHUE À LA FILLE DES RUES

1. «C'était ordinairement des femmes pauvres, des servantes, des étrangères à la ville, ou des femmes suspectées d'avoir des rapports sexuels hors mariage avec un ou plusieurs hommes. À tort ou à raison, toutes étaient d'ailleurs considérées par leurs ravisseurs comme des filles ou femmes de mauvaise vie. Et, quoi qu'il en fût, le viol collectif et public les faisait basculer de la catégorie des femmes honnêtes à laquelle elles prétendaient appartenir dans celle des filles "publiques et communes", c'est-à-dire de la catégorie contrôlée par les hommes mariés à celle qui était abandonnée aux célibataires» (J.-L. Flandrin, 1981, 1986, p. 284-285).

2. Publiés respectivement en 1947 et 1956. Sur ces romans, cf. Marie Guérin, Dominique Paulvé, *Le Roman du roman rose*, 1994.

3. Symptomatiques de la difficulté à définir la prostitution sont les glissements sémantiques : *demi-monde* et *demi-mondaine* «désignaient à l'origine des femmes devenues libres (veuves, séparées, étrangères) mais marginales et dont on connaît mal le statut matrimonial [...] Très vite, c'est-à-dire dès la chute de l'Empire, et probablement auparavant, le "demi-monde" est devenu une "variété de la galanterie" qui alimente les premières maisons de rendez-vous ; le qualificatif de "demi-mondaine" désigne dès lors une prostituée de haut vol» (Alain Corbin, *Les Filles de noce. Misère sexuelle et prostitution*, 1978, p. 191).

XVII. LA GOUVERNANTE

1. Ce dispositif à quatre narrateurs a été analysé par Michel Butor : «L'usage des pronoms personnels dans le roman», in Ignace Meyerson, *Problèmes de la personne*, 1973.

2. Sur ces deux postures fondamentales — «tautologique» et «croyante» —, cf. Georges Didi-Huberman, *Ce que nous voyons, ce qui nous regarde*, 1992, chap. II. Sur «l'incroyable et ses preuves», cf. le n^e 14 de la revue *Terrain* (1990), et notamment Élisabeth Claverie, «La Vierge, le désordre, la critique».

3. «À côté de la masse des 750 000 femmes domestiques en Angleterre en 1851, on ne compte que 25 000 gouvernantes. Malgré cet effectif modeste, insignifiant dans l'économie et politiquement inexistant, elles deviennent la figure emblématique des valeurs, problèmes et peurs de la classe moyenne vic-

torienne. Par définition, c'est une femme qui enseigne à domicile, ou bien une femme qui habite dans une famille pour tenir compagnie et faire la classe aux enfants. En fait, la gouvernante vit douloureusement la contradiction entre les valeurs attribuées à son éducation de *gentlewoman* et les fonctions qu'elle se trouve contrainte d'exercer» (Christine Dauphin, «Femmes seules», in G. Duby, M. Perrot, 1991, IV, p. 452).

4. La condition particulièrement cruelle faite aux domestiques, utilisées par les maîtres comme esclaves sexuelles puis chassées dès qu'elles étaient enceintes, a été remarquablement étudiée par Anne Martin-Fugier, qui note que «être célibataire et enceinte est quasiment un stéréotype de la condition domestique» (*La Place des bonnes*, 1979, p. 321). «Vécue comme préparation au mariage, la condition de domestique est souvent transitoire [...]. Mais, comme le suggèrent les fortes proportions de célibataires jusqu'à cinquante ans et au-delà encore en activité, le service chez les autres prend un caractère permanent et voue des milliers de femmes au célibat» (Ch. Dauphin, *ibid.*, p. 451-452). Martha Vicinus montre l'augmentation régulière des femmes célibataires de plus de quarante-cinq ans en Angleterre, dont près de la moitié étaient employées comme domestiques au début du siècle (*Independant Women. Work and Community for Single Women, 1850-1920*, 1985).

5. Dans les romans du xviiie la série des épreuves a souvent pour fin le rétablissement de la véritable condition originelle, faisant de la gouvernante une déclassée par erreur: «Bien souvent, nous avons affaire à un déclassement originel, qui sera rectifié par un reclassement final» (P. Fauchery, p. 229-230).

6. «S'opposant à l'héroïne, elle sera grande, sèche, cheveux gris tirés en un chignon serré sur la nuque, vêtements sombres et sévères, et visage hostile [...]. Si la gouvernante-opposante est inconditionnellement dévouée au héros, elle deviendra, à la fin du roman, une alliée de l'héroïne; si, au contraire, elle persiste dans son comportement malveillant, elle sera chassée» (J. Bettinotti, 1990, p. 43).

7. L'histoire du terme *parthenos* suggère qu'il en allait de même en Grèce ancienne, puisqu'il «désignait simplement une personne de sexe féminin, qui, *vierge ou non*, n'était pas *mariée* — c'est-à-dire n'était pas soumise à un époux» (G. Devereux, *Femme et mythe*, 1982, 1988, p. 80).

8. A. Farge, Ch. Klapisch-Zuber, *Itinéraires de la solitude féminine*, 1984, p. 7. «Dans le triangle conflictuel parents-enfants, la gouvernante ne peut trouver de solidarité auprès des autres domestiques. Nourrie, logée, fort peu payée, quand elle devient malade, trop vieille pour travailler ou quand elle perd son emploi, il lui reste à se tourner vers l'assistance temporaire. [...] Promiscuité mais sans connaître l'intimité, exil mais sans espoir de retour, gestion des maisons sans foyer, enfermement qui implique le contrôle des corps et la négation de l'identité» (Ch. Dauphin, *ibid.*).

XVIII. LA VIEILLE FILLE ET LE BAS-BLEU

1. Ce terme «vient de l'anglais *blue-stocking*, mot attribué à Benjamin Stillingfleet, membre de l'entourage de lady Montague (1690-1762) qui aurait, disait-on, préféré les bas de laine aux bas de soie. [...] Dès les années 1840, la *Physiologie du bas-bleu* de Frédéric Soulié annonçait, si on ose dire, la cou-

leur : "Molière les appelait des *femmes savantes*. [...] Du moment qu'une femme est *Bas-Bleu*, il faut absolument dire d'elle : il est malpropre, il est malfaisant, il est une peste"» (Christine Planté, *La Petite Sœur de Balzac*, 1989, p. 28).

2. « Le roman du xvIIIe siècle ne cessera de présenter expressément la littérature féminine comme un ersatz malencontreux de l'amour ; et les romancières ne seront pas les dernières à caricaturer leurs consœurs. La femme "savante", et plus généralement ce que nous appellerions l'intellectuelle, n'est pas beaucoup mieux traitée. Si les auteurs font volontiers crédit à certaines femmes de connaissances approfondies, c'est à condition qu'elles aient la pudeur de les cacher ; et peu d'entre elles en trouvent le courage. Aussi échappent-elles rarement au ridicule» (P. Fauchery, 1972, p. 438).

3. M. Cacouault, «Diplôme et célibat», in A. Farge, Ch. Klapisch-Zuber, 1984, p. 177. Le contraste est patent entre les instituteurs, pour qui le célibat est l'exception, et les institutrices, pour qui il est la règle, dans l'image de leur condition comme dans sa réalité (cf. Jean et Mona Ozouf, *La République des instituteurs*, 1992, p. 321-323). Sur la condition des filles dans les écoles normales, cf. Yvette Delsaut, *La Place du maître*, 1992.

4. Pour trouver une figure d'intellectuelle héroïque, force est de quitter l'univers du roman pour entrer dans celui de l'histoire contemporaine, avec le personnage de Simone Weil, enseignante, militante et convertie, qui réalisa une conjonction exceptionnelle des vocations intellectuelle, politico-prophétique et spirituelle. Par l'exemplarité de sa vie et de sa mort tragique, elle représente de fait l'une des rares figures à la fois héroïques et saintes de la tierce, mais réelle et non pas fictionnelle — dont s'inspira Roberto Rossellini dans *Europe 51*, interprété par Ingrid Bergman (cf. Marie-Magdeleine Davy, *Simone Weil, sa vie, son œuvre*, 1966).

5. Il a existé des formes professionnalisées de la dévotion : célibataires semi-religieuses, intermédiaires entre clercs et laïcs, les béates assuraient l'éducation des enfants et les soins aux malades. Cf. E. Schulte Van Kessel, «Vierges et mères entre ciel et terre», in G. Duby, M. Perrot, 1991, III.

XIX. LA VEUVE

1. «Pour ces femmes le veuvage se donne comme un destin clos, les zones intéressantes du monde se sont éteintes. [...] On tient donc là une des figurations favorite de la femme renonçante. [...] À l'inverse, le veuvage sera pour beaucoup de femmes de roman le signal d'un déchaînement d'appétits» (P. Fauchery, 1972, p. 419-421).

2. «La tâche de la mère est de produire non pas seulement un enfant mais un champ de possibilités dans lequel cet enfant pourra devenir quelqu'un d'autre, une autre personne. Si la mère ne parvient pas à engendrer un champ d'action réciproque, de manière telle que l'enfant apprenne comment l'affecter en tant qu'autrui, lui ne jouira pas des premières conditions nécessaires à la réalisation de son autonomie personnelle. Il restera à jamais une chose, un appendice, quelque chose d'à peine humain, une poupée animée» (David Cooper, *Psychiatrie et anti-psychiatrie*, 1967, 1970, p. 42-43).

3. Cf. Alice Miller, *L'Enfant sous terreur. L'ignorance de l'adulte et son prix*, 1981 et *La Connaissance interdite. Affronter les blessures de l'enfance dans la*

thérapie, 1988. Cette rupture avec la psychanalyse est intervenue après une suggestive analyse de l'abandon par Freud de la théorie de la séduction au profit de la théorie des pulsions, propre à «détourner l'attention de l'action de l'adulte pour la reporter sur les fantasmes de l'enfant, se ralliant ainsi à la génération qui avait été marquée par la "pédagogie noire"» («La solitude du découvreur», in *L'Enfant sous terreur*, 1981, 1986, p. 137).

4. Cf. en particulier l'enfance de Hitler analysée dans *C'est pour ton bien. Racines de la violence dans l'éducation de l'enfant*, 1983 ; celle de Kafka dans *L'Enfant sous terreur*, 1981 ; celle de Nietzsche dans *La Souffrance muette de l'enfant. L'expression du refoulement dans l'art et la politique*, 1988. L'abus narcissique trouve une illustration frappante dans le cas de Romain Gary, dont l'analyse par Pierre Bayard, quoique non articulée avec une théorie de l'identité, suggère ce que produit l'emprise maternelle lorsqu'une veuve attend de son enfant qu'il réalise à sa place le destin grandiose dont elle-même est incapable : emprise génératrice d'un dédoublement qui, lorsqu'il ne parvient pas à se réaliser dans la fiction qu'autorise l'écriture, ne peut trouver d'exutoire que dans la mythomanie, le mensonge, ou le suicide — toutes solutions adoptées, l'une après l'autre et avec le succès que l'on sait, par Romain Gary (cf. Pierre Bayard, *Il était deux fois Romain Gary*, 1990).

5. Il ne manque ainsi à l'analyse de François Héran — qui montre comment la préférence accordée à la possession de chiens ou de chats se distribue selon la structure du capital, économique ou culturel — que la prise en compte de son évolution selon les âges de la vie (cf. F. Héran, «Comme chiens et chats. Structures et genèse d'un conflit culturel», 1988).

6. Cf. Pierre Bourdieu, «L'invention de la vie d'artiste», repris dans *Les Règles de l'art*, 1992.

XX. AUX FRONTIÈRES DES ÉTATS DE FEMME

1. Il est dommage que l'ouvrage classique d'Erving Goffman ne fasse qu'une rapide allusion à cette question, pourtant fondamentale, de l'atteinte au sentiment de justice, lorsque l'auteur, à propos de l'utilité pour les normaux d'une «bonne adaptation» du stigmatisé, note que «cette utilité, c'est que l'injustice et la souffrance que représente le poids d'un stigmate ne leur apparaissent jamais» (*Stigmates*, 1963, 1975, p. 144).

2. Ce «marquage» du singulier semble récurrent en matière de sorcellerie : «Le *piqueur* recherche la marque diabolique sur le corps de la supposée sorcière en piquant avec des épingles les zones suspectes. [...] Il est probable que la malheureuse portant une marque sera un jour désignée aux juges par ses concitoyens. En tout cas, de sérieuses menaces pèsent sur sa tête» (Robert Muchembled, *La Sorcière au village, xvᵉ-xviiiᵉ siècle*, 1979, 1991, p. 128-130). Comme dans les camps de concentration, où toute caractéristique physique hors du commun exposait à être désigné avant les autres à l'attention des bourreaux, le marquage qui singularise est, en temps de crise, un danger, une menace.

3. Cf. R. Muchembled, 1979, 1991, p. 176; J.-M. Sallmann, «Sorcière», in G. Duby, M. Perrot, 1991, III, p. 456; M. Augé, 1982, p. 216-218.

4. Jules Michelet, *La Sorcière*, 1862, 1964, p. 343.

5. «L'exemple le plus clair de la multiplicité des modèles est peut-être

offert par une autre caractéristique de la vie de sorcière [...]: l'errance»
(Nicole Jacques-Chaquin, «Vies de sorcières», 1985, p. 70). «La sorcellerie
serait la manifestation d'un pouvoir psychique anti-social émanant de personnes qui se situent dans les régions relativement non structurées de la société.
Dans les cas où celle-ci peut difficilement exercer un contrôle sur ces individus, elle les accuse de sorcellerie, ce qui est une manière de les contrôler. Ce
serait donc dans la non-structure que réside la sorcellerie. Les sorciers [...] ins-
pirent les mêmes craintes et la même antipathie que les ambiguïtés et contradictions que l'on trouve dans d'autres structures de pensée; et les pouvoirs
qu'on leur attribue imposent leur statut ambigu et inarticulé. [...] Ce sont des
intrus légitimes. Jeanne d'Arc en est le prototype par excellence: paysanne à
la cour, femme en armure, et intruse dans les conseils de guerre. Accusée de
sorcellerie, elle devient membre à part entière de cette catégorie» (M. Douglas, 1967, 1981, p. 119).

6. Cf. René Girard, *La Violence et le sacré*, 1972.

7. L'entreprise de Loti ne fut pas tout à fait vaine puisque c'est ce terme de
«désenchantée» que Louise Weiss utilisera quelques années plus tard — mais
pour se qualifier elle-même — en faisant, à la veille de la Première Guerre
mondiale, l'expérience symétrique d'une Occidentale rejetée de cette féminité
de harem (L. Weiss, *Souvenirs d'une enfance républicaine*, 1937, p. 165).

8. Cette histoire s'inscrit dans la continuité du rapport très complexe entre
réalité et fiction, identité réelle et identité romanesque, que ne cessa d'entretenir Pierre Loti, alias Julien Viaud, à la faveur de son pseudonyme et de ses
quelques hétéronymes de fiction: cf. Bruno Vercier, «Loti: Fiction», 1993.

9. «L'impact du roman — un million d'exemplaires, lus par 12 à 25 % des
Français, des traductions dans douze langues étrangères — est à la mesure
du scandale qui valut à l'auteur sa radiation de la Légion d'honneur. [...] Le
débat s'engage publiquement, dans la presse surtout, mais aussi au sein des
familles. Les journalistes, les hommes politiques, les romanciers rangés
condamnent, parfois en des termes d'une extrême virulence, la "femme qui
vit sa vie", la "garce". La plupart des féministes sont choquées par le caractère "pornographique" du roman. La gauche, divisée, défend la liberté d'expression mais se montre réservée sur le fond. Les communistes, qui renvoient
l'émancipation féminine à l'après-révolution, affichent leur mépris pour ces
"pseudo-revendications" d'un "bourgeois républicain". Seules les féministes
révolutionnaires, principalement des institutrices syndiquées à la CGTU,
appuient le modèle au nom de l'égalité des sexes» (A.-M. Sohn, «Les rôles
féminins en France et en Angleterre, in G. Duby, M. Perrot, 1991, V, p. 92-
93). Sur les effets produits sur les hommes par l'émancipation des femmes,
cf. Annelise Maugué, *L'Identité masculine à la fin du siècle*, 1987.

XXI. À LA RECHERCHE
DE L'IDENTITÉ PERDUE

1. Pour tout ceci, cf. notamment G. Duby, M. Perrot, 1991.

2. Cf. Susan R. Gorsky, «Old Maids and New Women: Alternatives to
Marriage in Englishwomen's Novels, 1847-1915», 1973.

3. Sören Kierkegaard, *Traité du désespoir*, 1849, 1973, p. 93-95 et 103.

4. Aussi «les figures de femmes libres, mises en exergue dans les études sur

le XVIIIe siècle, ne sont jamais confondues avec des vieilles filles» (Ch. Dauphin, «Histoire d'un stéréotype: la vieille fille», in A. Farge, Ch. Klapisch-Zuber, 1984, p. 215).

5. «Cette liaison s'est constituée selon un modèle hérité du XVIIIe siècle: la dame tient un salon au centre duquel évolue son grand homme d'amant. [...] Ces couples illégitimes ne sont pas chargés, comme les légitimes, de la transmission du nom et du patrimoine, mais ils ont néanmoins une fonction sociale importante: entretenir, faire régner et transmettre, par la politique et la protection des arts, la supériorité de l'esprit» (A. Martin-Fugier, 1990, p. 212).

6. L'histoire, là encore, est riche de tels exemples, au point qu'en 1843 le comte de Castellane voulut constituer une académie de femmes: projet qui, entre autres obstacles, se heurta à des dissensions sur la tenue, jusqu'à ce que «quelqu'un les mît d'accord en plaidant la cause du turban, seyant à tout âge et devenu, depuis Mme de Staël, le symbole des femmes de lettres» (*ibid.*, p. 306). «Les femmes sont de plus en plus nombreuses, au cours du siècle dernier, à écrire et dans des genres de plus en plus divers. On ne dénombre pas moins de 778 femmes qui écrivent, dont on voit les noms sur les catalogues des libraires, à la fin du XIXe siècle. D'après une autre estimation, d'une vingtaine en 1860, les femmes de lettres sont passées à plus de 700 en 1908, chiffre maintenu en 1928 sur un total de 3 000 écrivains français» (Monique de Saint-Martin, «Les femmes écrivains et le champ littéraire», 1990, p. 52). Sur les contradictions des femmes écrivains (Sand, Eliot, Colette), cf. A. Maugué, «Identités sexuelles en crise», in G. Duby, M. Perrot, 1991, IV, p. 531-533.

7. Danielle Deltel, «Colette: l'autobiographie prospective», in S. Doubrovsky, J. Lecarme, Ph. Lejeune (s.l.d.), *Autofictions et Cie*, 1993, p. 123 et 133. «Colette va ainsi jusqu'au bout de son entreprise: elle se disait par l'intermédiaire de personnages de fiction, elle va maintenant se dire comme personnage de fiction. Cette démarche originale est née de la prise de conscience de ce qu'impliquait la forme d'écriture pratiquée jusque-là. On n'écrit pas impunément: on construit l'autre comme soi, on se découvre dans l'écriture, l'écriture modèle la vie» (p. 130).

8. «Sur le choix de pseudonymes masculins, on a longuement épilogué et il est certain que, quelle que soit la commodité sociale réelle qu'ils ont représentée, d'abord pour les femmes qui les utilisaient, cette explication n'épuise pas le problème. Les critiques masculins voulurent le plus souvent y voir l'indice d'une tendance à la virilité qui aurait expliqué une puissance intellectuelle anormale chez une femme, le reniement d'une féminité déçue, ou un signe d'ambition et de jalousie» (Ch. Planté, 1989, p. 34). Mais il faut se garder d'imputer à une spécificité féminine une situation propre à la vie littéraire en général, qui peut inciter les romanciers autant que les romancières à dissimuler leur véritable identité (cf. Roger Chartier, 1993, p. 1006). Sur le paradoxe de la pseudonymie féminine comme stratégie du secret dans un univers de publicité, cf. Mary Kelley, *Private Women, Public Stage: Literary Domesticity in Nineteenth Century America*, 1984, p. 128. Sur le pseudonyme d'écrivain, cf. Maurice Laugaa, *La Pensée du pseudonyme*, 1986.

9. «Ainsi en va-t-il de la femme auteur, pour qui le substantif féminin semble si difficile à former. On s'y essaie, pourtant, et l'on trouve dans ces années des *auteures, autrices, auteuses* et *autoresses*, sous la plume des

hommes, souvent par manière de dérision ou d'ironie, comme sous celle des femmes en guise d'affirmation de soi et de revendication. Ces féminins sont peut-être trop nombreux pour inspirer confiance, en tout cas pour s'imposer vraiment dans les usages ; d'ailleurs, pour de Maistre, encore, s'"il en est des nations comme des individus : il y en a *qui n'ont point de nom,* il en est d'autres qui en ont plusieurs, et cette *polyonomie* est tout aussi malheureuse". C'est un peu le cas de la femme auteur : n'ayant pas de nom commun, dans la langue, pour désigner son activité et sa place, n'ayant pas non plus vraiment de nom *propre,* puisqu'elle perd par le mariage celui de ses ancêtres et, de toute façon, celui de sa mère, ce qui rend impossible la constitution de lignées fémi-nines, elle s'invente des noms et, se nommant elle-même, transgresse les lois, celles de Dieu, disent certains, en tout cas, celles des hommes, et l'ordre d'un monde d'où elle s'expose par là même à se voir rejetée. Quand Ballanche fait de la sécession du peuple romain sur l'Aventin l'archétype des révolutions symboliques qui inaugurent une nouvelle phase de l'histoire, il montre que les plébéiens demandent, ou plutôt prennent alors, deux choses : le droit au nom, et le droit à la parole publique. Les femmes qui écrivent et publient, symboliquement du moins, font de même et leurs sécessions individuelles, quoique plus modestes, ne passent pas inaperçues » (Christine Planté, 1989, p. 25).

10. Theodor Zeldin en propose quelques repères romanesques à partir du tournant du siècle : *Les Vierges fortes* de Marcel Prévost en 1900 et, la même année, *Les Sévriennes* de Gabrielle Réval ; *Les Cervelines* de Colette Yver en 1903 ; *Histoire de Sibylle* de Renée-Toby d'Ulmès en 1904 ; *La Rebelle* de Mar-celle Tinayre en 1905, qui illustre sur le mode victorieux l'opposition entre émancipation et amour ; *Ruban de Vénus* de Gabrielle Réval en 1906 ; *Prin-cesses de sciences* de Colette Yver en 1907 ; et bien sûr, quinze ans plus tard, *La Garçonne* de Victor Margueritte, ou encore *Hélène Barraux, celle qui défiait l'amour* de Camille Marbo en 1926 (Th. Zeldin, *Histoire des passions françaises I,* 1973, 1978, p. 410, et Jules Bertaut, *La Littérature féminine d'aujourd'hui,* 1907). Cf. aussi Grace Stewart, *A New Mythos. The Novel of the Artist as Heroine, 1877-1977,* 1979. À l'opposé, on trouve des satires de l'éman-cipation des femmes par l'écriture, tel *Maison pour dames* de Jean Lorrain (1908), contant les mésaventures d'une provinciale devenue lauréate d'un concours de poésie organisé par un journal, dont on découvre que sous couvert de féminisme il est un lieu de débauche.

11. « Ce n'est qu'en 1907 que la femme dispose librement de son salaire alors qu'une mesure analogue a été prise dès 1870 outre-Manche. Dans l'en-tre-deux-guerres, le statut civil des femmes est remanié dans les deux pays et de façon similaire, afin de légaliser une émancipation entrée dans les mœurs. C'est ainsi qu'en France, une femme peut désormais adhérer à un syndicat sans l'autorisation de son époux (1920), conserver sa nationalité en cas de mariage avec un étranger (1927). Les droits de la veuve dans la succession de son mari sont renforcés face à la parentèle, soulignant l'importance crois-sante du couple au détriment de la lignée. Mais, surtout, la loi du 18 février 1938 supprime l'incapacité civile de la femme mariée, abrogeant, de fait, l'ar-ticle 215 et la puissance maritale. La femme mariée peut, dès lors, ester, contracter, ouvrir un compte, poursuivre des études et passer un examen, demander un passeport, sans en référer à l'époux » (A.-M. Sohn, « Les rôles féminins en France et en Angleterre », in G. Duby, M. Perrot, 1991, V, p. 109).

12. « La loi de 1884, quoique inégalitaire puisque le mari adultère ne peut être condamné que s'il entretient une concubine au domicile conjugal, a d'abord profité aux femmes. Celles-ci sont toujours demanderesses dans plus de la moitié des instances. De plus, le nombre de procédures ne cesse de croître : 8 000 dans les années 1880 [...], 25 000 en 1935 » (A.-M. Sohn, p. 108).

13. Cf. Colette Dowling, *Le Complexe de Cendrillon. Les femmes ont secrètement peur de leur indépendance*, 1981.

14. Dans son étude des romans sentimentaux, Bruno Péquignot distingue trois périodes du roman Harlequin : après une première période (1977-1982) conforme aux états de femme traditionnels, où l'héroïne est vierge et souvent orpheline et où il n'y a pas de relation sexuelle, c'est dans la deuxième période (1982-1988) qu'apparaissent des femmes divorcées, veuves ou déjà initiées au sexe, et plus âgées (cf. B. Péquignot, 1991, p. 17-18).

15. Il faudrait ainsi explorer l'imaginaire des scénarios télévisés, comme l'a fait Sabine Chalvon-Demersay avec des projets émanant de non-professionnels (*Mille scénarios. Une enquête sur l'imagination en temps de crise*, 1994).

LES STRUCTURES ÉLÉMENTAIRES DE L'IDENTITÉ FÉMININE

1. Développée dans une conférence en 1987 (École des hautes études en sciences sociales) cette réflexion a été reprise dans N. Elias, « The Changing Balance of Power between the Sexes », 1987.

2. « J'ai trouvé l'homme qui va avec la robe de ma vie » : à travers l'inversion comique des valeurs, ce slogan publicitaire pour une marque de vêtements trahit remarquablement la réalité du désir matrimonial chez les femmes, qui relève moins d'une question affective et sexuelle (trouver l'homme de sa vie) que d'une question identitaire (être mariée), manifestée par le vêtement (la robe).

3. Cf. Erik Erickson, *Identity and the Life Cycle*, 1959.

4. C'est ce que souligne notamment Georges Devereux : « L'homme ne doit remodeler que la teneur affective de sa relation initiale, en la sexualisant [...]. La femme en puissance doit, en revanche, suivre un chemin plus tortueux : elle doit *devenir* elle-même ce qui était d'abord l'*objet* de son (premier) amour. Elle doit achever son autoréalisation en devenant l'autre terme de sa première relation. Or, ce cheminement comporte nécessairement une traversée du désert narcissique, dont les expériences marquent profondément le psychisme de la femme. [...] La rivalité de la fille avec sa mère pour l'amour du père passe par une identification créatrice avec elle et assure sa féminisation. Bref, alors que la maturation et la masculinisation du garçon ne comportent qu'une modulation *sexuelle* de son attachement affectif initial à la femme, sans changement de type d'objet, celle de la fille exige, *bien avant* la sexualisation de son attachement à un "objet total", une identification au premier objet investi de libido : sa mère » (*Femme et mythe*, 1982, 1988, p. 13-14).

5. É. Badinter, *XY. De l'identité masculine*, 1992, 1994, p. 73, 122, 88 et 14. Notre approche se différencie donc diamétralement de celle d'Élisabeth Badinter, qui s'intéresse à l'identité (masculine) en elle-même, en illustrant à l'occasion son propos par des romans, alors que nous nous intéressons ici à

la mise en forme romanesque de l'identité (féminine), éventuellement illustrée par des références au vécu.

6. Cf. entre autres les travaux d'Erik Erickson, Ronald D. Laing, Georges Devereux, Erving Goffman. Pour une approche interdisciplinaire et une bibliographie relative à cette question, cf. notamment : *L'Identité*, dirigé par Claude Lévi-Strauss, 1977 ; *Identités collectives et relations interculturelles*, dirigé par Guy Michaud, 1978 ; *Identité individuelle et personnalisation*, dirigé par Pierre Tap, 1980 ; *Stratégies identitaires*, cosigné par Carmel Camilleri *et alii*, 1990.

7. Cette question a été développée dans N. Heinich, *Être écrivain*, 1990. La réflexion engagée ici sur l'identité doit beaucoup aux travaux de Michael Pollak sur la déportation (*L'Expérience concentrationnaire*, 1990).

8. J.-M. Genève, 1980, p. 12.

9. « Les noms que l'on choisit délibérément sont encore plus révélateurs du lien indissoluble qui les unit à une certaine image de soi. Le changement de nom indique un rite de passage. Il signifie *grosso modo* que la personne veut avoir le genre de nom qui, selon elle, la représente en tant que personne, et ne veut plus appartenir au genre représenté par son précédent nom. L'exemple le plus courant, et celui dont la charge émotionnelle est la plus faible, se produit lorsqu'une jeune fille, adoptant le patronyme de son mari, témoigne de son changement de statut » (A. Strauss, *Miroirs et masques*, 1959, 1992, p. 18).

10. Cf. P. Bourdieu, 1982.

11. *Sex Role Pressures in the Socialization of the Male Child*, cité par É. Badinter, 1992, 1994, p. 57. « Depuis l'enfance jusqu'à l'âge adulte, et parfois toute la vie, la masculinité est davantage une réaction qu'une adhésion. Le petit garçon se pose en s'opposant : je ne suis pas ma mère, je ne suis pas un bébé, je ne suis pas une fille, proclame son inconscient. Selon l'expression d'Alfred Adler, l'avènement de la masculinité passe par une *protestation virile* » (É. Badinter, 1992, 1994, p. 91).

12. On voit ainsi combien il peut être trompeur de « rapporter à une identité féminine tenue pour spécifique des écarts ou des oppositions qui relèvent, en fait, d'autres principes de différenciation » : ici, une identité de dominé, construite par démarcation endogène, par opposition à une identité de dominant, construite par démarcation exogène (R. Chartier, 1993, p. 1006).

13. Cf. P. Bourdieu, « La domination masculine », 1990.

14. Pour un témoignage particulièrement parlant quant à la collusion entre ces différents symptômes, cf. Philippe Lejeune, *Cher cahier...*, 1989, p. 62-63. Sur l'ambivalence constitutive du syndrome boulimie/anorexie, cf. Laurence Igoin, *La Boulimie et son infortune*, 1979.

15. Sur la spécificité du « rôle » par rapport au « statut » (lequel conjoint la situation dans le réel et la place dans le symbolique), cf. Ralph Linton, *Le Fondement culturel de la personnalité*, 1945, 1986, p. 71-72. Que l'on puisse être « mis à une place » sans avoir conscience de « jouer un rôle » est bien explicité par Jeanne Favret-Saada lorsque, revenant sur les « quelques situations caractéristiques dans lesquelles mes interlocuteurs m'ont mise en demeure d'avoir à occuper la position qu'ils me désignaient », elle comprend qu'« assurément, cette place me préexistait et elle se soutenait fort bien d'être occupée par d'autres » (J. Favret-Saada, 1977, p. 30).

16. «Introduction à la problématique de l'identité», in C. Camilleri *et alii,* 1990, p. 16.

17. «Entre autres choses, le roman raconte la lutte des consciences avec ces formes de vie préfabriquées. Nous donnerons à ces formes le nom de "rôles": le rôle est une attitude conventionnelle ralliée une fois pour toutes, qui enferme les gestes et les paroles dans un rituel, et transforme la morale en une routine sans défaut. [...] Bornons-nous à étudier ceux qui offrent le plus de ressource à la fable, et que l'héroïne côtoie le plus dangereusement pour son authenticité» (P. Fauchery, 1972, p. 428).

18. S. Freud, *Délires et rêves dans la «Gradiva» de Jensen,* 1907, 1971, p. 127. Sur l'interprétation freudienne des fonctions identitaires de la fiction, cf. Sarah Kofman, *L'Enfance de l'art. Une interprétation de l'esthétique freudienne,* 1970, 1975, p. 157-162.

19. Critiquant à juste titre une conception de la représentation comme illusion à dévoiler, Jacques Rancière écrit à propos de l'image et de toutes les formes d'«apparence» qu'elle «n'est pas l'illusion, elle est l'organisation précaire et litigieuse du visible qui se prête à ce qu'un sujet vienne y apparaître, y manifester son litige» — proposition qui s'appliquerait tout aussi bien au roman (J. Rancière, «L'histoire "des" femmes entre subjectivation et représentation», 1993, p. 1018).

20. «C'est dans les *best-sellers* que l'identité féminine s'est effectivement construite: la fiction de la femme a été largement fabriquée dans la "fiction féminine". Mais si les représentations domestiques ont pu assurer leur cohérence imaginaire dans le roman domestique, le roman domestique reflétait pour sa part la cohérence fictive des représentations domestiques» (G. M. Goshgarian, 1992, p. 73).

21. En historien de la littérature, Pierre Fauchery souligne l'impact sur l'imaginaire collectif que confère au roman son extension géographique (P. Fauchery, 1972, p. 73); plus sociologue ou, plutôt, philosophe du «social», Niklas Luhman justifie son utilisation des romans comme matériel sociologique par leur rôle «social» dans la transmission des «nécessités fonctionnelles» (N. Luhmann, 1982, 1990, p. 34); en analyste de la littérature, Martin Price insiste sur le haut degré de définition des personnages romanesques, analogues à des quasi-personnes (M. Price, *Forms of Life. Characters and Imagination in the Novel,* 1983, p. 64); en philosophe du roman, Vincent Descombes inscrit le rôle structurant du roman parmi ses trois emplois, entre divertissement, rêverie et travail d'éclaircissement (V. Descombes, *Proust. Philosophie du roman,* 1987, p. 70); philosophe également, Paul Ricœur souligne le travail sur soi que permet l'identification à un autrui fictif (P. Ricœur, «Approches de la personne», 1990, p. 129); en essayiste enfin, Fethi Benslama réaffirme à propos de l'affaire Rushdie la force spécifique de la fiction, contre la conception neutralisante qu'en véhicule le monde savant occidental au nom de la liberté de création (F. Benslama, *Une fiction troublante. De l'origine en partage,* 1994, p. 41). Pour une analyse des fonctions assumées par le recours au roman comme témoignage sur une situation extrême, cf. N. Heinich, «Récits de rescapées: le roman comme témoignage», 1993.

22. J.-L. Flandrin, 1981, 1986, p. 298. «L'imagination romanesque peut être définie comme une rêverie sur les changements de situation respective entre les êtres qui résulteraient, le cas échéant, d'un "jeu complexe des circonstances". Rien, en principe, ne peut résister à une imagination roma-

nesque. C'est pourquoi le genre est peu considéré, au moins dans sa version divertissante» (V. Descombes, 1987, p. 70).

23. Simone de Beauvoir évoquait de façon suggestive l'affinité des femmes avec la fiction : la femme «se sait sans responsabilité, insignifiante dans ce monde d'hommes : c'est parce qu'elle n'a rien d'autre de sérieux à faire qu'elle "fait des histoires". L'Électre de Giraudoux est une femme à histoires, parce que c'est à Oreste seul qu'il appartient d'accomplir un vrai meurtre avec une vraie épée» (S. de Beauvoir, 1949, II, p. 115).

24. Sur l'utilisation des romans roses par les femmes, cf. M. Angenot, 1975; Janice A. Radway, *Reading the Romance*, 1984; Anne-Marie Thiesse, *Le Roman du quotidien*, 1984; J. Bettinotti, 1990; B. Péquignot, 1991.

25. Plus radicalement encore, Michel Riffaterre soutient que la littérature, loin d'être une représentation transparente du réel, ne tient sa logique que de son propre agencement : «Elle ne parle de rien mais dissimule ce silence sous le bruit de sa vraisemblance» (M. Riffaterre, «L'illusion référentielle», in G. Genette, T. Todorov [s.l.d.], *Littérature et réalité*, 1982).

BIBLIOGRAPHIE

ANGENOT Marc, 1975, *Le Roman populaire. Recherches en littérature*, Montréal, Presses de l'université du Québec.

AUERBACH Erich, 1946, *Mimésis. La représentation de la réalité dans la littérature occidentale*, Paris, Gallimard, 1968.

AUGÉ Marc, 1982, *Génie du paganisme*, Paris, Gallimard.

BADINTER Élisabeth, 1992, *XY. De l'identité masculine*, Paris, Livre de poche, 1994.

BAKER Catherine, 1979, *Les Contemplatives, des femmes entre elles*, Paris, Stock.

BALMARY Marie, 1986, *Le Sacrifice interdit. Freud et la Bible*, Paris, Grasset.

BASCH Françoise, 1976, «Mythes de la femme dans le roman victorien», *Romantisme*, n° 13-14, 1976.

BAYARD Pierre, 1990, *Il était deux fois Romain Gary*, Paris, PUF.

BEAUVOIR Simone de, 1949, *Le Deuxième Sexe*, Paris, Gallimard.

BENSLAMA Fethi, 1994, *Une fiction troublante. De l'origine en partage*, La Tour d'Aigues, Éditions de l'Aube.

BERRY Nicole, 1987, *Le Sentiment d'identité*, Paris, Éditions universitaires.

BERTAUT Jules, 1907, *La Littérature féminine d'aujourd'hui*, Paris, Librairie des «Annales politiques et littéraires».

BETTELHEIM Bruno, 1976, *Psychanalyse des contes de fées*, Paris, Pluriel, 1988.

BETTINOTTI Julia (s.l.d.), 1990, *La Corrida de l'amour. Le roman Harlequin*, Montréal, Études et documents.

BOLTANSKI Luc, 1990, *L'Amour et la justice comme compétences. Trois essais de sociologie de l'action*, Paris, Métailié.

BOLTANSKI Luc, THÉVENOT Laurent, 1991, *De la justification. Les économies de la grandeur*, Paris, Gallimard.

BOURDIEU Pierre, 1979, *La Distinction. Critique sociale du jugement*, Paris, Éditions de Minuit.

—, 1982, *Ce que parler veut dire*, Paris, Fayard.

—, 1990, «La domination masculine», *Actes de la recherche en sciences sociales*, n° 84, septembre.

—, 1992, *Les Règles de l'art. Genèse et structure du champ littéraire*, Paris, Le Seuil.

BOUTONIER Juliette, 1938, *La Notion d'ambivalence. Étude critique, valeur séméiologique*, Toulouse, Privat, 1972.

BRUNEL Pierre, 1971, *Le Mythe d'Électre*, Paris, Armand Colin.

BUTOR Michel, 1973, « L'usage des pronoms personnels dans le roman », in I. MEYERSON, *Problèmes de la personne*, Paris, Mouton.

CAILLOIS Roger, 1974, *Approches de l'imaginaire*, Paris, Gallimard.

CAMILLERI Carmel *et alii*, 1990, *Stratégies identitaires*, Paris, PUF.

CHALVON-DEMERSAY Sabine, 1994, *Mille scénarios. Une enquête sur l'imagination en temps de crise*, Paris, Métailié.

CHARTIER Pierre, 1990, *Introduction aux grandes théories du roman*, Paris, Bordas.

CHARTIER Roger, 1993, « Différences entre les sexes et domination symbolique », *Les Annales ESC*, n° 4, juillet-août.

CHASSEGUET-SMIRGEL Janine, 1964, *La Sexualité féminine. Recherches psychanalytiques nouvelles*, Paris, Payot, 1982.

CLAVERIE Élisabeth, 1990, « La Vierge, le désordre, la critique », *Terrain*, n° 14.

CLÉMENT Catherine, 1979, *L'Opéra ou la défaite des femmes*, Paris, Grasset.

COMTE-SPONVILLE André, 1994, *Valeur et vérité. Études cyniques*, Paris, PUF.

COOPER David, 1967, *Psychiatrie et anti-psychiatrie*, Paris, Le Seuil, 1970.

CORBIN Alain, 1978, *Les Filles de noce. Misère sexuelle et prostitution (XIXe et XXe siècles)*, Paris, Aubier-Montaigne.

CYRULNIK Boris, 1993, *Les Nourritures affectives*, Paris, Odile Jacob.

DARMON Pierre, 1983, *Mythologie de la femme dans l'ancienne France, XVIe-XIXe siècles*, Paris, Le Seuil.

DAVY Marie-Magdeleine, 1966, *Simone Weil, sa vie, son œuvre*, Paris, PUF.

DELSAUT Yvette, 1992, *La Place du maître. Une chronique des Écoles normales d'instituteurs*, Paris, L'Harmattan.

DELTEL Danielle, 1993, « Colette : l'autobiographie prospective », in DOUBROVSKY Serge, LECARME Jacques, LEJEUNE Philippe (s.l.d.), *Autofictions et Cie*, université Paris X.

DESCOMBES Vincent, 1987, *Proust, philosophie du roman*, Paris, Éditions de Minuit.

DEVEREUX Georges, 1967, « La renonciation à l'identité : défense contre l'anéantissement », *Revue française de psychanalyse*, XXXI, n° 1.

DEVEREUX Georges, 1982, *Femme et mythe*, Paris, Flammarion-Champs, 1988.

DIDI-HUBERMAN Georges, 1992, *Ce que nous voyons, ce qui nous regarde*, Paris, Éditions de Minuit.

DISPAUX Gilbert, 1984, *La Logique et le quotidien. Une analyse dialogique des mécanismes d'argumentation*, Paris, Éditions de Minuit.

DOUGLAS Mary, 1967, *De la souillure*, Paris, Maspero, 1981.

DOWLING Colette, 1981, *Le Complexe de Cendrillon. Les femmes ont secrètement peur de leur indépendance*, Paris, Grasset, 1982.

DUBY Georges, Perrot Michelle (s.l.d.), 1991, *Histoire des femmes*, Paris, Plon.

DUMONT Louis, 1983, *Essais sur l'individualisme*, Paris, Le Seuil.

DURKHEIM Émile, 1912, *Les Formes élémentaires de la vie religieuse*, Paris, PUF.

ELIAS Norbert, 1969, *La Société de cour*, Paris, Flammarion-Champs, 1974.

ELIAS Norbert, DUNNING Eric, 1986, *Sport et civilisation. La violence maîtrisée*, Paris, Fayard, 1994.

ELIAS Norbert, 1987, « The Changing Balance of Power between the Sexes », *Theory, Culture and Society*, vol. 4, n° 2-3, juin.

—, 1993, *Engagement et distanciation. Contributions à la sociologie de la connaissance*, Paris, Fayard, 1993.

ERICKSON Erik H., 1959, *Identity and the Life Cycle*, New York, Norton, 1980.

FARGE Arlette, KLAPISCH-ZUBER Christiane, 1984, *Itinéraires de la solitude féminine, XVIIIe-XXe siècle*, Paris, Montalba.

FAUCHERY Pierre, 1972, *La Destinée féminine dans le roman européen du XVIIIe siècle, 1713-1807. Essai de gynécomythie romanesque*, thèse, Lille.

FAVRET-SAADA Jeanne, 1977, *Les Mots, la mort, les sorts*, Paris, Gallimard.

—, 1989, « La genèse du producteur individuel », in *Singularités. Textes pour Éric de Dampierre*, Paris, Plon.

FLANDRIN Jean-Louis, 1981, *Le Sexe et l'Occident. Évolution des attitudes et des comportements*, Paris, Points-Seuil, 1986.

FOSTER George M., 1972, « The Anatomy of Envy : a Study in Symbolic Behaviorism », *Current Anthropology*, février.

FOUCAULT Michel, 1984, *Histoire de la sexualité. III. Le souci de soi*, Paris, Gallimard.

FRANZ Marie-Louise (von), 1972, *La Femme dans les contes de fées*, Paris, Albin Michel-Poche, 1993.

FREUD Sigmund, 1905, *Le Mot d'esprit et son rapport avec l'inconscient*, Paris, Gallimard, 1930.

—, 1907, *Délires et rêves dans la « Gradiva » de Jensen*, Paris, Gallimard-Idées, 1971.

—, 1920, *Névrose, psychose et perversion*, Paris, PUF, 1973.

—, 1931, *La Vie sexuelle*, Paris, PUF, 1969.

—, 1932, *Nouvelles conférences sur la psychanalyse*, Paris, Gallimard-Idées, 1971.

FRYE Northrop, 1957, *Anatomie de la critique*, Paris, Gallimard, 1969.

—, 1976, *The Secular Scripture. A Study of the Structure of Romance*, Harvard University Press.

GENÈVE Max, GENG Jean-Marie, 1980, *La Prise de Genève*, Strasbourg, Bueb et Reumaux.

GENETTE Gérard, 1972, *Figures III*, Paris, Le Seuil.

GENETTE Gérard, Todorov Tzvetan (s.l.d.), 1982, *Littérature et réalité*, Paris, Le Seuil.

GENETTE Gérard, 1991, *Fiction et diction*, Paris, Le Seuil.

GIRARD René, 1961, *Mensonge romantique et vérité romanesque*, Paris, Livre de poche, 1978.

—, 1972, *La Violence et le sacré*, Paris, Grasset.

GLEYSES Chantal, 1994, *La Femme coupable. Petite histoire de l'épouse adultère au XIXe siècle*, Paris, Imago.

GOFFMAN Erving, 1956, *La Mise en scène de la vie quotidienne. 1. La présentation de soi*, Paris, Éditions de Minuit, 1973.

—, 1963, *Stigmates*, Paris, Éditions de Minuit, 1975.

—, 1965, « Identity Kits », in ROACH Mary Ellen et BUBOLZ EICHER Joanne (s.l.d.), *Dress, Adornment, and the Social Order*, New York, John Wiley and Sons.

—, 1974, *Les Cadres de l'expérience*, Paris, Éditions de Minuit, 1991.

GORSKY Susan R., 1973, « Old Maids and New Women : Alternatives to Marriage in Englishwomen's Novels, 1847-1915 », *Journal of Popular Culture*, VII.

GOSHGARIAN G. M., 1992, *To Kiss the Chastening Rod. Domestic Fiction and Sexual Ideology in the American Renaissance*, Ithaca et Londres, Cornell University Press.

GRAVES Robert, 1958, *Les Mythes grecs*, Paris, Hachette, 1987.

GREEN André, 1969, *Un œil en trop. Le complexe d'Œdipe dans la tragédie*, Paris, Éditions de Minuit.

GUÉRIN Marie, PAULVÉ Dominique, 1994, *Le Roman du roman rose*, Paris, Lattès.

HEINICH Nathalie, 1980, « L'Absente », in *Les Monstresses*, hors-série n° 5 des *Cahiers du cinéma*.

—, 1990, *Être écrivain*, Paris, Centre national des lettres.

—, 1991, *La Gloire de Van Gogh. Essai d'anthropologie de l'admiration*, Paris, Éditions de Minuit.

—, 1993, « Récits de rescapées : le roman comme témoignage », *Bulletin trimestriel de la Fondation Auschwitz*, n° 36-37, avril-septembre.

—, 1995, « L'Inceste du deuxième type et les avatars du symbolique », *Critique*, n° 583, décembre.

HÉRAN François, 1988, « Comme chiens et chats. Structures et genèse d'un conflit culturel », *Ethnologie française*, XVIII, n° 4.

HÉRITIER Françoise, 1994, *Les Deux Sœurs et leur mère. Anthropologie de l'inceste*, Paris, Odile Jacob.

HOLLIER Denis (s.l.d.), 1989, *De la littérature française*, Paris, Bordas, 1993.

IGOIN Laurence 1979, *La Boulimie et son infortune*, Paris, PUF.

IRIGARAY Luce, 1974, *Speculum. De l'autre femme*, Paris, Éditions de Minuit.

—, 1977, *Ce sexe qui n'en est pas un*, Paris, Éditions de Minuit.

JACQUES-CHAQUIN Nicole, 1985, « Vies de sorcières », *Cahiers de sémiotique textuelle*, IV, université Paris X.

JUNG Carl Gustav, 1913, « Versuch einer Darstellung der psychoanalytischen Theorie », *Jahrbuch für psychoanalytische une psychopathologische Forschungen*, vol. V.

—, 1961, *Ma vie. Souvenirs, rêves et pensées*, Paris, Gallimard-Folio, 1992.

KELLEY Mary, 1984, *Private Women, Public Stage : Literary Domesticity in Nineteenth Century America*, Oxford University Press.

KIERKEGAARD Sören, 1849, *Traité du désespoir*, Paris, Gallimard-Idées, 1973.

KOFMAN Sarah, 1970, *L'Enfance de l'art. Une interprétation de l'esthétique freudienne*, Paris, Payot, 1975.

—, 1980, *L'Énigme de la femme. La femme dans les textes de Freud*, Paris, Galilée.

LACAN Jacques, 1966, *Écrits*, Paris, Le Seuil.

LAPLANCHE Jean, PONTALIS Jean-Bertrand, 1973, *Vocabulaire de la psychanalyse*, Paris, PUF.

LAPLANCHE Jean, 1993, *Le Fourvoiement biologisant de la sexualité chez Freud*, Paris, Les Empêcheurs de penser en rond.

LAUGAA Maurice, 1986, *La Pensée du pseudonyme*, Paris, PUF.

LEITES Edmund, 1986, *La Passion du bonheur. Conscience puritaine et sexualité moderne*, Paris, Le Cerf, 1988.

LEJEUNE Philippe, 1989, *Cher cahier... Témoignages sur le journal personnel*, Paris, Gallimard.

LEMOINE-LUCCIONI Eugénie, 1983, *La Robe. Essai psychanalytique sur le vête-ment*, Paris, Le Seuil.

LENG Flavia, 1995, *Daphné Du Maurier. A Daughter's Memoir*, London, Mainstream Publishing.

LÉVI-STRAUSS Claude, 1967, *Les Structures élémentaires de la parenté*, Paris, Mouton.

—, 1968, *Mythologiques, III : L'origine des manières de table*, Paris, Plon.

—, (s.l.d.), 1977, *L'Identité*, Paris, PUF, 1983.

—, 1993, *Regarder écouter lire*, Paris, Plon.

LÉVY-BRUHL Lucien, 1922, *La Mentalité primitive*, Paris.

LINTON Ralph, 1945, *Le Fondement culturel de la personnalité*, Paris, Dunod, 1986.

LLOYD Geoffroy E. R., 1990, *Pour en finir avec les mentalités*, Paris, La Découverte, 1994.

LORENZI-CIOLDI Fabio, 1988, *Individus dominants et groupes dominés. Images masculines et féminines*, Presses universitaires de Grenoble.

LUHMANN Niklas, 1982, *Amour comme passion. De la codification de l'intimité*, Paris, Aubier, 1990.

MARTIN-FUGIER Anne, 1979, *La Place des bonnes. La domesticité féminine à Paris en 1900*, Paris, Grasset.

—, 1990, *La Vie élégante, ou la Formation du Tout-Paris, 1815-1848*, Paris, Fayard.

MAUGUÉ Annelise, 1987, *L'Identité masculine à la fin du siècle*, Marseille, Rivages.

MENDEL Gérard, 1988, *La Psychanalyse revisitée*, Paris, La Découverte.

MICHAUD Guy (s.l.d.), 1978, *Identités collectives et relations interculturelles*, Bruxelles, Complexe.

MICHAUD Stéphane, 1985, *Muse et madone. Visages de la femme de la Révolution française aux apparitions de Lourdes*, Paris, Le Seuil.

MICHEL Arlette, 1977, «Structures romanesques et problèmes du mariage d'*Indiana* à *La Comtesse de Rudolstadt*», *Romantisme*, n° 16.

—, 1978, *Le Mariage chez Balzac. Amour et féminisme*, Paris, Les Belles-Lettres.

MICHELET Jules, 1860, *La Femme*, Vienne, Manz.

—, 1860, *La Sorcière*, Paris, Julliard, 1964.

MILLER Alice, 1979, *Le Drame de l'enfant doué. À la recherche du vrai Soi*, Paris, PUF, 1983.

—, 1981, *L'Enfant sous terreur. L'ignorance de l'adulte et son prix*, Paris, Aubier, 1986.

—, 1983, *C'est pour ton bien. Racines de la violence dans l'éducation de l'enfant*, Paris, Aubier, 1984.

—, 1988, *La Connaissance interdite. Affronter les blessures de l'enfance dans la thérapie*, Paris, Aubier, 1990.

—, 1988, *La Souffrance muette de l'enfant. L'expression du refoulement dans l'art et la politique*, Paris, Aubier, 1990.

MONTRELAY Michèle, 1977, *L'Ombre et le nom. Sur la féminité*, Paris, Éditions de Minuit.

MUCHEMBLED Robert, 1979, *La Sorcière au village, XVᵉ-XVIIIᵉ siècle*, Paris, Gallimard-Folio, 1991.

OLIVIER Christiane, 1980, *Les Enfants de Jocaste. L'empreinte de la mère*, Paris, Denoël.

OZOUF Jacques et Mona, 1992, *La République des instituteurs*, Paris, Gallimard-Seuil.

PAVEL Thomas, 1986, *Univers de la fiction*, Paris, Le Seuil, 1988.

PÉQUIGNOT Bruno, 1991, *La Relation amoureuse. Analyse sociologique du roman sentimental moderne*, Paris, L'Harmattan.

PHARO Patrick, 1989, « Agir et pâtir au travail », *Revue de médecine psychosomatique*, XX.

PLANTÉ Christine, 1989, *La Petite sœur de Balzac. Essai sur la femme auteur*, Paris, Le Seuil.

POLLAK Michael, 1990, *L'Expérience concentrationnaire*, Paris, Métailié.

PRICE Martin, 1983, *Forms of Life. Characters and Imagination in the Novel*, Yale University Press.

PRIOLLAUD Nicole (s.l.d.), 1983, *La Femme au XIXᵉ siècle*, Paris, Liana Levi.

PROPP Vladimir, 1928, *Morphologie du conte*, Paris, Gallimard, 1970.

RADWAY Janice A., 1984, *Reading the Romance. Women, Patriarchy, and Popular Literature*, University of North Carolina Press.

RANCIÈRE Jacques, 1993, « L'histoire des femmes entre subjectivation et représentation », *Les Annales ESC*, n° 4, juillet-août.

RICŒUR Paul, 1984, *Temps et récit. II. La configuration dans le récit de fiction*, Paris, Le Seuil.

—, 1990, « Approches de la personne », *Esprit*, mars-avril.

—, 1990, *Soi-même comme un autre*, Paris, Le Seuil.

—, 1991, *Lectures I*, Paris, Seuil.

ROCHE Daniel, 1989, *La Culture des apparences. Une histoire du vêtement, XVIIᵉ-XVIIIᵉ siècle*, Paris, Fayard.

ROSSET Clément, 1971, *Logique du pire*, Paris, PUF.

ROUSSET Jean, 1981, *Leurs yeux se rencontrèrent. La scène de première vue dans le roman*, Paris, José Corti.

ROUSTANG François, 1990, *Influence*, Paris, Éditions de Minuit.

SAINT-MARTIN Monique (de), 1990, « Les femmes écrivains et le champ littéraire », *Actes de la recherche en sciences sociales*, n° 83, juin.

SAINTYVES Pierre, 1923, *Les Contes de Perrault*, Paris, Robert Laffont, 1987.

SELZNICK David O., 1984, *Cinéma. Mémos*, Paris, Ramsay, 1985.

SÉMON Marie, 1984, *Les Femmes dans l'œuvre de Léon Tolstoï*, Paris, Institut d'études slaves.

SERRES Michel, 1987, *Statues*, Paris, François Bourin.

SHEPHERD Simon, 1981, *Amazons and Warriors Women. Varieties of Feminism in Seventeenth-Century Drama*, Brighton, The Harvester Press.

SIBONY Daniel, 1978, *La Haine du désir*, Paris, Christian Bourgois Éditeur, 1984.

SINGLY François (de), 1987, *Fortune et infortune de la femme mariée*, Paris, PUF.

STEWART Grace, 1979, *A New Mythos. The Novel of the Artist as Heroine, 1877-1977*, New York, Eden Press Women's Publications.

STUBBS Patricia, 1979, *Women and Fiction. Feminism and the Novel, 1880-1920*, The Harvester Press.

STRAUSS Anselm, 1959, *Miroirs et masques. Une introduction à l'interactionisme*, Paris, Métailié, 1992.

TANNEN Deborah, 1990, *You Just Don't Understand. Women and Men in Conversation*, New York, Ballantines Books.

TAP Pierre (éd.), 1980, *Identité individuelle et personnalisation*, Toulouse, Privat.

THIESSE Anne-Marie, 1984, *Le Roman du quotidien. Lecteurs et lectures populaires à la Belle Époque*, Paris, Le Chemin vert.

VEBLEN Thorstein, 1899, *Théorie de la classe de loisirs*, Paris, Gallimard, 1970.

VERCIER Bruno, 1993, « Loti : Fiction », in DOUBROVSKY Serge, LECARME Jacques, LEJEUNE Philippe (s.l.d.), *Autofictions et Cie*, université Paris X.

VERDIER Yvonne, 1979, *Façons de dire, façons de faire. La laveuse, la couturière, la cuisinière*, Paris, Gallimard.

VEYNE Paul, 1976, *L'Inventaire des différences*, Paris, Le Seuil.

VEYNE Paul, 1983, *Les Grecs ont-ils cru à leurs mythes ?*, Paris, Le Seuil.

VICINUS Martha, 1985, *Independant Women. Work and Community for Single Women, 1850-1920*, University of Chicago Press.

WALZER Michael, 1983, *Spheres of Justice*, Oxford University Press.

WEISS Louise, 1937, *Souvenirs d'une enfance républicaine*, Paris, Denoël.

ZELDIN Theodor, 1973, *Histoire des passions françaises. I. Ambition et amour*, Paris, Recherches, 1978.

ZÉRAFFA Michel, 1971, *Roman et société*, Paris, PUF.

INDEX DES ŒUVRES DE FICTION

INDEX DES AUTEURS CITÉS

Table   395

Table   397

nrf essais

NRF Essais n'est pas une collection au sens où ce mot est communément entendu aujourd'hui ; ce n'est pas l'illustration d'une discipline unique, moins encore le porte-voix d'une école ni celui d'une institution.

NRF Essais est le pari ambitieux d'aider à la défense et restauration d'un genre : l'essai. L'essai est exercice de pensée, quels que soient les domaines du savoir : il est mise à distance des certitudes reçues sans discernement, mise en perspective des objets faussement familiers, mise en relation des modes de pensée d'ailleurs et d'ici. L'essai est une interrogation au sein de laquelle la question, par les déplacements qu'elle opère, importe plus que la réponse.

Éric Vigne

(Les titres précédés d'un astérisque ont originellement paru dans la collection Essais.)

Raymond Abellio *Manifeste de la nouvelle Gnose.*
* Theodor W. Adorno *Essais sur Wagner* (*Versuch über Wagner* ; traduit de l'allemand par Hans Hildenbrand et Alex Lindenberg).
Svetlana Alpers *L'atelier de Rembrandt. La liberté, la peinture et l'argent* (*Rembrandt's Enterprise. The Studio and the Market* ; traduit de l'anglais [États-Unis] par Jean-François Sené).
Bronislaw Baczko *Comment sortir de la Terreur. Thermidor et la Révolution.*
Gilles Barbedette *L'invitation au mensonge. Essai sur le roman.*

Jean Pierre Baton et Gilles Cohen-Tannoudji *L'horizon des particules. Complexité et élémentarité dans l'univers quantique.*

Jacques Berque *L'Orient second.*

Michel Blay *Les raisons de l'infini. Du monde clos à l'univers mathématique.*

Luc Boltanski et Laurent Thévenot *De la justification. Les économies de la grandeur.*

Jorge Luis Borges *Entretiens sur la poésie et la littérature* suivi de *Quatre essais sur J. L. Borges (Borges the Poet* ; traduit de l'anglais [États-Unis] par François Hirsch).

Pierre Bouretz *Les promesses du monde. Philosophie de Max Weber.*

* Michel Butor *Essais sur les Essais.*

Roberto Calasso *Les quarante-neuf degrés (I quarantanove gradini* ; traduit de l'italien par Jean-Paul Manganaro).

* Albert Camus *Le mythe de Sisyphe. Essai sur l'absurde.*

* Albert Camus *Noces.*

Barbara Cassin *L'effet sophistique.*

* Cioran *La chute dans le temps.*

* Cioran *Le mauvais démiurge.*

* Cioran *De l'inconvénient d'être né.*

* Cioran *Écartèlement.*

* Jean Clair *Considérations sur l'état des beaux-arts.*

Robert Darnton *Édition et sédition. L'univers de la littérature clandestine au XVIIIᵉ siècle.*

Philippe Delmas *Le bel avenir de la guerre.*

Daniel C. Dennett *La stratégie de l'interprète. Le sens commun et l'univers quotidien (The International Stance* ; traduit de l'anglais [États-Unis] par Pascal Engel).

Alain Dieckhoff *L'invention d'une nation. Israël et la modernité politique.*

Michel Dummett *Les sources de la philosophie analytique (Ursprünge der analytischen Philosophie* ; traduit de l'allemand par Marie-Anne Lescourret).

* Mircea Eliade *Briser le toit de la maison. La créativité et ses symboles* (texte traduit de l'anglais par Denise Paulme-Schaeffner et du roumain par Alain Paruit).

* Mircea Eliade *Occultisme, sorcellerie et modes culturelles (Occultism, Witchcraft and Cultural Fashions* ; traduit de l'anglais [États-Unis] par Jean Malaquais).

Pascal Engel *La norme du vrai. Philosophie de la logique.*

* Etiemble et Yassu Gauclère *Rimbaud.*

Gérard Farasse *L'âne musicien. Sur Francis Ponge.*

Alain Finkielkraut *La mémoire vaine. Du crime contre l'humanité.*

Michael Fried *La place du spectateur. Esthétique et origines de la peinture moderne (Absorption and Theatricality. Painting and Beholder in the Age of Diderot* ; traduit de l'anglais [États-Unis] par Claire Brunet).

Michael Fried *Le réalisme de Courbet. Esthétique et origines de la peinture moderne II* (*Courbet's Realism*; traduit de l'anglais [États-Unis] par Michel Gautier).

Raul Hilberg *Exécuteurs, victimes, témoins. La catastrophe juive 1933-1945* (*Perpetrators Victims Bystanders. The Jewish Catastrophe 1933-1945*; traduit de l'anglais [États-Unis] par Marie-France de Paloméra).

Ian Kershaw *Hitler. Essai sur le charisme en politique* (*Hitler*; traduit de l'anglais par Jacqueline Carnaud et Pierre-Emmanuel Dauzat).

* Alexandre Koyré *Introduction à la lecture de Platon* suivi de *Entretiens sur Descartes.*

Julia Kristeva *Le temps sensible. Proust et l'expérience littéraire.*

Thomas Laqueur *La fabrique du sexe. Essai sur le corps et le genre en Occident* (*Marking Sex. Body and Gender from the Greeks to Freud*; traduit de l'anglais [États-Unis] par Michel Gautier).

J. M. G. Le Clézio *Le rêve mexicain ou la pensée interrompue.*

* Gilles Lipovetsky *L'ère du vide. Essais sur l'individualisme contemporain.*

Gilles Lipovetsky *Le crépuscule du devoir. L'éthique indolore des nouveaux temps démocratiques.*

Nicole Loraux *Les expériences de Tirésias. Le féminin et l'homme grec.*

Giovanni Macchia *L'ange de la nuit. Sur Proust* (*L'angelo della notte; Proust e dintorni*; traduit de l'italien par Marie-France Merger, Paul Bédarida et Mario Fusco).

Christian Meier *La naissance du politique* (*Die Entstehung des Politischen bei den Griechen*; traduit de l'allemand par Denis Trierweiler).

Pierre Pachet *La force de dormir. Essai sur le sommeil en littérature.*

* Octavio Paz *L'arc et la lyre* (*El arco y la lira*; traduit de l'espagnol par Roger Munier).

* Octavio Paz *Conjonctions et disjonctions* (*Conjunciones y Diyunciones*; traduit de l'espagnol [Mexique] par Robert Marrast).

* Octavio Paz *Courant alternatif* (*Corriente alterna*; traduit de l'espagnol [Mexique] par Roger Munier).

* Octavio Paz *Deux transparents. Marcel Duchamp et Claude Lévi-Strauss* (*Marcel Duchamp, Claude Lévi-Strauss o el nuevo Festín de Esopo*; traduit de l'espagnol [Mexique] par Monique Fong-Wust et Robert Marrast).

* Octavio Paz *Le labyrinthe de la solitude* suivi de *Critique de la pyramide* (*El laberinto de la soledad; Posdata*; traduit de l'espagnol [Mexique] par Jean-Clarence Lambert).

* Octavio Paz *Marcel Duchamp : l'apparence mise à nu* (*Apariencia desnuda, la obra de Marcel Duchamp. El Castillo de la Pureza. * water writes always in * plural*; traduit de l'espagnol [Mexique] par Monique Fong).

Jackie Pigeaud *L'Art et le Vivant.*

Hilary Putnam *Représentation et réalité* (*Representation and Reality*; traduit de l'anglais [États-Unis] par Claudine Engel-Tiercelin).

David M. Raup *De l'extinction des espèces. Sur les causes de la disparition des dinosaures et de quelques milliards d'autres* (*Extinction. Bad Genes or Bad Luck?*; traduit de l'anglais [États-Unis] par Marcel Blanc).

Jean-Pierre Richard *L'état des choses. Études sur huit écrivains d'aujourd'hui.*

Rainer Rochlitz *Le désenchantement de l'art. La philosophie de Walter Benjamin.*

Rainer Rochlitz *Subversion et subvention. Art contemporain et argumentation esthétique.*

Marc Sadoun *De la démocratie française. Essai sur le socialisme.*

Jean-Paul Sartre *Vérité et existence.*

Jean-Marie Schaeffer *L'art de l'âge moderne. L'esthétique et la philosophie de l'art du XVIIIe siècle à nos jours.*

Jean-Marie Schaeffer *Les célibataires de l'art. Pour une esthétique sans mythes.*

Dominique Schnapper *La communauté des citoyens. Sur l'idée moderne de nation.*

John R. Searle *La redécouverte de l'esprit* (*The Rediscovery of the Mind*; traduit de l'anglais [États-Unis] par Claudine Tiercelin).

Jean-François Sirinelli (sous la direction de) *Histoire des droites en France*, tome 1 : *Politique*, tome 2 : *Cultures*, tome 3 : *Sensibilités*.

Jean Starobinski *Le remède dans le mal. Critique et légitimation de l'artifice à l'âge des Lumières.*

George Steiner *Réelles présences. Les arts du sens* (*Real Presences. Is there anything* in *what we say?*; traduit de l'anglais par Michel R. de Pauw).

Paul Veyne *René Char en ses poèmes.*

Bernard Williams *L'éthique et les limites de la philosophie* (*(Ethics and the Limits of Philosophy*; traduit de l'anglais par Marie-Anne Lescourret).

Yosef Hayim Yerushalmi *Le Moïse de Freud. Judaïsme terminable et interminable* (*Freud's Moses. Judaism Terminable and Interminable*; traduit de l'anglais [États-Unis] par Jacqueline Carnaud).

Composition Charente Photogravure.
Achevé d'imprimer par
Bussière Camedan Imprimeries
à Saint-Amand (Cher), le 21 mars 1996.
Dépôt légal : mars 1996.
Numéro d'imprimeur : 1/597.
ISBN 2-07-074445-0. Imprimé en France